Ibeath's Mobern Language Series

AN ANTHOLOGY

OF

GERMAN LITERATURE

BY

CALVIN THOMAS, LL. D.

LATE PROFESSOR IN COLUMBIA UNIVERSITY

D. C. HEATH & CO., PUBLISHERS

BOSTON

Printed in U. S. A.

PREFACE

THIS book is designed to accompany an introductory study of the history of German literature. It is assumed that the history itself will be learned, so far as necessary, either from lectures or from some other book devoted to the subject. As the selections were made, for the most part, while I was writing my own short history of German literature for the series published under the general editorship of Mr. Edmund Gosse and known as "Literatures of the World," it was natural that the Anthology should take on, to some extent, the character of a companion book to the History. At the same time I did not desire that either book should necessarily involve the use of the other. Hence the absence of cross references; and hence also, in the Anthology, the brief introductory notes, giving important dates and summary characterizations. These are meant to enable the student to read the selections intelligently without constant recourse to some other book.

In preparing Part First, I have had in mind the student who has learned to read the language of Goethe and Schiller with some facility, and would like to know something of the earlier periods, but has not studied, and may not care to study, Old and Middle German. On this account the selections are given in modern German translations. The original texts are omitted because space was very precious, and because the book was intended as an aid to literary rather than linguistic study. In making the selections, my first principle was to give a good deal of the best rather than a little of everything. I wished to make friends for medieval German poetry, and it seemed to me that this could best be done by showing it in its strength and its beauty. So I have ignored much that might have had a historical or linguistic interest for the scholar, and have steadily applied the criterion of literary worth.

My second principle was to give preference to that which is truly German, in contradistinction from that which is Latin, or European, or merely Christian. The Latinists of every epoch are in general disregarded, as not being of German literature in the strict sense ; yet I have devoted eight pages to *Waltharius* and three to *Rudlieb*, on the ground that the matter of these poems is essentially German, albeit their form is Latin. On the other hand, Hrotswith is not represented at all, because, while an interesting personage in her way, she belongs to German literature neither by her form nor by her matter. The religious poetry of the twelfth century receives rather scant attention, partly because it is mostly pretty poor stuff — there is not much else like the beautiful Arnstein hymn to the Virgin, No. XIII — and partly because it embodies ideas and feelings that belonged to medieval Christianity everywhere.

For each selection I have given the best translation that I could find, and where nothing satisfactory could be found in print I have made a translation myself. Where nothing is said as to the authorship of a translation, it is to be understood as my own. In this part of my work I have tried to preserve the form and savor of the originals, and at the same time to keep as close to the exact sense as the constraints of rime and meter would allow. In Nos. XI to XVII a somewhat perplexing problem was presented. The originals frequently have assonance instead of rime, and the verse is sometimes crude in other ways. An attempt to imitate the assonances and crudities in modern German would simply have given the effect of bad verse-making. On the other hand, to translate into smooth tetrameters, with perfect rime everywhere, would have given an illusory appearance of regularity and have made the translation *zu schön*. (I fear that No. VII, the selections from Otfried, for the translation of which I am not responsible, is open to this charge.) So I adopted the expedient of a line-for-line prose version, dropping into rime only where the modern equivalent of the Middle German took the form of rime naturally. After regular rime becomes established — with Heinrich von Veldeke — I have employed it in all my translations. For my shortcomings as a German versifier I hope to be regarded with a measure of indulgence. The question of inclusion or exclusion could not be made to turn on the

preëxistence of a good translation, because too much that is important and interesting would have had to be omitted. I should have
been glad to take the advice of Mephisto,

Associiert euch mit einem Poeten,

but I was unable to effect a partnership of that kind.

Beginning with No. XL, the selections are given in their original
form without modernization. While Part Second, no less than Part
First, looks to literary rather than linguistic study, it seemed to me very
desirable that the selections from writers of the sixteenth and seventeenth centuries should represent the literary language of that time.
By modernizing I could have dispensed with many a footnote and have
made the texts somewhat easier to read; but that gain would have
entailed a very unfortunate loss of savor, and have deprived the selections of all incidental value as *Sprachproben*. On the other hand, I
could see no advantage in a scrupulous reproduction of careless
punctuation, mere mistakes, or meaningless peculiarities of spelling.
As there is no logical stopping-place when an editor once begins to
retouch a text, I finally decided to follow, in each selection, either a
trustworthy reprint or else a good critical edition, without attempting
to harmonize the different editors or to apply any general rules of my
own. The reader is thus assured of a fairly authentic text, though he
will find inconsistencies of spelling due to the idiosyncrasy of editors.
Thus one editor may preserve *vnd* or *vnnd*, while another prints *und;*
one may have *itzt*, another *jtzt*, and so on.

Finally, I desire to call attention here to the fact that, while a few
selections from Lessing, Goethe, and Schiller are given, by way of
illustrating their early work in its relation to the literary renascence,
no attempt is made to deal adequately with the classical literature of
the eighteenth century. The book extends *to* the classics. I must
admit that the limit thus set is a little vague, and from a theoreti-
cal point of view not quite satisfactory; but practical considerations
decided in favor of it. To have done justice to the classics, on
the scale adopted for the rest of the book, would have required an
additional hundred pages, devoted to long extracts from works which,
for the most part, have been carefully edited for American students,
are commonly read in schools and colleges, and could be presumed to
be familiar to most users of the Anthology. As the additional matter

would thus have been largely useless, it seemed to me that the ideal gain in symmetry would be more than offset by the increased bulk and cost of the book, which was already large enough. I hold of course that anthologies have their use in the study of literary history ; but it would be a mistake, in my judgment, for any student to take up a volume of selections without having first read the more important works of Lessing, Goethe, and Schiller.

CALVIN THOMAS.

COLUMBIA UNIVERSITY,

CONTENTS OF PART FIRST

		PAGE
I.	THE LAY OF HILDEBRAND	3
II.	THE MERSEBURG CHARMS	5
III.	THE WESSOBRUNN PRAYER	6
IV.	THE MUSPILLI	7
V.	THE HELIAND	8
VI.	THE OLD SAXON GENESIS	13
VII.	OTFRIED'S BOOK OF THE GOSPELS	15
VIII.	THE LAY OF LUDWIG	22
IX.	WALTHARIUS MANU FORTIS	24
X.	RUDLIEB	32
XI.	EZZO'S LAY OF THE MIRACLES OF CHRIST	35
XII.	HEINRICH VON MELK	36
XIII.	THE ARNSTEIN HYMN TO THE VIRGIN	38
XIV.	LAMPRECHT'S LAY OF ALEXANDER	41
XV.	KONRAD'S LAY OF ROLAND	45
XVI.	KING ROTHER	50
XVII.	DUKE ERNST	54
XVIII.	THE LAY OF THE NIBELUNGS	58
XIX.	GUDRUN	73
XX.	THE EARLIER MINNESINGERS	83
XXI.	WALTER VON DER VOGELWEIDE	88
XXII.	HEINRICH VON VELDEKE'S ENEID	96
XXIII.	HARTMANN VON AUE	100
XXIV.	WOLFRAM VON ESCHENBACH	110
XXV.	GOTTFRIED VON STRASSBURG	119
XXVI.	KONRAD VON WÜRZBURG	128
XXVII.	LATER MINNESINGERS	132
XXVIII.	POEMS OF THE DIETRICH-SAGA	139
XXIX.	MEYER HELMBRECHT	148
XXX.	THOMASIN OF ZIRCLAERE	154

PAGE

XXXI. DER STRICKER 157

XXXII. FREIDANK 160

XXXIII. PLAY OF THE TEN VIRGINS 162

XXXIV. EASTER PLAYS 164

XXXV REYNARD THE FOX 171

XXXVI. PETER SUCHENWIRT 177

XXXVII. BRANT'S SHIP OF FOOLS 179

XXXVIII. FOLK-SONGS OF THE FIFTEENTH CENTURY 182

XXXIX. LATE MEDIEVAL RELIGIOUS PROSE 189

CONTENTS OF PART SECOND

XL. MARTIN LUTHER 201

XLI. ULRICH VON HUTTEN 206

XLII. THOMAS MURNER 209

XLIII. THE REFORMATION DRAMA 211

XLIV. HANS SACHS 221

XLV. FOLK-SONGS OF THE SIXTEENTH CENTURY 230

XLVI. THE CHAPBOOKS 233

XLVII. JOHANN FISCHART 239

XLVIII. JAKOB AYRER 242

XLIX. GEORG RODOLF WECKHERLIN 246

L. MARTIN OPITZ 248

LI. PAUL FLEMING 253

LII. FRIEDRICH VON LOGAU 255

LIII. ANDREAS GRYPHIUS 259

LIV. SIMON DACH 266

LV. PAUL GERHARDT 271

LVI. FRIEDRICH SPE 273

LVII. HOFMANN VON HOFMANNSWALDAU 277

LVIII. DANIEL CASPER VON LOHENSTEIN 280

LIX. HANS JAKOB CHRISTOFFEL VON GRIMMELSHAUSEN . . . 283

LX. BENJAMIN NEUKIRCH 286

LXI. JOHANN CHRISTIAN GÜNTHER 289

LXII. BARTHOLD HEINRICH BROCKES 294

LXIII. JOHANN CHRISTOPH GOTTSCHED 297

PAGE

LXIV. JOHANN JAKOB BODMER 301

LXV. ALBRECHT HALLER 305

LXVI. EWALD VON KLEIST 310

LXVII. FRIEDRICH VON HAGEDORN 314

LXVIII. CHRISTIAN FÜRCHTEGOTT GELLERT 319

LXIX. JOHANN WILHELM LUDWIG GLEIM 323

LXX. FRIEDRICH GOTTLIEB KLOPSTOCK 326

LXXI. CHRISTOPH MARTIN WIELAND 334

LXXII. GOTTHOLD EPHRAIM LESSING 342

LXXIII. JOHANN GOTTFRIED HERDER 352

LXXIV. JOHANN WOLFGANG GOETHE 360

LXXV. MINOR DRAMATISTS OF THE STORM AND STRESS ERA . . 371

LXXVI. THE GÖTTINGEN POETIC ALLIANCE 381

LXXVII. GOTTFRIED AUGUST BÜRGER 386

LXXVIII FRIEDRICH SCHILLER 392

PART I

FROM THE EARLIEST TIMES TO THE SIXTEENTH CENTURY

IN MODERN GERMAN TRANSLATIONS

I. THE LAY OF HILDEBRAND

The only surviving remnant, in the German language, of the ancient heroic poetry cultivated by the Germanic tribes prior to their Christianization. The precious fragment consists of 69 alliterating verses, which are preserved in a Kassel manuscript of the 8th or 9th century. The language shows a mixture of Low and High German, there are gaps in the text, the meaning of several words is doubtful, and the versification is here and there defective. All this, which some account for by supposing that the manuscript was copied from a version which had been written down from memory and not perfectly recalled, makes translation difficult and uncertain. The poetic version here given is that found in Bötticher and Kinzel's *Denkmäler der älteren deutschen Literatur*, 9th edition, 1905, which in the main follows Müllenhoff's text and theories with regard to gaps, transpositions, etc. For a careful prose version by a very competent scholar see Kögel's *Geschichte der deutschen Literatur*, I, 1, 212.

Das hört' ich sagen . . .
Dass zwei Kämpfer allein   sich kamen entgegen,
Hildebrand und Hadubrand,   zwischen zwei Heeren.
Sohn und Vater   besorgten ihre Rüstung,
Bereiteten ihr Schlachtkleid,   die Schwerter fest sie gürteten,   5
Die Recken über die Ringe; [1]   dann ritten sie zum Kampfe.
Hildebrand erhob das Wort;   er war der hehrere [2] Mann,
In der Welt erfahrener.   Zu fragen begann er
Mit wenigen Worten,   wer sein Vater wäre
Von den Helden im Volke . . .   10
                    . . . "oder welcher Herkunft bist du?
So du mir einen nennst,   die andern weiss ich mir,
Kind, im Königreiche: kund sind mir alle Geschlechter."
Hadubrand erhob das Wort,   Hildebrands Sohn:
"Das sagten längst mir   unsere Leute,   15
Alte und weise,   die früher waren,
Dass Hildebrand hiess mein Vater;   ich heisse Hadubrand . . . [3]

[1] 'The rings' of their corselets. — [2] Instead of *ältere*, for the sake of the alliteration. — [3] The translator here assumes (unnecessarily) that there is a gap in the text, with loss of a speech by Hildebrand.

Vorlängst zog er ostwärts,   Otakers Zorn floh er.
Hin mit Dietrich und seiner Degen vielen.

20 Er liess elend   im Lande sitzen
Das Weib in der Wohnung,   unerwachsen den Knaben,
Des Erbes beraubt,   da ostwärts er hinritt.
Dem mächtigen Otaker   war er masslos erzürnt,
Der beste der Degen   war er bei Dietrich;
25 Seitdem entbehrte   Dietrich den Beistand
— Er war so freundlos [1] —   meines Vaters:
Der war dem Volke voran stets;   fechten war immer ihm lieb.
Kund war er manchen   kühnen Mannen.
Nicht wähne ich mehr,   dass er wandelt auf Erden.''

30 Hildebrand erhob das Wort,   Heribrands Sohn:
'' Das wisse Allvater   oben im Himmel,
Dass nimmer du Worte   bis heute gewechselt
Mit so nah gesipptem Mann.'' . . .
Da wand er vom Arme   gewundene Ringe,
35 Aus Kaisermünzen [2] gemacht,   wie der König sie ihm gab,
Der Herrscher der Hunnen: '' Dass ich um Huld dir's gebe !''

Hadubrand erhob das Wort,   Hildebrands Sohn:
'' Mit dem Ger soll man   Gabe empfahen, [3]
Spitze wider Spitze.   Ein Späher bist du,
40 Alter Hunne,   (heimlich) [4] lockst du mich
Mit deinen Worten,   willst mit dem Speer mich werfen,
Bist worden so alt   nur immer Trug sinnend.
Das sagten mir Leute,   die zur See gefahren
Westwärts über den Wendelsee: [5]   Hinweg nahm der Krieg ihn,
45 Tot ist Hildebrand,   Heribrands Sohn.''

Hildebrand erhob das Wort,   Heribrands Sohn: . . . [6]
'' Wohl hör' ich's und seh' es   an deinem Harnisch,

[1] 'Friendless,' i. e. separated from his kin.   Hadubrand is giving reasons for thinking that his father is dead. — [2] 'Imperial gold' from Constantinople. — [3] Hadubrand suspects treachery and poises his spear. — [4] Inserted by the translator for the alliteration's sake. — [5] The earth-encircling sea — *oceanus ;* here the Mediterranean. — [6] The supposition is that Hildebrand's speech is missing, and that lines 47–50 form part of a reply by Hadubrand, ending with a taunt so bitter that the old warrior could not brook it even from his own son. He sees that he must fight.

Dass du daheim hast einen Herrn so gut,
Dass unter diesem Fürsten du flüchtig nie wurdest." . . .
" Weh nun, waltender Gott, Wehgeschick erfüllt sich! 50
Ich wallte der Sommer und Winter sechzig,
Da stets man mich scharte zu der Schiessenden Volk:
Vor keiner der Städte zu sterben doch kam ich;
Nun soll mit dem Schwerte mich schlagen mein Kind,
Mich strecken mit der Mordaxt, oder ich zum Mörder ihm werden! 55
Magst du nun leichtlich, wenn langt dir die Kraft,
An so altem Recken die Rüstung gewinnen,
Den Raub erbeuten, wenn du Recht dazu hast!
Der wäre der ärgste aller Ostleute,[1]
Der den Kampf dir weigerte, nun dich so wohl lüstet 60
Handgemeiner Schlacht! Es entscheide das Treffen,
Wer heute sich dürfe der Harnische rühmen
Oder der Brünnen beider walten! "
     Da sprengten zuerst mit den Speeren sie an
In scharfen Schauern; dem wehrten die Schilde. 65
Dann schritten zusammen sie (zum bittern Schwertkampf),[2]
Hieben harmlich die hellen Schilde,
Bis leicht ihnen wurde das Lindenholz,
Zermalmt mit den Waffen. . . .

II. THE MERSEBURG CHARMS

     Two incantations that date back to pagan times, albeit the manuscript, dis-
covered at Merseburg in 1841, is of the 10th century. The dialect is Frankish.
No. 1 is for loosening a prisoner's fetters, the other for curing the sprained leg
of a horse. The translation is Bötticher's.

I

Einst sassen Idise,[3] sassen nieder hier und dort.
Die hefteten Hafte, die hemmten das Heer,

---

[1] East Goths. — [2] A guess of the translator ; the meaning of the original being
quite uncertain. — [3] ' Idise ' means ' women '; here battle-maids similar in character to the Northern valkyries.

Die klaubten   an den Kniefesseln: [1]
Entspring den Banden,   entfleuch den Feinden!

2

Phol [2] und Wodan   ritten zu Walde.
Da ward Balders Pferd   der Fuss verrenket.
Da besprach ihn Sinthgunt,   (dann) Sonne, ihre Schwester;
Da besprach ihn Frija,   (dann) Volla, ihre Schwester;
Da besprach ihn Wodan,   wie er es wohl konnte,
Sei 's Beinverrenkung,   sei's Blutverrenkung,
           Sei's Gliedverrenkung:
Bein zu Beine,   Blut zu Blute,
Gelenk zu Gelenken,   als ob geleimt sie seien!

III.   THE   WESSOBRUNN   PRAYER

A Christian prayer in prose, preceded by nine defective verses which probably preserve old epic turns of expression. The dialect is Bavarian, the theme
that of Psalm xc, 2. The manuscript dates from the year 814. Wessobrunn
was the seat of a Bavarian monastery.

Das erfuhr ich unter dem Volke   als das vornehmste Wunder,
Dass Erde nicht war,   noch Überhimmel,
Noch Baum (noch Stein?) noch Gebirge war;
Dass (Stern?) gar keiner   noch Sonne schien,
5   Noch der Mond leuchtete,   noch das Meer so herrlich.
Und als da nichts war   von Enden noch Wenden,
Da war der eine   allmächtige Gott,
Der Männer mildester,   und manche waren mit ihm
Glorreiche Geister.   Und Gott der heilige. . . .

10   Allmächtiger Gott. der du Himmel und Erde geschaffen, und der du
den Menschen so vieles Gute verliehen hast, gib mir in deiner Gnade
rechten Glauben und guten Willen, Weisheit und Klugheit und
Kraft, den Teufeln zu widerstehen und Böses zu vermeiden und
deinen Willen zu wirken.

[1] 'Knee-fetters' for the sake of the alliteration; the original means simply
'fetters.' — [2] Phol is probably the same as Balder.

IV. THE MUSPILLI

A fragment of 103 alliterating verses written in the Bavarian dialect and dating from the 9th century. The beginning and end of the poem are lost. The extant verses describe the fate of the soul after death and the terrors of the final judgment. The title, which means 'destruction of the earth,' was given to the fragment by Schmeller, its first editor (1832). The translation is Bötticher's.

Lines 31–56: The battle of Elias and Antichrist and the ensuing world-fire.

So hört' ich künden   Kund'ge des Weltrechts,
Dass der Antichrist wird   mit Elias streiten.[1]
Der Würger ist gewaffnet,   Streit wird erhoben:
Die Streiter so gewaltig,   so wichtig die Sache.
Elias streitet   um das ewige Leben,   5
Will den Rechtliebenden   das Reich stärken;
Dabei wird ihm helfen,   der des Himmels waltet.
Der Antichrist steht   bei dem Altfeinde,
Steht beim Satan;   er[2] wird ihn[2] versenken:
Auf der Walstatt   wird er wund hinsinken   10
Und in dem Streite   sieglos werden.
Doch glauben viele   Gottesgelehrte,
Dass Elias auf der Walstatt   Wunden erwerbe.
Wenn Elias' Blut   auf die Erde dann träufelt,
So entbrennen die Berge,   kein Baum mehr stehet,   15
Nicht einer auf Erden,   all Wasser vertrocknet,
Meer verschlingt sich,   es schwelt in Lohe der Himmel,
Mond fällt,   Mittelgart[3] brennt,
Kein Stein mehr steht.   Fährt Straftag ins Land,
Fährt mit Feuer,   die Frevler zu richten: 20
Da kann kein Verwandter   vor dem Weltbrand[4] helfen.
Wenn der Erdflur Breite   ganz nun verbrennt,
Und Feuer und Luft   ganz leer gefegt sind,
Wo ist die Mark, wo der Mann   stritt mit den Magen?

[1] The idea that the last judgment would be preceded by a great battle between Eliiah and Antichrist rests upon extra-biblical tradition; but see Malachi iv, 5. — [2] Der des Himmels waltet, wird den Satan zum Falle bringen. — [3] The earth; Norse *midgard*. — [4] The original has *muspille*; whence the title.

25 Die Stätte ist verbrannt,   die Seele steht bedrängt,
Nicht weiss sie, wie büssen: so wandert sie zur Pein.

Lines 73–84: The summons to the last judgment.

Wenn laut erhallet   das himmlische Horn,
Und sich der Richter   anschickt zur Reise,
Dann erhebt sich mit ihm   gewaltige Heerschar,
30 Da ist alles so kampflich,   kein Mann kann ihm trotzen.
So fährt er zur Richtstatt,   wo errichtet der Markstein,
Da ergeht das Gericht,   das dorthin man berufen,
Dann fahren die Engel   hin über die Marken,
Wecken die Toten,   weisen zum Thinge.
35 Dann wird erstehen   vom Staube männiglich,
Sich lösen von Grabes Last;   dann wird das Leben ihm kommen,
Dass all seine Sache   er sagen müsse,
Und nach seinen Werken   ihm werde das Urteil.

V. THE HELIAND

An Old Saxon Messiad written in the first half of the 9th century (between 814 and 840) for the purpose of familiarizing the lately converted Saxons with the life of Christ. Nothing is known of the author except that he was a learned cleric who had some skill in handling the old alliterative verse, which had now nearly run its course. A few verses are lacking at the end of the poem, which breaks off, with the story nearly all told, at line 5983. The name ' Heliand,' Old Saxon for ' Savior,' was given to the poem by Schmeller, who edited it in 1830. The selections are from Edmund Behringer's *Heleand*, 1898.

Lines 1189–1202: The calling of Matthew to discipleship.

Da wanderte des Waltenden Sohn
Mit den vieren vorwärts;   sich den fünften dann erkor
Kristus an einer Kaufstätte,   eines Königes Jünger,
Einen mutigen, klugen Mann,   Mattheus geheissen,
5 Er war beamteter   edler Männer.
Er sollte zu Handen   seines Herrn hier annehmen
Zins und Zoll.   Treue zeichnete ihn aus,
Den angesehenen Adeligen;   alles zusammen verliess er,
Gold und Geld,   die Gaben in Menge,

Hochwerte Schätze, und er ward unseres Herrn Dienstmann. 10
Es erkor sich des Königs Degen Kristus als Herrn,
Der milderen Gemütes gab, als der, dessen Mann er war,
Ihn, der waltet über diese Welt; wonnigere Gaben gewährt dieser,
Lange währende Lebensfreude.

Lines 2006-2048 : The turning of water into wine at Cana.

Voll Lust waren beisammen die Landessöhne, 15
Die Helden heiteren Herzens, hin und her eilten Diener,
Schenken mit Schalen trugen schimmernden Wein
In Krügen und Kannen. Gross war der Kühnen Jubel,
Beseliget in dem Saale. Da dort unter sich auf seinen Sitzen
Am fröhlichsten das Volk sein Freudengetön erhob; 20
Als der Wonne voll sie waren, da gebrach es ihnen an Wein,
Den Landeskindern an Lautertrank,[1] nichts war übrig gelassen
Irgendwo in dem Hause, was vor die Heerschar fürder
Die Schenken trügen, sondern die Schäffer[2] waren
Des Lautertrankes leer. Da war es nicht lange hernach, 25
Dass dieses sofort erfuhr der Frauen schönste,
Kristi Mutter; sie kam, mit ihrem Kinde zu sprechen,
Mit ihrem Sohne selbst, sie sagte ihm sogleich,
Dass da die Wehrhaften nicht mehr des Weines hätten
Für die Gäste beim Gastmahle; bittend begehrte sie, 30
Dass hiefür der heilige Krist Hilfe schüfe
Den Wehrhaften zu Willen. Da hatte hinwieder sein Wort bereit
Der mächtige Gottessohn, und zu seiner Mutter sprach er:
" Was liegt dir und mir an dieser Mannen Trank,
An dieses Festvolkes Wein? Warum sprichst du, Frau, hierüber so
    viel, 35
Mahnst mich vor dieser Menge? Noch sind meine
Zeiten nicht gekommen! "
                    Dann hegte doch sicheres Zutraun
In ihres Herzens Tiefe die heilige Jungfrau,
Dass nach diesen Worten des Waltenden Sohn,

---

[1] M. H. G. *lûtertranc,* a sort of spiced claret. — [2] The ' vessels ' from which wine was poured into the cups.

40 Der Heilande bester, helfen wollte.
   Es trug da auf den Amtleuten   der Edelfrauen schönste,
   Den Schenken und Schöpfwarten, die dort den Scharen aufwar-
       ten sollten,
   Nicht von Wort noch Werk   irgendwas zu unterlassen,
   Was sie der heilige Krist   heissen würde
45 Zu leisten vor den Landessöhnen.   Leer standen dort
   Der Steinfässer sechse; da gebot so stille
   Der mächtige Gottessohn,   so es der Männer viele
   In Wahrheit nicht wussten, wie er es mit seinen Worten gespro-
       chen;
   Er hiess die Schenken da   mit schimmerndem Wasser
50 Füllen die Gefässe   und hat dies da mit seinen Fingern dort
   Selber gesegnet; mit seinen Händen
   Verwandelt' er Wasser in Wein.   Er liess aus den weiten Gefässen
   Schöpfen mit einer Schale, und zu den Schenken sprach er da,
   Hiess sie von den Gästen,   die bei dem Gastmahle waren,
55 Dem Hehrsten   in die Hand geben
   Ein volles Gefäss, dem,   der über das Volk dort
   Dem Wirte zunächst gewaltet.

Lines 2235–2264: | *The stilling of the storm on the sea of Galilee.* |

         Da hiess er die anderen Wehrmänner
   Weiter wandern;   und mit wenigen nur bestieg
60 Einen Kahn   Kristus, der Heiland,
   Schlummermüde zu schlafen. Die Segel liessen schwellen
   Die wetterweisen Wehrmänner,   leiteten den Wind hinein,
   Trieben auf dem Meerstrom, bis in die Mitte kam
   Der Waltende mit seinen Wehrhaften.   Da begann des Wetters
       Gewalt,
65 Stürme stiegen auf, die Stromfluten wuchsen,
   Her schwang sich Wolkengeschwirr,   es schäumte der See,
   Es wütete Wind und Wogen;   die Wehrmänner bangten,
   Das Meer war wildmutig,   nicht wähnte der Männer einer
   Länger zu leben. Da eilten sie, den Landeswart
70 Zu wecken mit ihren Worten   und wiesen ihm des Wetters Wut.

Baten, dass ihnen hilfreich   würde Kristus, der Heiland,
Wider die Wasser,   oder " wir werden hier in Weh und Angst
Versinken in diesem See." Selbst erhob sich
Der gute Gottessohn, gnädig sprach er zu seinen Getreuen,
Forderte sie auf bei der Wellen Aufruhr   die Angst zu besiegen: 75
"Warum seid ihr so in Furcht ?   Noch nicht ist gefestigt euer
        Herz,
Euer Glaube zu gering; vergehen wird kurze Zeit,
Und stille wird werden   die Sturmflut,
Wonnesam der Lüfte Wehen." Da sprach zu dem Winde er
Und zu dem See ebenso   und hiess sie sanfter sich   80
Beide gebaren. Seinem Gebote gehorchten sie,
Dem Worte des Waltenden; die Wellen wurden stille,
Friedlich die Flut. Da fing das Volk unter sich an,
Die Wehrhaften, sich zu wundern; manche fragten mit Worten,
Was das für ein so mächtiger   unter den Männern wäre,   85
Dass ihm so der Wind und die Woge   auf sein Wort gehorchten,
Beide seinem Gebote.

Lines 4858–4931 : The smiting of Malchus by Simon Peter.

        Die weisen Männer standen
In tiefem Kummer,   Kristi Jünger,
Vor dem Frevel der Frechheit und zu ihrem Fürsten riefen sie: 90
" Wäre es dein Wille," sagten sie, " waltender Herr,
Dass durch des Speeres Spitze   wir sterben sollten,
Wund durch die Waffen,   dann wäre für uns nichts so wertvoll,
Als dass wir hier für unsern Herrn   hinsinken müssten,
Erbleicht im Kampfbegier." Erbost wurde da   95
Der schnelle Schwertdegen,   Simon Petrus,
Mächtig wallte ihm innen sein Mut, dass er nicht vermochte ein
        Wort zu sprechen;
So harmvoll war ihm um das Herz, dass man seinen Herrn da
Binden wollte. Erbost schritt er dahin,
Der treugemute Degen,   zu treten vor seinen Fürsten,   100
Hart vor seinen Herrn;   nicht war sein Herz in Zweifel,
Nicht blöde in seiner Brust, sondern sein Beil zog er,

Das scharfe, an seiner Seite,   schlug es entgegen
Dem vordersten der Feinde   mit der Fäuste Kraft.
105 Da ward Malchus   durch des Beiles Macht
An der rechten Seite   gerötet durch die Waffe,
Das Gehör ward ihm verhauen,   an dem Haupte wurde er wund,
Dass die Todeswunde   traf Kinn und Ohr,
Das Bein zerbarst.   Blut sprang nach,
110 Wallend aus der Wunde.   Da war schartig an seinen Wangen
Der vorderste der Feinde;   da schaffte das Volk Raum,
Des Beiles Biss fürchtend.   Da sprach aber der Gottgeborene,
Selber zu Simon Petrus,   hiess sein Schwert ihn stecken,
Das scharfe, in die Scheide: "Wenn ich gegen diese Schar," sprach er,
115 "Gegen dieser Männer Ansturm   Kampfweise wollte üben,
Dann mahnte ich den erlauchten,   mächtigen Gott,
Den heiligen Vater   im Himmelreiche,
Dass er mir zahlreiche Engel   von oben sendete,
Kampfeskundige;   ihrer Waffen Kraft würden nimmer
120 Diese Männer ertragen.   Keine Macht stünde je, selbstgeeint,
So fest unter den Völkern,   dass ihm das Leben gefristet
Werden möchte;   aber es hat der waltende Gott,
Der allmächtige Vater,   es anders geordnet,
Dass wir mit Milde ertragen alles,   was uns diese Männerschar
125 Bitteres bringet.   Nimmer sollen erbost
Wir uns wehren wider den Angriff,   weil jeder, der Waffenhass,
Grimmen Gerkampf,   gerne üben will,
Oft hinschwindet   durch des Schwertes Schärfe,
Blutigen Todes stirbt;   durch unsere Taten
130 Soll nichts verwüstet werden."
                    Hinschritt er da zu dem wunden Manne,
Fügte mit Vorsicht   das Fleisch zusammen,
Die Wunde am Haupte,   dass sofort geheilet ward
Des Beiles Biss,   und es sprach der Gottgeborene
Zu der wütenden Wehrschar: "Wunder dünket mich mächtig,"
        sprach er,
135 "Wenn ihr meinem Leben   was Leides wolltet tun,
Warum ihr mich nicht fasstet,   da ich unter eurem Volke stand,

In dem Weihtume innen   und Worte so zahlreich,
Wahrhaftige, sagte.   Da war Sonnenschein,
Trauliches Tageslicht,   da wolltet ihr mir nichts tun
Leides in diesem Lichte,   und nun leitet ihr mir eure Leute zu   140
In düsterer Nacht,   so man Dieben tuet,
Wenn man sie fahen will,   die Frevler, die da haben
Verwirket ihr Leben."
                      Das Wehrtum der Juden
Ergriff nun den Gottessohn,   das grimme Volk,
Der Hassenden Haufe,   die Heerschar umdrängte ihn   145
Der übermütigen Männer,   nicht achteten sie die Missetat,
Hefteten mit eisenharten Banden   seine Hände zusammen,
Seine Arme mit Fesseln.   Nicht war ihm so furchtbare Pein
Zu ertragen Not,   Todesqual
Zu erdulden, solche Marter;   aber für die Menschheit tat er es,   150
Weil die Erdgeborenen   er wollte erlösen,
Heil entnehmen der Hölle   für das Himmelreich,
Für die weite Welt des Wohlseins;   deshalb widersprach er auch nicht
Dem, was mit trotzigem Willen   sie ihm wollten antun.
Da wurde darüber frech   das übermütige Volk der Juden,   155
Die Heerschar wurde hochmütig,   weil sie Kristus den Heiligen,
In leidigen Banden   hinleiten konnte,
Führen in Fesseln.   Die Feinde schritten wieder
Von dem Berge zu der Burg,   es ging der Gottgeborene
Unter dem Haufen,   an den Händen gebunden,   160
Trauernd zu Tale.

VI. THE OLD SAXON GENESIS

A fragment, or rather several fragments, of a poetic version of Genesis,
contemporary with the *Heliand* and possibly by the same author. They were
discovered at the Vatican Library in 1894 and comprise in all 337 lines. The
translation is by Vetter, *Die neuentdeckte deutsche Bibeldichtung*, 1895.

Lines 27–79 ; The punishment of Cain.

Er wandelte zur Wohnung,   gewirkt war die Sünde,
Die bittre am Bruder;   er liess ihn am Boden liegen

In einem tiefen Tale   betäubt im Blute,
Des Lebens ledig;   zur Lagerstatt hatte
5 Den Sand der Geselle.   Da sprach Gott selbst jenen an,
Der Waltende, mit seinen Worten —   ihm wallte sein Herz
Unmilde dem Mörder —   er fragte ihn, wo er den Mann hätte,
Den blutjungen Bruder.   Der Böse drauf sprach —
Er hatte mit seinen Händen   grosse Harmtat
10 Frevelnd gewirkt;   die Welt war so sehr
Mit Sünden besudelt: —   " Zu sorgen nicht brauch' ich,
Zu wachen, wohin er wandle,   noch wies mich Gott an,
Dass ich sein hätte   irgend zu hüten,
Zu warten in der Welt."   Er wähnte fürwahr,
15 Dass er verhehlen könne   seinem Herren
Die Untat und bergen.   Ihm gab Antwort unser Herr:
" Ein Werk vollführtest du,   des fürder dein Herz
Mag trauern dein Lebtag,   das du tatst mit deinen Händen;
Des Bruders Mörder bist du;   nun liegt er blutig da,
20 Von Wunden weggerafft,   der doch kein einig Werk dir,
Kein schlechtes, beschloss;   aber erschlagen hast du ihn,
Hast getan ihm den Tod;   zur Erde trieft sein Blut;
Die Säfte entsickern ihm,   die Seele entwandelt,
Der Geist, wehklagend,   nach Gottes Willen.
25 Es schreit das Blut zum Schöpfer   und sagt, wer die Schandtat
        getan,
Das Meinwerk in diesem Mittelkreis;   nicht mag ein Mann freveln,
Mehr unter den Menschen   in der Männerwelt
Mit bittren Bosheitswerken,   als du an deinem Bruder hast
Untat geübt."   Da ängstete sich
30 Kain nach des Herrn Worten;   er bekannte wohl zu wissen,
Nie möge vor dem Allmächtigen   ein Mann, solang die Welt steht,
Eine Tat vertuschen: " So muss ich darob nun betrübten Sinn
Bergen in meiner Brust,   dass ich meinen Bruder schlug
Durch meiner Hände Kraft.   Nun weiss ich, dass ich muss unter
        deinem Hasse leben
35 Fürder, unter deiner Feindschaft,   da ich diesen Frevel getan.
Nun mich meine Schandtat   schwerer dünkt,

Die Missetat mächtiger als die Milde deines Herzens:
So bin ich des nicht würdig, allwaltender Gott,
Dass du die schreckliche Schuld mir vergebest,
Von dem Frevel mich befreiest. Der Frommheit und Treue 40
Vergass mein Herz gegen deine Heiligkeit; nun weiss ich, dass ich
    keinen Tag mehr leben kann;
Erschlagen wird mich, wer auf meinem Weg mich findet,
Austilgen ob meiner Untat." Da gab ihm Antwort selber
Des Himmels Herrscher: " Hier sollst du fürder
Noch leben in diesem Lande. So leid du allen bist, 45
So befleckt mit Freveln, doch will ich dir Frieden schaffen,
Ein Zeichen an dir setzen, dass du sicher magst
Weilen in dieser Welt, ob du des auch nicht würdig seist:
Flüchtig doch sollst du friedlos für und für
Leben in diesem Lande, solang du dieses Licht schaust; 50
Verfluchen sollen dich die Frommen, du sollst nicht fürder vor deines
    Herrn Antlitz treten,
Noch Worte mit ihm wechseln; wallend wird
Die Strafe für den Bruder dich brennen in der Hölle."

VII. OTFRIED'S BOOK OF THE GOSPELS

A Messiad written in the dialect of the southern Rhenish Franks and comprising some 15,000 lines in five books. It was completed after years of toil about 870. Its author, a monk of Weissenburg in Alsatia, is the earliest German author whose name is known and the first to employ rime or assonance in place of alliteration. The selections are from the translation in Bötticher and Kinzel's *Denkmäler, II, 3,* in which the crude assonances of the pioneer are replaced by regular modern rimes.

    Book I, section 1, lines 1–34 : Otfried tells why he wrote in German.

Es hat viel Leute schon gegeben, die waren stark in dem Bestreben,
Durch Bücherschreiben zu bereiten sich gut Gerücht für alle Zeiten;
Und darauf auch gerichtet war ihr starkes Sehnen immerdar,
Dass man in Büchern es erzählte, wie ihnen Tatenlust nicht fehlte.
Dazu verlangte ihre Ehre, dass auch ihr Scharfsinn sichtbar wäre, 5
So wie der Anmut schöne Feinheit in ihres Dichtens klarer Reinheit.

Sie haben alles, wie's sich schickt,   sorgsam und kunstvoll ausge-
drückt,

Und haben's gut herausgefunden — zwar dunkel scheint's, doch
wohl verbunden —

Wodurch es dann auch dazu kam, dass jedermann sie gern vernahm,

10 Und wer daran Gefallen fand, des Witz sich übte und Verstand.

Wie leicht wohl könnte man dafür gar vieler Leute Namen hier

Aufzählen und besonders nennen, von denen wir die Bücher kennen.

Griechen und Römer, hochberühmt, die machen's, wie es sich
geziemt,

Und haben's also hergestellt, wie es dir immer wohlgefällt.

15 Sie machen's nach dem rechten Mass und schlecht und recht ohn'
Unterlass;

So muss es denn ein Ganzes sein, grad' so, als wär's aus Elfenbein.

Wenn man die Taten so erzählt, die Lust zum Leben keinem fehlt.

Und willst du dich zur Dichtung kehren, so wirst du deine Einsicht
mehren.

So wohl der Prosa schlichtes Wesen wirst mit Genuss du immer
lesen,

20 Als auch des Metrums feine Zier ist eine reine Freude dir.

Sie machen es mit vieler Süsse und messen gut der Verse Füsse,

Ob kurz, ob lang sie müssen sein, auf dass es würde glatt und fein.

Auch darauf stets ihr Trachten geht, dass jede Silbe sicher steht,

Und dass ein jeder Vers so klingt, wie jeder Versfuss es bedingt.

25 Sie zählen mit Genauigkeit die Läng' und Kürze jeder Zeit,

Und sichre Grenzen sind gezogen, wonach das Silbenmass gewogen.

Auch säubern sie's mit rechter Reinheit und auch mit ausgesuchter
Feinheit,

So wie ein Mann mit Fleiss und Treu' die Körner sondert von der
Spreu.

Ja, selbst den heil'gen Büchern geben sie eine Versform rein und eben,

30 Kein Fehler findet sich darin, so liest du es mit frohem Sinn. —

Nun, da so viele es betreiben, dass sie in eigner Zunge schreiben,

Und da sie eifrig danach streben, sich selber rühmend zu erheben,

Wie sollten da die Franken zagen, auch selber den Versuch zu
wagen,

Dass sie's mit Eifer dahin bringen, auf Fränkisch Gottes Lob zu singen?

Zwar ist der Sprache nicht bekannt der Regeln festgefügtes Band, 35
Doch fehlt der grade Ausdruck nicht, noch auch die Einfalt schön und schlicht.

I, 1, lines 59–90 : The same theme continued ; Otfried praises the Franks.

Sie sind genau so unverzagt, wie man es von den Römern sagt.
Auch darf man nicht zu sagen wagen, dass kühnern Mut die Griechen tragen.
Ganz ebenso ist es bewandt mit ihrem Wissen und Verstand.
Sie sind voll Mut und Tapferkeit an jedem Ort, zu jeder Zeit, 40
Viel Macht und Ansehn haben sie, und Kühnheit fehlet ihnen nie.
Zum Schwerte greifen sie verwegen, das ist die Art der wackern Degen.
Vollauf versehn und wohl im Stande, so wohnen sie in reichem Lande.
Von alters her ihr Gut sich mehrt, derhalben sind sie hochgeehrt.
Gar schön und fruchtbar ist ihr Land; wem wäre dies nicht wohlbekannt? 45
Es gibt dort vielerlei Gewinnst — es ist nicht eigenes Verdienst —
Dort kann man Erz und Kupfer haben, das zum Gebrauche wird gegraben.
Und denket nur, wie wunderbar! Eissteine[1] gibt es dort sogar.
Und von Metallen man noch füge dazu das Silber zur Genüge;
Auch lesen sie daselbst im Land Gold, das sie finden in dem Sand. 50
Es ist ihr Sinnen fest und stet, das immer nur aufs Gute geht,
Und ist zum Nutzen hingewandt, so wie sie's lehret ihr Verstand.
Sie sind zu jeder Zeit bereit, zu schützen sich vor Feindes Neid;
Der mag nichts gegen diese wagen, zu Boden wird er stets geschlagen.
Kein Volk gibt's, das ihr Land berührt, das ihre Gegenwart nicht spürt; 55
Sie dienen ihnen notgedrungen, von ihrer Tüchtigkeit bezwungen.
Sie haben alles Volk besiegt, wo nicht die See dazwischen liegt.

[1] ' Crystals,' or perhaps ' iron ore.'

Nach Gottes Willen und Gedanken   hat jedermann Furcht vor
    den Franken,
Da nirgendwo ein Volk wohl lebt,   das da nach Kampf mit jenen strebt.
60 Den Feinden haben sie mit Waffen   Beweise oft genug geschaffen
Und haben gründlich sie belehrt   nicht mit dem Wort, nein, mit dem
    Schwert,
Mit Speeren scharf und spitz geschliffen,   deshalb hat alle Furcht
    ergriffen.
Kein Volk gibt's, das nicht deutlich wüsste: trägt es nach Franken-
    krieg Gelüste,
Dann sinken sie dahin geschwind,   wenn's Meder auch und Perser
    sind!
65 Ich las dereinst in einem Buch   und weiss es drum genau genug:
    Ganz eng verwandt sind mit einander   das Frankenvolk und Alex-
        ander,
Der aller Welt ein Schrecknis war,   die er besiegte ganz und gar,
Die er darnieder zwang und band   mit seiner allgewalt'gen Hand.

> *I, 17, lines 9–62:* The Magi and the star of Bethlehem.

Da kamen Leute in das Land   von Osten, denen war bekannt
70 Der Sonne und der Sterne Lauf;   denn all ihr Sinnen ging darauf.
Nun fragten diese nach dem Kind   bei der Gelegenheit geschwind
Und kündeten zugleich die Märe,   dass dieses Kind der König wäre,
Und forschten eifrig immerfort   nach dieses Knaben Heimatort
Mit stetem Bitten und mit Fragen,   man möcht' es ihnen doch ja
    sagen
75 Und auch die Wegfahrt zeigen an,   auf der zum Kind man kommen
    kann.
Nun sprachen sie auch von dem Zeichen,   das seltsam war und
    ohnegleichen,
Dass hier von einer Jungfrau zart   jemals ein Mensch geboren ward,
Und dass ein Zeichen schön und klar   im Himmelsraum erschienen
    war.
Sie sagten, dass sie hoch und fern   plötzlich erblickten einen Stern,
80 Und machten ruchbar laut und frei,   dass dies der Stern des Herren
    sei:

" Sein Stern sich uns gezeiget hat,   wenn wir auch irrten[1] in der Stadt,
Wir sind gekommen anzubeten,   dass seine Gnade wir anflehten.
So ist uns denn im Osten fern   daheim erschienen dieser Stern.
Lebt nun wohl einer hier im Land,   dem davon etwas ist bekannt?
So viel wir Sterne auch gezählt,   der hat bis jetzt uns stets gefehlt;   85
Derhalben glauben alle wir,   ein neuer König zeigt sich hier.
Das haben Greise uns gelehrt   zu Hause, klug und hochgeehrt;
Nun bitten wir euch vorzutragen,   was eure Bücher davon sagen."
Als nun zum König selbst sofort   die Kunde drang von diesem Wort,   *Herodes*
Ward durch die Nachricht er sogleich   von Angst erfüllt und schreck-
        ensbleich,   90
Und auch so mancher andre Mann   daraus viel Traurigkeit gewann.
Die hörten ungern und mit Schmerzen,   was uns mit Freude füllt
        die Herzen.
Die weisen Schriftgelehrten dort   versammelten sich dann sofort
Und forschten, wo auf dieser Erde   wohl Christ der Herr geboren
        werde,
Und wandten sich in diesen Tagen   auch an die Priester mit den
        Fragen.   95
Doch mocht' er arm sein oder reich,   stets lautete die Antwort gleich.
Sie nannten ihm sogleich die Stadt,   wie's früher schon bezeuget hat
Vom alten Bunde manch Prophet,   so wie es aufgeschrieben steht.
Als es ihm so ward offenbar,   wo Christ der Herr geboren war,
Ersann er schnell und fürchterlich   nun eine grosse Bosheit sich.   100
Er liess die Weisen zu sich kommen   von denen ihr durch mich ver-
        nommen,
Die fing er heimlich an zu fragen   und ohne andern es zu sagen
Und forschte dann mit Emsigkeit   nach dieses Sternes Ankunftszeit
Und bat sie selber zu ergründen,   wo wohl das Kindlein sei zu finden:
" Vergesst nicht, mir zu offenbaren   den Weg, den dieser Stern wird
        fahren,   105
Und reiset dann an jenen Ort   und fraget nach dem Kindlein dort.
Wenn ihr dort angekommen seid,   dann forscht nach ihm mit Emsig-
        keit

[1] They had assumed that the promised king would be born in Jerusalem
instead of Bethlehem.

Und tut es schleunig mir zu wissen,   der Arbeit seid nur recht be-
       flissen;
Ich bete ihn dann selber an,   dazu riet mir gar mancher Mann,
110 Auf dass ich selber danach strebe,   dass ich dem Kind Geschenke
       gebe."
Wie kläglich jener Mann da log   und gegen Recht und Wahrheit
       trog!
Er wünschte, dass der Heiland stürbe,   dass unser Segen so ver-
       dürbe!
Als sie gehört des Königs Wort   und nach dem Ziele eilten fort,
Da zeigte ihnen sich von fern   sogleich der wunderbare Stern!
115 Wie waren sie da hochentzückt,   als sie ihn alsobald erblickt!
Erfreut versäumten sie es nicht,   ihn zu behalten im Gesicht,
Er führte sie auch dorthin klar,   wo Gottes Kind zu finden war.
Und da, wo ging des Sternes Bogen,   sind sie ihm willig nachge-
       zogen;
Da haben sie das Haus gesehn   und nicht gezögert hinzugehn.
120 Da fanden sie denn auch geschwind   die Mutter mit dem guten Kind
Und fielen eilig vor ihm nieder,   die guten Männer, treu und bieder;
Sie beteten das Kindlein an   und baten es um Gnade dann.

   I, 18, lines 1–34 : Symbolical meaning of the return of the Magi.

Daran ermahnt uns diese Reise,   dass auch wir selbst in gleicher
       Weise
Mit Eifer dafür Sorge tragen,   das Land der Heimat zu erfragen.
125 Doch ist dies, glaub' ich, nicht bekannt: das Paradies wird es ge-
       nannt.
Hoch rühmen ich es kann und muss,   doch fehlet mir der Rede Fluss.
Und wenn auch jedes meiner Glieder   Rede und Sprache gäbe wieder
So hätt' ich's niemals unternommen,   mit seinem Lob zu End' zu
       kommen.
Doch siehst du's nicht mit eignen Augen,   was können meine Worte
       taugen?
130 Und selbst dann wird sehr viel dran fehlen,   dass du es könntest
       her erzählen.
Dort gibt es Leben ohne Tod,   Licht ohne Finsternis und Not,

Dazu der Engel schöne Schar   und sel'ge Minne immerdar.
Das haben selbst wir aufgegeben,   des müssen wir in Trauer leben,
Und innen muss uns heimatwärts   sich klagend sehnen unser Herz.
Sind wir doch selbst herausgegangen,   in userm Übermut befangen, 135
Denn uns verlockte leis' und stille   des Herzens eigner böser Wille.
Wir haben Schuld auf uns geladen,   das ist jetzt klar zu unserm
      Schaden.
Nun weinen wir im fremden Land,   von Gott verstossen und ver-
      bannt.
Ja, unbenutzt liegt und verloren   das Erbgut, das für uns erkoren.
Nichts nützt uns dieses grosse Gut,   das macht nur unser Übermut.   140
So wird denn, ach! von uns entbehrt   das Schöne, das uns war
      beschert,
Wir müssen bittre Zeiten dulden   von nun an nur durch unsre
      Schulden.
Viel Leid ist uns und Not bekannt   mit Schmerzen hier in diesem
      Land,
Voll Wunden sind wir und voll Pein   um unsre Missetat allein,
Viel Elend und Mühseligkeit,   das ist hier stets für uns bereit.   145
Zur Heimat können wir nicht reisen,   wir jammervollen, armen
      Waisen.
O weh, du fremdes Schreckensland,   wie hab' ich dich als hart
      erkannt!
Ach, wie so schwer ertrag' ich dich,   das sage ich dir sicherlich!
Nur Müh' und Not wird dem gegeben,   der nicht kann in der Heimat
      leben.
Ich hab's erfahren ja an mir,   nichts Liebes fand ich je an dir.   150
Ich fand an dir kein ander Gut   als Jammer und betrübten Mut,
Ein tief verwundet, wehes Herz   und mannigfaches Leid und
      Schmerz!
Doch kommt uns einmal in den Sinn,   dass uns verlangt zur Heimat
      hin,
Und hat sich unser Herz gewandt   voll Sehnsucht nach dem Vaterland,
Dann fahren wir, wie jene Mannen,   auf andrer Strasse gleich von
      dannen,   155
Auf dem Weg, welcher führt allein   in unser Vaterland hinein.

A riming (assonating) song in the dialect of the Rhenish Franks, composed in glorification of a victory won by Ludwig III over the Normans at Saucourt (between Abbeville and Eu). The battle was fought Aug. 3, 881, and the song must have originated soon afterwards; for it speaks of the king as living, and he died in 882. The translation is a literal line-for-line version, the rimes and assonances being disregarded.

Einen König weiss ich, er heisst Herr Ludwig,
Er dient Gott gerne; ich weiss, er lohnt es ihm.
Als Kind ward er vaterlos; dafür ward ihm bald Ersatz:
Der Herr berief ihn, sein Erzieher ward er.
5   Er gab ihm Tüchtigkeit, herrliche Degenschaft,
Den Thron hier in Franken; so brauch' er ihn lange!
Das teilte er dann sofort mit Karlmann,
Seinem Bruder, die Fülle der Wonnen.
Als das alles geendet ward, wollte Gott ihn prüfen,
10   Ob er Mühsal so jung dulden könnte.
Er liess heidnische Männer über See kommen,
Das Volk der Franken ihrer Sünden zu mahnen.
Einige wurden bald verloren, einige erkoren.
Züchtigung duldete, wer früher misgelebet.
15   Wer dann ein Dieb war, und von dannen sich rettete,
Nahm seine Fasten; danach ward er ein guter Mann.
Mancher war Lügner, mancher Raubmörder,
Mancher voll Zuchtlosigkeit, und er befreite sich davon.
Der König war entfernt, das Reich ganz zerrüttet,
20   Christus war erzürnt: leider, des entgalt es.[1]
Doch Gott erbarmte sich dessen, er wusste all die Not.
Er hiess Ludwig sofort dahin reiten:
"Ludwig, mein König, hilf meinen Leuten!
Die Normannen haben sie hart bedrängt."
25   Da sprach Ludwig: "Herr, so tue ich,
Wenn mich der Tod nicht hindert, alles, was du gebietest."
Da nahm er Gottes Urlaub, er hob die Kriegsfahne auf.

---

[1] 'It' (the kingdom) atoned for 'that' (the wrath of Christ).

Er ritt dahin in Frankreich   gegen die Normannen.
Gott sagten Dank,   die seiner harrten,
Sie sagten alle: "Mein Herr, wie lange harren wir dein!"   30
Da sprach laut   Ludwig der gute:
"Tröstet euch, Gesellen,   meine Notgefährten,
Her sandte mich Gott   und mir selber gebot,
Ob es euch Rat dünkte,   dass ich hier föchte,
Mich selber nicht schonte,   bis ich euch rettete.   35
Nun will ich, dass mir folgen   alle Gottes Holden.
Beschert ist das Hiersein,   so lange Christus will.
Will er unsere Hinfahrt,   deren hat er Gewalt.
Wer hier mit Kraft   Gottes Willen tut,
Kommt er gesund davon,   ich lohne es ihm;   40
Bleibt er darin,   seinem Geschlechte."
Da nahm er Schild und Speer,   kraftvoll ritt er,
Er wollte die Wahrheit darlegen   seinen Widersachern;
Da war es nicht sehr lang,   er fand die Normannen,
Gott sagte er Lob,   er sieht, dessen er begehrte.   45
Der König ritt kühn,   sang ein heilig Lied,
Und alle sangen zusammen: "Kyrie eleison!"[1]
Der Sang war gesungen,   der Kampf war begonnen.
Blut schien auf den Wangen,   froh kämpften da die Franken.
Da focht der Degen jeglicher,   keiner so wie Ludwig,   50
Hurtig und kühn;   das war ihm angeboren.
Manchen durchschlug er,   manchen durchstach er.
Er schenkte zu Handen   seinen Feinden
Bitteres Trankes;   so weh ihnen stets des Lebens!
Gelobt sei Gottes Kraft!   Ludwig ward sieghaft.   55
Und allen Heiligen Dank!   Sein ward der Siegkampf.
Heil aber Ludwig,   König kampfselig!
So bereit wie er stets war,   wo irgend des Not war,
Erhalte ihn der Herr   bei seiner Herrlichkeit!

[1] Κύριε ἔλεισον, Lord have mercy.

IX. WALTHARIUS MANU FORTIS
Starkhand

A Latin poem in Vergilian hexameters, composed about 930 by Ekkehard, a pupil in the monastic school at St. Gall, and afterwards revised by another monk of the same name. It is based on a lost German poem and preserves, with but little admixture of Christian and Latin elements, a highly interesting saga of the Hunnish-Burgundian cycle. The selections are from the transla tion by H. Althof, in the *Sammlung Göschen.*

Lines 215–286: Walter and Hildegund plot to escape from Etzel's court.

Siehe, da eilte herab von der Burg des Palastes Gesinde,
Freute sich sehr, ihn wiederzusehn, und hielt ihm das Streitross,
Bis der preisliche Held dem hohen Sattel entstiegen,
Richtet die Frage an ihn,[1] ob günstig die Sache verlaufen.
5 Wenig erzählte er nur, denn müde war er, und trat dann
Ein in die Burg und eilte darauf zum Gemache des Königs.
Aber er fand auf dem Wege die einsam sitzende Hildgund
Und er sagte zu ihr nach süssem Kuss und Umarmung:
" Bringe mir schnell zu trinken, denn müde bin ich und durstig."
10 Eilig füllte mit Wein sie drauf den köstlichen Becher,
Reichte dem Helden ihn dar, der fromm ihn bekreuzte und an
     nahm
Und mit der Hand darauf die Rechte der Jungfrau umfasste.
Schweigend stand sie dabei und sah dem Manne ins Antlitz.
Und es reichte ihr Walter sodann das geleerte Gefäss hin;
15 Wohl war beiden bekannt, dass einst sie verlobt mit einander.
Und er sprach zu der teueren Maid mit folgenden Worten:
" Lange erdulden zusammen wir schon das Los der Verbannung
Und sind dessen bewusst, was einstmals unsere Eltern
Über unser zukünft'ges Geschick mit einander bestimmten.
20 Was verhehlen wir dies so lange mit schweigendem Munde?"
Aber die Maid, die wähnte, es rede im Scherz der Verlobte,
Schwieg ein Weilchen und sagte darauf als Erwiderung dieses:
" Warum heuchelt die Zunge, was tief in der Brust du verdammest,

---

[1] Walter of Aquitaine, who is returning from a battle in which he has put down a rebellion for King Etzel. Walter and Hildegund have lived since child hood as hostages at Etzel's court.

Und überredet der Mund zu dem, was im Herzen du abweist?
Gleich als wäre es Schmach, dir solche Verlobte zu freien!"   25
  Drauf antwortete ihr der verständige Jüngling und sagte:
" Fern sei, was du geredet! O wolle nicht falsch mich verstehen!
Kund ist dir, dass ich nie mit verstelltem Herzen gesprochen;
Glaube mir nur, es steckt nicht Trug noch Falsches dahinter.
Niemand ist in der Näh', wir sind hier beide alleine.   30
Wenn ich wüsste, du wärst mir geneigt mit ergebenem Herzen,
Und du würdest verschweigen die klug ersonnenen Pläne,
Wollte ich dir entdecken ein jedes Geheimnis des Herzens."
Da nun begann das Mädchen, die Kniee des Jünglings umfassend
" Alles, wozu du mich rufst, will ich gern, mein Gebieter, erfüllen   35
Und will nichts in der Welt vorziehn den wilkommnen Befehlen."
Jener darauf: " Mit Verdruss ertrage ich unsre Verbannung
Und gedenke gar oft der verlassenen Marken der Heimat.
Drum begehre ich, bald zu heimlicher Flucht mich zu rüsten.
Lange zuvor schon wäre dazu ich imstande gewesen,   40
Doch es schmerzte mich tief, dass allein Hildgunde zurückblieb."
Also redete drauf aus innerstem Herzen das Mägdlein:
" Was du begehrst, will ich, das ist mein einzig Verlangen.
Drum befiehl nur, o Herr; ob Glück uns werde, ob Unglück,
Gerne bin ich bereit, es dir zu Liebe zu tragen."   45
  Walter raunte der Maid in das Ohr nun folgende Worte:
" Siehe, es trug der Herrscher dir auf, der Schätze zu hüten;
Drum behalte es wohl und merke es dir, was ich sage:
Nimm vor allem den Helm und das Eisengewand des Gebieters,
Aus drei Drähten gewirkt, mit dem Zeichen der Schmiede versehen,   50
Wähle auch zwei von den Schreinen dir aus von mässigem Umfang,
Fülle in diese sodann so viel der pannonischen[1] Spangen,
Dass du einen zur Not bis zum Busen zu heben vermögest.
Dann verfertige mir noch vier Paar Schuhe, wie bräuchlich,
Dir die nämliche Zahl und lege sie auch in die Truhen,   55
Und so werden dieselben vielleicht bis zum Rande gefüllt sein.
Heimlich bestelle dir auch bei Schmieden gebogene Angeln:
Fische müssen uns Zehrung sein auf dem Wege und Vögel;

[1] Ekkehard conceives the Huns as a tribe of Pannonia.

Vogelsteller und Fischer zu sein, bin ich selber genötigt.

60 Alles dieses besorge du klug im Verlaufe der Woche.

Nunmehr hast du gehört, was uns auf der Reise vonnöten.

Jetzt verkünde ich dir, wie die Flucht wir mögen bereiten:

Wenn zum siebenten Mal den Kreislauf Phöbus vollendet,

Werd' ich dem König, der Königin auch und den Fürsten und Dienern

65 Rüsten ein fröhliches Mal mit aussergewöhnlichem Aufwand

Und mich mit Eifer bemühn, durch Getränk sie in Schlaf zu versenken,

Bis nicht einer imstande zu merken, was ferner noch vorgeht.

Du magst aber indes nur mässig des Weines geniessen,

Und nur eben bei Tische den Durst zu vertreiben bestrebt sein.

70 Stehen die anderen auf,[1] so eile zum Werk, dem bewussten.

Aber sobald des Trankes Gewalt dann alle bezwungen,

Eilen wir beide zugleich, die westlichen Lande zu suchen."

Lines 315–357 : The escape.

Glühender Rausch führt bald in der ganzen Halle die Herrschaft,

Und es stammelt das breite Geschwätz mit triefendem Munde;

75 Stämmige Recken konnte man schaun auf wankenden Füssen.

Also verlängert bis spät in die Nacht das Opfer des Bacchus

Walter und zieht zurück, die nach Hause zu gehen begehren,

Bis, von der Macht des Trankes besiegt und vom Schlafe bezwungen,

In den Gängen zerstreut, sie alle zu Boden gesunken.

80 Hätte er preisgegeben das Haus den verzehrenden Flammen,

Wäre nicht einer den Brand zu entdecken imstande gewesen.

Endlich rief er das Mädchen herbei, das teure, und hiess es,

Eilig herbeizutragen die längst bereiteten Sachen.

Selber zog aus dem Stall er hervor das beste der Rosse,

85 Welches er " Löwe " genannt um seiner Vorzüglichkeit willen;

Stampfend stand es und nagte voll Mut an den schäumenden Zügeln.

Als er darauf mit dem Schmuck es umhüllt in üblicher Weise,

Hängt er die Schreine, mit Schätzen gefüllt, dem Ross an die Seiten,

Fügt auch Speisen hinzu, nicht viel für die Länge des Weges.

90 Und die wallenden Zügel vertraut er der Rechten der Jungfrau,

---

[1] The 'rising' of the men would be the signal for the women to retire that the drinking-bout might begin.

Selber jedoch, von dem Panzer umhüllt nach der Weise der Recken,
Setzt er den Helm sich aufs Haupt, den rot umwallte der Helmbusch,
Schnallt die goldenen Schienen sich drauf um die mächtigen Waden,
Gürtet sodann an die Linke das Schwert mit der doppelten Schneide,
An die Rechte ein zweites dazu nach pannonischer Sitte,   95
Welches mit einer der Seiten allein die Wunden verursacht,
Rafft sodann mit der Rechten den Speer, mit der Linken den Schild-
        rand,
Und entflieht dem verhassten Land, von Sorge befangen.
Aber es führte das Ross, beladen mit Schätzen, die Jungfrau,
Die in den Händen zugleich die haselne Gerte dahertrug,   100
Der sich der Fischer bedient, die Angel ins Wasser zu tauchen,
Dass der Fisch voll Gier nach dem Köder den Haken verschlinge;
Denn der gewaltige Held war selbst mit gewichtigen Waffen
Rings beschwert und zu jeglicher Zeit des Kampfes gewärtig.
Alle Nächte verfolgten den Weg sie in Eile; doch zeigte   105
Frühe den Ländern das Licht der rötlich erstrahlende Phöbus,
Suchten sie sich zu verbergen im Wald und erstrebten das Dunkel,
Und es jagte sie Furcht sogar durch die sicheren Orte.
Und es pochte die Angst so sehr in dem Busen der Jungfrau,
Dass sie bei jedem Gesäusel der Luft und des Windes erbebte,   110
Dass sie vor Vögeln erschrak und dem Knarren bewegten Gezweiges.
Hass der Verbannung erfüllte ihr Herz und Liebe zur Heimat.
Dörfern wichen sie aus und mieden das weite Gefilde;
Folgend auf dichtbewachs'nem Gebirg dem gewundenen Umweg,
Irren mit zagendem Fuss sie durch pfadelose Gebiete.   115

Lines 1285–1395: │The great fight at the Wasgenstein.[1]

Als sich massen die drei um die zweite [2] Stunde des Tages,
Wandten sich gegen den einen zugleich die Waffen der beiden.
Hagen bricht den Frieden zuerst; er sammelt die Kräfte
Und versendet alsbald die verderbliche Lanze, doch diese,

[1] A rocky pass in the Vosges Mountains. On his westward flight Walter is attacked by the Burgundians, whom Ekkehard identifies with the Franks. He slays eleven famous champions in succession and then fights King Gunter and Hagen together. — [2] 8 A. M.

120 Wie sie in sausendem Wirbel entsetzenerregend heranschwirrt,
Lenkt jetzt Alphars¹ Sprosse, der nimmer sie weiss zu ertragen,
Klug beiseit mit der Decke des seitwärts gehaltenen Schildes,
Denn wie den Schild sie berührt, da gleitet sie ab wie von glattem
Marmel, und schwer verletzt sie den Berg, denn bis zu den Nägeln
125 Bohrt sie sich ein in die Erde. Dann warf mit kühnlichem Herzen
Aber mit mässiger Kraft die eschene Lanze der stolze
Gunter. Sie flog und sass in dem untersten Teile von Walters
Schilde, und wie er alsbald ihn schüttelt, da fiel aus des Holzes
Wunde zur Erde herab das Eisen, das wenig vermochte.
130 Ob des Zeichens betrübt, ergreifen das Schwert die bestürzten
Franken; in Zorn verwandelt der Schmerz sich, sie stürmen voll Eifer,
Von den Schilden gedeckt, auf den aquitanischen Helden.
Dieser jedoch vertrieb sie entschlossen mit wuchtiger Lanze
Und erschreckte den stürmenden Feind durch Mienen und Waffen.
135 Gunter, der König, ersann deswegen ein törichtes Wagnis:
Seinen Speer, der vergebens versandt und zur Erde gefallen —
Denn er lag, aus dem Schilde geschüttelt, zu Füssen des Helden, —
Leise heran sich schleichend, in heimlicher Weise zu holen,
Da ja die Kämpfer, versehn mit kürzeren Waffen, mit Schwertern,
140 Nicht bis nah an den Feind heranzugelangen vermochten;
Denn der schwang zum Stosse die vorgehaltene Lanze.
Darum hiess er durch Augenwink den Vasallen vorangehn,
Dass er, von ihm verteidigt, das Werk zu vollbringen vermöge.
Ohne Verzug geht Hagen voran, den Gegner zu reizen,
145 Während der Fürst in der Scheide das edelsteinblitzende Schwert
birgt
Und die Rechte befreit, um sicher den Streich zu vollführen.
Doch was weiter? Er langte gebückt mit der Hand nach der Lanze
Und schon fasste er sie und zerrte sie heimlich und mählich,
Allzuviel verlangend vom Glück. Doch der herrliche Recke,
150 Wie er ja stets in dem Kampf der Vorsicht weise gedachte
Und behutsam verfuhr (ein Augenblickchen versah er!),
Wurde gewahr, wie jener sich bückt, und merkte das Treiben.
Aber er duldet es nicht, denn schnell vertreibt er den Hagen,

---

¹ **Walter** is the son of Alp-har (from *Alp*, elf, and *hari*, army).

Welcher zurück sich zieht vor der hoch erhobenen Waffe,
Springt dann hinzu und presst mit dem Fuss die entrissene Lanze, 155
Und dem König, ertappt bei dem Raub, schreit so er entgegen,
Dass dem wanken die Kniee, als wär' er durchbohrt von dem Speere.
Und er hätte ihn flugs zum hungrigen Orkus gesendet,
Wäre nicht schnell zur Hilfe geeilt der waffengewalt'ge
Hagen, den Herrn mit dem Schild beschützend und wider des Gegners 160
Haupt die entblösste Schärfe des schrecklichen Schwertes erhebend.
Während Walter dem Hieb ausweicht, erhebt sich der andre;
Kaum entronnen dem Tod, steht dort er betroffen und zitternd.
    Doch nicht Rast noch Verzug; es erneut sich die bittere Fehde.
Bald bestürmen den Mann sie vereinzelt, bald in Gemeinschaft,   165
Und indes er voll Eifer zum einen sich wendet, der anstürmt,
Springt der andere ihm in die Quere, die Streiche vereitelnd.
So steht, wenn man ihn hetzt, der numidische Bär, von den Hunden
Rings im Kreise umstellt, mit drohend erhobenen Pranken,
Duckt mit Gebrumme das Haupt und zwingt die umbrische Meute, 170
Wenn sie sich naht, zu klagen und winseln in seiner Umarmung;
Dann umbellen ihn rings aus der Nähe die wilden Molosser,[1]
Und es schreckt sie die Furcht, zu nahen dem grausigen Untier.
Also wogte der Kampf bis zur neunten Stunde des Tages.
Dreifach war die Not, die sie alle zusammen erlitten: 175
Furcht vor dem Tode, Beschwerde des Kampfs und glühende Sonne.
    Aber indessen beschlich ein Gedanke die Seele des Helden,
Welcher im schweigenden Busen jedoch die Worte zurückhielt:
Zeigt nicht andere Wege das Glück, so werden die Gegner
Mich, den Ermüdeten, noch durch eitele Listen berücken.   180
Also sprach er daher mit erhobener Stimme zu Hagen:
"Hagedorn,[2] grün zwar stehst du im Laub und vermöchtest zu
        stechen,
Doch du versuchst mich zu täuschen voll List mit possierlichen
        Sprüngen.
Aber ich gebe dir Raum, dass du näher zu kommen nicht zauderst,
Und dann zeig' die gewaltige Kraft, die so wohl mir bekannt ist;   185

---

[1] The medieval *canis molossus* was a mastiff or bull-dog. —[2] A pun on Hagen's
name, which means 'thorn-bush.'

Mich verdriesst's, so gewalt'ge Beschwer vergeblich zu tragen."
Sprach's und im Sprunge sich hebend, entsandt' er auf jenen die Lanze,
Welche den Schild durchschlägt, ein wenig vom Panzer mit fort-
    reisst,
Doch den gewaltigen Leib des Gegners nur mässig verwundet,
190 Denn er strahlte, bewehrt mit auserlesenen Waffen.
    Doch als Walter, der Held, die Lanze versendet, da stürmt er
Mit dem gezogenen Schwerte in ungestümerem Andrang
Los auf den König, und als er den Schild ihm zur Seite gedrängt hat,
Trifft er also gewaltig und staunenerregend den Gegner,
195 Dass er das ganze Bein mit dem Knie bis zum Schenkel ihm abschlägt;
Über den Schildrand stürzt er alsbald zu den Füssen ihm nieder.
Da erblasst der entsetzte Vasall bei dem Fall des Gebieters.
Aiphars Sprosse erhebt nun aufs neue die blutige Klinge
Und begehrt, dem Gefall'nen die tödliche Wunde zu spenden.
200 Hagen, der Recke, jedoch, des eignen Schmerzes vergessend,
Beugt schnell nieder das Haupt und hält es dem Hiebe entgegen,
Und es vermag der Held die geschwungene Faust nicht zu hemmen.
Aber der Helm, geschmiedet mit Fleiss und trefflich bereitet,
Trotzt dem Hieb, und es sprühen alsbald in die Höhe die Funken.
205 Über die Härte betroffen, zerspringt, o Jammer! die Klinge,
Und in der Luft und im Grase erglänzen die klirrenden Teile.
    Aber sobald der Krieger die Stücke des Schwertes erblickte,
Zürnte er sehr und tobte in allzugewaltigem Zorne,
Schleudert, seiner nicht Herr, das Heft, dem entfallen die Klinge,
210 War es auch ausgezeichnet durch Gold und künstliche Arbeit,
Weit in die Ferne sogleich, die traurigen Trümmer verachtend.
Doch indes er gerade die Hand so weit in die Luft streckt,
Schlägt sie Hagen vom Arm, des gelegenen Hiebes sich freuend.
Mitten im Wurf fiel jetzt zu Boden die tapfere Rechte,
215 Welche dereinst gefürchtet von vielen Völkern und Fürsten
Und vordem erglänzte durch ungezählte Trophäen.
Aber der herrliche Held, der Weichen im Unglück nicht kannte,
Wusste mit starkem Mute die Schmerzen des Fleisches zu tragen
Und verzweifelte nicht, und keine Miene verzog er,
220 Schob den verstümmelten Arm sogleich hinein in den Schildrand,

Griff mit dem unverletzten sodann alsbald zu dem Halbschwert,
Das er, wie ich erwähnt, sich rechts an die Seite gegürtet,
Bittere Rache sogleich an dem grimmigen Feinde zu üben.
Hagens rechtes Auge zerstört sein Hieb, und die Schläfe
Schneidet er auf und zugleich die beiden Lippen zerspaltend,   225
Schmettert er zweimal drei der Zähne dem Feind aus dem Munde.

*Lines 1421–1456: Having perforce made peace and had their wounds dressed
      by Hildegund, Walter and Hagen banter each other.*

Hagen, der dornige, drauf und der aquitanische Recke,
Unbesieglich an Mut, doch am ganzen Leibe ermattet,
Scherzten nach manchem Getöse des Kampfs und entsetzlichen
      Schlägen
Mit einander in lustigem Streit bei dem Becher. Der Franke   230
Sagte zuerst: " Mein Freund, fortan wirst Hirsche du jagen,
Handschuh' dir aus den Fellen in grosser Zahl zu gewinnen.
Fülle, das rate ich dir, den rechten mit feinem Gewölle,
Dass mit dem Bilde der Hand du Fremde zu täuschen vermögest.
Weh, was sagst du dazu, dass die Sitte des Volks du verletzest,   235
Dass man sieht, wie das Schwert du rechts an der Hüfte befestigst,
Und dein Ehegespons, wird einstens der Wunsch dich beschleichen,
Mit der Linken, wie nett! umfängst in verkehrter Umarmung?
Doch was rede ich mehr? Was immer du künftig auch tun musst,
Wird die Linke verrichten." Darauf entgegnete Walter: 240
" Dass du so vorlaut bist, das wundert mich, scheeler Sigambrer! [1]
Jage ich Hirsche, so musst den Eberbraten du meiden,
Blinzelnd wirst du hinfort auf deine Bedienten herabschaun
Und mit querem Blicke die Schar der Helden begrüssen.
Aber der alten Treue gedenk, will dies ich dir raten: 245
Wenn nach Hause du kommst, und dem heimischen Herde genaht bist,
Mache dir Brei aus Mehl und Milch und vergiss auch den Speck
      nicht;
Das vermag dir zugleich zur Nahrung und Heilung zu dienen."
Also sprachen sie. Drauf erneuten sie wieder das Bündnis,

---

[1] 'Sigambrian ' or ' Sicambrian ' was a name applied by the learned to the
Franks.

150 Hoben beide zugleich den König, den Schmerzen verzehrten,
    Auf sein Ross; dann trennten sie sich: es zogen die Franken
    Wieder gen Worms, und es eilte der Aquitaner zur Heimat.
    Freudig ward er allda mit grossen Ehren empfangen,
    Feierte, wie es der Brauch, mit Hildgund festliche Hochzeit
155 Und regierte, nachdem sein Erzeuger von hinnen geschieden,
    Allen teuer, das Volk noch dreissig glückliche Jahre.
    Welche Kriege er ferner geführt und Triumphe gefeiert,
    Das kann nimmer der Griffel, der stumpf mir geworden, beschrei
       ben.
    Der du dies liest, verzeihe der zirpenden Grille, erwäge
160 Nicht, wie rauh die Stimme noch ist, bedenke das Alter,
    Da sie, noch nicht entflogen dem Nest, das Hohe erstrebte.
    Dies ist das WALTERSLIED. — Euch möge der Heiland behüten!

X. RUDLIEB

A Latin poem in leonine hexameters, composed about 1030 at Tegernsee. Bavaria. It is imperfectly preserved, but more than 2000 verses are extant and these give interesting pictures of contemporary German life. It is a metrical novel with a knight for hero. The selection is from M. Heyne's *Rudlieb* 1897, — a translation in iambic pentameter.

From the 14th fragment: The wedding of Rudlieb's nephew.

          Am Tag der Hochzeit
    Erscheint das Fräulein, ihre Anverwandten
    Umgeben sie. Nun nahen auch die andern,
    Bald ist der Hof von Gästen ganz gefüllt,
5   Begrüsst von Rudlieb mit dem Wilkommsskuss.
    Ein Mahl erwartet sie; als es geendet,
    Begeben sich zunächst in ihre Zimmer
    Die Damen mit dem Fräulein; ein'ge Ritter
    Begleiten sie und tragen ihnen Kissen.
10   Zum Dank wird ihnen Wein gereicht. Der erste
    Ergreift den Becher, trinkt und gibt ihn weiter,
    Und so die Reihe um, bis dass ihn leer
    Der Schenk zurückempfängt. Sie grüssen neigend

Und gehn zurück zu Rudlieb und den Herren.
Nun spricht der Ritter: " Weil euch Gott allhier   15
Versammelt hat, so hört mich an und helft,
Dass unter schon Verlobten eine Ehe
Geschlossen werde. Das soll heut geschehen,
Ihr aber seid bei dieser Handlung Zeugen.
Es hat sich so gefügt, dass dieser Jüngling,   20
Mein Neffe, und das Fräulein gegenseitig
In Liebe kamen, als sie Würfel spielten;[1]
Sie wollen nun das Ehebündnis schliessen."
Die Herren sagen: " Alle müssen wir
Dazu verhelfen, dass der junge Mann,   25
Der so vortrefflich sonst, nicht Schande leide
Und ganz der Buhlerin[1] entrissen werde,
Die da verdient, den Feuertod zu leiden,
Und preisen Gott, dass in der Welt doch Eine
Sich fand, die jener Hexe Macht zerbrach."   30
Da steht der Jüngling auf, sagt allen Dank
Für ihre Güte und bekennt in Reue,
Wie sehr sein früh'res Leben ihn geschändet:
" Ihr seht, wie nötig eine Frau mir ist;
Und hätten wir auch eine hier gefunden,   35
So will ich dennoch mich mit diesem Fräulein,
Verloben und verbinden; meine Bitte
Ergeht an euch, uns Zeugen jetzt zu sein,
Wenn wir, wie es der Brauch ist, Ehgeschenke,
Uns geben." " Alle tun hierin dir Beistand,"   40
Erwidern jene. Und nun sendet Rudlieb
Nach den drei Frauen, die alsbald erscheinen;
Das Fräulein geht voran, gesenkten Hauptes;
Von seinem Sitz erhebt sich jeder höflich.

---

[1] As Rudlieb is returning to his mother after a long absence he falls in with a
nephew who has gone wrong and been 'bewitched' by a lewd woman. Rudlieb
rescues him and the two seek shelter for the night at the house of a rich widow
with an only daughter. The young man and the girl play dice together and fall
in love with each other. The subsequent wedding takes place at the house of
Rudlieb's mother.

45   Nach kurzer Zeit, als alle Platz genommen,
     Steht Rudlieb auf und bittet sich Gehör:
     Den Freunden und den Stammgenossen kündet
     Er das geschloss'ne Bündnis und die Liebe,
     Die eins zum andern hat und fragt den Jüngling,
50   Ob er zur Frau sie wolle. Der bejaht.
     Nun fragt man sie, ob sie zum Mann ihn wolle.
     Sie lächelt: " Soll ich den zum Manne nehmen,
     Den ich im Spiel als Sklaven mir gewann,
     Den mir der Würfel brachte, der versprach
55   Allein mir zu gehören, ob er siege,
     Ob er verliere? Mög' er treu mir dienen
     Zu jeder Zeit, in jedem Augenblick!
     Je treuer, desto lieber ist er mir."
         Da lachen alle zu des Fräuleins Worten,
60   Die so behutsam sind und doch so freundlich.
     Und da sie sehen, dass auch die Mutter nicht
     Zuwider ist, und dass sich beider Gut
     Die Wage hält, so kommt man überein,
     Als Gattin ihm das Fräulein zu gewähren.
65   Der Bräutigam zieht Schwert und wischt's am Hute
     Steckt an das Heft den goldnen Ehering
     Und beut ihn so zur Braut, indem er spricht:
     " Wie dieser Ring den Finger rund umschliesst,
     Verpflicht' ich dich zu ewig fester Treue,
70   Die du mir hältst bei Strafe deines Lebens."
     Doch sie versetzt sehr klug und angemessen:
     " Ein gleiches Recht für beide. Warum soll ich
     Dir bessre Treue wahren als du mir?
     Sag', hätte es wohl Adam zugestanden,
75   Der Eva ungetreu zu sein, da Gott doch
     Aus seiner Rippe Eine Eva schuf
     Und Adam das verkündete? Liest man,
     Dass ihm zwei Even sind erlaubt gewesen?
     Du wolltest buhlen und verbeutst das mir?
80   Nein, es fällt mir nicht bei, auf solchen Pakt

Mich zu verpflichten, geh mir immer hin
Und buhl', um wen du willst, doch ohne mich.
Es gibt noch manchen, den ich freien kann."
    So sprechend weist sie Schwert und Ring zurück.
Der Jüngling spricht: " Geliebte, wie du willst,   **85**
Geschehe es. Vergehe ich mich jemais,
Will ich das, was ich in die Ehe bringe,
An dich verlieren, und du darfst mich töten."
Sie lächelt hold, sich wieder zu ihm wendend:
" Auf das hin schliessen wir die Eh' in Treuen."   **90**
Dann küsst er sie, indem er " Amen " ruft.

XI. EZZO'S LAY OF THE MIRACLES OF CHRIST

A _Leich_ (strophic poem with varying number of verses to the strophe),
written, it would seem, in 1064. The dialect is Alemannic. Ezzo was dean of
the Bamberg cathedral. The introduction states that Bishop Gunter ordered
his clergy to 'make a good song'; that 'Ezzo began to write, will found the
way (_i. e._ the meter), and when it was done, all hastened to become monks.'
The poem consists of 420 short lines in riming (assonating) couplets.

Lines 193–262 : The life and death of Christ.

Antiquus dierum,
Er wuchs mit den Jahren:
Der je über der Zeit war,
Vermehrte täglich seinen Wuchs;
5 So gedieh das edle Kind,
Gottes Geist war in ihm.
Als er dreissig Jahr alt war,
Von dem all diese Welt genas,
Da kam er zum Jordan;
10 Getauft ward er da,
Er wusch ab unsre Schuld,
Er selbst hat keine.
Den alten Namen legten wir da ab;
Von der Taufe wurden wir Gottes Kinder.

Sodann nach der Taufe   **15**
Zeigte sich die Gottheit.
Dies war das erste Zeichen:
Aus dem Wasser macht' er Wein.
Dreien Toten gab er das Leben,
Von dem Blute heilt' er ein Weib, **20**
Die Krummen und die Lahmen,
Die machte er gerade.
Den Blinden gab er das Licht,
Für keine Belohnung sorgte er.
Er erlöste manchen Besessenen,   **25**
Den Teufel hiess er von dannen fahren.
Mit fünf Broten speiste er
Fünftausend und mehr,

Dass sie alle genug hatten;
30 Zwölf Körbe trug man davon.
Zu Fuss ging er über den Fluss,
Zu den Winden rief er " ru-
het."
Die gebundenen Zungen,
Die löste er den Stummen.
35 Ein wahrer Gottes Born,
Die heissen Fieber löschte er.
Krankheit floh von ihm,
Den Siechen hiess er aufstehn.
Mit seinem Bette fortgehn.
40 Er war Mensch und Gott;
Also süss ist sein Gebot.
Er lehrt' uns Demut und Sitte,
Treue und Wahrheit dazu,
Dass wir uns treu benähmen,
45 Unsre Not ihm klagten;
Das lehrt' uns der Gottessohn
Mit Worten und mit Werken.
Mit uns wandelte er
Dreiunddreissig Jahr

Undeinhalb, unsrer Not wegen.   50
Sehr gross ist seine Gewalt.
Seine Worte waren uns das Le-
ben;
Für uns starb er seitdem,
Er ward nach eignem Willen
An das Kreuz gehangen.   55
Da hielten seine Hände
Die harten Nagelbande,
Galle und Essig war sein Trank;
Also erlöst' uns der Heiland.
Von seiner Seite floss das Blut,   60
Von dem wir alle geheiligt.
Zwischen zwei Verbrechern
Hingen sie den Sohn Gottes.
Von Holz [1] entstand der Tod,
Von Holz fiel er, gottlob!   65
Der Teufel schnappte nach dem
Fleisch,
Die Angel [2] war die Gottheit;
Nun ist es wohl ergangen,
Daran ward er gefangen.

XII. HEINRICH VON MELK

An Austrian nobleman of the 12th century who, after bitter experience of
the world's ways, retired to the monastery of Melk (a few miles west of
Vienna), where he spent his closing years as lay brother. In his *Erinnerung
an den Tod*, a satirical poem of 1042 short lines in riming (assonating) couplets,
he inveighs against the worldly follies of the knights, and in his *Priesterleben*
against the vices of the clergy. The poems date from about 1160.

From the Remembrance of Death, *lines 663-748 : The rich youth at the grave
of his father.*

Reicher und edler Jüngling,
Gewahre deine ängstliche Lage
Und geh zu deines Vaters Grab;
Nimm den Deckstein davon ab

Und schaue seine Gebeine,   5
Seufze und weine.
Du magst wohl sagen, wenn du
willst, —

[1] The tree of knowledge in the Garden of Eden. — [2] Christ's body is conceived as the 'bait,' his divinity as the ' hook,' by which the devil is caught.

Es kostet deiner Herrlichkeit
   nicht viel: —
"Lieber Vater und Herr,
10 Nun sage mir, was dich plagt.
Ich sehe dein Gebein verfaulen,
Das hat die Erde ganz zersetzt;
Es kriechet böser Würmer voll.
Diese stinkende Höhle
15 Erzeigt meinem Sinne
Einen furchtbaren Geruch dar-
   inne.
Auch ist mir schwer zu Mute,
Da du einst so schön warst,
Dass du so schnell verdorben.
20 Das ist eine jämmerliche Ord-
   nung:
Was einst blühte wie die Lilie,
Das wird wie ein Kleid, das der
   Meltau = *mi Cdew*
Benagt und zerfrisst.
Der ist unselig, der es vergisst."
25 So hättest du wohl reden
   können,
Wenn der Jammer dich bewegt
   hätte
Aus Liebe zu deinem Vater.
Nun gedenke des Sinnes,
Wie er dir antworten würde,
30 Wenn es naturgemäss wäre,
Oder wenn Gott es erlaubte.
Ich will die Rede nicht lang
   machen;
Ich spreche für ihn und mit ihm,
Vernimm du es mit Aufmerk-
   samkeit:
35 "Ich will dir das, lieber Sohn,
Wonach du fragtest, kund tun.
Meine Sachen stehen in Un-
   ordnung;

Von der Strafe Grimmigkeit,
Die ich täglich erleiden muss,
Kann ich mich nicht loswinden. 40
Ich habe Feuer und Finsternis
Zur Rechten und zur Linken,
Oben und auch unten.
Fände jemand meine Not be-
   schrieben,
Er hätte immer davon zu reden. 45
Das, lieber Sohn, habe ich zu
   beklagen,
Doch was bedarfst du langer
   Rede?
Die Ketten der Rache Gottes
Halten mich fest gebunden;
Ich habe herben Lohn gefunden 50
Für alles, was ich beging
Und leider ungebüsst liess.
Alles Mass hatte ich vergessen
Im Trinken und im Essen,
Jetzt werde ich bezwungen 55
Von Durst und von Hunger.
Ehemals brannte mein Fleisch
Im Schweisse der Liederlichkeit;
Nun brennt mich der Fluch
   Gottes
In dem Feuer, das keiner lö- 60
   schen kann.
Ich leide Schmerz und Unge-
   mach;
Weh, dass ich diese Welt je
   gesehen!
Begehrlichkeit und Hoffahrt,
Die beiden haben mir ver-
   schlossen
Die Tore der inneren Hölle; 65
Da sind die schwarzen Pech-
   wellen
Mit den heissen Feuerflammen.

Ich höre da Zähneknirschen,
Weinen und Jammern,
70 Sehr klägliches Rufen
Derer, die keine Hoffnung haben,
Dass sie jemals erlöst werden
Aus dem Abgrunde.
Ach, dass ich je so handelte,
75 Dass ich ihr Genoss werden
    musste!
Gern möchte ich es ewig büssen,
Würde die Wohltat mir zu Teil,
Dass ich den Teufel nicht an-
    sähe

Und sein Antlitz vermiede;
Wie sollte mich das erfreuen!   8c
Jetzt mach' ich meine Klage zu
    spät;
Doch rat' ich dir, mein lieber
    Sohn,
Dass du an mir ein Beispiel
    nehmest
Und der Welt nicht so nach-
    hangest,
Dass du meine Not vergessest;   85
Sonst muss es dir wie mir er-
    gehen."

XIII. THE ARNSTEIN HYMN TO THE VIRGIN

A *Marienleich* dating from the end of the 12th century, during which the type was much cultivated. The manuscript, from the convent of St. Mary at Arnstein on the Lahn, contains 325 short lines in couplets (beginning and end missing), of which lines 78–261 are given below.

Hätt' ich tausend Munde,
Ich könnte nie berichten
In vollem Mass das Wunder,
Das von dir geschrieben ist.
5 Alle Zungen vermögen nicht
Zu sagen noch zu singen,
Fraue, deiner Ehren
Noch deines Lobes volles Mass.
    Der ganze Himmelshof
10 Singet dein Lob:
Es preisen dich die Cherubim,
Es ehren dich die Seraphim.
All das grosse Heer
Der heiligen Engel,
15 Die vor Gottes Antlitz
Stehen seit dem Anfang,

Propheten und Apostel
Und alle Gottes Heilige
Freun sich immer dein,
Königliche Jungfrau.   20
    Wohl müssen sie dich ehren:
Du bist die Mutter ihres Herrn,
Der da Himmel und Erde
Im Anfang werden hiess;
Der mit einem Worte   25
Die ganze Welt erschuf,
Dem alles ist untertan,
Dem nichts kann widerstehn,
Dem alle Kraft weichet,
Dem nichts gleichet,   30
Den ehret und fürchtet
All diese Welt.

Es wäre mir lang zu sagen,
Wie hehr du bist im Himmel:
35 Niemand hat davon Kunde
Als die Seligen, die da sind.
   Des einen bin ich von dir ge-
      wiss:
Dass, Fraue, du so geehret bist
Wegen deiner grossen Güte,
40 Wegen deiner Demut
Wegen deiner Reinheit,
Wegen deiner grossen Milde.
   Deshalb ruf' ich dich an;
Fraue, nun erhöre mich;
45 Allerheiligstes Weib,
Vernimm mich sündiges Weib!
All mein Herze
Fleht zu dir ernstlich,
Mir gnädig zu sein,
50 Bei deinem Sohne zu helfen,
Dass er in seiner Güte
Meine Missetaten
Vergesse gänzlich
Und mir gnädig sei.
55   Leider, meine Schwachheit
Hat mich oft verleitet,
Dass ich durch meine Schuld
Verwirkte seine Huld.
   Fraue, das macht mir bange;
60 Deswegen fürchte ich,
Dass er seine Gnade
Von mir kehren werde.
   Deshalb fleh' ich zu dir.
Nun muss es an dir liegen,
65 Mir, Jungfrau milde,
Zu seiner Huld zu helfen.
Hilf mir zu wahrer Reue,
Dass ich meine Sünden
Möge beweinen
70 Mit innigen Tränen.

Hilf mir kräftiglich,
Dass ich die Höllenstrafe
Nimmer erleide;
Dass ich auch vermeide
Hinfort alle Dinge,   75
Die wider Gottes Huld sind.
Und geruhe mich zu stärken
In allen guten Werken,
Dass ich verbringe mein Le-
   ben
Wie die heiligen Weiber,   80
Die uns aller Tugenden
Ein Vorbild gegeben:
Sara, die demütige,
Anna, die geduldige,
Esther, die milde,   85
Judith, die verständige,
Und die andern Frauen,
Die in der Furcht Gottes
Sich hier so betrugen,
Dass sie Gott wohl behagten.   90
   Auch ich nach deiner Güte,
Nach deiner Demut,
Möchte mein Leben gestalten:
Dazu hilf mir, heiliges Weib!
In deine Hand begebe ich   95
Mich und all mein Leben.
Dir überlass' ich all meine Not,
Dass du hilfsbereit seiest,
In was für Drangsalen
Ich dich immer anrufe.   100
   Fraue, deinen Händen
Sei mein Ende befohlen!
Und geruhe mich zu weisen
Und mich zu erlösen
Aus der grossen Not,   105
Wenn der leide Tod
An mir soll scheiden
Den Leib von der Seele.

In jener grossen Angst
110 Komm du mir zum Troste!
Und hilf, dass meine Seele
Werde zu Teile
Des lieben Gottes Engeln,
Nicht den leiden Teufeln,
115 Dass sie mich dahin bringen,
Wo ich soll finden
Die ewige Freude,
Die im Himmel haben
Die hochseligen Gotteskinder,
120 Die dazu erwählt sind;
Dass ich dort schaue
Unsern lieben Herrn,
Unsern Schöpfer,
Unsern Heiland,
125 Der uns aus nichts erschuf,
Der uns auch kaufte
Mit seines Sohnes Blut
Von dem ewigen Tode.
Wer soll mir dazu helfen,
130 Wer soll mich so läutern,
Dass ich es würdig wäre?
Das sollst du, Jesus, mein Herr.
Gib mir, Herr, deinen Geist,
Da du selbst wohl weisst
135 All meine Krankheit
Und all meine Unwissenheit;
Auf dass ich schauen dürfe
Mit meinen Augen
Dein unverlöschlich Licht:
140 Das versage du mir nicht!
Es ist das ewige Leben,
Das ich, armes Weib,
Mit deiner Hilfe suche:
Das lass mich, Herre, finden!
145 Darum sei mein Bote zu dir
Deine eigne Mutter:

O, wie selig bin ich dann,
Nimmt sie sich meiner an!
Maria, Gottes Traute,
Maria, Trost der Armen,   150
Maria, stella maris, *star of the sea*
Zuflucht des Sünders,
Burg des Himmels,
Born des Paradieses!
Der uns die Gnad' entfloss,   155
Die uns Elenden erschloss
Das rechte Vaterland;
Nun gib uns, Fraue, deine Hand,
Weise uns den Ausweg
Aus jener grossen Tiefe: 160
Das ist des Teufels Gewalt.
Darein uns hat gebracht
Eva, unsere Mutter;
Jetzt fliehen wir alle zu dir.
Wir weinen und seufzen   165
Zu deinen lieben Füssen.
Lass dich nun erbarmen
Der Not, die wir Armen
In diesem engen Tale
Mannigfach erdulden!   170
Stella maris, bist du genannt
Nach dem Stern, der an das Land
Das müde Schiff geleitet,
Wo es die Ruh' erwartet.
Geleite uns an Jesum,   175
Deinen guten Sohn,
Der uns begnaden soll.
In ihm sollen wir ruhen,
Er soll uns erlösen
Von allen unsern Nöten,   180
Von allen schweren Sünden:
Das sind des Meeres Wellen,
Die uns nun, ach, umschwellen.
Nun hilf uns, heilige Jungfrau !

didactic moralizing, memento mori spirit behind it
but shows influence of Crusades into German lit.
reflects first introduction of an 'Oriental theme.'
lunac spirit
the first German epic following a foreign source!
pre-courtly epic

XIV. LAMPRECHT'S LAY OF ALEXANDER

A free translation, made about 1130 by a priest living in the Middle Rhine country, of a French poem by Alberic de Besançon. It consists of 7302 verses in short couplets. Except 105 verses at the beginning the French original is lost. It was itself a versification of a highly fabulous old saga current in Latin prose. As the 105 French verses correspond to 192 verses in the German, it is evident that Lamprecht did not follow Alberic slavishly and that he drew in part upon some other source, perhaps the Latin original. The selections below are from a letter which Alexander writes, toward the end of his career, to his mother Olympias and his teacher Aristotle. In this letter he recounts at length (1670 verses) the wonderful things that he has seen.

Lines 4928–5037 : |Alexander's army beset by terrible beasts.|

Nachdem ich Darius besiegt
Und das ganze Land Persien
Und auch das berühmte Indien
Mir untertan gemacht,
5 Hob ich mich bald von dannen
Mit meinen lieben Mannen
Nach Caspen Porten.[1]
Leid und Furcht wähnte ich
Nicht mehr zu erdulden.
10 Wir kamen zu einem Wasser,
Da liess ich mein Heer ausru-
hen;
Wir dachten den Durst zu stillen.
Als wir zu dem Wasser kamen
Und es in den Mund nahmen,
15 War es bitter wie Galle;
Unerquickt blieben wir alle.
Nun brachen wir vom Lager
auf
Und sahen über ein Feld hin,
Wo eine schöne Stadt war,
20 Die war geheissen Barbaras,
Eine Meile über das Wasser.
Meine Ritter all die Weile

Wollten schwimmen in dem
Flusse.
Da näherte sich der Schaden:
Krokodile kamen,   25
Die meiner Gesellen nahmen
Siebenundzwanzig,
Die verloren das Leben;
Ich kann es wahrhaftig sagen,
Da ich es selbst ansah,   30
Wie sie sie hinunter frassen;
Ich musste sie fahren lassen.
Da brach mein Heer auf
Nach reiflicher Überlegung
Und kam wieder zu dem Was-
ser,   35
Das früher bitter war;
Jetzt war es süss und gut,
Des freute sich unser Mut.
Da schlugen wir unsre Zelte
Auf dem Felde beim Flusse   40
Und machten ein grosses Feuer.
Die Ruhe ward uns sauer,
Denn aus dem Walde kamen
Manch fürchterliches Tier

---

[1] In Latin *ad Portas Caspias*, the Caspian Gates.

45 Und schreckliches Gewürme,
Mit denen mussten wir kämp-
fen
Beinah die ganze Nacht;
Durst hatte sie dahin gebracht,
Sie wollten sich im Wasser la-
ben.
50 Skorpionen taten uns viel Scha-
den,
Die waren breit und lang
Und hatten fürchterlichen Gang,
Teils rote, teils auch weisse;
Sie machten uns grosse Not,
55 Sie erbissen uns manchen Mann.
Da kamen auch Löwen,
Die waren gross und stark.
Grössere Furcht war nie
Unter einem Heere;
60 Den Löwen mussten wir uns
wehren.
Danach kam zu uns gelaufen
Manch furchtbarer Eber,
Grösser noch als die Löwen.
Mit den Zähnen hieben sie
65 Alles, was vor ihnen stand;
Dass einer von uns am Leben
blieb,
Dafür Gott habe Dank!
Ihre Zähne waren lang,
Eine Klafter oder mehr;
70 Die taten uns viel weh.
Da kamen auch manche
Elefanten gegangen,
Um vom Fluss zu trinken;
Wir litten Ungemach.
75 Auch wurden wir heimgesucht
Von masslos langen Schlangen
Mit aufgerichteter Brust;
Wir litten grosse Unlust.

Es kamen auch Menschen,
Die gleich Teufeln waren: 80
Sie waren wie Affen
Unter den Augen geschaffen,
Sie hatten sechs Hände,
Lang waren ihre Zähne;
Hart plagten sie mein Heer.   85
Den Leuten mussten wir uns
wehren
Mit Speeren und Geschossen;
Sie starben ungesättigt.
Unsre Not war mannigfach;
Da brannten wir den Wald.   90
Das ward deshalb getan,
Dass wir Frieden haben könn-
ten
Vor den schrecklichen Tieren.
Nicht lange danach
Sah ich das grausamste Tier,   95
Das früher oder später
Jemand geschaut hat.
Das sah ich mit meinen Au-
gen;
Schrecklicheres Tier gibt es
nicht.
Es hatte Geweih wie der Hirsch, 100
Mit drei starken Stangen,
Die gross und lang waren.
Wär' ich nicht dabei gewesen,
Es hätte das Leben verloren
Ein grosser Teil meines Heers. 105
Es waren sechsunddreissig derer,
Die es mit den Hörnern er-
schlug;
Es war fürchterlich genug.
Auch sag' ich euch wahrhaftig,
Dass derer fünfzig waren,   110
Die es zertrat mit den Füssen.

Lines 5193–5358 : The wonderful girl-flowers

Der edle herrliche Wald
War wunderbar schön;
Das nahmen wir alles wahr.
115 Hoch waren die Bäume,
Die Zweige dicht und breit;
In Wahrheit sei es gesagt,
Das war eine grosse Wonne.
Da konnte nie die Sonne
120 Bis auf die Erde scheinen.
Ich und die Meinen
Liessen unsre Rosse stehen
Und gingen stracks in den Wald,
Nach dem wonniglichen Gesang;
125 Die Zeit deuchte uns sehr lang,
Bis wir dahin kamen,
Wo wir vernahmen,
Was das Wunder sein mochte.
Manch schönes Mägdelein
130 Haben wir da gefunden,
Die da in diesen Stunden
Spielten auf dem grünen Klee.
Hunderttausend und mehr,
Spielten sie und sprangen;
135 Ei, wie schön sie sangen!
So dass wir, klein und gross,
Wegen des süssen Getöses,
Das wir im Walde hörten,
Ich und meine Helden kühn,
140 Vergassen unser Herzeleid
Und all die grosse Arbeit
Und all das Ungemach,
Und was uns Schweres geschehen war.
Uns allen deuchte es,
145 Wie es wohl mochte,
Dass wir genug hätten
Für unser ganzes Leben
An Freude und Reichtum.

Da vergass ich Angst und Leid,
Ich und mein Gesinde,   150
Und was uns von der Kindheit
Je Leides zu teil geworden
Bis auf diesen Tag.
Mir deuchte sofort,
Ich könnte nie krank werden,   155
Und könnte ich immer da sein,
Würde ich ganz genesen
Von all der Angst und Not
Und nicht mehr fürchten den
      Tod.
Wollt ihr nun recht verstehen, 160
Wie es war um die Frauen,
Woher sie kamen,
Und welch Ende sie nahmen,
Das mag euch besonders
Zum grossen Wunder gereichen. 165
Als der Winter zu Ende war,
Und der Sommer anfing,
Und es begann zu grünen,
Und die edlen Blumen
Im Walde begannen aufzugehn, 170
Da waren sie sehr lieblich.
Hell war ihr Blumenglanz,
In Rot und auch in Weiss
Erglänzten sie weithin.
Blumen hat es nie gegeben,   175
Die schöner sein könnten.
Sie waren, wie uns deuchte,
Ganz rund wie ein Ball
Und fest geschlossen überall.
Sie waren wunderbar gross;   180
Als die Blume sich oben er-
      schloss,
Das merket in eurem Sinne,
So waren darinne
Mägdelein ganz vollkommen;

185 Ich sag' es, wie ich's vernom-
　　men.
　, Sie gingen und lebten
　Und hatten menschlichen Sinn
　Und redeten und baten,
　Genau als hätten sie
190 Ein Alter von zwölf Jahren.
　Sie waren, das ist wahr,
　Schön geschaffen am Leibe;
　Nie sah ich an einem Weibe
　Ein schöneres Antlitz
195 Noch Augen so liebsam.
　Ihre Hände und ihre Arme
　Waren glänzend wie Hermelin,
　Auch ihre Füsse und Beine.
　Unter ihnen war keine,
200 Die nicht schöner Hübschheit
　　pflag.
　Sie waren züchtig heiter
　Und lachten und waren froh
　Und sangen auf solche Weise,
　Dass niemand früher oder später
205 Eine so süsse Stimme vernahm.
　　Wollt ihr es glauben,
　So mussten diese Frauen
　Immer im Schatten sein,
　Sonst könnten sie nicht gedeihn;
210 Welche die Sonne beschien,
　Blieb nicht mehr am Leben.
　Das Wunder war mannigfach:
　Als der Wald tönend wurde,
　Von den süssen Stimmen,
215 Die darinne sangen,
　Die Vögel und die Mägdelein,
　Wie konnt' es wonniglicher sein,
　Früh oder spät?
　All ihre Leibeskleidung
220 War fest angewachsen
　An der Haut und am Körper.

Ihre Farbe war dieselbe,
Die die Blumen hatte,
Rot und auch weiss wie Schnee.
Als wir sie zu uns kommen sahen, 225
Zog uns der Leib zu ihnen.
Solch begehrenswerte Weiber
Sind der Welt unbekannt.
　Nach meinem Heere schickte
　　ich sofort.
Als sie zu mir kamen　　　　230
Und auch vernahmen
Die herrlichen Stimmen,
Da gingen sie verständnisvoll
Und schlugen ihre Zelte
Im Walde, nicht auf dem Felde. 235
Da lagen wir nun im Schalle
Und freuten uns alle
Der seltsamen Bräute.
Ich und meine Leute,
Wir wollten da bleiben.　　　240
Wir nahmen sie zu Frauen
Und hatten mehr Wonne
Als wir je gewonnen
Seit unserer Geburt.
Weh, dass wir sobald verloren 245
Das grosse Vergnügen!
Dies Wunder sah ich alles
Selbst mit meinen Augen;
Das möget ihr glauben.
Dies währte, wie ich euch sage, 250
Drei Monate und zwölf Tage,
Dass ich und meine Helden
　　kühn
In dem grünen Walde waren
Und auf den schönen Auen
Bei den lieben Frauen　　　255
Und Wonne mit ihnen hatten
Und mit Freude lebten.
Dann geschah uns grosses Leid,

Das ich nicht genug beklagen kann.
260 Als die Zeit zu Ende ging,
Da war unsere Freude vorüber,
Die Blumen verwelkten
Und die schönen Frauen starben;
Die Bäume verloren ihr Laub,
265 Die Brunnen flossen nicht mehr,
Die Vögel hörten auf zu singen.
Dann begann Unfreude

Mein Herz zu bedrücken
Mit mannigfachem Schmerze.
Furchtbar war das Ungemach, 270
Das ich alle Tage sah
An den schönen Frauen.
O weh, wie bereute ich sie,
Als ich sie sterben sah
Und die Blumen verblühen! 275
Da schied ich traurig von dannen
Mit allen meinen Mannen.

XV. KONRAD'S LAY OF ROLAND

A translation, made about 1130 in the dialect of the Rhenish Franks, of the famous *Chanson de Roland.* It consists of 9094 verses. The author, who calls himself 'der Pfaffe Kuonrat,' says that he translated first into Latin, then into German, adding nothing and omitting nothing; but a comparison with the French text as known to us shows many additions, many omissions and a somewhat different spirit. Kaiser Karl and his men fight for the cross, for the glory of Christian martyrdom, not for 'sweet France.' — The situation at the beginning of the poem is this: The Christians have conquered all Spain except Saragossa, whose king, Marsilie, sends envoys to make a treacherous proposal of surrender; the object being to induce the emperor to withdraw the greater part of his army.

Lines 675–708 : Kaiser Karl.

Die Boten traten vor,
Sehr oft fielen sie nieder,
In seidenem Gewande,
Mit Palmen in der Hand.
5 Immer wieder aufs neue
Fielen sie zur Erde nieder.
Sie fanden den Kaiser fürwahr
Über dem Schachbrette.
Sein Antlitz war wonniglich.
10 Es gefiel den Boten sehr,
Dass sie ihn sehen durften.
Es glänzten ja seine Augen

Wie der Morgenstern.
Man erkannte ihn von weitem,
Niemand brauchte zu fragen, 15
Welcher der Kaiser wäre;
Keiner war ihm ähnlich.
Sein Antlitz war herrlich.
Mit ganz geöffneten Augen
Konnten sie ihn nicht ansehn: 20
Der Glanz blendete sie
Wie die Sonne zu Mittag.
Den Feinden war er schrecklich,
Den Armen war er vertraut,

25 Im Unglück war er gnädig,
Gott gegenüber war er treu.
Er war ein gerechter Richter,
Er lehrte uns die Gesetze,
Ein Engel schrieb sie ihm vor;

Er verstand alle Rechte, 30
Im Kampf ein guter Knecht,
In aller Tugend ausgezeichnet.
Freigebigerer Herr ward nie
geboren.

Lines 2018–2110 : The traitor Genelun delivers Karl's message to Marsilie, the Saracen king.

Der Bote sprach zu Marsilie:
35 "Der König aller Himmel,
Der uns von der Hölle erlöste
Und die Seinen tröstete,
Der gebe dir Gnade,
Dass du seinen Frieden habest,
40 Und rette dich vom ewigen Tode.
Der König von Rom entbietet
dir,
Dass du Gott ehrest,
Dich zum Christentum bekehr-
est,
Dich taufen lassest,
45 An Einen Gott glaubest;
Davon will er Gewissheit ha-
ben.
Er lässt dir wahrlich sagen:
Empfängst du das Christen-
gesetz,
Soll dein Land in Frieden blei-
ben.
50 Er belehnt dich mit halb Spa-
nien,
Den andern Teil soll Roland
haben;
Und wirst du sein Mann,
So behältst du grosse Ehre.
Der Kaiser entbietet dir ferner:
55 Greifst du etwa zur Gegenwehr,
Sucht er dich mit einem Heere
auf;

Er zerstört alle deine Häuser
Und vertreibt dich daraus.
Weder auf Erden noch auf dem
Meere
Magst du dich seiner erwehren. 60
Er lässt dich fangen,
Auf einem Esel führen
Vor seinen Thron zu Achen;
Da nimmt er Rache an dir:
Er lässt dir das Haupt abschla-
gen. 65
Das soll ich dir vom Kaiser
sagen."
Marsilie blickte umher,
Er wurde sehr bleich,
Er hatte ängstliche Gedanken,
Er konnte kaum sitzen auf der
Bank, 70
Es ward ihm kalt und heiss,
Hart plagte ihn der Schweiss,
Er schüttelte den Kopf,
Er sprang hin und her.
Seinen Stab ergriff er, 75
Mit Zorn hob er ihn empor,
Nach Genelun schlug er.
Genelun mit List
Wich dem Schlage aus.
Er trat vor dem König zurück, 80
Das Schwert ergriff er,
Er blickte auf ihn zurück,
Er sagte zu dem Könige:

"Du übst also Gewalt."
85 Halb zog er das Schwert,
Er sprach: "Karl, meinem Herrn,
Diente ich immer mit Ehren.
In harten Volkskämpfen
Erwirkte ich mit dem Schwert,
90 Dass ich nie beschimpft ward.
Ich brachte dich mit Ehren
hierher,
Ich habe dich lange geführt.
Noch niemals bin ich gefangen.
Und vollbringst du den Schlag,
95 So ist es dein letzter Tag;
Oder aber ich sende zum Tode
Irgend welchen Heiden,
Dessen Verlust du nie ver-
schmerzest.
Ich wähne, du tobst oder rasest.
100 Jetzt muss ich bereuen,
Dass ich deinen Ungetreuen
Jemals folgte diesen Weg.
Man hat mich im Stich gelas-
sen,

Ich stehe nun ganz allein.
Was ist aus den Eiden geworden, 105
Die sie mir schworen,
Als wir fortkamen?"
Die Fürsten sprangen auf,
Sie drangen dazwischen,
Sie verwiesen es dem König. 110
Sie sagten: "Herr, du tust übel,
Den Kaiser so zu beschimpfen.
Wenn du zu ihm sendest,
Wird deine Botschaft
Ruhmvoll zu Ende geführt. 115
Sie sprechen uns Treue ab;
Nun müssen wir bereuen,
Dass Friede je gemacht ward.
Du liessest ja seine Mannen köp-
fen.
Nun gebiete deinem Zorn! 120
Wir wollen gern vermitteln,
Und das noch mehr,
O Herr, wegen deiner Ehre
Als um seinetwillen.
Stille nun deinen Unmut!" 125

Lines 3394–3488: The preparations for the battle. (Deceived by Genelun, Kaiser Karl has returned to Germany, leaving Roland with a small force in Spain.)

Als die Helden vernahmen,
Dass die Heiden sich sammel-
ten,
Baten sie ihre Priester
Sich fertig zu machen;
130 Diese griffen ihr Amt an.
Den Leib Gottes empfingen sie,
Sie fielen zum Gebet nieder,
Sie riefen zum Himmel
Viele Stunden hindurch.
135 Sie beschworen Gott bei den
Wunden,
Wodurch er die Seinen erlöste,

Dass er sie tröste,
Dass er ihnen ihre Sünden
vergebe
Und selbst ihr Zeuge sei.
Mit Beichte machten sie sich
fertig, 140
Zum Tode rüsteten sie sich,
Und waren jedoch gute Knechte,
Zum Märtyrtum bereit
Um ihrer Seelen willen.
Sie waren Gottes Degen, 145
Nicht wollten sie entfliehen,
Sie wollten wieder gewinnen

Unsere alte Erbschaft.
Danach strebten die Helden,
150 Ja führten die edlen Herren
Ein christliches Leben.
Alle hatten Eine Gesinnung,
Ihre Herzen waren mit Gott.
Sie hatten Zucht und Scham,
155 Reinheit und Gehorsam,
Geduld und Minne;
Sie brannten wahrlich im In-
    nern
Nach der Süsse Gottes.
Sie sollen uns helfen,
160 Dieses arme Leben zu vergessen;
Denn jetzt besitzen sie Gottes
    Reich.
Als die Degen Gottes
Mit Psalmen und Segen,
Mit Beichte und Glaube,
165 Mit tränenden Augen,
Mit grosser Demut,
Mit mancherlei Gutem,
Sich zu Gott gewendet,
Ihre Seelen gelabt
170 Mit Himmelsbrote,
Mit dem Blute des Herrn,
Zum ewigen Leben,
Da waffneten sie sich;
Gott lobten sie jetzt,
175 Sie waren allesamt froh,
Wie zu einem Brautlauf.
Sie heissen alle Gottes Kinder,
Die Welt verschmähten sie,
Sie brachten das reine Opfer.
180 Mit dem Kreuze geschmückt
Eilten sie gern zum Tode;
Sie kauften das Reich Gottes.
Sie waren einander treu;
Was dem einen deuchte gut,

Das war die Meinung aller. 185
David der Psalmist
Hat von ihnen geschrieben,
Wie Gott, mein Herr, die belohnt,
Die brüderlich zusammenhalten.
Er gibt ihnen selbst seinen Segen; 190
Sie sollen immer fröhlich leben.
Eine Zuversicht und Eine Minne,
Ein Glaube und Eine Hoffnung,
Eine Treue war in ihnen allen.
Keiner liess den andern im
    Stiche, 195
Für alle war Eine Wahrheit;
Des freut sich die Christenheit.
Die verbrecherischen Heiden,
Die Gott nicht fürchteten,
Hoben ihre Abgötter empor, 200
Mit grosser Hochfahrt kamen sie,
Sie fielen vor Mahmet nieder;
Es war ihr ganzes Gebet,
Dass er ihnen erlaube,
Roland zu enthaupten, 205
Und, wenn sie ihn erschlagen,
Sein Haupt vor sich zu tragen.
Sie versprachen ihn zu ehren,
Sein Lob immer zu mehren
Mit Tanz und Saitenspiel; 210
Des Übermuts war da viel.
Sie vertrauten ihrer Kraft,
Sie wussten nicht recht,
Dass wer gegen Gott strebt,
Der ohne Gott lebt. 215
Sie verschmähten ihren Schöp-
    fer,
Unsern wahren Heiland,
Den obersten Priester,
Der keinen ohne Trost lässt,
Wenn er mit Demut 220
Suchet das Gute.

Lines 6053–6113: Having fought a great fight and slain many heathen, Roland and his men are about to be overwhelmed by numbers ; in desperate straits he blows his horn, and it is heard by the far-away emperor.

Roland fasste mit beiden
 Händen
Den guten Olivant
Und setzte ihn an den Mund.
225 Er begann zu blasen;
Der Schall ward so gross,
Es lärmte so unter den Heiden,
Dass keiner den andern hören
 konnte.
Sie verstopften selbst die Ohren.
230 Die Hirnschale barst ihm,
 Dem guten Weigande;
Alles änderte sich an ihm,
Er konnte kaum noch sitzen,
Sein Herz zerbrach innen.
235 Seine bekannte Stimme
Vernahmen sie allesamt,
Der Schall flog ins Land.
 Bald kam zu Hof das Märe,
Dass des Kaisers Bläser
240 Bliesen alle zugleich.
Dann wusste man wahrlich,
Dass die Helden in Not waren.
Da gab es ein grosses Jammern.
Der Kaiser schwitzte vor Angst,
245 Er verlor zum Teil die Fassung,
Er ward sehr ungeduldig.
Das Haar riss er von der Haut;
Da machte starke Vorstellungen
Genelun der Verräter;
250 Er sprach: "Dieses Ungestüm
Geziemt nicht einem König.
Du beträgst dich ungebührlich.
Was hast du dir vorzuwerfen?
Den Roland, wie er im Grase
 schlief,

Hat wohl eine Bremse gebissen, 255
Oder er jagt wohl einen Ha-
 sen;
Dass das Blasen eines Hornes
Dich so ausser Fassung bringt!"
 Der Kaiser sprach zu ihm:
"Weh dass ich dich je gesehen, 260
Oder Kenntnis von dir gewon-
 nen!
Das beklage ich immer vor
 Gott.
Von dir allein
Muss Frankreich immer weinen.
Wegen des grossen Schatzes, 265
Den Marsilie dir gab,
Hast du den Mord vollbracht.
Ich räche ihn, wenn ich's ver-
 mag.
Was trieb dich dazu?"
Auf sprang der Herzog Naimes, 270
Er sprach: "Du Teufels Mann,
Du hast schlimmer als Judas
 getan,
Der unsern Herrn verriet.
Nie verwindest du diesen Tag.
Dies hast du gebraut, 275
Du sollst es wahrlich trinken."
Er hätte ihn gern erschlagen,
Der Kaiser hiess ihn abstehen;
Er sprach: "Eine andre sei
 seine Strafe.
Ich will hernach über ihn
 richten; 280
Und wenn das Urteil ergeht,
Er stirbt wohl einen schlim-
 meren Tod."

XVI. KING ROTHER

A poem of 5302 verses, written about |1150| in a mixture of Middle Frankish and Bavarian. It belongs to the order of *Spielmannspoesie*, or secular minstrelsy; but the author makes frequent reference to what 'the books' say, and evidently meant his work to be read. (The earlier gleemen, so far as known, could not read or write, got their material from oral tradition and composed their poems to be sung or recited to musical accompaniment.) Rother is a king of Italy who sends twelve envoys to Constantinople to win for him the hand of the emperor's daughter. She favors her unknown suitor, but the irate Constantine throws the envoys into a dungeon. Rother takes the name of Dietrich and sails with many retainers to liberate them. By a waiting-maid he presents the princess with a gold and a silver shoe, both made for the same foot, and retains the mates. The princess, already interested in the distinguished stranger, sends for him to put on the impossible shoes.

Lines 2177–2315 : Rother, called Dietrich, woos the willing princess.

Am Fenster stand die Prinzessin,
Bald kam der junge Held
Über den Hof gegangen.
Da ward er wohl empfangen
5 Von zweien Rittern ehrlich.
Dann ging der Recke Dietrich,
Wo die Kemenate offen stand;
Darein ging der wohlgestalte Held.
Den hiess die junge Prinzessin
10 Selber wilkommen sein
Und sagte, was er da bitte,
Das würde sie gerne tun
Nach ihrer beider Ehre.
"Ich habe dich gern, o Herr,
15 Wegen deiner Tüchtigkeit gesehn;
Aus anderm Grund ist's nicht geschehn.
Diese niedlichen Schuhe,
Die sollst du mir anziehen."
"Sehr gerne," sprach Dietrich,
20 "Da du es von mir verlangst."

Der Herr setzte sich ihr zu Füssen,
Sehr schön war sein Gebaren.
Auf sein Bein setzte sie den Fuss,
Nie wurde Frau besser geschuht.
Da sprach der listige Mann: 25
"Nun sage mir, schöne Herrin,
Bescheid auf deine Treue,
Wie du eine Christin bist, —
Es warb um dich mancher Mann, —
Hing' es von deinem Willen ab,   30
Welcher unter ihnen allen
Hat dir am besten gefallen?"
"Das sag' ich dir," sprach die Dame,
"In allem Ernst und in Treue,
O Herr, auf meine Seele,   35
Wie ich getaufte Christin bin:
Kämen aus allen Landen
Die teuren Weigande
Mit einander zusammen,
Da wäre kein Mann darunter,   40

Der dein Genoss sein könnte.
Das nehm' ich auf meine Treue,
Dass nie eine Mutter gebar
Ein Kind so liebenswürdig,
45 Dass es mit Fug, Dietrich,
Neben dir stehen könnte.
Du bist ein ausgezeichneter
Mann.
Sollte ich aber die Wahl haben,
Nähme ich den Helden gut und
kühn,
50 Dessen Boten her ins Land
kamen
Und jetzt wahrlich liegen
In meines Vaters Kerker.
Er heisst mit Namen Rother
Und sitzt im Westen übers Meer.
55 Ich will immer Magd bleiben,
Bekomm' ich nicht den Helden
schön."
Als Dietrich das vernahm,
Da sprach der listige Mann:
"Willst du Rother minnen,
60 Den will ich dir bald bringen.
Es lebt keiner auf Erden,
Der mir mehr Gutes getan hätte;
Des soll er noch geniessen.
Ehe ihn der Hochmut meisterte,
65 Half er mir oft in der Not;
Wir genossen fröhlich das Land
Und lebten glücklich zusammen.
Der gute Held war mir stets
gnädig,
Wie wohl er mich jetzt ver-
trieben."
70 "In Treue," sprach die Prin-
zessin,
"Ich verstehe deine Rede;
Ist der Rother dir so lieb,

Hat er dich nicht vertrieben.
Von wannen du fährst, kühner
Held,
Bist du als Bote her gesandt. 75
Dir sind des Königs Mannen
lieb.
Nun verhehle es mit Worten
nicht;
Was mir heute gesagt wird,
Das wird immer wohl ver-
schwiegen
Bis an den jüngsten Tag." 80
Der Herr sprach zu der Dame:
" Jetzt überlass' ich meine Sache
Der Gnade Gottes und der
deinen;
Es stehen ja deine Füsse
In König Rothers Schosse." 85
Die Dame erschrak sehr;
Sie zog den Fuss weg
Und sprach zu Dietrich
Sehr bescheidentlich:
"Nie ward ich so ungezogen; 90
Mein Übermut hat mich be-
trogen,
Dass ich meinen Fuss
Setzte auf deinen Schoss.
Und bist du der grosse Rother,
Kannst du, König, nimmermehr 95
Einen besseren Ruhm gewinnen.
Der ausserordentlichen Dinge
Bist du ein listiger Meister.
Welches Geschlechts du auch
seist,
Mein Herz war unglücklich; 100
Und hätte dich Gott hergesandt,
Das wäre mir inniglich lieb.
Ich mag doch nicht glauben,
Dass du mir Unwahres sprichst.

105 Und wär's dann aller Welt leid,
Ich räumte sicherlich
Zusammen mit dir das Reich.
So bleibt es aber ungetan.
Doch lebt kein Mann so schön,
110 Den ich vorziehen würde,
Wärest du der König Rother."
Darauf sprach Dietrich
(Sein Sinn war sehr listig):
"Nun hab' ich keine Freunde
115 Als die armen Herren,
Die in dem Kerker sind.
Könnten mich diese sehen,
Hättest du an ihnen den Be-
weis,
Dass ich dir Wahres gesprochen."
120 "In Treue," sprach die Prin-
zessin,

"Dir werd' ich beim Vater mein
Irgendwie erwirken,
Dass ich sie herauskriege.
Aber er wird sie keinem geben,
Er hafte denn mit seinem Leben, 125
Dass niemand entkomme,
Bis alle zurückgebracht
In den Kerker würden,
Wo sie in der Not waren."
Drauf antwortete Dietrich: 130
"Ich will es auf mich nehmen
Vor Constantin, dem reichen,
Und morgen sicherlich
Werde ich zu Hofe gehn."
Die Jungfrau so schön   135
Küsste den Herrn.
Da schied er mit Ehren
Aus der Kemenate.

*Lines 2819–2942: Having become friendly with Constantine and won for him
a great battle against the heathen invader Ymelot, Rother perpetrates a hoax.*

Dietrich der Weigand
140 Nahm Ymelot bei der Hand,
Führte ihn zu Constantin,
Und übergab ihn diesem.
Dann sprach der listige Mann:
"Wir sollten einen Boten haben,
145 Der den Frauen sagte,
Was wir hier vollbracht."
"In Treue," sprach Constantin,
"Der Bote sollst du selbst sein
Um meiner Tochter willen;
150 Und sage du der Königin
Und den Frauen allesamt,
Dass wir nach Hause reiten
Mit sehr fröhlichen Herzen.
Einen Teil deines Volkes
155 Lass du mit mir bleiben."
Da sprach der listige Mann,

Dass er gerne täte,
Was der König verlange.
Dietrich ging von dannen
Mit seinen Heimatsmannen,   160
Die andern schickte er zum
König;
Der bat sie grossen Dank haben.
Zu sich nahm er seine Leute,
Die übers Meer mitgefahren,
Und erklärte den Kühnen,   165
Was er beabsichtige;
Die teuren Weigande
Wollten gern nach Hause.
Dietrich fuhr von dannen.
Ein Märchen, das war herrlich, 170
Brachte er zu Constantinopel,
Der berühmten Burg:
Er sagte, er sei entflohen

Mit allen seinen Mannen.
175 Da weinte die Frau Königin:
"Ach weh, wo ist Constantin
Und die Weigande
Aus manchem Lande?
Dietrich, lieber Herr,
180 Sollen wir sie wiedersehen?"
"Nimmermehr, das weiss Gott!
Erschlagen hat sie Ymelot
Und reitet her mit Heereskraft;
Er will die Stadt zerstören,
185 Ich kann mich ihm nicht weh-
ren
Und muss fliehen übers Meer.
Die Weiber und die Kinder,
So viel ihrer in der Burg sind,
Denen wird zuteil der Tod:
190 Es erschlägt sie Ymelot."
Da nahm Constantins Weib
Ihre Tochter, die herrliche,
Und sie baten Dietrich
Beide sehr ernsthaft,
195 Sie von den Heiden zu retten,
Die mit einem Heere kämen.
Da hiess der listige Mann
Die schönen Zelter
Der Königin fortziehen;
200 Er führte sie zu den Schiffen.
Da gab es, könnt ihr glauben,
Von manchen schönen Frauen
Weinen und Händeringen;
Sie konnten sich nicht fassen.
205 Es kam eine grosse Gesellschaft
Zu Dietrich aus der Stadt.
Sie wollten alle aufs Meer,
Um sich vor Ymelot zu retten.
Da tröstete sie der schlaue
Mann;
210 Er hatte es aus List getan.

Dietrich hiess seine Mannen
Sofort in die Schiffe gehen.
Asprian, der gute Held,
Trug den Kammerschatz dar-
ein,
Sie eilten alle aufs Meer. 215
Da hiess König Rother
Die Mutter am Gestade bleiben,
Die Tochter in ein Schiff gehn.
Es gab ein grosses Weinen.
Sie sprach: "Ach, Herr Diet-
rich, 220
Wem willst du, tugendhafter
Mann,
Uns armen Weiber überlassen?"
So sprach die gute Königin:
"Nun nimm mich mit ins Schiff
Zu meiner schönen Tochter." 225
Da sprach der listige Mann:
"Ihr sollt Euch wohl gehaben;
Constantin ist nicht geschlagen,
Ymelot haben wir gefangen,
Constantin ist's wohl ergangen. 230
Er reitet hierher ins Land
Mit guten Nachrichten;
Er kommt über drei Tage.
Ihr könnt ihm wahrlich sagen,
Seine Tochter sei mit Rother 235
Westwärts gefahren übers Meer.
Nun befehlt mir, herrliche Frau:
Ich heisse ja nicht Dietrich."
"Wohl mir," sprach die Kö-
nigin,
"Dass ich je ins Leben trat. 240
Nun lasse Gott, der gute,
In seiner grossen Gnade,
Dich meine Tochter schön
Recht lang in Freude haben!
Es ist wahr, teurer Degen, 245

Sie wäre dir leichter gegeben,
Als du sie gewonnen hast,
Hätte es in meinem Willen ge-
    standen.
Wie Constantin das Leben
150 Des jungen Weibes quälte,
Das ist mir das mindeste,
Da du nun Rother bist.
Nun fahre, teurer Degen,
Und Sankt Gilge segne dich!"

Da sprach das schöne Mägdlein: 255
"Gehabt Euch wohl, Mutter
    mein!"
Die Frauen so liebsam
Gingen lachend von dannen
Zu Constantins Saal
Und gönnten es dem Rother
    wohl,   260
Dass Gott ihn bringe
Mit Ehren ins Heimatland.

XVII. DUKE ERNST

Historical feud and crusade element

Another example of the secular minstrelsy brought into vogue by the cru-
sading spirit. The poem originated in the 12th century, but the only complete
versions known to us are of the 13th. It contains 6022 verses in the dialect of
the Middle or Lower Rhine. The saga is of unusual psychological interest.
Ernst is a brave and upright Bavarian whom a base calumny deprives of the
favor of the emperor Otto. For a while he maintains himself in a bitter feud
with the empire, but finally gives up the hopeless fight and sets out, with a
few loyal followers, for Jerusalem. In the Orient he has many wonderful adventures, one of which is related below, and so deports himself that on his
return the emperor receives him back into favor.

Lines 3915–4199 : The magnetic rock in the Curdled Sea.

Die Helden weilten da nicht
    mehr,
Sie fuhren auf der wilden See
Mit fröhlichem Gemüte.
Jetzt meinten die guten Helden,
5 Es müsse ihnen wohl gehen.
Da stieg nun ein Schiffsmann
Zu oberst auf den Mastbaum;
Die Meeresströmung trieb sie
Schnell nach jenem Hafen zu.
10 Und nun erschrak er sehr dar-
    über,

Als er den Berg erkannte;
Es ward ihm leid und bange.
Hinunter in das Schiff
Rief er also zu den Recken:
"Ihr Helden so schmuck,   15
Nun wendet euch geschwind
Hin zu dem ewigen Wesen! *Gott*
Es kostet uns das Leben
Bleiben wir hier stecken.
Der Berg, den wir gesehen,   20
Der liegt auf dem Lebermeer! [1]
Es sei denn, dass Gott uns rettet,

[1] The Liver Sea, called also *das geronnene Meer*, or the Curdled Sea; in
Latin *mare pigrum et concretum.* For the literature of the curious saga see
Bartsch, *Herzog Ernst*, Wien, 1869, p. cxlv.

Oriental elements (adventures of Simbad the Sailor)
Spielmännische Elemente (magnetic mountain, curdled sea, griffins, giants, dwarfs, etc.)

Wir sterben hier allzusammen.
Wir fahren gegen den Stein zu,
25 Von dem ihr mich reden hörtet.
Jetzt sollt ihr euch hinkehren
Zu Gott in wahrer Reue
Und aus dem Herzen tilgen,
Was ihr wider ihn getan.
30 Ich will euch, Helden, wissen
 lassen
Von der Kraft des Felsen
Und von der Herrschaft,
Die er in seiner Art hat:
Treibt ein Schiff ihm entgegen
35 Innerhalb dreissig Meilen,
So hat er in kurzer Zeit
Es an sich gezogen;
Das ist wahr und nicht erlogen.
Haben sie irgendwelches Eisen,
40 Das darf niemand weisen;
Sie müssen gegen ihren Willen
 dran.
Wo ihr die Schiffe liegen seht,
Vor dem dunkeln Berge dort
Gleich an des Steines Kante,
45 Da müssen wir auch sterben
Und vor Hunger verenden—
Es ist nicht abzuwenden,—
Wie alle anderen getan haben,
Die hierher segelten.
50 Nun bittet Gott, dass er
Uns helfe und gnädig sei.
Wir sind nahe dem Felsen."
 Als der Herzog das vernahm,
Sprach der Fürst lobesam
55 Zu den Herren sonderlich:
" Jetzt sollt ihr inniglich,
Meine lieben Notgesellen,
Zu unserm Herrn flehen,
Dass er uns gnädiglich

In sein Reich empfange 60
Wir gehn an diesem Stein zu-
 grunde.
Nun lobt ihn allzusammen
Mit Herzen und mit Zungen.
Es ist uns wohl gelungen,
Sterben wir auf dieser wilden
 See: 65
Wir sind geborgen auf immer-
 dar
Bei Gott in seinem Reich.
Nun freut euch allzugleich,
Dass wir ihm so nah gekom-
 men."
Als sie das vernahmen, 70
Behielten sie es im Herzen.
Nun taten die guten Helden,
Wie der Fürst ihnen geraten:
Ordneten ihre Sachen schnell,
Gaben alles Gott anheim, 75
Und beherzigten sein Gebot
Mit Beichte und mit Busse
Mit sehr grossem Eifer,
Wie man Gott gegenüber sollte.
Also machten sie sich bereit. 80
 Als die unglücklichen Män-
 ner
Ihre Gebete verrichteten
Und ihre Sachen ordneten,
Gab es ein jämmerlich Rufen,
Das sie zu Gott erhoben. 85
Ihren Schöpfer sie baten,
Dass er ihre Seelen bewahre.
Jetzt waren die Helden gefahren
So nahe dem Felsen,
Dass sie deutlich sehen konnten 90
Die Schiffe mit hohen Masten.
Der Fels zog die Helden
So geschwinde zu sich,

Seine Kraft brachte das Schiff
95 So kräftiglich heran,
Dass die andern Schiffe
Diesem entweichen mussten.
Es kam so gewaltsam
Dem Steine zugefahren,
100 Dass die Schiffe allesamt
Auf einander stiessen.
Auch gaben die Mastbäume
Sich manchen harten Stoss.
Die Stösse waren so stark,
105 Dass manches Schiff zerbrach.
So ward mancher Gast emp-
fangen,
Der seitdem verendete
Und niemals wiederkehrte.
Es ist auch wirklich ein Wunder,
110 Dass diese nicht erschlagen
wurden
Durch die hohen Mastbäume,
Die, alt und morsch geworden,
Von andern Schiffen fielen
Auf ihr Schiff mit Gewalt.
115 Als diese herabstürzten,
Konnte nichts mehr bestehn,
Was um das Schiff lag.
Dass das Schiff sich erhielt,
War ein grosses Wunder;
120 Es musste alles und jedes
Fallen in das Meer.
Der Herzog und seine Männer
Mussten unerhörte Not leiden,
Da sie einen schrecklichen Tod
125 Öfters vor sich sahen.
Doch kamen die kühnen Män-
ner
Mit dem Leben davon;
Gottes Hilfe erschien ihnen.
Als das Schiff stehen blieb,

Taten sie, wie Leute noch tun,   130
Die lange in einer Stätte gelegen
Und etwas Neues sehen mögen:
Die zieren Helden sprangen
Schnell aus dem Schiffe
Und gingen allesamt,   135
Um das mannigfache Wunder
In den Schiffen zu besehen.
Sie standen dicht wie ein Wald
Um den Berg auf dem Meer.
Weder früher noch später   140
Sah jemand so grossen Reich-
tum,
Als die mutigen Helden
In den Schiffen fanden,
So dass sie in langen Stunden
Ihn nicht überschauen konnten.   145
Sie sahen den grössten Schatz,
Den jemand haben könnte.
Nie hat der weise Mann gelebt
Der ihn je in Acht nehmen
Oder vollauf beschreiben könnte.   150
Silber, Gold und Edelsteine,
Purpur, Sammet, glänzende
Seide,
Lag dort so mannigfaltig,
Dass niemand es beachten
könnte.
Als sie das Wunder beschaut,   155
Begannen sie weiter zu gehen.
Der Herzog und seine Männer
Stiegen auf den Felsen,
Ob sie irgendwo Land sähen.
Kein Auge konnte erspähen,   160
Dass sie zu Lande kämen;
Das war den Recken leid.
Der Berg lag im weiten Meer;
Da mussten die Helden hilflos
Höchst jämmerlich ersterben   165

Und am Hunger zugrunde ge-
hen;
Den Recken war schwer zu
Mute.
Da mussten die Helden
Vor dem Steine Angst erleiden.
170 Sie sagten allesamt,
Sie würden es gütlich erdulden,
Da ihnen der mächtige Gott
Das harte Geschick verhängt,
Wie auch den andern allen,
175 Die vor ihnen gekommen waren
Und das Leben verloren hatten.
Da sie die Not nicht meiden
wollten,
Würden sie gerne den Tod
Um seine Huld erleiden,
180 Und würden die grosse Not
Als Sündenbusse betrachten.
Der Herzog und seine Männer
Hatten Trost beim Kinde der
Maid.
Nun schwebte das Gesinde
185 So lange Zeit auf dem Meer,
Dass früher oder später im Leben
Sie nie solches Weh ertrugen,
Da es ihnen an Speise gebrach
Und an der guten Nahrung,
190 Die sie mitgebracht hatten
Von dem Lande Grippia,
Woselbst die Weigande
Dieselbe tapfer erworben.
Am Hunger starben sie,
195 Die auf dem Schiffe waren,
So dass keiner am Leben blieb
Von der ganzen Mannschaft
Ausser dem Herzog allein
Und sieben Mann mit ihm.
200 Die andern trug ein Greif fort,

Wie sie nacheinander starben.
Die Lebenden handelten so:
Wen jeweilig der Tod nahm,
Den trugen die Helden lobesam
Bald aus dem Schiffsraume;   205
Ihn legten die zieren Degen
Oben aufs Verdeck.
Das habt ihr nun öfters
Als Wahrheit sagen hören:
Die Greife kamen geflogen   210
Und trugen sie ins Nest.
Auf diese Weise ward zuletzt
Dem Herzog und seinen Män-
nern
Von den Greifen geholfen;
Also retteten sie sich.   215
Die andern wurden zu Aase
Den Greifen und ihren Jungen.
Diesen war es schon gelungen,
Menschen in grosser Anzahl
Von dannen in ihre Neste   220
Nach Gewohnheit zu tragen;
Davon die mutigen Helden,
Der Herzog und seine Mannen,
Wieder ans Land kamen.
Der Fürst litt Ungemach,   225
Als er seine Gefährten sah
Vor Hunger verbleichen
Und so jämmerlich sterben,
Und er ihnen nicht helfen
konnte.
Darum musst' er manche Stunde 230
Erleiden Jammersnot,
Indem sie der Tod
Vor seinen Augen hinwegnahm,
Bis der Recke lobesam
Nur sieben Mann übrig hatte.   235
Auch diese behielten das Leben
Kaum vor Hungersnot:

Sie hatten nur ein halbes Brot,
Das teilten die Helden unter sich.
240 Es war jämmerlich genug,
Da sie nichts mehr hatten.
Da ergaben sie sich dem Herrn,
Mit Leib und Seele Gottes
Händen;
Dann fielen die tapfern Helden
245 Zum Gebet nieder und baten
Vor allem inniglich den Herrn,
Dass er ihnen gnädig sei
Und helfe aus der grossen Not;
Sie fürchteten sehr den Tod.
250 Als diese Unglücklichen
Ihr Gebet verrichtet hatten,
Was später ihnen zu statten kam,
Sprach der Graf Wetzel also:
"Ich habe in diesen Stunden
255 Uns eine List erfunden,
Wie sie nicht besser sein könnte.
Sollen wir je gerettet werden,
Muss es gewiss davon kommen,
Dass wir suchen und spähen
260 Und gar nicht aufhören.
Bis wir in den Schiffen finden
Irgendwelche Art Häute;

Dann schlüpfen wir armen
Leute
In unsre gute Rüstung.
Hat man uns dann eingenäht 265
In die Häute," sprach der Degen,
"So wollen wir uns legen
Oben auf das Schiffsverdeck.
So nehmen uns da die Greife
Und tragen uns von dannen. 270
Sie können uns nichts anhaben,
Die Greife, wegen der Rüstung,
Die uns oft beschirmt hat;
Die mag uns noch einmal helfen.
Und haben wir uns versichert, 275
Dass die alten auf Beute fort
sind,
So schneiden wir uns aus
Und steigen zur Erde nieder.
Soll es aber anders werden,
Will es Gott, dass wir nicht ent-
kommen, 280
So mag es uns doch lieber sein,
Dass wir dort redlich tot liegen,
Als dass wir hier diese starke
Not
So jämmerlich erleiden."

XVIII. THE LAY OF THE NIBELUNGS

The most important poetic production of medieval Germany. It embodies legends that date back, in part, to the 5th century and were handed down from age to age by oral tradition. The different versions known to us point back to a lost original which probably took shape toward the end of the 12th century and was the work of an Austrian poet of whom nothing is known. The form is a four-line strophe, with masculine rimes paired in the order *aa bb*. Each line is divided into two parts by a cesura, which regularly falls after an unstressed syllable. The first seven half-lines usually have three accents each, the eighth four.

Reasoning from incongruities in the text, the famous scholar Lachmann concluded that the poem consists of twenty old songs, or ballads, pieced together with new matter in the shape of introductions, transitions, and amplifications. This theory gave rise to a great controversy which still divides scholarship to some extent, with opinion tending more and more to the confirmation of Lachmann's general view, but to the rejection of his specific conclusions. That is to say : The poem is a working-over of old songs ; but just how many of these there were, where the dividing lines come, and how much merit of originality may rightly be claimed for the nameless 12th century poet, cannot be definitely settled.

The most popular modernization is that of Simrock, 56th edition, 1902, from which the selections below are taken. It has its defects, but none of the many attempts to improve upon it has met with a generally recognized success.

From Adventure I : [1] *Kriemhild and her dream.*

Es wuchs in Burgunden   solch edel Mägdelein,
Dass in allen Landen   nichts Schön'res mochte sein,
Kriemhild war sie geheissen   und ward ein schönes Weib,
Um die viel Degen mussten | verlieren Leben und Leib.

Es pflegten sie drei Könige,   edel und reich,   5
Gunter und Gernot,   die Recken ohnegleich,
Und Geiselher der junge,   ein auserwählter Degen;
Sie war ihre Schwester,   die Fürsten hatten sie zu pflegen.

Die Herren waren milde,   dazu von hohem Stamm,
Unmassen kühn von Kräften,   die Recken lobesam.   10
Nach den Burgunden   war ihr Land genannt:
Sie schufen starke Wunder   noch seitdem in Etzels Land.

Zu Worms am Rheine wohnten   die Herren in ihrer Kraft.
Von ihren Landen diente   viel stolze Ritterschaft
Mit rühmlichen Ehren   all ihres Lebens Zeit,   15
Bis jämmerlich sie starben   durch zweier edeln Frauen Streit.

In ihren hohen Ehren   träumte Kriemhilden,
Sie zög' einen Falken,   stark-, schön- und wilden,

---

[1] Some of the manuscripts divide the poem into sections, each one of which is called an *aventiure*, or 'adventure.'

Den griffen ihr zwei Aare,   dass sie es mochte sehn;

20 Ihr konnt' auf dieser Erde   grösser Leid nicht geschehn.

Sie sagt' ihrer Mutter   den Traum, Frau Uten;

Die wusst' ihn nicht zu deuten   als so der guten:

"Der Falke, den du ziehest,   das ist ein edler Mann;

Ihn wolle Gott behüten,   sonst ist es bald um ihn getan."

25 "Was sagt Ihr mir vom Manne,   vielliebe Mutter mein?

Ohne Reckenminne   will ich immer sein;

So schön will ich verbleiben   bis an meinen Tod,

Dass ich von Mannesminne   nie gewinnen möge Not."

"Verred' es nicht so völlig,"   die Mutter sprach da so,

30 "Sollst du je auf Erden   von Herzen werden froh,

Das geschieht von Mannesminne;   du wirst ein schönes Weib

Will Gott dir noch vergönnen   eines guten Ritters Leib."[1]

"Die Rede lasst bleiben,   vielliebe Mutter mein.

Es hat an manchen Weiben[2]   gelehrt der Augenschein,

35 Wie Liebe mit Leide   am Ende gerne lohnt;

Ich will sie meiden beide,   so bleib' ich sicher verschont."

Kriemhild in ihrem Mute   hielt sich von Minne frei.

So lief noch der guten   manch lieber Tag vorbei,

Dass sie niemand wusste,   der ihr gefiel zum Mann,

40 Bis sie doch mit Ehren   einen werten Recken gewann.

Das war derselbe Falke,   den jener Traum ihr bot,

Den ihr beschied die Mutter.   Ob seinem frühen Tod

Den nächsten Anverwandten   wie gab sie blut'gen Lohn!

Durch dieses Einen Sterben   starb noch mancher Mutter Sohn.

---

[1] M. H. G. _lip_, modern _Leib_, meant ' body,' ' person,' ' self.' With a genitive it is often pleonastic and untranslatable. _Eines guten Ritters Leib = einen guten Ritter._ — [2] Archaic for _Weibern_ for the sake of the medial rime with _bleiben_. Now and then a stanza has medial as well as final rimes.

From Adventure 5 : <u>*Having lived a whole year at Worms as the guest-friend of*</u>
<u>*King Gunter, Siegfried at last sees the maid he came to woo.*</u>

Da liess der reiche König   mit seiner Schwester gehn   45
Hundert seiner Recken,   zu ihrem Dienst ersehn
Und dem ihrer Mutter,   die Schwerter in der Hand:
Das war das Hofgesinde   in der Burgunden Land.

Ute die reiche   sah man mit ihr kommen,
Die hatte schöner Frauen   sich zum Geleit genommen   50
Hundert oder drüber,   geschmückt mit reichem Kleid;
Auch folgte Kriemhilden   manche waidliche ¹ Maid.

Aus einer Kemenate   sah man sie alle gehn.
Da musste heftig Drängen   von Helden bald geschehn,
Die alle harrend standen,   ob es möchte sein,   55
Dass sie da fröhlich sähen   dieses edle Mägdelein.

Da kam die <u>Minnigliche,</u>   wie das Morgenrot   *courtly expression*
Tritt aus trüben Wolken.   Da schied von mancher Not,
Der sie im Herzen hegte,   was lange war geschehn.
Er sah die Minnigliche   nun gar herrlich vor sich stehn.   60

Von ihrem Kleide leuchtete   gar mancher edle Stein,
Ihre rosenrote Farbe   gab minniglichen Schein.
Was jemand wünschen mochte,   er musste doch gestehn,
Dass er hier auf Erden   noch nichts so Schönes gesehn.

Wie der lichte Vollmond   vor den Sternen schwebt,   65
Des Schein so hell und lauter   sich aus den Wolken hebt,
So glänzte sie in Wahrheit   vor andern Frauen gut;
Das mochte wohl erhöhen   den zieren Helden den Mut.

Die reichen Kämmerlinge   schritten vor ihr her,
Die hochgemuten Degen   liessen es nicht mehr: 70

---

¹ M. H. G. *wætlich*, ' beautiful.'

Sie drängten, dass sie sähen die minnigliche Maid;
Siegfried dem Degen war es lieb und wieder leid.

Er sann in seinem Sinne: "Wie dacht' ich je daran,
Dass ich dich minnen sollte? das ist ein eitler Wahn.
75 Soll ich dich aber meiden, so wär' ich sanfter [1] tot."
Er ward von Gedanken oft bleich und oft wieder rot.

Da sah man den Sieglindensohn so minniglich da stehn,
Als wär' er entworfen auf einem Pergamen *sheepskin*
Von guten Meisters Händen; gern man ihm zugestand,
80 Dass man nie im Leben so schönen Helden noch fand.

Die mit Kriemhilden gingen, die hiessen aus den Wegen
Allenthalben weichen; dem folgte mancher Degen.
Die hochgetrag'nen Herzen freute man sich zu schaun;
Man sah in hohen Züchten viel der herrlichen Fraun.
great bearing, dignity

85 Da sprach von Burgunden der König Gernot:
"Dem Helden, der so gütlich Euch seine Dienste bot,
Gunter, lieber Bruder, dem bietet hier den Lohn
Vor allen diesen Recken. Des Rates spricht man mir nicht Hohn.

Heisset Siegfrieden zu meiner Schwester kommen,
90 Dass ihn das Mägdlein grüsse; das bringt uns immer Frommen.
Die niemals Recken grüsste, soll sein mit Grüssen pflegen,
Dass wir uns so gewinnen diesen zierlichen Degen."

Des Wirtes Freunde gingen, dahin wo man ihn fand;
Sie sprachen zu dem Recken aus dem Niederland: *unter Rheingegend*
95 "Der König will erlauben, Ihr sollt zu Hofe gehn.
Seine Schwester soll Euch grüssen; die Ehre soll Euch geschehn."

Der Rede ward der Degen in seinem Mut erfreut;
Er trug in seinem Herzen Freude sonder Leid,

[1] 'Better.'

Dass er der schönen Ute   Tochter sollte sehn.
In minniglichen Züchten   empfing sie Siegfrieden schön.   100

Als sie den Hochgemuten   vor sich stehen sah,
Ihre Farbe ward entzündet.   Die Schöne sagte da:
"Willkommen, Herr Siegfried,   ein edler Ritter gut."
Da ward ihm von dem Grusse   gar wohl erhoben der Mut.

Er neigte sich ihr minniglich,   als er den Dank ihr bot;   105
Da zwang sie zu einander   sehnender Minne Not.
Mit liebem Blick der Augen   sahn einander an
Der Held und auch das Mägdlein;   das ward verstohlen getan.

Ward da mit sanftem Drucke   geliebkost weisse Hand
In herzlicher Minne,   das ist mir unbekannt.   110
Doch kann ich auch nicht glauben,   sie hätten's nicht getan.
Liebebedürft'ge Herzen   täten Unrecht daran.

*From Adventure 7 :   The strenuous games at Isenstein [1] ;   Brunhild is fraudu-
lently vanquished for Gunter by the invisible Siegfried.*

   Brunhildens Stärke   zeigte sich nicht klein,
Man trug ihr zu dem Kreise   einen schweren Stein,
Gross und ungefüge,   rund dabei und breit;   115
Ihn trugen kaum zwölfe   dieser Degen kühn im Streit.

Den warf sie allerwegen,   wie sie den Speer verschoss;
Darüber war die Sorge   der Burgunden gross.
"Wen will der König werben?"   sprach da Hagen laut;
"Wär' sie in der Hölle   doch des übeln Teufels Braut!"   120

An ihre weissen Arme   sie die Ärmel wand,
Sie schickte sich und fasste   den Schild an die Hand;
Sie schwang den Spiess zur Höhe: das war des Kampfs Beginn.
Gunter und Siegfried bangten   vor Brunhildens grimmem Sinn.

[1] The home of Brunhild, far out over the North Sea. She is an athletic
maid who kills her suitors unless they vanquish her in certain sports. Gunter
has come to woo her. Siegfried promising to help him. Siegfried's reward is to
be the hand of Kriemhild.

125 Und wär' ihm da Siegfried   zu Hilfe nicht gekommen,
So hätte sie dem König   das Leben wohl benommen.
Er trat hinzu verstohlen [1]   und rührte seine Hand;
Gunter seine Künste   mit grossen Sorgen befand.

"Wer war's, der mich berührte?"   dachte der kühne Mann,
130 Und wie er um sich blickte,   da traf er niemand an.
Er sprach: "Ich bin es, Siegfried,   der Geselle dein;
Du sollst gar ohne Sorge   vor der Königin sein."

Er sprach: "Gib aus den Händen   den Schild, lass mich ihn tragen
Und behalt' im Sinne,   was du mich hörest sagen:
135 Du habe die Gebärde,   ich will das Werk begehn."
Als er ihn erkannte,   da war ihm Liebes geschehn.

"Verhehl' auch meine Künste,   das ist uns beiden gut;
So mag die Königstochter   den hohen Übermut
Nicht an dir vollbringen,   wie sie gesonnen ist.
140 Nun sieh doch, welcher Kühnheit   sie wider dich sich vermisst."

Da schoss mit ganzen Kräften   die herrliche Maid
Den Speer nach einem Schilde,   mächtig und breit,
Den trug an der Linken   Sieglindens Kind;
Das Feuer sprang vom Stahle,   als ob es wehte der Wind.

145 Des starken Spiesses Schneide   den Schild ganz durchdrang,
Dass das Feuer lohend   aus den Ringen sprang.
Von dem Schusse fielen   die kraftvollen Degen;
War nicht die Tarnkappe,   sie wären beide da erlegen.

Siegfried dem kühnen   vom Munde brach das Blut.
150 Bald sprang er auf die Füsse,   da nahm der Degen gut
Den Speer, den sie geschossen   ihm hatte durch den Rand;
Den warf ihr jetzt zurücke   Siegfried mit kraftvoller Hand.

---

[1] Siegfried has put on his *Tarnkappe*, or hiding-cloak, which makes him invisible.

Er dacht' : "Ich will nicht schiessen das Mägdlein wonnig-
   lich."
Des Spiesses Schneide kehrt' er hinter den Rücken sich;
Mit der Speerstange schoss er auf ihr Gewand, 155
Dass es laut erhallte von seiner kraftreichen Hand.

Das Feuer stob vom Panzer, als trieb' es der Wind,
Es hatte wohl geschossen der Sieglinde Kind.
Sie vermochte mit den Kräften dem Schusse nicht zu stehn;
Das wär' von König Guntern in Wahrheit nimmer geschehn. 160

Brunhild die schöne bald auf die Füsse sprang:
"Gunter, edler Ritter, des Schusses habe Dank!"
Sie wähnt', er hätt' es selber mit seiner Kraft getan;
Nein, zu Boden warf sie ein viel stärkerer Mann.

Da ging sie hin geschwinde, zornig war ihr Mut, 165
Den Stein hoch erhub sie, die edle Jungfrau gut;
Sie schwang ihn mit Kräften weithin von der Hand,
Dann sprang sie nach dem Wurfe, dass laut erklang ihr Ge-
   wand.

Der Stein fiel zu Boden von ihr zwölf Klafter weit,
Den Wurf überholte im Sprung die edle Maid. 170
Hin ging der schnelle Siegfried, wo der Stein nun lag;
Gunter musst' ihn wägen, des Wurfs der Verhohl'ne pflag.

Siegfried war kräftig, kühn und auch lang,
Den Stein warf er ferner, dazu er weiter sprang;
Ein grosses Wunder war es, und künstlich genug, 175
Dass er in dem Sprunge den König Gunter noch trug.

Der Sprung war ergangen, am Boden lag der Stein,
Gunter war's, der Degen, den man sah allein;
Brunhild die schöne ward vor Zorne rot,
Gewendet hatte Siegfried dem König Gunter den Tod. 180

Zu ihrem Ingesinde   sprach die Königin da,
Als sie gesund den Helden   an des Kreises Ende sah:
"Ihr, meine Freund' und Mannen,   tretet gleich heran.
Ihr sollt dem König Gunter   alle werden untertan."

From Adventure 16:   Siegfried is treacherously slain by Hagen.[1]

185   Die höf'sche Zucht erwies da   Siegfried daran:
Den Schild legt' er nieder,   wo der Brunnen rann;
Wie sehr ihn auch dürstete,   der Held nicht eher trank,
Bis der König getrunken;   dafür gewann er übeln Dank.

Der Brunnen war lauter,   kühl und auch gut,
190 Da neigte sich Gunter   hernieder zu der Flut.
Als er getrunken hatte,   erhob er sich hindann;
Also hätt' auch gerne   der kühne Siegfried getan.

Da entgalt er seiner höf'schen Zucht;   den Bogen und das Schwert
Trug beiseite Hagen   von dem Degen wert,
195 Dann sprang er zurücke,   wo er den Wurfspiess fand,
Und sah nach einem Zeichen   an des Kühnen Gewand.

Als der edle Siegfried   aus dem Brunnen trank,
Er schoss ihm durch das Kreuze,[2]   dass aus der Wunde sprang
Das Blut von seinem Herzen   hoch an Hagens Gewand;
200 Kein Held begeht wohl wieder   solche Untat nach der Hand.

Den Gerschaft im Herzen   liess er ihm stecken tief.
Wie im Fliehen Hagen   da so grimmig lief,
So lief er wohl auf Erden   nie vor einem Mann!
Als da Siegfried Kunde   der schweren Wunde gewann,

---

[1] The two queens have quarreled, and Hagen, as the faithful liegeman of Brunhild, seeks the life of Siegfried, who is invulnerable except in one spot on his back. At the end of a day's hunt in the Odenwald (across the Rhine from Worms) the thirsty Siegfried races with Gunter and Hagen to a spring. —
[2] The silken cross which the unsuspecting Kriemhild has sewn upon her husband's corselet, in order that Hagen may protect him from the spears of the enemy.

Der Degen mit Toben   von dem Brunnen sprang;   105
Ihm ragte von der Achsel   eine Gerstange lang.
Nun wähnt' er da zu finden   Bogen oder Schwert,
Gewiss, so hätt' er Hagnen   den verdienten Lohn gewährt.

Als der Todwunde   da sein Schwert nicht fand,
Da blieb ihm nichts weiter   als der Schildesrand.   210
Den rafft' er von dem Brunnen   und rannte Hagen an;
Da konnt' ihm nicht entrinnen   König Gunthers Untertan.

Wie wund er war zum Tode,   so kräftig doch er schlug,
Dass von dem Schilde nieder   wirbelte genug
Des edeln Gesteines;   der Schild zerbrach auch fast,   215
So gern gerochen hätte   sich der herrliche Gast.

Da musste Hagen fallen   von seiner Hand zu Tal,
Der Anger von den Schlägen   erscholl im Wiederhall.
Hätt' er sein Schwert in Händen,   so wär' es Hagens Tod.
Sehr zürnte der Wunde,   es zwang ihn wahrhafte Not.   220

Seine Farbe war erblichen,   er konnte nicht mehr stehn,
Seines Leibes Stärke   musste ganz zergehn,
Da er des Todes Zeichen   in lichter Farbe trug;
Er ward hernach betrauert   von schönen Frauen genug.

Da fiel in die Blumen   der Kriemhilde Mann,   225
Das Blut von seiner Wunde   stromweis nieder rann;
Da begann er die zu schelten,   ihn zwang die grosse Not,
Die da geraten hatten   mit Untreue seinen Tod.

Da sprach der Todwunde: "Weh, ihr bösen Zagen,
Was helfen meine Dienste,   da ihr mich habt erschlagen?   230
Ich war euch stets gewogen,   und sterbe nun daran;
Ihr habt an euren Freunden   leider übel getan.

Die sind davon bescholten, so viele noch geborn
Werden nach diesem Tage. Ihr habt euern Zorn
235 Allzusehr gerochen an dem Leben mein;
Mit Schanden geschieden sollt ihr von guten Recken sein."

Hinliefen all die Ritter, wo er erschlagen lag,
Es war ihrer vielen ein freudeloser Tag.
Wer Treue kannt' und Ehre, der hat ihn beklagt;
240 Das verdient' auch wohl um alle dieser Degen unverzagt.

Der König der Burgunden klagt' auch seinen Tod.
Da sprach der Todwunde: "Das tut nimmer Not,
Dass der um Schaden weine, von dem man ihn gewann;
Er verdient gross Schelten, er hätt' es besser nicht getan."

245 Da sprach der grimme Hagen: "Ich weiss nicht, was euch reut;
Nun hat doch gar ein Ende, was uns je gedräut.
Es gibt nun nicht manchen, der uns darf bestehn;
Wohl mir, dass seiner Herrschaft durch mich ein End' ist ge-
schehn."

"Ihr mögt Euch leichtlich rühmen," sprach der von Niederland;
250 "Hätt' ich die mörderische Weis' an Euch erkannt,
Vor Euch behütet hätt' ich Leben wohl und Leib.
Mich dauert nichts auf Erden als Frau Kriemhild, mein Weib.

Nun mög' es Gott erbarmen, dass ich gewann den Sohn,
Der jetzt auf alle Zeiten den Vorwurf hat davon,
255 Dass seine Freunde jemand meuchlerisch erschlagen;
Hätt' ich Zeit und Weile, das müsst' ich billig beklagen."

"Wohl nimmer hat begangen so grossen Mord ein Mann,"
Sprach er zu dem König, "als Ihr an mir getan;
Ich erhielt Euch unbescholten in grosser Angst und Not;
260 Ihr habt mir schlimm vergolten, dass ich so wohl es Euch bot."

Da sprach in Jammer weiter   der todwunde Held:
"Wollt ihr, edler König,   noch auf dieser Welt
An jemand Treue pflegen,   so lasst befohlen sein
Doch auf Eure Gnade   Euch die liebe Traute mein.

Es komm' ihr zu Gute,   dass sie Eure Schwester ist;   265
Bei aller Fürsten Tugend   helft ihr zu jeder Frist.
Mein mögen lange harren   mein Vater und mein Lehn;
Nie ist an liebem Freunde   einem Weib so leid geschehn."

Er krümmte sich in Schmerzen,   wie ihm die Not gebot,
Und sprach aus jammerndem Herzen: "Mein mordlicher Tod   270
Mag euch noch gereuen   in der Zukunft Tagen;
Glaubt mir in rechten Treuen,   ihr euch selber habt erschlagen."

Die Blumen allenthalben   waren vom Blute nass.
Da rang er mit dem Tode,   nicht lange tat er das,
Denn des Todes Waffe   schnitt ihn allzusehr.   275
Da konnte nicht mehr reden   dieser Degen kühn und hehr.

From Adventure 39 : The end of the Nibelungs.[1]

Den Schild liess er fallen,   seine Stärke, die war gross;
Hagnen von Tronje   mit den Armen er umschloss.
So ward von ihm bezwungen   dieser kühne Mann;
Gunter der edle   darob zu trauern begann.   280

Hagnen band da Dietrich   und führt' ihn, wo er fand
Kriemhild die edle,   und gab in ihre Hand
Den allerkühnsten Recken,   der je Gewaffen trug;
Nach ihrem starken Leide   ward sie da fröhlich genug.

[1] The widowed Kriemhild has married Etzel and lived several years at the
Hunnish court, always nursing plans of vengeance against Hagen, who has not
only killed her husband but robbed her of her Nibelungen hoard. At last she
invites her brothers to visit her. In the fierce fights that take place at Kriemhild's
instigation all the Burgundians have fallen except Gunter and Hagen. The death
of his liegemen at the hands of the Burgundians constrains the mighty Dietrich
of Bern to interfere.

285 Da neigte sich dem Degen vor Freuden Etzels Weib:
"Nun sei dir immer selig das Herz und auch der Leib;
Du hast mich wohl entschädigt aller meiner Not,
Ich will dir's immer danken, es verwehr' es denn der Tod."

Da sprach der edle Dietrich: "Nun lasst ihn am Leben,
290 Edle Königstochter; es mag sich wohl begeben,
Dass Euch sein Dienst vergütet das Leid, das er Euch tat.
Er soll es nicht entgelten, dass Ihr ihn gebunden saht."

Da liess sie Hagnen führen in ein Haftgemach,
Wo niemand ihn erschaute, und er verschlossen lag.
295 Gunter der edle hub da zu rufen an:
"Wo blieb der Held von Berne? Er hat mir Leides getan."

Da ging ihm hin entgegen von Bern Herr Dieterich.
Gunters Kräfte waren stark und ritterlich;
Da säumt' er sich nicht länger, er rannte vor den Saal.
300 Von ihrer beider Schwertern erhob sich mächtiger Schall.

So grossen Ruhm erstritten Dietrich seit alter Zeit,
In seinem Zorne tobte Gunter so im Streit,
Er war nach seinem Leide von Herzen feind dem Mann;
Ein Wunder musst' es heissen, dass da Herr Dietrich ent-
rann.

305 Sie waren alle beide so stark und mutesvoll,
Dass von ihren Schlägen Palast und Turm erscholl,
Als sie mit Schwertern hieben auf die Helme gut.
Da zeigte König Gunter einen herrlichen Mut.

Doch zwang ihn der von Berne, wie Hagnen war geschehn,
310 Man mochte durch den Panzer das Blut ihm fliessen sehn
Von einem scharfen Schwerte, das trug Herr Dieterich;
Doch hatte sich Herr Gunter gewehrt, der müde, ritterlich.

Der König ward gebunden   von Dietrichens Hand,
Wie nimmer Kön'ge sollten   leiden solch ein Band.
Er dachte, liess er ledig   Guntern und seinen Mann,   315
Wem sie begegnen möchten,   die müssten all den Tod empfahn.

Dietrich von Berne   nahm ihn bei der Hand,
Er führt' ihn hin gebunden,   wo er Kriemhilden fand.
Ihr war mit seinem Leide   des Kummers viel benommen.
Sie sprach: "König Gunter,   nun seid mir höchlich willkom-
    men."   320

Er sprach: "Ich müsst' Euch danken,   vieledle Schwester mein,
Wenn Euer Gruss in Gnaden   geschehen könnte sein;
Ich weiss Euch aber, Königin,   so zornig von Mut,
Dass Ihr mir und Hagen   solchen Gruss im Spotte tut."

Da sprach der Held von Berne: "Königstochter hehr,   325
So gute Helden sah man   als Geisel nimmermehr,
Als ich, edle Königin,   bracht' in Eure Hut;
Nun komme meine Freundschaft   den Heimatlosen zu Gut."

Sie sprach, sie tät' es gerne.   Da ging Herr Dieterich
Mit weinenden Augen   von den Helden tugendlich.   330
Da rächte sich entsetzlich   König Etzels Weib:
Den auserwählten Degen   nahm sie Leben und Leib.

Sie liess sie gesondert   in Gefängnis legen,
Dass sich nie im Leben   wiedersahn die Degen,
Bis sie ihres Bruders Haupt   hin vor Hagen trug.   335
Kriemhildens Rache   ward an beiden grimm genug.

Hin ging die Königstochter,   wo sie Hagen sah.
Wie feindselig sprach sie   zu dem Recken da:
"Wollt Ihr mir wiedergeben   was Ihr mir habt genommen,
So mögt Ihr wohl noch lebend   heim zu den Burgunden kom-
    men."   340

Da sprach der grimme Hagen: "Die Red' ist gar verloren,
Vieledle Königstochter.   Den Eid hab' ich geschworen,
Dass ich den Hort nicht zeige;   so lange noch am Leben
Blieb' einer meiner Herren,   wird er niemand gegeben."

345 "Ich bring' es zu Ende,"   sprach das edle Weib.
Dem Bruder nehmen liess sie   Leben da und Leib.
Man schlug das Haupt ihm nieder,   bei den Haaren sie es
        trug
Vor den Held von Tronje;   da gewann er Leids genug.

Als der Unmutvolle   seines Herrn Haupt ersah,
350 Wider Kriemhilden   sprach der Recke da:
"Du hast's nach deinem Willen   zu Ende nun gebracht,
Es ist auch so ergangen,   wie ich mir hatte gedacht.

Nun ist von Burgunden   der edle König tot,
Geiselher der junge,   dazu Herr Gernot.
355 Den Hort weiss nun niemand   als Gott und ich allein;
Der soll dir Teufelsweibe   immer wohl verhohlen sein."

Sie sprach: "So habt Ihr üble   Vergeltung mir gewährt;
So will ich doch behalten   Siegfriedens Schwert.
Das trug mein holder Friedel,   als ich zuletzt ihn sah,
360 An dem mir Herzensjammer   vor allem Leide geschah."

Sie zog es aus der Scheide,   er konnt' es nicht wehren,
Da dachte sie dem Recken,   das Leben zu versehren.
Sie schwang es mit den Händen,   das Haupt schlug sie ihm
        ab;
Das sah der König Etzel,   dem es grossen Kummer gab.

365 "Weh!" rief der König: "wie ist hier gefällt
Von eines Weibes Händen   der allerbeste Held,
Der je im Kampf gefochten   und seinen Schildrand trug!
So feind ich ihm gewesen bin,   mir ist leid um ihn genug."

Da sprach Meister Hildebrand: "Es kommt ihr nicht zu Gut,
Dass sie ihn schlagen durfte; was man halt mir tut, 370
Ob er mich selber brachte   in Angst und grosse Not,
Jedennoch will ich rächen   dieses kühnen Tronjers Tod."

Hildebrand im Zorne   zu Kriemhilden sprang,
Er schlug der Königstochter   einen Schwertesschwang.
Wohl schmerzten solche Dienste   von dem Degen sie; 375
Was konnt' es aber helfen,   dass sie so ängstlich schrie?

Die da sterben sollten,   die lagen all umher,
Zu Stücken lag verhauen   die Königstochter hehr.
Dietrich und Etzel   huben zu weinen an
Und jämmerlich zu klagen   manchen Freund und Untertan. 380

Da war der Helden Herrlichkeit   hingelegt im Tod;
Die Leute hatten alle   Jammer und Not.
Mit Leid war beendet   des Königs Lustbarkeit,
Wie immer Leid die Freude   am letzten Ende verleiht. *= theme !*

upon all joy sorrow must follow !

Ich kann euch nicht bescheiden,   was seither geschah, 385
Als dass man immer weinen   Christen und Heiden sah,
Die Ritter und die Frauen   und manche schöne Maid;
Sie hatten um die Freunde   das allergrössseste Leid.

Ich sag' euch nicht weiter   von der grossen Not.
Die da erschlagen waren,   die lasst liegen tot. 390
Wie es auch im Heunland   hernach dem Volk geriet,
Hier hat die Mär' ein Ende.   Das ist DAS NIBELUNGENLIED.

XIX. GUDRUN

A ballad epic of the Lowlands, in which ancient viking tales of bride-stealing
and sea-fighting have been worked over under the influence of Christianity and
chivalry. Although the only extant manuscript dates from the early years of
the 16th century, the poem was probably composed about 1200, — not long

written about 1240–1250, according to Pimentel

imitation of Nibelungenlied !

after the Nibelungenlied, the style of which it to some extent imitates. There
are in all 1705 four-line strophes. The strophe is like that of the Nibelungenlied save that the rimes *bb* are feminine, and the final half-line has five accents.
This last feature gives to the verse a dragging effect which is unpleasant to the
modern ear.

The locus of the poem is the coast of the North Sea from Jutland to Normandy. The story consists of a Hilde-saga and a Gudrun-saga, the whole being
preceded by an introductory account of Hilde's lineage. She is the daughter of
'wild Hagen,' King of Ireland, and is abducted, not much against her will, by
envoys of Hetel, King of the Hegelings. Gudrun is the daughter of Hetel and
Hilde. She betroths herself to Herwig of Seeland, but is violently abducted,
during the absence of her father's fighting men, by Hartmut of Normandy.
The Hegelings pursue, and a great fight takes place on the Wülpensand (near
the mouth of the Scheldt). King Hetel and many of his men are killed, and the
Normans sneak away in the night with the captured women. For fourteen
years (while a new generation of Hegelings is growing up) Gudrun lives as exile
in Normandy, faithful to her absent lover Herwig, and cruelly treated by the
fiendish mother of Hartmut because she refuses to take the Norman for a husband. Then come rescue and revenge.

There are several translations, the most popular being, again, that of Simrock. To illustrate the meter the first of the selections below is given in Simrock's rendering; the others are in the smoother translation of Löschhorn, who
ruthlessly amputates the two extra feet in the last half-line.

*From Adventure 6: Horand the Dane, one of Hetel's envoys, does some wonderful
singing, which captivates the princess Hilde.*

Als die Nacht ein Ende nahm   und es begann zu tagen,
Horand hub an zu singen,   dass ringsum in den Hagen
Alle Vögel schwiegen   vor seinem süssen Sange.
Die Leute, die da schliefen, lagen in den Betten nicht mehr lange.

5   Sein Lied erklang ihm schöner   und lauter immerdar,
Herr Hagen hört' es selber,   der bei Frau Hilde war.
Aus der Kemenate   mussten sie zur Zinne,
Der Gast war wohl beraten;   die junge Königin ward des Sanges
        inne.

Des wilden Hagen Tochter   und ihre Mägdelein
10 Sassen da und lauschten,   wie selbst die Vögelein
Auf dem Königshofe   vergassen ihr Getöne;
Wohl hörten auch die Helden,   wie der von Dänenlanden sang so
        schöne.

Als er schon das dritte Lied zu Ende sang,
Allen, die es hörten, währt' es nicht zu lang.
Es däuchte sie in Wahrheit nur spannenlange Weile, 15
Wenn er immer sänge, während einer ritte tausend Meilen.

Als er gesungen hatte und von der Stelle ging,
Die Königstochter morgens wohl nie so froh empfing,
Die ihr die Kleider brachten, die sie sollte tragen.
Das edle Mägdlein schickte sie alsbald nach ihrem Vater Hagen. 20

Der König ging zur Stelle, wo er die Tochter fand.
In traulicher Weise war da des Mägdleins Hand
An ihres Vaters Kinne; · sie wusst' in ihn zu dringen.
Sie sprach: "Liebes Väterlein, heiss ihn uns noch neue Lieder
      singen."

Er sprach: "Liebe Tochter, wenn er zur Abendstund' 25
Dir immer singen wollte, ich gäb' ihm tausend Pfund.
Doch sind so hochfährtig des fremden Landes Söhne,
Dass uns hier am Hofe nicht so leicht erklingen seine Töne."

Was sie bitten mochte, der König blieb nicht mehr.
Nun fliss sich wieder Horand, dass er nie vorher 30
So wundersam gesungen; die Siechen und Gesunden
Konnten nicht vom Platze, wo sie da wie angewurzelt stunden.

Die Tier' im Walde liessen ihre Weide stehn;
Die Würme, die da sollten in dem Grase gehn,
Die Fische, die da sollten in dem Wasser fliessen, 35
Verliessen ihre Fährte; wohl durft' ihn seiner Künste nicht ver-
      driessen.

Was er da singen mochte, das däuchte niemand lang,
Verleidet in den Chören war aller Pfaffen Sang.
Auch die Glocken klangen nicht mehr so wohl als eh';
Allen, die ihn hörten, war nach Horanden weh. 40

Da liess ihn zu sich bringen   das schöne Mägdelein;
Ohn' ihres Vaters Wissen,   gar heimlich sollt' es sein.
So blieb es ihrer Mutter,   Frau Hilden, auch verhohlen,
Dass der Held so heimlich   sich zu ihrem Kämmerlein gestohlen.

From Adventure 15: The abduction of Gudrun by the Normans.

45   Ludwig und Hartmut drangen   in das hohe Tor,
Viel todeswunde Streiter   liessen sie davor.
Eine edle Jungfrau   zu weinen drob begann;
Viel Schaden ward von Feinden   in Hetels Burg getan.

Von Ormanie der König   gewann da frohen Mut.
50   Seine Zeichen trugen   er und die Helden gut
Bis an den Saal der Feste.   Da liess man von den Zinnen
Die lichten Fahnen flattern;   Weh traf die Königinnen.

Hartmut, der schnelle Degen,   zur schönen Kudrun geht.
Er spricht: "Edle Jungfrau,   Ihr habt mich stets verschmäht;
55   Drum werden wir's verschmähen,   ich und die Freunde mein,
Dass wir Gefangene machen.   Man hängt sie, gross und klein."

Nichts mehr gab sie zur Antwort   als: "Wehe, Vater mein!
Könntest du es wissen,   dass man die Tochter dein
Gewaltsam wagt zu führen   hinweg aus deinem Lande,
60   Du spartest der Verlass'nen   den Schaden und die Schande."

Gern wüsst' ich, was wäre   den Fremden wohl geschehn,
Wenn der grimme Wate   hätte zugesehn,
Wie Hartmut der kühne   durch den Saal geschritten kam,
Und mit ihm König Ludwig   Kudrun gefangen nahm.

65   Wate und auch Hetel   hätten es ihm verwehrt
Und manchen Helm zerhauen   mit ihrem guten Schwert,
Wär's ihnen nur verraten!   Man sähe nimmermehr
Geführt die schöne Kudrun   gefangen übers Meer.

Es standen alle Leute   in trübem Sinn und Mut;
Nicht anders wär' es heute.   Man nahm da Hab' und Gut   70
Mit Raub den armen Bürgern   und trug es fort zugleich.
Glaubt mir, es wurde jeder   von Hartmuts Recken reich.

Als sie genommen hatten   Schätze und Gewand,
Führte man Frau Hilde   hinaus an ihrer Hand.
Gern hätte auf die Zinnen   man roten Brand gesetzt;   75
Dass einst die Rache folgte,   wer dachte daran jetzt?

Hartmut befahl, es bleibe   die Feste unversehrt.
Schnell das Land zu räumen   hat der Fürst begehrt,
Eh' man die üble Kunde   hätt' Hetel überbracht,
Der noch in Waleis kämpfte   mit stolzer Heeresmacht.   80

"Auch sollt ihr Raub nicht nehmen,"   sprach der Held Hartmut,
"Sind wir daheim, so zahl' ich   mit meines Vaters Gut.
Auch fahren wir um so leichter   über die weite See."
Ludwigs grimmes Wüten   tat Kudruns Herzen weh.

Die Burg, die war gebrochen;   die Stadt, die war verbrannt.   85
Da hatte man gefangen   die besten, die man fand;
Zweiundzwanzig Frauen,   minnigliche Maide,
Führten sie von dannen   zu Hildes Herzeleide.

Wie traurig stand im Saale   die edle Königin!
Sie schritt betrübten Herzens   zu einem Fenster hin,   90
Zu grüssen die Gefangenen   mit einem letzten Blick;
Es blieb manch edle Fraue   klagend bei ihr zurück.

From Adventure 17 : The battle on the Wülpensand.

Es war ein breiter Werder,   der Wülpensand genannt,
Da hatten Ludwigs Recken   aus Normannenland
Für sich und ihre Rosse   geschafft willkommne Rast.   95
Wie bald bedrängt' die Frohen   der grimmen Sorge Last!

Man führte aus den Schiffen   auf den öden Strand
Die minniglichen Mädchen   aus Hegelingenland.
Wie sie das Herz es lehrte,   so klagten da die Frauen
100 Und liessen ihre Tränen   die Feinde reichlich schauen.

Da sah der Schiffer einer   auf den Wogen nahn
Ein Schiff mit vollen Segeln;   dem König sagt' er's an.
Und als sie es erblickten,   rief Hartmut und die Seinen:
"Pilger sind es.   Sehet   das Kreuz im Segel scheinen!"

105 Bald erschaute jeder   drei Kiele fest und gut,
Dabei neun volle Kocken;   die führten durch die Flut
Manchen, der noch nimmer   zu Gottes Ruhm und Ehr'
Ein Kreuz getragen hatte.[1]   Der Normann griff zur Wehr.

Bald waren sie so nahe,   dass man die Helme sah
110 Auf dem Verdecke glänzen.   Viel Not erhob sich da
Und mancher arge Schaden   für Ludwig und sein Heer.
"Auf!" rief Hartmut, "uns suchen   die Feinde über Meer."

Nicht träge waren die Fremden,   nah kamen sie dem Land,
Dass man schon knarren hörte   die Ruder an dem Strand.
115 Dort standen zum Empfange   in hellem Waffenkleid
Die Alten und die Jungen   am Ufer schon bereit.

Laut rief der König Ludwig,   den Seinen zugewandt:
"Ein Kinderspiel nur war es,   was je im Kampf ich fand!
Heut gilt's zum ersten Male   mit guten Helden Streit.
120 Wer meiner Fahne folget,   dem lohn' ich's alle Zeit."

Hartmuts Feldzeichen   trug man auf den Sand.
So nah schon waren die Schiffe,   dass man mit der Hand
Die Speere konnte stossen   zum Bord vom Ufer wild;
Nur wenig Musse gönnte   Herr Wate seinem Schild.

[1] Hetel and his men have taken possession of some ships belonging to a party of pilgrims. A *Kocke* was a wide, blunt-pointed convoy.

So grimmig ward verteidigt   niemals zuvor ein Land.   125
Die Hegelingenrecken   drangen an den Strand,
Sie schwangen ohn' Ermüden   die Speere und das Schwert,
Sie tauschten scharfe Hiebe, —   die keiner doch begehrt.

Da galt es Speere werfen!   Es dauerte gar lang,
Bis sie das Land gewannen.   Der alte Wate sprang   130
Voll Ingrimm auf die Feinde   und griff sie hurtig an;
Was er im Sinne hatte,   bald ward es kund getan.

Es drang der König Ludwig   auf Waten ein voll Wut.
Mit einem scharfen Speere   traf er den Recken gut,
So dass die Stücke sprangen   hoch auf in alle Winde.   135
Stark war der König Ludwig.   Da kam das Ingesinde.

Auf den Helm des Königs   das Schwert Herr Wate schwang,
Dass die scharfe Schneide   bis auf das Haupt ihm drang.
Trüg' er nicht unter der Brünne   ein dichtes Hemd, geschnitten
Aus Abalier Seide,   den Tod hätt' er erlitten.   140

Wider den Degen Irolt   der kühne Hartmut sprang.
Ihrer beider Waffe   auf dem Helm erklang,
Es hallte das Schwertgetöse   weit über die Schar dahin.
Wacker hielt sich Irolt,   Hartmut war stark und kühn.

Herwig von Sewen,   ein Held berühmt und gut,   145
Verfehlt' im Sprung' das Ufer;   so sprang er in die Flut,
Dass er bis an die Achsel   tief in dem Wasser stand,
Ein harter Dienst um Minne   ward Herwig da bekannt.

Den edlen Recken wollten   ertränken in der Flut
Seine grimmen Feinde.   Viele Schäfte gut   150
Mussten an ihm splittern,   er eilte auf den Sand
Entgegen seinen Feinden;   nicht ruhte seine Hand.

Grössere Kampfesmühe   ward niemals Helden kund.
Nie hat man so viel Recken   gedrängt zum tiefen Grund
155 Die ohne Wunden starben,   versenkt ins wilde Meer,
Ihrer war von beiden Seiten   ein ganzes Kriegesheer.

Übertreibung!

Als sie den Strand gewannen,   sah man die Wasserflut
Aus tiefen Todeswunden   gefärbt ringsum wie Blut.
Aus Freunden und aus Feinden   ein purpurroter Fluss,
160 So breit — sein End' erreichte   nicht eines Speeres Schuss.

fantastic!

From Adventure 21: The hard fate of Gudrun in Normandy.

Da bot man Hetels Tochter   Burgen an und Land.
Weil keines sie begehrte,   musste sie Gewand
Alle Tage waschen   vom Morgen bis zur Nacht.
Drum sah man später Ludwig   sieglos vor Herwigs Macht.

165 Es ging der Degen Hartmut,   wo er die Seinen fand,
Er befahl in ihre Obhut   die Leute und das Land,
Dann zog er in die Ferne.   Er dacht' in Sorgen schwer:
"Mich drängen viele Feinde;   drum setz' ich mich zur Wehr."

Da sprach mit Wolfessinne   die böse Frau Gerlind:
170 "Nun will ich, dass mir diene   der stolzen Hilde Kind.
Weil sie in ihrer Bosheit   sich dünkt so gut und treu,
Soll sie als Magd mir dienen;   leicht wär' vom Schmach sie frei."

Darauf die edle Jungfrau: "Was ich leisten kann,
Das sei mit diesen Händen   früh und spät getan;
175 Mit Fleiss und gutem Willen   tu' ich es immerdar,
Da mich mein herbes Schicksal   schuf aller Freude bar."

Da sprach die böse Gerlind: "Du sollst mein Gewand
Jeden Morgen tragen   nieder an den Strand;
Du sollst die Kleider waschen   mir und dem Ingesinde.
180 Und hüte dich, du Stolze,   dass man dich müssig finde."

*schlaue, listige Frau Gerlind (see King Rother)
Oriental element (imitation?)*

Darauf die edle Jungfrau: "Fraue, hört mich an!
Nun lasst mich unterweisen, dass ich lernen kann,
Wie ich die Kleider wasche unten an dem Meer.
Ich mag nicht Freude haben, ja, quält mich nur noch mehr!"

Da hiess sie eine Wäscherin nieder an den Strand, 185
Dass sie es Kudrun lehrte, tragen das Gewand.
Die Fürstentochter diente in harter Pein und Not;
Niemand konnt' es wehren; es war Gerlinds Gebot.

From Adventure 28: The Hegelings take revenge; King Ludwig's end.

Laut rief der edle Herwig: "Wer ist der Alte da?
Von seinen starken Händen schon vieles Leid geschah. 190
Er schlägt so tiefe Wunden mit seiner grossen Kraft,
Dass er daheim den Frauen viel Not und Wehe schafft."

Das hörte König Ludwig, der Held von Normandie.
"Wer ist's, der im Getümmel dort so gewaltig schrie?
Ich heisse König Ludwig und Normandie mein Reich. 195
Wer mich zum Kampfe fordert, dem achte ich mich gleich."

Er sprach: "Ich heisse Herwig, und du stahlst mir mein Weib.
Das sollst du wieder geben, oder tot liegt hier ein Leib —
Der meine oder deine — und dazu mancher Held."
Herr Ludwig drauf: "Mit Drohen hast du dich mir gestellt. 200

Doch sprachst du deine Beichte wahrhaftig ohne Not.
Ich schlug schon manchem andern die Anverwandten tot
Und nahm ihm seine Habe. Du, prahle nicht so sehr;
Die Gattin, die du forderst, küssest du nimmermehr."

Kaum war das Wort gesprochen, da sprengten sie heran, 205
Beide aneinander. Mancher kühne Mann
Sprang an des Herren Seite aus des Getümmels Drang;
Es musste heiss sich mühen, wer da den Sieg errang.

Wohl war Herr Herwig wacker   und seiner Stärke froh,
210   Doch schlug Herrn Hartmuts Vater   den jungen König so,
Dass er begann zu sinken   vor Ludwigs rauher Hand;
Gern hätt' er ihn auf ewig   getrennt vom Vaterland.

Wäre nicht so nah gewesen   Herrn Herwigs gutes Heer,
Das vor dem Feind ihn schützte,   er wäre nimmermehr
215   Von Ludwig geschieden   anders als im Tod;
Den jungen Herren brachte   der Held in grosse Not.

Sie halfen, dass das Fechten   kein böses Ende nahm.
Als er von seinem Falle   nun wieder zu sich kam,
Da hat nach einer Zinne[1]   er schnell emporgeschaut,
220   Ob er darin erblickte   wohl seines Herzens Traut.

Er dacht' in seinem Herzen: "Ach, wie ist mir geschehn!
Wenn meine Herrin Kudrun   hat meinen Fall gesehn,
Und wenn ich einst zum Weibe   die Königin gewinne,
So wird sie mich drum schelten   und weigern mir die Minne

225   Dass mich der greise Recke   hier hat zu Fall gebracht,
Muss billig mich beschämen."   Da hiess zu neuer Schlacht
Er seine Zeichen tragen   dahin, wo Ludwig stand;
Nach drängten seine Helden   mit Speer und Schildesrand.

In Ludwigs Rücken tobte   der Hegelinge Heer;
230   Er kehrte sich zum Feinde   und setzte sich zur Wehr.
Da rasselten die Hiebe,   da krachte mancher Schaft;
Die in der Nähe standen,   erprobten Ludwigs Kraft.

Es traf Kudruns Geliebter   unterm Helm und überm Rand
Den alten König Ludwig   mit heldenstarker Hand.
235   Er schlug ihm eine Wunde,   dass man nicht länger stritt;
Da war's, wo König Ludwig   den grimmen Tod erlitt.

_____
[1] The fight takes place before the Norman castle.

From Adventure 29: The fate of Queen Gerlinde.

Da trat dahin auch eilend die böse Frau Gerlind;
Demütig fiel zu Füssen sie Hildes schönem Kind.
"Nun schütze uns, o Herrin, vor Wate," war ihr Flehn;
"Denn du nur kannst es wenden, sonst ist's um uns geschehn."   240

"Dass Ihr um Gnade bittet, erhabene Königin,
Das höre ich nicht ungern; doch steht nicht so mein Sinn.
Wann durfte ich Euch bitten? Wann winktet Ihr Gewähr?
Ihr waret mir nie gnädig. Drum trifft mein Zorn Euch schwer."

Als nun der alte Wate Herrn Ludwigs Königin sah,   245
Wie knirscht' er mit den Zähnen! Näher trat er da,
Ihm funkelten die Augen, sein Bart war ellenbreit,
Vor dem von Stürmen bebte im Saale Mann und Maid.

Er fasste ihre Hände und zog zur Tür sie hin,
Da hub sie an zu jammern, die arge Königin.   250
Er sprach in blindem Zorne: "Fürstin stolz und hehr!
Für Euch wäscht meine Herrin die Kleider nimmermehr."

Als er hinaus die Fürstin zog aus dem Gemach,
Da schaute manches Auge ihm voller Neugier nach.
Er fasste ihre Haare, wer hatt' ihm das erlaubt?   255
Sein Zürnen war gewaltig, er schlug ihr ab das Haupt.

XX. THE EARLIER MINNESINGERS

'Early' means, roughly, from 1150 to 1190. The lyric poets of this period
were for the most part Austrian and Bavarian knights who lived remote from
the French border and were little influenced by the now well-developed art of
the troubadours and trouvères. They got their impulse rather from the simple
love-messages and dance-songs which had long been current in Latin, probably
also in artless German verses. These trifles were now translated, so to speak,
into the terms of chivalrous sentiment. The art of the minnesingers culminated
in the fascinating songs of Walter von der Vogelweide, and then, as their numbers increased, it gradually degenerated toward conventional inanity.

Of the selections below, the first five are by unknown authors. No. ① is preserved in a girl's Latin letter to her lover; see *Des Minnesangs Frühling*, by Lachmann and Haupt, page 221. No. ② is found at the end of a Latin poem ; see Vogt and Koch's *Geschichte der deutschen Literatur*, 2nd edition, page 87. The translations of Nos. 6, 8, and 9 are also from Vogt and Koch ; the others are those of Kinzel as found in Bötticher and Kinzel's *Denkmäler.*

I
Mein.

Du bist mein, ich bin dein:
Des sollst du gewiss sein.
Du bist beschlossen
In meinem Herzen.
5 Verloren ist das Schlüsselein,
Du sollst immer drinnen sein.

2
Tanzlust des Mädchens.

Alles Trauern werf' ich hin,
Auf die Heide steht mein Sinn;
Kommt, ihr Trautgespielen
mein,
Dort zu sehn der Blumen Schein.
5 Ich sage dir, ich sage dir,
Meine Freundin, komm mit
mir.

Minne süss, Minne rein,
Mache mir ein Kränzelein:
Tragen soll's ein stolzer Mann,
10 Der wohl Frauen dienen kann.
Ich sage dir, ich sage dir,
Meine Freundin, komm mit
mir.

3
Frühlingswonne.

Noch keinen Sommer sah ich
je,
Der so lieblich deuchte mich.

Mit wie viel schönen Blumen
hat
Die Heide heut gezieret sich!
Der Wald ist eitel Sanges voll,　5
Die Zeit, die tut den kleinen
Vögeln wohl.

4
Gruss.

Der aller Welten Meister ist,
Der geb' der Lieben guten Tag,
Von der ich wohl getröstet bin.
Sie hat mir all mein Ungemach
Durch ihre Freundlichkeit ge-
nommen,
Hat mich vor Untreu wohl be-
wahrt:
In ihre Gunst bin ich gekom-
men.

5
Zum Reihen!

Lasst springen den Reihen
Uns, Fraue mein,
Uns freuen des Maien,
Uns kommet sein Schein.
Der vordem der Heide　5
Bracht' schmerzliche Not,
Der Schnee ist zergangen,
Und sie ist umfangen
Von Blumen so rot.

typical 2 strophe of Kürenberg

6
Herr von Kürenberg: | Der Falke. |

Selbstgespräche

Ich zog mir einen Falken länger denn ein Jahr.
Da er nach meinem Wunsche nun gezähmet war,
Und ich ihm sein Gefieder mit Golde schön umwand,
Hoch stieg er in die Lüfte und flog dahin in fremdes Land.

Und nun hab' ich ihn wieder in stolzem Flug erblickt,
Es hält die seidne Fessel ihm noch den Fuss umstrickt,
Ganz rot ihm das Gefieder vom goldnen Schmucke scheint:
Gott sende die zusammen, die in Liebe wären gern vereint!

7
Dietmar von Eist: Erinnerung.

Oben auf der Linde
Ein kleiner Vogel lieblich sang,
Vor dem Wald es hell erklang.
Da flog mein Herz geschwinde
5 An einen wohlbekannten Ort;
Viel Rosenblumen sah ich stehn.
Die mahnen die Gedanken mein
Dass sie zu einer Jungfrau gehn.

8
Dietmar von Eist: | Der Falke. |

Es stand eine Frau alleine
Und blickte über die Heide,
Blickt' aus nach ihrem Lieben
Einen Falken sah sie fliegen:
5 "Wie glücklich, Falke, du doch
    bist!
Du fliegst, wohin dir's lieb ist.
Du erwählest in dem Walde
Einen Baum dir nach Gefallen.

Also hab' auch ich getan:
10 Ich selbst erwählte mir den
    Mann,

Der wohlgefiel den Augen;
Das neiden andre Frauen.
Ach, liessen sie mir doch mein
    Lieb,
Da mich zu ihren Trauten nie
    Verlangen trieb!"

9
Dietmar von Eist: | Tagelied. |

real love

"Schläfst du, holder Liebling
    du?
Man weckt uns, ach, nach kurzer
    Ruh':
Schon hört' ich, wie mit schö-
    nem Sang
Ein Vöglein auf der Linde Zweig
    sich schwang."

"Von Schlafes Hülle sanft be-
    deckt,
Werd' ich durch dein 'Wach
    auf!' geschreckt:
So folgt auf Liebes stets das
    Leid;
Doch, was du auch befiehlst, ich
    bin bereit."

Aus ihrem Aug' die Träne rann:
10 "Du gehst, verlassen bin ich
    dann.
Wann kehrst du wieder her zu
    mir?
Ach, meine Freude führst du
    fort mit dir."

10

Heinrich von Veldeke: Vogelsang.

So in den Aprillen
Die Blumen entspringen,
Sich lauben die Linden
Und grünen die Buchen,
5 So mögen nach Willen
Die Vögelein singen.
Denn Minne sie finden,
Allda sie sie suchen,
Bei ihrem Genoss. Ihr Froh-
    sinn ist gross;
10 Des nie mich verdross.
Denn sie schwiegen all den
    Winter stille.

Da sie an dem Reise
Die Blumen sahn prangen
Und Blätter entspringen,
15 Da hörte man schöne
Oft wechselnde Weise,
Wie vordem sie sangen.
Sie hoben ihr Singen
Mit lautem Getöne
20 Niedrig und hoch. Mein Sinn
    steht also:
Bin heiter und froh.
Recht ist's, dass ich laut mein
    Glück preise.

11

Reinmar der Alte: Glücksverkün-
    digung.

Froh bin ich der Märe,
Die ich hab' vernommen,
Dass des Winters Schwere
Will zu Ende kommen.
Kaum erwart' ich noch die Zeit, 5
Denn ich hatte nichts als Leid,
Seit die Welt rings war ver-
    schneit.

Hassen wird mich keiner,
Wenn ich fröhlich bin;
Weiss Gott! tät' es einer, 10
Wär's verkehrter Sinn.
Niemand ich ja schaden kann.
Wenn s i e Gutes mir tut an,
Was geht's einen andern an?

Sollt' ich meine Liebe 15
Bergen und verhehln,
Müsst' ich ja zum Diebe
Werden und gar stehln.
Nein, das kommt mir nicht zu
    Sinn,
Weil ich gar zu fröhlich bin, 20
Geh' ich hier, geh' dort ich hin.

Spielt sie mit dem Balle,
In der Mägdlein Chor:
Dass sie nur nicht falle,
Da sei Gott davor! 25
Mädchen, lasst eu'r Drängen
    sein!
Stosset ihr mein Mägdelein,
Halb dann ist der Schade mein.

12
Friedrich von Hausen: Zwiespalt.

Es will mein Herze und mein Leib sich scheiden;
So lange waren innig sie gesellt!
Mein Leib will einzig kämpfen mit den Heiden,
Doch hat mein Herz ein andres sich erwählt
Vor aller Welt. Wie quält es mich so sehr,　　　　　5
Dass Herz und Leib sich nicht mehr folgen beide!
Viel taten meine Augen mir zu Leide.
Entscheiden kann den Streit allein der Herr.

Von solchen Nöten glaubt' ich mich errettet,
Da ich das Kreuz annahm zur Ehr' des Herrn,　　　　10
Mein Herze enger nur mit mir verkettet;
Doch bleibt beständig es in weiter Fern.
Welch reiches Leben sollte mir erstehn,
Liess fahren nur mein Herz sein töricht Streben.
Doch fragt es, merk' ich, nichts nach meinem Leben,　　15
Und wie es mir am Ende soll ergehn.

Doch, da ich, Herz, es nimmermehr kann wenden,
Dass du mich traurig lässt und einsam hier,
So bitt' ich Gott, dass er dich wolle senden,
Dahin, wo man sich freundlich neiget dir.　　　　　20
O weh! Wie wird sich enden doch dein Wahn!
Wie durftest du entfliehen meinen Händen?
Wer soll dir deinen Kummer helfen enden
So treulich, wie ich sonst es hab' getan?

13
Spervogel: Weibes Tugend.

Ob auch ein reines Weib nicht reiche Kleidung trägt,
Doch kleidet ihre Tugend sie, wer's recht erwägt,
Dass sie so schön geblümet geht,
So wie die lichte Sonne steht
An einem Tag mit vollem Glanz,　　　　　　　　　5

Erstrahlend hell und reine. —
So viel die Falsche sich mit Kleidern schmückt,
Ihre Ehre bleibt doch kleine.

14
Spervogel: Priamel.[1]

Wer einen Freund will suchen,
Wo er niemand traut,
Und spürt des Wildes Fährte,
Wenn der Schnee schon taut,
5 Kauft ungesehn der Ware viel,
Und hält noch aufgegebenes Spiel,
Und dient nur bei geringem Mann,
Wo ohne Lohn er bleibet:
Den wird es einmal noch gereun,
10 Wenn er's zu lange treibet.

XXI. WALTER VON DER VOGELWEIDE

The greatest of medieval lyrists. He was an Austrian, of knightly rank but poor, and was born about 1170. He led a wandering life, visiting many courts, taking a deep interest in public affairs and distinguishing himself by his matchless songs and *Sprüche*. In 1215 Emperor Friedrich II gave him a small estate near Würzburg. He died about 1230.

There are many translations of Walter, the best being by Simrock (1832), Panier (1878), Kleber (1894), and Eigenbrodt (1898). The translations below are from the sumptuous work of J. Nickol, Düsseldorf, 1904, which is itself eclectic and aims to give, for each poem, the best translation that could be found. No. 1 is by Pfaff, No. 2 by Simrock, 3 by Eigenbrodt, 4, 5, 6, 10 by Nickol, 7, 9, 11 by Panier, 8, 12 by Kleber.

1
Maienlust.

Wollt ihr schauen, was dem
          Maien
Wunders ist beschert?
Seht die Pfaffen, seht die Laien,

Wie das alles fährt!
Gross ist sein' Gewalt: 5
Hat er Zauber sich ersonnen?
Wo er kommt mit seinen Won-
          nen,
Da ist niemand alt.

[1] From Latin *praeambulum*; a gleeman's 'prelude.'

Uns soll alles wohl gelingen,
10 Fröhlich woll'n wir sein.
Lasst uns tanzen, lachen, singen,
Doch in Züchten fein.
Weh! Wer wär' nicht froh,
Seit die Vöglein also schöne
15 Singen ihre besten Töne?
Tun wir auch also!

Wohl dir, Maie, dass du lei-
dest
Weder Hass noch Streit!
Wie du schön die Bäume klei-
dest
20 Und die Heide weit!
Die hat Farben viel.
"Du bist kurzer, ich bin langer:"
Also streiten auf dem Anger
Blumen sich im Spiel.

25 Roter Mund, sollst dich bezäh-
men,
Lass dein Lachen sein!
Ach, es kann dich nur beschämen,

So zu spotten mein.
Ist das wohl getan?
Wehe der verlornen Stunde,   30
Soll von minniglichem Munde
Unminn' ich empfahn!

Was mir alle Freude störet,
Seid Ihr, Frau, allein.
Ihr nur habt mich ja betöret,   35
So erbarmt Euch mein.
Wie steht Euch der Mut?
Wollt Ihr mir zu allen Tagen
Eure Gnade ganz versagen,
So seid Ihr nicht gut.   40

Lasst die Sorgen von mir schei-
den,
Macht mir lieb die Zeit!
Sonst muss ich die Freude
meiden,
Dass Ihr selig seid.
Wollt Ihr um Euch sehn?   45
Alles freut sich im Vereine,
Lasst von Euch auch eine kleine
Freude mir geschehn!

2
Frühling und Frauen.

Wenn die Blumen aus dem Grase dringen
Gleich als lachten sie hinauf zur Sonne,
Des Morgens früh an einem Maientag,
Und die kleinen Vöglein lieblich singen
5 Ihre schönsten Weisen: welche Wonne
Hat wohl die Welt, die so erfreuen mag?
Man glaubt sich halb im Himmelreiche.
Wollt ihr hören, was sich dem vergleiche,
So sage ich, was wohler doch

10 Schon öfter an den Augen tat
und immer tut, erschau' ich's noch.

Frau

Denkt, ein edles, schönes Fräulein schreite
Wohlbekleidet, wohlbekränzt hernieder,
Sich unter Leuten fröhlich zu ergehn,
Hochgemut im fürstlichen Geleite,
15 Etwas um sich blickend hin und wieder,
Wie Sonne neben Sternen anzusehn:
Der Mai mit allen Wundergaben
Kann doch nichts so Wonnigliches haben
Als ihr viel minniglicher Leib;
20 Wir lassen alle Blumen stehn
und blicken nach dem werten Weib.

Nun wohlan, wollt ihr Beweise schauen:
Gehn wir zu des Maien Lustbereiche,
Der ist mit seinem ganzen Heere da.
Schauet ihn und schauet edle Frauen,
25 Was dem andern wohl an Schönheit weiche,
Ob ich mir nicht das bessre Teil ersah.
Ja, wenn mich einer wählen hiesse,
Dass ich eines für das andre liesse,
Ach, wie so bald entschied' ich mich:
30 Herr Mai, ihr müsstet Jänner sein,
eh' ich von meiner Herrin wich'.

3
Schönheit und Tugend.

Heil sei der Stunde, da sie mir erschienen,
Die mir den Leib und die Seele bezwungen!
Alle Gedanken ihr einziglich dienen;
Das ist mit Güte der Guten gelungen.
5 Dass ich nicht lassen und meiden sie kann,
Hat ihre Schönheit und Güte vollbracht
Und ihr roter Mund, der so wonniglich lacht.

Seele und Sinne, die hab' ich gewendet
Auf die Vielreine, die Liebe, die Gute.
Werde uns beiden noch lieblich vollendet,   10
Was zu gewähren sie hold mir geruhte!
Was ich an Freude auf Erden gewann,
Hat ihre Schönheit und Güte vollbracht
Und ihr roter Mund, der so wonniglich lacht.

4
Das Tröstelein

In einem zweifelvollen Wahn
War ich gesessen und gedachte
Zu lassen ihren Dienst fortan,
Als mich ein Trost ihr wiederbrachte.
Trost mag es wohl nicht heissen, denn zur Stund'   5
Ist es ja kaum ein kleines Tröstelein,
So klein, wenn ich's euch sag', ihr spottet mein.
Doch Freude ist erlaubt auch aus geringem Grund.

Mich hat ein Halm gemachet froh,
Der sagt, ich solle Gnade finden.   10
Ich mass dasselbe kleine Stroh,
Wie ich zuvor es sah bei Kinden.
Nun höret denn und merket wohl, ob sie es tu':
"Sie tut, tut's nicht, sie tut, tut's nicht, sie tut."
Wie oft ich mass, so war noch je das Ende gut.   15
Das tröstet mich, doch da gehöret Glaube zu.

Wie lieb sie mir von Herzen sei,
So kann ich es gar wohl noch leiden,
Zählt sie mich nur den Besten bei;
Ich darf ihr Werben ihr nicht neiden.   20
Wie ich es kann erkennen, glaub' ich nicht,
Dass sie ein andrer wankend machen möge;
Ich wollte, die Getäuschten sähn, dass Wahn sie tröge,
Denn allzulange schon hört sie auf jeden Wicht.

5

Wert der Minne. = *Hohe Minne*

Was soll ein Mann, der nicht begehrt
Zu werben um ein reines Weib?
Bleibt er von ihr auch unerhört,
Es hebt ihm Seele doch und Leib.

Er tu' um Einer willen so,
Dass er den andern wohlbehagt,
Dann macht ihn wohl die Eine froh,
Wenn sich die Andre ihm versagt.

Des achte, wenn er liebt, der Mann,
Viel Glück und Ehre liegt daran.
Wer guten Weibes Minne hat,   *ethical value*
Der schämt sich keiner Missetat.

6

Doppelzüngigkeit.[1]

Gott gibt zum König, wen er will;
Darüber wundr' ich mich nicht viel:
Uns Laien wundert nur der Pfaffen Lehre.
Was sie gelehrt vor wenig Tagen,
Dass woll'n sie heut schon anders sagen.
Nun denn, bei Gott und eurer eignen Ehre,
So sagt uns denn in Treue,
Mit welcher Red' ihr uns betrogen.
Erkläret uns die eine recht von Grunde,
Die alte oder neue.
Uns dünket, eines sei gelogen;
Zwei Zungen stehen schlecht in einem Munde.

[1] Pope Innocent III was at first a partisan of Otto the Saxon and consecrated him as emperor. But when Otto invaded Italy in 1210 the Pope turned against him and excommunicated him.

7
Glückes Ungunst.

Frau Glück verteilet rings um mich
Und kehret mir den Rücken zu.
Sie will nicht mein erbarmen sich;
Ich weiss nicht, was ich dazu tu'.
Sie zeigt nicht gern ihr Antlitz mir, 5
Lauf' ich um sie herum, bin ich doch hinter ihr
Denn ihr beliebt's nicht mich zu sehn;
Ich möcht', dass ihr die Augen an den Nacken ständen, dann müsst's
     ohn' ihren Wunsch geschehn.

8
Das Lehen. = 1215

Ich hab' ein Lehen, alle Welt, ich hab' ein Lehen!
Jetzt fürcht' ich weder mehr den Hornung an den Zehen,
Noch will die bösen Herrn um ihre Gunst ich flehen.
Der edle Herr, der milde Herr hat mich beraten,
Dass ich im Sommer Luft, im Winter Wärme haben kann. 5
Die Nachbarn sehn mich jetzt mit andern Augen an,
Sie sehn nicht mehr den Butzemann in mir, wie sie es taten.
Zu lange war ich arm, das weiss ich keinem Dank;
Ich war so voll des Scheltens, dass mein Atem stank.
Den hat der König rein gemacht, dazu auch meinen Sang. 10

9
Morgengebet.

Mit Segen lass mich heut erstehn,
Herr Gott, in deiner Obhut gehn
Und reiten, wo hinaus mein Fuss sich kehre.
Herr Christ, lass sichtbar an mir sein
Die grosse Kraft der Güte dein 5
Und schütze mich um deiner Mutter Ehre.
Wie ihrer Gottes Engel pflag
Und dein, der in der Krippe lag,

Jung als Mensch und alt als Gott,
Demütig vor dem Esel und dem Rinde,
Und dennoch schon in fester Hut
Hielt Joseph sie und dich so gut
Wohl mit Treuen sonder Spott:
So schütz' auch mich, dass man gehorsam finde
Mich deinem göttlichen Gebot.

10

Die drei Dinge.

late poem

Ich sass auf einem Steine
Und deckte Bein mit Beine.
Darauf setzt' ich den Ellenbogen;
Ich hatt' in meine Hand gezogen
Das Kinn und eine Wange.
Da dachte ich gar bange,
Wie man auf Erden sollte leben;
Doch keinen Rat konnt' ich mir geben,
Wie man drei Ding' erwürbe,
Dass keins davon verdürbe.
Die zwei sind Ehr' und fahrend Gut,
Das oft einander Schaden tut;
Das dritt' ist Gottes Segen,
Daran ist mehr gelegen.
Die wünscht' ich gern in einen Schrein.
Ja, leider mag das nimmer sein, *pessimistic view*
Dass Gut und weltlich' Ehre
Und Gottes Huld, die hehre,
Je wieder in Ein Herze kommen.
Ihnen ist Weg und Steg benommen:
Untreue liegt im Hinterhalt,
Und auf der Strasse fährt Gewalt:
Friede und Recht sind beide wund,
Die dreie finden kein Geleit, die zwei denn werden erst gesund.

11
Abschied von der Welt.

Frau Welt, Ihr sollt dem Wirte sagen,
Dass ich ihn ganz bezahlet habe;
All meine Schuld sei abgetragen,
Dass er mich aus dem Schuldbrief schabe.
Wer ihm was soll, der mag wohl sorgen;   5
Eh ich ihm lange schuldig blieb, eh'r wollt' ich bei den **Juden borgen**.
Er schweiget bis auf einen Tag,
Dann aber nimmt er sich ein Pfand, wenn jener nicht bezahlen mag.

12
Elegie.

O weh, wohin entschwunden sind alle meine Jahr!
Ist mir mein Leben geträumet, oder ist es wahr?
Was ich je wirklich wähnte, war's nur ein Traumgesicht?
So hab' ich denn geschlafen, und ich weiss es nicht!
Jetzt bin ich erwacht, und ist mir unbekannt,   5
Was mir vordem war kundig, wie meine rechte Hand.
Leut' und Land, da ich von Kindheit an erzogen,
Die sind mir fremd geworden, als ob es sei erlogen;
Die mir Gespielen waren, die sind träg' und alt,
Geackert ist das Feld, gehauen ist der Wald.   10
Wenn nicht das Wasser flösse, wie es weiland floss,
Fürwahr, ich wähnte, mein Unglück es wär' gross.
So kalt grüsst jetzt mich mancher, der einst mich wohl **gekannt;**
Voll Not und Trübsal ist die Welt in Stadt und Land.
So ich gedenk' an manchen wonniglichen Tag,   15
Die sind mir entfallen, recht wie ins Meer ein Schlag.
            Immermehr o weh!

O weh, wie jämmerlich doch junges Volk jetzt **tut,**
Dem ehmals nie verzagte in der Brust der Mut!
Die tragen sich mit Sorgen, weh, was tun sie so!   20
Wohin ich immer blicke, keinen seh' ich froh.
Tanzen, Lachen, Singen, vergeht vor Sorgen **gar;**

Nie sah man unter Christen so jämmerliche Schar.
Seht nur der Frauen Schmuck, der einst so zierlich stand;
25 Die stolzen Ritter tragen bäurisches Gewand.
Uns sind ungnädige Briefe[1] her von Rom gekommen;
Uns ist erlaubt zu trauern, und Freude gar benommen.
Das schmerzt mich tief im Herzen — wir lebten einst so wohl —
Dass ich nun für mein Lachen Weinen tauschen soll.
30 Die Vöglein in dem Walde betrübet unsre Klage,
Was Wunder, wenn auch ich darüber schier verzage?
Doch, ach, was sprech' ich Tor in meinem sündigen Zorn?
Wer dieser Wonne folget, der hat jene dort verlorn.
    Immermehr o weh!

35 O weh, wie ward uns Gift mit Süssigkeit gegeben!
Die Galle seh' ich mitten in dem Honig schweben.
Die Welt ist aussen lieblich, weiss und grün und rot,
Doch innen schwarzer Farbe, finster wie der Tod.
Wen sie verleitet habe, der suche Trost bei Zeit;
40 Er wird mit leichter Busse von schwerer Schuld befreit.
Daran gedenket, Ritter, es ist euer Ding!
Ihr tragt die lichten Helme und manchen harten Ring,
Dazu die festen Schilde und das geweihte Schwert;
Wollte Gott, ich wäre für ihn zu streiten wert!
45 So wollt' ich armer Mann verdienen reichen Sold;
Nicht mein' ich Hufen Landes, noch der Herren Gold.
Ich möchte jene ewigliche Krone tragen,
Ein Söldner könnte sie wohl mit seinem Speer erjagen.
Könnt' ich die teure Reise fahren über See,
50 So wollt' ich wieder singen "wohl" und nimmermehr "o weh,"
    Nimmermehr o weh!

XXII. HEINRICH VON VELDEKE'S ENEID

A Low German poem of 13,528 verses, completed between 1184 and 1190.
Its author was a Netherlander of knightly rank who finished his poem in Thuringia and was regarded by his successors as the father of the riming love-

[1] The pope's excommunication of Emperor Friedrich II. in September, 1228.

romance. His chief source was an Old French *Roman d'Enéas,* but he dealt very freely with his French text, omitting much, adding much and making some use, possibly, of the Latin original.

Lines 1450-1534 : The love-smitten Dido confides in her sister Anna.

Sie ging in ihre Kemenate,
Wo ihre Frauen lagen.
Als die sie kommen sahen,
Waren sie all' in Sorgen:
5 Es war doch früh am Morgen.
Sie hatte grosses Ungemach;
Bedeutungsvoll sie sprach
Zu ihrer Schwester Annen,
Die führte sie von dannen
10 In ihre Kemenate wieder.
Sie fiel am Bette nieder
Und klagte ihr ihr Ungemach,
Wie sie die ganze Nacht
Schlaflos geblieben war.
15 Sie seufzte tief fürwahr,
Gar traurig war ihr Sinn,
Sie sprach: "Mein' Ehr' ist
    hin."
"Fraue Schwester Dido,"
Sprach Anna, "wie denn so?
20 Sagt, was ist Eure Not?"
"Schwester, ich bin fast tot."
"Erkranktet Ihr? Zu welcher
    Stund'?"
"Schwester, ich bin ganz ge-
    sund,
Doch kann ich nicht genesen."
25 "Schwester, wie mag das wesen?
Ich meine, Frau, 's ist Minne."
"Ja, Schwester, zum Wahn-
    sinne."
"Warum betragt Ihr Euch also,
Liebe Fraue Dido?
30 Was wollt Ihr so verderben?

Ihr dürft nicht an Minne
    sterben.
Ihr mögt sehr wohl genesen
Und nachher glücklich wesen.
Es ist kein Mann auf Erden,
Der nicht Euer könnte werden, 35
Der nicht froh wär' Eurer
    Minnen;
Ihr sollt Euch bass besinnen."
    Da versetzte Frau Dido:
"Es steht mir nicht also.
Wahr ist es in der Tat,   40
Ich sollte finden andern Rat;
Ich tät' es, wär's in meiner
    Wahl.
Ihr wisset, dass ich dem Ge-
    mahl
Sicheus gelobte und verhiess,
Der mir ein gross Gut hinterliess 45
Und auch grosse Ehr',
Dass ich nun nimmermehr
Einen Mann würde nehmen,
Was für Freier immer kämen."
    Da sprach aber Anna: 50
"Ihr redet von dem Manne
Allzuviel und ohne Not.
Er ist seit vielen Tagen tot.
Wo steht denn Euer Sinn?
Wie hätte er Gewinn,   55
Wenn Ihr jetzt verdürbet
Und törichterweise stürbet?
Ihr braucht nicht Euer Leben
Seinetwegen zu vergeben.
Er könnt' es Euch nicht lohnen. 60

Ihr sollt Euch selber schonen.
Die Rede, die Ihr tut,
Sie ist ja gar nicht gut.
Lasst solche Rede sein
65 Und folgt dem Rate mein;
Das ist grössere Weisheit.
Sagt mir nur die Wahrheit:
Wer ist der selige Mann,
Dem Gott es gönnen kann,
70 Dass Ihr ihn wollt minnen?
Das gebt mir zu besinnen.
Ich will Euch raten dann
So gut, wie ich es kann,
Weil ich Euch Gutes gönne.
75 Ob ich so raten könne,
Dass Ihr damit gedienet seid?
Nun sagt es mir, es ist ja Zeit."

Sie sprach: "Ich will's nicht
    hehlen.
Ich will Euch jetzt befehlen
Ehre so wohl als Leben.   80
Ihr sollt mir Rat drauf ge-
    ben.
Es ist," sprach sie, "ein Mann,
Dem keiner gleichen kann.
Ich muss verraten seinen Nam'
Trotz meiner grossen Scham;   85
Das Nennen tut mir weh.
Er heisset," sprach sie, " E " —
Und nach dem NE ward es gar
    lang,
So sehr die Minne sie bezwang,
Bevor sie deutlich sagte AS; —   90
Dann wusste Anna, wer er was.

Lines 9735-9820: Pending the fight between Eneas and Turnus, Lavinia hears of Minne from her mother.

Da nun zwischen beiden
Der Zweikampf sollt' entschei-
    den,
Recht war es ihrer Tapferkeit.
95 Sie machten sich bereit
Mit mannlichem Sinn.
Da ging die Königin
Eines Abends spat
In ihre Kemenat
100 Und rief die Tochter zu sich,
Eine Jungfrau minniglich.
Zu reden sie begonnte,
Wie sie es wohl konnte,
Mit sehr klugem Sinn.
105 Es sprach die Königin:
"Lavine, schönes Mägdelein,
Du liebe Tochter mein,
Vielleicht es nun so endet,
Dass der Vater dir entwendet

Grosses Gut und grosse Ehr':   110
Turnus, der edle Herr,
Der deine Minne stark begehrt,
Ist deiner durchaus wert;
Des hab' ich sichere Kunde.
Und wärest du zur Stunde   115
Tausendmal so schön und gut,
Du könntest billig deinen Mut
Dem tapfern Mann zukehren;
Ich gönne dir die Ehren.
Ich will, dass du ihn minnest,   120
Und dabei auch erkennest,
Dass er ein edler Herr.
Drum lob' ich dir so sehr
Den Helden wonnesam.
Sei doch Eneas gram,   125
Jenem Trojaner schlecht,
Der ihn erschlagen möcht',
Der dich im Herzen trägt.

Dir ist's ja auferlegt,
130 Ihm Ungunst zu erzeigen
Und stetiges Abneigen,
Ihm keine Ehr' zu zollen,
Ihm Gutes nicht zu wollen.
Du sollst ihm bleiben kalt,
135 Weil er dich mit Gewalt
Nun wähnet zu gewinnen.
Er strebt nach deiner Minnen
Nur wegen deines Gutes:
Was er bestrebt, er tut es,
140 Damit er dich erwerbe
Und mit dir nun als Erbe
Gewinne auch zugleich
Deines Vaters Reich.
Du tätest, wie ich wollt',
145 Würdest du Turnus hold."
"Womit soll ich ihn minnen?"
"Mit Herzen und mit Sinnen."
"Soll ihm mein Herze geben?
Wie könnte ich dann leben?"
150 "Unwissend bist du, wie man
sieht."
"Was, wenn es nicht ge-
schieht?"
"Was, wenn's geschehen tut?"
"Wie kann ich meinen Mut
Einem Manne zukehren?"
155 "Die Minne wird's dich lehren."

"Um Gotteswillen, was ist
Minne?"
"Sie ist vom Urbeginne
Der Erde Herrscherin
Und bleibt's auch fernerhin
Bis zu dem jüngsten Tag.   160
In keiner Weise mag
Ein Mensch ihr widerstehen,
Denn sie kann niemand sehen
Noch betasten mit der Hand."
"Die hab' ich, Fraue, nie ge-
kannt."   165
"Du sollst sie kennen lernen
noch."
"Wann erwartet Ihr es doch?"
"Ich erwart' es, wie ich mag.
Vielleicht erleb' ich noch den
Tag,
Da du ungebeten minnest.   170
Und wenn du es beginnest,
Wirst du empfinden Lust dazu."
"Ich weiss, dass ich 's nicht tu'."
"Es kommt, so sicher du auch
bist."
"Dann sagt mir, was die Minne
ist."   175
"Ich kann sie nicht beschrei-
ben."
"Dann lasst es doch noch
bleiben."

Lines 10031–79: Lavinia's first glimpse of Eneas.

Als der Held dahin kam,
Und die Jungfrau wonnesam
180 Ihre Augen kehrte dar
Und sein da unten ward gewahr
Von ihrer hohen Zinne,
Durchschoss sie nun Frau
Minne

Mit einem scharfen Pfeil;
Drum ward ihr Qual zuteil   185
Auf manche lange Stunde.
Sie empfing eine Wunde,
In ihrem Herzen drinnen,
So dass sie musste minnen
Und konnte nichts dafür.   190

Gram ward die Mutter ihr,
Deren Huld sie ganz verlor,
Denn sie brannte und sie fror
Fast in derselben Stunde.
195 Die Art und Weis' der Wunde,
Das Übel war ihr unbekannt.
Sehr bald sie nun verstand
Ihrer Mutter Geheiss.
Sie ward unmässig heiss
200 Und danach wieder kalt,
Sie kam in Ungewalt,
Unangenehm sie lebte,
Sie schwitzte und sie bebte,
Wurde bleich und wurde rot;
205 Sehr gross war ihre Not
Und ihres Leibes Ungemach,
Da fand sie Kraft und sprach.
Als das Herz ihr wiederkam,
Sprach die Jungfrau wonnesam

Jämmerlich sich selber zu: 210
"Ich weiss nicht leider, was ich
    tu';
Ich weiss nicht, was mich schiert,
Dass ich bin so verwirrt.
Nie ward mir solches kund;
Ich war bisher gesund   215
Und bin nun jetzt fast tot.
Wer hat in kurzen Stunden
Das Herz mir festgebunden,
Das früher ledig war und frei?
Mir ahnt, es sei das Ungemach, 220
Von dem vorher die Mutter
    sprach.
Zu früh hat's mir passiert!
Wär' ich doch ungeniert
Von — Minne, wie ich sie ver-
    stand,
Ja, Minne hat sie es genannt!" 225

XXIII. HARTMANN VON AUE

The first in order of the three great romancers who interpreted the French tales of chivalry for medieval Germany. They were adapters rather than translators, just as were the French poets themselves in relation to their Keltic sources. Hartmann was born in Swabia about 1165, took part in a crusade, probably that of 1197, and died before 1220. His chief works are the two Arthurian romances *Erec* and *Iwein*, and the two pious 'legends' *Gregorius* and *Der arme Heinrich*. The selection from *Der arme Heinrich* is given in Bötticher's translation, as found in Bötticher and Kinzel's *Denkmäler*, II, 2.

Der Ritter, der sich verirrt

I

1200 *From* Iwein, *lines 2073–2338: The enterprising maid Lunete persuades her mistress to marry Iwein, who has just slain her husband.*

Dass sie der Magd je Hartes
    sprach,
Davon litt sie solch Ungemach,
Dass sie es sehr bereute.
Als sich der Tag erneute,

War jene noch einmal gekom-
    men   5
Und wurde besser aufgenom-
    men
Als sie entlassen ward vorher.

Die Frau ermunterte sie sehr
Mit gütigem Empfange.
10 Es dauerte nicht lange,
Bevor sie nun also begann:
"Du lieber Gott, wer ist der
    Mann,
Den du mir gestern lobtest?
Ich glaube nicht, du tobtest,
15 Denn der war nicht von Herzen
    matt,
Der meinen Herrn erschlagen
    hat.
Hat er Geburt und Jugend
Und sonst etwa 'ne Tugend,
So dass er mir zum Herren
    ziemt,
20 Und dass die Welt, wenn sie's
    vernimmt,
Mir's nicht zu sehr verdenken
    kann,
Dass ich genommen hab' den
    Mann,
Der mir den Herrn erschlagen?
Kannst du mir von ihm sagen,
25 Was mir in seiner Tugend Licht
Dem üblen Ruf die Spitze bricht?
Und rätst du mir sodann,
Ich nähme ihn zum Mann?"
    Sie sprach: "Es dünkt mich
    gut.
30 Mich freut, dass Ihr den Mut
So schnell habt umgekehret.
In ihm seid Ihr geehret;
Zu fürchten wäre keine Scham."
Sie sprach: "Was ist also sein
    Nam'?"
35 "Er nennt sich Herr Iwein."
Gleich stimmten sie nun über-
    ein.

Sie sprach: "Der Nam' ist mir
    doch kund
Seit mancher langen Stund'.
Er ist gewiss vom hohen Stamm
Des Königs Vriën lobesam. 40
Nun ist die Sache klar zum Teil,
Und krieg' ich ihn, so hab' ich
    Heil.
Aber, Gesellin, weisst du recht,
Ob er mich auch haben möcht'?"
"Es wär' ihm lieb, wär's schon
    geschehn." 45
"Und sage mir, wie bald wird's
    gehn?"
"In ungefähr vier Tagen."
"Ach Gott, was willst du sagen!
Zu lang machst du die Frist.
Bedenke dich, ob's möglich ist, 50
Dass ich ihn morgen — heute —
    sehe."
"Wie wollt Ihr, Frau, dass das
    geschähe?
Zu denken wäre nicht daran:
Es lebt auf Erden nicht der
    Mann,
Er habe denn Gefieder, 55
Der käme hin und wieder
In solcher kurzen Frist;
Ihr wisst, wie fern es ist."
"So überlass es meinem Witz.
Mein Garçon läuft ja wie der
    Blitz; 60
Zwei Tag' ein andrer reiten
    muss,
Er macht's in einem Tag zu
    Fuss.
Der Mondschein ihm auch
    helfen mag:
Er mache ja die Nacht zum Tag.

65 Auch sind die Tag' unmässig
    lang;
Sag' ihm, es lohnt sich hoch sein
    Gang,
Und dass es ihm recht lange
    frommt,
Wenn er schon morgen wieder-
    kommt.
Er rühre tüchtig nur die Bein'
70 Und mache die vier Tag' zu
    zwein.
Er soll sich sputen sehr
Und ausruhen nachher,
So lang er eben ruhen möcht'.
Nun, Trautgesellin, mach's ihm
    recht!"
75   Sie sagte: "Frau, es soll ge-
    schehn;
Doch eines sei nicht übersehn:
Befragt doch Eure Leute
Gleich morgen oder heute;
Denn paart Ihr Euch ohn' ihren
    Rat,
80 Es wäre eine üble Tat.
Wer sich berät in diesen Dingen,
Dem kann es nimmermehr mis-
    lingen.
Was man alleine tut,
Wird es nachher nicht gut,
85 Bringt böses Leid in Doppel-
    mass:
Den Schaden und der Freunde
    Hass."
    Sie sprach: "O weh Gesel-
    lin traut,
Wie mir vor diesem Schritte
    graut!
Man wird vielleicht dagegen
    sein."

"Nur nichts vom Bangen, Fraue
    mein!   90
Es ist gewiss kein andrer Held,
Und sucht Ihr durch die ganze
    Welt,
Der wahrte Euch wie er den
    Bronn;
So wird die Meinung sein da-
    von.
Mit Freude, zweifelt nicht daran, 95
Wird jederman in Eurem Bann
Solch Landeshut begrüssen;
Man wirft sich Euch zu Füssen
Und bittet Euch, hat man's
    erfahren,
Geschwinde Euch mit ihm zu
    paaren."   100
Sie sprach: "Nun lass den
    Garçon ziehn!
Indessen will ich mich bemühn,
Botschaften auszusenden;
Wir wollen die Rede enden."
    Leicht hätte sie ihn fortge-
    sandt,   105
Denn er befand sich gleich zur
    Hand.
Der Garçon auf den Wink der
    Maid
Verbarg sich mit Geschwindig-
    keit;
Schnell fasste ja der flinke
    Knapp,
Was man ihm auszuführen gab. 110
Er konnt' ihr helfen bei dem
    Lügen
Und ohne jede Bosheit trügen.
Eh' ihre Herrin hatte Zeit,
Zu träumen von der Möglich-
    keit,

115 Der Knabe sei schon auf dem
        Wege,
     Nahm sie den Ritter in die
        Pflege,[1]
     Wie Gott allein sie lohnen kann.
     Mit schönster Bitte ging sie dran.
     Es lagen Kleider da bereit
120 In dreifacher Vortrefflichkeit,
     Grau, hermelin und bunt;
     Ging doch der Wirt zu jeder
        Stund'
     Gekleidet wie ein Hofgalan,
     Der viel auf Leibespflege sann
125 Und nie am Prunk es fehlen
        liess.
     Das schönste sie ihn wählen hiess
     Und kleidete ihn damit an.
     Am nächsten Abend ging sie
        dann,
     Wo sie die Frau alleine fand,
130 Und machte sie gleich vor der
        Hand
     Von Freude bleich und rot.
     Sie sprach: "Gebt mir das
        Botenbrot!
     Der Garçon ist gekommen."
     "Hast schon etwas vernommen?
135 Ist's gute Märe? Sprich doch!
        Wie?
     Also ist Herr Iwein hie?
     Wie ist es ihm so früh geglückt?"
     "Die Liebe hat ihn herge-
        schickt."
     "Ach Gott! Doch sprich! Wer
        weiss davon?"
140 "Es weiss bisher kein Mutter-
        sohn

Als Euer Knab' und wir."
     "Wann führst du ihn zu mir?
     Geh stracks zu ihm, ich bitte
        dich."
     Die flinke Magd entfernte sich
     Und machte mit verstellter
        Mien',   145
     Als vor dem Ritter sie er-
        schien,
     Als ob mit böser Märe
     Sie ihm gesendet wäre.
     Sie hing den Kopf und sah ihn
        an
     Und trauriglich also begann: 150
     "Ach, lieber Gott, mit mir ist's
        aus!
     Die Herrin weiss, dass Ihr im
        Haus.
     Für mich hat sie nun nichts als
        Zorn;
     Ich habe ihre Huld verlorn,
     Weil ich Euch barg im Schlosse
        hier.   155
     Doch sagt sie, es beliebe ihr
     Euch einmal näher anzusehen."
     "Und sollte das nun nicht ge-
        schehen,
     Ich liess ihr eher meinen Leib."
     "Sie sollt' Euch töten? Sie, ein
        Weib?"   160
     "Sie hat ja doch ein starkes
        Heer."
     "Oh, Ihr genest wohl ohne
        Wehr.
     Ich hab's von ihr mit Sicher-
        heit,
     Dass Euch in keiner Weise leid

---

[1] Iwein is in the castle, Lunete having saved him from the vassals of the
slain Askalon by giving him a ring that made him invisible.

165 Von ihren Händen soll ge-
 schehen;
Sie wünscht Euch nur allein zu
 sehen.
Ihr müsst Euch nur gefangen
 geben;
Es geht Euch anders nicht ans
 Leben."
Er sagte: "Sie holdseliges Weib!
170 Ich will es gern, dass dieser Leib
Auf immer ihr Gefangener sei,
Und dass mein Herz sei auch
 dabei."
 Jetzt stand er auf und ging
 dahin,
Ein seliger Mann mit frohem
 Sinn,
175 Und ward kühl aufgenommen.
Als er vor sie gekommen,
Begrüsst' ihn weder Wort noch
 Neigen.
Ihr langes, langes Stilleschweigen
Begann ihm endlich sauer zu
 werden;
180 Er wusste nicht sich zu ge-
 bärden.
Er blieb in weiter Fern' zurück
Und sah sie an mit scheuem
 Blick.
 Da beide schwiegen, sprach
 die Magd:
"Herr Iwein, warum so ver-
 zagt?
185 Lebt Ihr und habt Ihr einen
 Mund?
Ihr redetet vor kurzer Stund';
Jetzt werdet Ihr ganz stumm.
In Gottes Namen, sagt warum
Ihr meidet ein so schönes Weib.

Weh dessen unglücksel'gem
 Leib, 190
Der ohne Dank je einen Mann,
Der doch geläufig sprechen
 kann,
Zu einer schönen Frau geleitet,
Die er dann anzureden meidet!
Rückt ihr nur näher ohne Scheu! 195
Ich sage Euch bei meiner Treu,
Sie wird Euch doch nicht beis-
 sen! Traun!
Fügt man dem andern solches
 Graun,
Wie ihr von Euch geschehen,
Und will man Gnade sich ver-
 sehen, 200
Dazu gehört ein besserer Lohn.
Ihr habt den König Askalon,
Den ihr so lieben Herrn er-
 schlagen:
Könnt Ihr auf Gunst zu hoffen
 wagen?
Ihr steht in grosser Schuld; 205
Nun werbt um ihre Huld!
Wir wollen sie beide bitten,
Dass sie, was sie erlitten,
Geruhe zu vergessen."
 Jetzt ward nicht mehr ge-
 sessen. 210
Er warf sich ihr zu Füssen
Und bat um holdes Grüssen
Als schuldbelad'ner Mann.
Er sprach: "Ich mag und kann
Euch Besseres nicht bezeigen 215
An Ehr' und treuem Neigen
Als wenn ich sage: Richtet
 mich!
Was Ihr mögt wollen, das will
 ich."

"Wollt Ihr denn alles, was ich
        will?"
220 "Ja wohl; es dünkt mich nicht
        zu viel."
"So nehm' ich Euch vielleicht
        den Leib."
"Wie Ihr gebietet, holdes Weib."
"Nun ja, was soll ich reden
        lang?
Da Ihr Euch ohne jeden Zwang
225 In meine Macht ergeben,
Nähm' ich nun Euch das Leben,
Es ziemte nicht dem Weibe.
Glaubt aber nicht bei Leibe,
Dass es aus Wankelmut ge-
        schehe,
230 Wenn ich Euch jetzt, wie ich
        gestehe,
Nur allzu früh empfang' in
        Gnade.
Von Euch entstand mir solcher
        Schade,
Dass, stünd' es mir um Ehr'
        und Gut,
Wie es den meisten Frauen tut,
235 Ich sicherlich nicht wollte,
Wie ich es auch nicht sollte,
So jäh Euch Gnad' erteilen.
Nun gilt es aber eilen;
Denn da es zu erwarten steht,
240 Dass mir mein Land verloren
        geht
Gleich heute oder morgen,
Muss ich mich schnell versorgen
Mit einem Mann zur Landes-
        wehr.
Ihn find' ich nicht in meinem
        Heer,

Seit mein Gemahl erschlagen
        ist;   245
Drum muss ich nun in kurzer
        Frist
Mir einen Mann erküren
Oder mein Land verlieren.
Nun sollt Ihr mir aufrichtig
        sagen:
Da Ihr den Herrn mir habt er-
        schlagen,   250
So seid Ihr wohl ein tüchtiger
        Mann;
Und wenn ich Euch gewinnen
        kann,
Bin ich mit Euch doch wohl
        bewahrt
Vor fremdem Hochmut jeder
        Art.
Und glaubt, was ich Euch nun
        erkläre: 255
Eher als dass ich Euch ent-
        behre,
Gält' ich sogar als ungesittet;
Obwohl das Weib den Mann
        nicht bittet,
Bitt' ich zuerst und bitte sehr.
Bedrängen will ich Euch nicht
        mehr,   260
Ich will Euch gerne. Wollt Ihr
        mich?"
Er sagte: "Frau, verneinte ich,
So wär' es um mein Glück ge-
        schehen.
Der liebste Tag, den ich ge-
        sehen,
Der ist mir heute widerfahren, 265
Und möge Gott mein Heil be-
        wahren!"

II

From [*'Der arme Heinrich'*,] *lines 1004-1217: Poor Henry at Salerno with the maid who is eager to give her heart's blood that he may be cured of his leprosy.*

So fuhr denn nach der Stadt
    Salern
Die treue Magd mit ihrem Herrn.
Es trübt des Herzens Fröhlich-
    keit
270 Nichts mehr, als dass der Weg
    so weit,
Dass ihr so lang das Licht noch
    schien.
Und als er sie gebracht dahin,
Wo er den Meister wohlbe-
    kannt,
Wie er gedachte, wiederfand,
275 Ward's dem gar fröhlich ange-
    sagt,
Gefunden wäre jetzt die Magd,
Die einst er ihn gewinnen hiess.
Zugleich er ihn sie sehen liess.
Den däuchte das unglaublich
    schier.
280 Er sprach: "Mein Kind, und
    hast du dir
Solch Willen wohl auch klar
    gemacht?
Wie? Hat zu dem Entschluss
    gebracht
Dich Wunsch und Drohung
    deines Herrn?"
Die Jungfrau sprach, sie tu' es
    gern:
285 Aus ihrem eignen Herzen sei
Der Wunsch gekommen, frank
    und frei.
Gross Wunder däucht' ihn das,
    und fern

Nahm er besonders sie vom
    Herrn
Und fragt' sie auf die Seligkeit,
Ob nicht ihr Herr in seinem Leid 290
Solch Reden hätt' ihr aufge-
    droht.
Dann sprach er: "Kind, es ist
    dir not,
Dass du dich mehr noch küm-
    merst drum,
Was dir bevorsteht — hör',
    warum.
Wenn du den Tod nun leiden
    musst   295
Und nicht von Herzen gern es
    tust,
So ist dein junges Leben hin
Und bringt doch keinen Deut
    Gewinn.
Verschliess' vor mir nicht deinen
    Mund.
Was dir geschieht, tu' ich dir
    kund.   300
Ich muss dich ausziehn, nackt
    und bloss;
Da wird die Pein der Scham dir
    gross.
Ich binde dich an Bein- und
    Armen;
Fühlst du mit deinem Leib Er-
    barmen,
Bedenke, Mädchen, diese
    Schmerzen!   305
Ich schneide dich bis tief zum
    Herzen

Und reiss' es lebend noch aus
   dir.
Nun, Mädchen, sprich und sage
   mir,
Wie es mit deinem Mute steh';
310 Geschah noch keinem Kind so
   weh.
Als dir von mir nun muss ge-
   schehen.
Dass ich es tun muss und es
   sehen,
Das macht mir Angst und Not
   genug.
Bedenk' nun selber bei dir klug:
315 Gereut dich's auch nur um ein
   Haar,
So hab' ich meine Arbeit gar
Und du den jungen Leib ver-
   loren.''
So ward um alles sie beschworen,
Dass fern sie bleibe solcher
   Pflicht,
320 Wär' felsenfest ihr Wille nicht.
   Die Jungfrau aber lachend
   sprach,
Da sie erfuhr, dass an dem Tag
Ihr helfen sollte noch der Tod
Aus aller Welt- und Erdennot:
325 "Gott lohn' Euch, lieber Herr,
   dass Ihr
So ganz und gar und treulich
   mir
Die volle Wahrheit habt gesagt.
Nun bin ich wahrlich doch ver-
   zagt:
Ein Zweifel mir das Herz er-
   regt;
330 Euch sei's geklagt, was mich
   bewegt.

Mir bangt jetzt, unser Unter-
   nehmen
Möcht' Euer zager Mut noch
   lähmen,
Dass es vielleicht gar unterbleibe!
Eu'r Reden ziemte einem
   Weibe.
Ihr seid des Hasen Spielgenoss, 335
Und Eure Angst ist viel zu gross
Um mich, dass ich nun sterben
   soll.
Wahrhaftig, Herr, Ihr tut nicht
   wohl
Bei Eurer grossen Meisterschaft.
Ich bin ein Weib, doch hab' ich
   Kraft. 340
Wagt Ihr nur mich zu schneiden,
Ich wag' es wohl zu leiden.
Die Angst und bittre Todesqual,
Davon Ihr mir erzählt zumal,
Die hab' ich wohl von Euch ver-
   nommen; 345
Doch wär' ich wahrlich nicht
   gekommen,
Wüsst' ich so fest nicht meinen
   Mut,
Dass ich vergiessen könnt' mein
   Blut
Und alle Leiden gern erdulden.
Mir ist von Euren Hulden 350
Die bleiche Farbe ganz genom-
   men
Und also fester Mut gekommen,
Dass ich nicht ängstlicher hier
   steh',
Als wenn ich froh zum Tanze
   geh';
Die Not kann doch so gross
   nicht sein, 355

Die einen Tag nur währt; ich
  mein',
Dass ich fürs ewige Leben
Den einen Tag wohl könnte
  geben.
Euch kann an meinem festen
  Willen
360 Kein Zweifel mehr das Herz er-
  füllen.
Könnt' Ihr dem Herrn Gesund-
  heit geben
Und mir zugleich das ew'ge
  Leben,
Um Gotteswillen, tut's beizeit.
Lasst sehn, ob Ihr ein Meister
  seid.
365 Ihr sollt noch reizen mich dazu.
Ich weiss es wohl, um wen ich's
  tu'.
In dessen Namen es geschieht,
Der unsre guten Dienste sieht
Und lässt sie ungelohnet nicht.
370 Ich weiss wohl, dass er selber
  spricht,
Wer grosse Dienste leiste,
Des Lohn sei auch der meiste.
Drum halt' ich diesen grimmen
  Tod
Auch nur für eine süsse Not
375 Um solch gewissen Himmels-
  lohn.
Liess' ich die reiche Himmels-
  kron',
So wär' zu töricht doch mein
  Sinn,
Da ich so arm geboren bin."
  Nun sah er, dass unwandel-
  bar
380 Und ohne Reu' ihr Wille war.

Noch einmal führt' er sie so-
  dann
Hin zu dem armen, siechen
  Mann
Und sprach zu ihrem Herren:
"Dem Zweifel lasst uns wehren,
Zum Werke sei die Magd nicht
  gut!   385
Nun habt Vertraun und guten
  Mut,
Ich mache bald Euch ganz ge-
  sund."
Hin führt' der Meister sie zur
  Stund
In sein geheimes Arbeitszimmer,
Damit ihr Herr es sehe nimmer, 390
Verschloss vor ihm sogleich die
  Tür
Und warf noch einen Riegel für:
Er wollte nicht, dass er es seh',
Wie's nun mit ihr zu Ende geh'.
  In einer Kemenaten,   395
Die er gar wohl beraten
Mit Arzenein für jung und alt,
Hiess er die Jungfrau alsobald
Vom Leibe ziehn der Kleider
  Zier.
Drob ward sie froh und fröhlich
  schier.   400
Sie riss die Näte gleich entzwei
Und war bald ihrer Kleider frei.
  Als sie der Meister nun ansah,
In seinem Herzen fühlt' er da,
Wie sehr ihn dauerte die Maid, 405
Dass Herz und Mut vor Trau-
  rigkeit
Ihm beinah wären noch ver-
  zagt.
Da sah die gute, reine Magd

Gar einen hohen Tisch da
  stehn,
410 Auf den hiess sie der Meister
  gehn.
Alsbald er fest darauf sie band
Und nahm ein Messer in die
  Hand,
Das nahe lag, gar lang und
  scharf,
Des man für solches Werk be-
  darf.
415 So guten Stahl das Messer trug,
Dem Meister war's nicht scharf
  genug.
Ihn jammerte die grosse Not,
Er wollt' ihr lindern noch den
  Tod.
  Nun lag ein guter Wetzstein
  auch
420 Ganz nahe bei, wie noch der
  Brauch.
Auf dem hub jetzt zu streichen
  an
Gar langsam der bedrückte
  Mann.
Das Wetzen aber hörte,
Der ihre Freude störte,
425 Der arme Heinrich vor der Tür.
Und als das Wetzen drang her-
  für,
Da klagt' und trauert' er gar
  sehr,
Dass er das Mägdlein nimmer-
  mehr
Lebendig sollte sehen.
430 Er hub zu suchen an und spähen,
Bis endlich in der dünnen Wand
Sein Aug' ein kleines Löchlein
  fand.

Da sah er durch den schmalen
  Spalt
Sie auf dem Tisch gebunden
  bald.
Sie war so hold, so jung und
  schön,   435
Da musst' er reuig sich ansehn,
Und anders ward ihm da zu
  Mut.
Ihn deucht', es sei wohl nimmer
  gut,
Wie ihm bisher das Herz ge-
  sinnt.
Und so verwandelt' er ge-
  schwind   440
Den alten eigensücht'gen Sinn
Und gab sich neuem Fühlen hin.
Er sprach: "Das war unklug
  Beginnen,
Dass wider den in trotz'gen
  Sinnen
Du leben wolltest einen Tag, 445
Dem niemand doch entrinnen
  mag.
Du weisst fürwahr nicht, was du
  tust,
Da du doch einmal sterben
  musst,
Dass du dies jammervolle Leben,
Das Gott allein dir hat gegeben, 450
Nicht willig willst zu Ende
  tragen,
Zumal du sicher nicht kannst
  sagen,
Ob dich erlöst des Kindes Tod.
Was dir beschert der liebe Gott,
Das lass dir alles auch geschehn. 455
Ich will des Kindes Tod nicht
  sehn."

Sogleich war der Entschluss
gefasst.
Er pochte an die Wand mit Hast
Und bat: "Lasst mich sogleich
hinein!"
460 Der Meister sprach: "Das kann
nicht sein,
Mir fehlt die Musse jetzt dazu,
Dass ich Euch auf die Türe tu'."
"Nein, Meister, höret nur ein
Wort!"
"Wie kann ich, wartet ruhig
dort,
465 Bis es geschehn." "Ach
Meister, nein,
Hört mich, es muss vor dem
noch sein!"
"Nun sagt mir's denn durch
diese Wand!"

"Ach, nein, so ist es nicht be-
wandt."
Da öffnet endlich er die Tür.   470
Der arme Heinrich trat herfür,
Wo sein Gemahl[1] gebunden lag.
Zum Meister alsobald er sprach:
"Dies Mägdlein ist so wonnig-
lich,
Wahrhaftig, nimmermehr kann
ich
Ihr jämmerliches Ende sehn.   475
Des Ewigen Wille soll geschehn.
Heisst sie vom Tische sich er-
heben;
Das Silber will ich gern Euch
geben,
Das ich Euch bot für Eure Müh'.
Nur lasst, ich bitt', am Leben
sie!"   480

XXIV. WOLFRAM VON ESCHENBACH

The deepest of the three chief romancers and the most strongly marked in his individuality. His date is approximately 1170–1220. He was a Bavarian knight of humble estate, who spent some time at the court of Landgrave Hermann in Thuringia. He speaks of himself as 'ignorant of what the books contain,' which is usually taken to mean that he could not read or write. His great work is *Parzival,* a blend of Arthurian and Grail romance, which he says he got from a French poet Kyot. Nothing is known of any such poet, and some think him an invention. Certain it is, however, that Wolfram had some other source than Chrestien de Troyes' *Conte del Graal*, though he was acquainted with that, and that he invented freely. Two other narrative poems, *Titurel* and *Willehalm*, were left unfinished. The selections from *Parzival* below are from the translation by W. Hertz, Stuttgart, 1898.

From 'Parzival,' Book 3, lines 293–500[2] : Parzival takes leave of his mother, who has tried in vain to prevent his hearing of knighthood ; the young 'fool' follows her directions all too literally.

[1] Heinrich had playfully called her his 'wife.' The girl is but eight years old when the story begins. — [2] The numbers refer to the original text, Bartsch's edition ; the translation is not a line-for-line version.

Heut mocht' ein andrer bir-
    schen,
Sein Sinn stand nicht nach
    Hirschen.
Er rennt nach Haus zur Mutter
    wieder,
Erzählt — und sprachlos sinkt
    sie nieder.
5 Doch als sie wieder kam zu
    Sinn,
Sprach die entsetzte Königin:
"Wer sagte dir von Rittertum?
O sprich, mein Sohn! Du
    weisst darum?"
"Vier Männer sah ich, Mutter
    mein,
10 Gott selbst hat nicht so lichten
    Schein;
Die sagten mir von Ritterschaft.
Artus in seiner Königskraft
Verleiht die Rittersehren,
Soll sie auch mir gewähren."
15 Da ging ein neuer Jammer an.
Sie wusste keinen Rat und sann:
Was sollte sie erdenken,
Sein Trachten abzulenken?
Das einzige, was er begehrt
20 Und immer wieder, ist ein
    Pferd.
Sie dacht' in Herzensklagen:
Ich will's ihm nicht versagen;
Doch soll es ein gar schlechtes
    sein,
Da doch die Menschen insge-
    mein
25 Schnell bereit zum Spotte sind,
Und Narrenkleider soll mein
    Kind
An seinem lichten Leibe tragen.

Wird er gerauft dann und ge-
    schlagen,
So kehrt er mir wohl bald zu-
    rück.
Aus Sacktuch schnitt in einem
    Stück   30
Sie Hos' und Hemd; das hüllt
    ihn ein
Bis mitten auf sein blankes Bein,
Mit einer Gugel obendran.
Zwei Bauernstiefel wurden dann
Aus rauher Kalbshaut ihm ge-
    macht.   35
    Sie bat ihn: "Bleib noch
    diese Nacht!
Du sollst dich nicht von hinnen
    kehren,
Eh' du vernahmst der Mutter
    Lehren:
Ziehst pfadlos du durch Wald
    und Heiden,
Sollst du die dunkeln Furten
    meiden;   40
Sind sie aber seicht und rein,
So reite nur getrost hinein.
Du musst mit Anstand dich
    betragen
Und niemand deinen Gruss ver-
    sagen.
Wenn dich ein grauer weiser
    Mann   45
Zucht will lehren, wie er's kann,
So folg' ihm allerwegen
Und murre nicht dagegen.
Eins achte ferner nicht ge-
    ring:
Wo eines guten Weibes Ring   50
Du kannst erwerben und ihr
    Grüssen,

So nimm's; es wird dir Leid
     versüssen.
Küsse keck das holde Weib
Und drück' es fest an deinen
     Leib;
55 Denn das gibt Glück und hohen
     Mut,
Sofern sie züchtig ist und gut.
Und endlich, Sohn, sollst du
     noch wissen:
Zwei Lande wurden dir ent-
     rissen
Von Lähelins, des stolzen, Hand,
60 Der deine Fürsten überrannt.
Ein Fürst von ihm den Tod
     empfing,
Indes dein Volk er schlug und
     fing."
"Das soll er wahrlich nicht
     geniessen;
Ich werd' ihn mit dem Pfeile
     spiessen."
65 Dann in der frühsten Morgen-
     zeit
War schon der Knabe fahrt-
     bereit,
Der nur vom König Artus
     sprach.
Sie küsst' ihn noch und lief ihm
     nach.
O Welt von Leid, was da ge-
     schah!
70 Als ihren Sohn sie nicht mehr
     sah, —
Dort ritt er hin, wann kehrt er
     wieder? —
Fiel Herzeloyd zur Erde nieder.

Ihr schnitt ins Herz der Tren-
     nung Schlag,
Dass ihrem Jammer sie erlag.
Doch seht, ihr vielgetreuer Tod, 75
Er wehrt von ihr der Hölle Not.
O wohl ihr, dass sie Mutter
     ward!
Sie fuhr zum Lohn des Heiles
     Fahrt,
Sie, eine Wurzel aller Güte,
Ein Stamm, auf dem die Demut
     blühte.   80
Ach, dass die Welt uns nicht
     beschied
Ihr Blut auch nur zum elften
     Glied!
Drum ist so wenigen zu traun.
Doch sollen nun getreue Fraun
Mit Segenswünschen ihn ge-
     leiten,   85
Den wir dort sehn von dannen
     reiten.
     Es wandte sich der junge
     Fant
Hin nach dem Wald von Brece-
     liand.[1]
Er kam an einen Bach gerit-
     ten,
Den hätt' ein Hahn wohl über-
     schritten,   90
Doch weil da Gras mit Blumen
     spross,
So dass der Bach im Schatten
     floss,
Gedacht' er an der Mutter Wort
Und trabte diesseits an ihm fort
Unverdrossen bis zur Nacht; 95

[1] A famous wood in Bretagne — la forêt de Bréchéliant. Wolfram's spelling
is Prizljan, Hartmann's Brezilian.

Die ward, wie's eben ging, ver-
    bracht.
Am Morgen traf er eine Stelle,
Da rann das Wasser seicht und
    helle;
Hier ritt er durch und sah ein
    Feld,
100 Das schmückt' ein grosses
    Prachtgezelt
Aus reichem Samt dreifarbig
    bunt,
Und alle Näte in der Rund'
Deckt feiner Borten Stickerei.
Die Lederhülse hing dabei,
105 Die, wenn es regnen wollte,
Man drüber ziehen sollte.
    Des stolzen Herzogs von
    Lalander
Minnige Gemahlin fand er
Im Zelte, Frau Jeschute,
110 Die noch im Schlafe ruhte,
Zum Ritterslieb erschaffen:
Sie trug der Minne Waffen,
Einen Mund durchleuchtig rot,
Sehnenden Ritters Herzensnot.
115 Wie wonnig sie entschlummert
    war!
Halb offen stand ihr Lippen-
    paar,
Das glüht von heissem Minne-
    feuer;
So lag das holde Abenteuer.
Schneeweiss erglänzt' in dichten
    Reihn
120 Der kleinen Zähne Elfenbein.
Leicht lernt' ich küssen solchen
    Mund,
Doch wurde mir das selten
    kund.

Auf weichem Lager hinge-
    streckt
Hat sie den Zobel, der sie deckt,
Zurückgestreift bis an die Hüf-
    ten,   125
Im schwülen Sommer sich zu
    lüften,
Seit einsam lag das schöne
    Weib.
Gott selbst hat an den süssen
    Leib
Seine Meisterkunst gewandt.
Lang war ihr Arm und blank die
    Hand.   130
    Doch als der wilde Knabe
    da
An ihrer Hand ein Ringlein sah,
Sprang er ans Bett, den Reif zu
    holen,
Wie's ihm die Mutter anbe-
    fohlen.
Das reine Weib in Scham er-
    schrak,   135
Als ihr der Knab' im Arme
    lag.
Sie, die man keusche Zucht ge-
    lehrt,
Sprach: "Wer hat mein Ge-
    mach entehrt?
Jungherr, Ihr waget allzuviel.
Geht, suchet Euch ein andres
    Ziel!"   140
Doch er, wie laut die Schöne
    klagt,
Ihn kümmert's nicht, was sie
    auch sagt.
Er drückt' an sich die Herzogin,
Zwang ihren Mund an seinen
    hin

145 Und nahm den Ring.   Auch
    brach der Range
Von ihrem Hemd die goldne
    Spange.
Sie wehrt sich, doch mit Weibes
    Wehr;
Ihr war sein Arm ein ganzes
    Heer.
"Mich hungert," klagt er, "gib
    mir Essen!"
150 Sie sprach: "Ihr wollt doch
    mich nicht fressen?
Wärt Ihr zu Nutzen weise,
Ihr nähmt Euch andre Speise.
Seht, dort beiseit steht Brot und
    Wein
Und zwei Rebhühnchen oben-
    drein.
155 Das hat ein Mägdlein herge-
    bracht,
Die's Euch doch wenig zuge-
    dacht.
Er liess von ihr, indem er sass
Und einen guten Kropf sich ass,
Wonach er schwere Trünke
    schlang.
160 Ihr währt sein Wesen hier zu
    lang;

Sie deucht: dem Jungen fehlt's
    im Hirne;
Der Angstschweiss stand ihr
    auf der Stirne.
Drum sprach sie: "Jungherr,
    lasset mir
Das Ringlein und die Spange
    hier
Und hebt Euch fort!   Denn
    kommt mein Mann,   165
Und trifft Euch hier im Zelte an,
So müsst Ihr Zorn erleiden,
Den Ihr gern möchtet meiden."
Er sprach mit trotzigem Gesicht:
"Er komme nur! Ich fürcht' ihn
    nicht.   170
Doch schadet's dir an Ehren,
Will ich von hinnen kehren."
Aufs neu' kam er ans Bett ge-
    gangen,
Die Schöne küssend zu um-
    fangen;
Ungerne litt's die Herzogin.   175
Dann ohne Abschied ritt er hin;
Doch sprach er noch: "Gott
    hüte dein!
So lehrte mich's die Mutter
    mein."

From Book 5, lines 345–490: | Parzival in the castle of the Grail.[1]

Dann kam die Königin herein;
180 Ihr Antlitz gab so lichten Schein,
Sie meinten all', es wolle tagen.

Als Kleid sah man die Jungfrau
    tragen
Arabiens schönste Weberei.

---

[1] The blundering Parzival has now been instructed in the ways of knighthood by the gray-haired Prince Gurnemanz, who has told him to avoid asking questions about what he sees. With this caution in mind Parzival fails to inquire into the malady of the mysterious sick man in the Grail castle — a fateful error which involves him in long wanderings during which he despairs of God.   The sick man is his uncle Anfortas, whom he is destined, after a lapse of years, to heal by a simple question and to succeed as king of the Grail.

Auf einem grünen Achmardei[1]
185 Trug sie des Paradieses Preis,
Des Heiles Wurzel, Stamm und
Reis.
Das war ein Ding, das hiess der
Gral,
Ein Hort von Wundern ohne
Zahl.
Repanse de Schoye sie hiess,
190 Durch die der Gral sich tragen
liess.
Die hehre Art des Grales wollte,
Dass, die sein würdig pflegen
sollte,
Die musste keuschen Herzens
sein,
Vor aller Falschheit frei und
rein.
195 Die Jungfraun tragen vor dem
Gral
Sechs Glasgefässe lang und
schmal,
Aus denen Balsamfeuer flammt.
Sie wandeln züchtig insgesamt
Mit abgemess'nem Schritte
200 Bis in des Saales Mitte.
Die Königin verneigte sich
Mit ihren Jungfraun feierlich
Und setzte vor den Herrn den
Gral.
Gedankenvoll sass Parzival
205 Und blickte nach ihr unver-
wandt,
Die ihren Mantel ihm gesandt.
Drauf teilt sich all das Gralge-
leite;
Zwölf Jungfraun stehn auf jeder
Seite,

Und in der Mitte steht allein
Die Magd in ihrer Krone Schein. 210
Nun traten vor des Mahls Be-
ginn
Die Kämm'rer zu den Rittern
hin,
Ein jeder ihrer vier zu dienen
Mit lauem Wasser, das er ihnen
In schwerem goldnem Becken
bot, 215
Dabei ein Jungherr wangenrot,
Das weisse Handtuch darzu-
reichen.
Da sah man Reichtum ohne-
gleichen.
Der Tafeln mussten's hundert
sein,
Die man zur Türe trug herein, 220
Vor je vier Ritter eine;
Darauf von edlem Leine
Deckten sie mit Fleisse
Tischtücher blendend weisse.
Der Wirt in seiner stummen
Qual 225
Nahm selber Wasser; Parzival
Wusch sich mit ihm zugleich die
Hände.
Drauf bracht' ein Grafensohn
behende
Ein seidnes Handtuch farben-
klar
Und bot es ihnen knieend dar. 230
Ein jeder Tisch, so viel da
stehn,
Ist von vier Knappen zu ver-
sehn:
Die einen knien, um vorzu-
schneiden,

[1] Green silk from Arabia.

Aufwärter sind die andern
  beiden.
235 Nun rollen durch den Saal vier
  Wagen,
Die Goldgeschirr in Fülle tragen;
Das wird von Rittern unverweilt
An all die Tafeln ausgeteilt.
Man zog im Ring sie Schritt für
  Schritt,
240 Und jedem ging ein Schaffner
  mit,
Dem dieser Hort zur Hut be-
  fohlen,
Ihn nach dem Mahl zurückzu-
  holen.
Hundert Knappen traten dann
Mit Tüchern auf der Hand
  heran;
245 Voll Ehrfurcht kamen sie ge-
  gangen,
Das Brot vom Grale zu emp-
  fangen.
Denn wie ich selber sie vernom-
  men,
Soll auch zu euch die Märe
  kommen:
Was einer je vom Gral begehrt,
250 Das ward ihm in die Hand ge-
  währt,
Speise warm und Speise kalt,
Ob sie frisch sei oder alt,
Ob sie wild sei oder zahm.
Wer meint, dass dies zu wundersam
255 Und ohne Beispiel wäre,
Der schelte nicht die Märe.
Dem Gral entquoll ein Strom
  von Segen,

Vom Glück der Welt ein vollster
  Regen.
Er galt fast all dem Höchsten
  gleich,
Wie man's erzählt vom Himmel-
  reich. 260
  In kleinen goldnen Schalen
  kam,
Was man zu jeder Speise nahm:
Gewürze, Pfeffer, leckre Brühn.
Ass einer zaghaft oder kühn,
Sie fanden insgesamt genug, 265
Wie man's mit Anstand vor sie
  trug.
Wein, Maulbeertrank, Siropel
  rot,
Wonach den Becher jeder bot,
Und welchen Trank er mochte
  nennen,
Den konnt' er gleich darin er-
  kennen, 270
Alles durch des Grales Kraft.
Die ganze werte Ritterschaft
War so zu Gaste bei dem Gral.
Wohl sah mit Staunen Parzi-
  val
Die Pracht der Wunder sich
  bezeigen; 275
Jedoch aus Anstand wollt' er
  schweigen.
Er dachte: der getreue Mann,
Gurnemanz, befahl mir an,
Vieles Fragen zu vermeiden.
Drum will ich höflich mich be-
  scheiden 280
Und warten, bis man unge-
  fragt,
Von diesem Haus mir alles sagt,
Wie man bei Gurnemanz getan

Drauf sah er einen Knappen
nahn
285 Mit einem Schwerte schön und
stark;
Die Scheide galt wohl tausend
Mark,
Der Griff ein einziger Rubin.
Das ward vom Wirt dem Gast
verliehn:
"Ich hab' es oft im Kampf getragen,
290 Bis Gott am Leibe mich geschlagen.
Herr, nehmt es als Ersatz entgegen,

Sollt' man Euch hier nicht wohl
verpflegen."
Ach dass auch jetzt er nicht ge-
fragt!
Um seinetwillen sei's geklagt,
Da mit dem Schwert, das er
empfing, 295
Die Mahnung doch an ihn er-
ging.
Auch jammert mich sein Wirt
zumal;
Denn von der ungenannten Qual
Würd' er durch seine Frage
frei.
Damit war nun das Mahl vorbei. 300

*From Book 16, lines 332–458 : Parzival, as purified king of the Grail and
unswervingly faithful husband, is reunited to his wife Kondwiramur.*

"Geheimnisreich ist Gottes
Tat,"
Sprach er,[1] "wer sass in seinem
Rat?
Wer kennt die Grenzen seiner
Macht?
Kein Engel hat sie ausgedacht.
305 Ja, Gott ist Mensch," so fuhr er
fort,
"Ist seines Vaters ew'ges Wort,
Ist Vater und ist Sohn zugleich,
Sein Geist an Hilfe gross und
reich.
Ein Wunder seltsam rätselvoll
310 Ist hier geschehn; durch Euren
Groll
Rangt Ihr ab dem höchsten
Willen,

Eures Herzens Wunsch zu stil-
len.
Mir tat einst Eure Mühsal leid;
Denn unerhört zu aller Zeit
War's, mit Gewalt der Waffen 315
Den Gral sich zu erraffen.
Ich hätt' Euch gern den Wunsch
benommen.
Doch anders ist's mit Euch ge-
kommen:
Euch ward der herrlichste Ge-
winn.
Nun kehrt an Demut Euren
Sinn!" 320
Drauf Parzival: "Mein Weib
ist nah.
Ich will sie sehn, die ich nicht
sah

---

[1] The speaker is the wise old hermit Trevrizent, who has cleared up for Parzival the mystery of the Grail and led him to inward peace.

Nun seit fünf langen Jahren.
Da wir beisammen waren,
325 War sie mir lieb und ist es noch.
Drum lass mich ziehn! Dein
   Rat jedoch
Soll mir verbleiben bis zum
   Tod.
Du rietest mir in grosser Not."
   So schied er von dem heil'gen
   Mann,
330 Die Nacht durch ritt er fort im
   Tann;
Der Weg war seinen Degen
   kund.
Am Morgen fand er lieben
   Fund:
Manch Zelt geschlagen auf dem
   Plane,
Vom Lande Brobarz manche
   Fahne,
335 Der mancher Schild gefolgt von
   fern.
Da lagen seines Landes Herrn.
Er fragte nach der Fürstin Zelt;
Das stand für sich abseits im
   Feld,
Von kleinen Zelten rings um-
   fangen.
340 Ihr Ohm, schon früh auf, kam
   gegangen;
Noch war der Blick des Tages
   grau.
Da sah er halten auf der Au
Ein Volk von Rittern und von
   Knappen,
Erkannte gleich des Grales
   Wappen
345 Und eilte Herrn und Degen
Mit Willkommsgruss entgegen,

Befahl auch, dass ein Jungherr
   lief
Und rasch der Herrin Marschall
   rief,
Die Gäste für den Morgen
Behaglich zu versorgen.   350
   Den König führt' er an der
   Hand
Hin, da die Kleiderkammer
   stand,
Ein klein Gezelt von Buckeram,
Wo man den Harnisch von ihm
   nahm.
Noch war der Herrin nichts be-
   wusst.   355
Da fand er seiner Augen Lust:
Im weiten Zelte schlief die
   Schöne
Und bei ihr seine kleinen
   Söhne,
Loherangrin und Kardeis,
Und hier und dort umher im
   Kreis   360
Lagen lichter Fraun genug.
Der Oheim auf die Decke schlug
Und rief: "Willst du erwachen,
So wirst du fröhlich lachen!"
Aufblickend sah sie ihren Mann. 365
Ihr Hemd nur hat die Herrin an,
Die nun die Decke um sich
   schwang,
Vom Bette auf den Teppich
   sprang,
Und Parzival, er drückte
Ans Herz die Holdbeglückte.   370
Man sagte mir, sie küssten sich.
Sie sprach: "So hat das Glück
   mir dich
Gesendet, Herzensfreude mein!

Sollst Gott und mir willkommen
    sein!
375 Nun sollt' ich zürnen, kann es
    nicht.
Heil sei dem Tag und seinem
    Licht,
Der dies Umfangen mir ge-
    bracht,
Das all mein Leid zunichte
    macht!
Des Herzens Wunsch, ich halt
    ihn hier,
380 Und Sorge hat kein Teil an mir."
    Nun wachten auch die Kin-
    derlein.
Er beugt sich zärtlich zu den
    zwein
Und küsste sie, die nackend
    lagen.
Der Ohm hiess sie von dannen
    tragen,
385 Und auch die Frauen sandt' er
    fort.
Die grüssten erst mit freud'gem
    Wort

Den Herren nach der langen
    Reise;
Dann führt sie aus dem Zelte
    leise
Der gute Ohm, der Parzival
Seinem holden Weib befahl. 390
Noch war es früh; drum liessen
    wieder
Die Kämm'rer rings die Zelt-
    wand nieder.
Hat ihn einst Blut und Schnee [1]
    verzückt,
Im Liebesweh sich selbst ent-
    rückt,
Dafür — es war auf dieser
    Flur — 395
Gab ihm Ersatz Kondwira-
    mur,
Die rot wie Blut und weiss wie
    Schnee.
An keinem Ort sonst nahm er
    je
Minnetrost für Minnenot,
Den manches Weib ihm liebend
    bot. 400

XXV. GOTTFRIED VON STRASSBURG

Pre-eminent as a graceful and cunning psychologist of sensual passion. His great work — all that we have from him except some lyric poems — is the love-intoxicated romance of Tristan and Isold, which he began early in the 13th century and did not live to complete. For this his principal source was the French trouvère, Thomas of Brittany, who composed his *Tristan* in England about 1180. Of this French poem only a few fragments are extant. The original Tristan-saga contained elements of revolting savagery, but in Gottfried's poem,

[1] In Book 6 it is related that Parzival, riding away from the castle of the Grail, comes upon three drops of blood in the snow — the blood of a wild goose that had been attacked by a falcon. The red and white remind him of Kondwiramur and he sinks into a moody trance.

as in the fragments of Thomas, it is transformed into a courtly romance of love — an illicit love that defies conscience and the world and remains faithful unto death. The selections are from the translation by W. Hertz, 4th edition, Stuttgart, 1904.

From 'Tristan,' Book 1, lines 119–242: The goodness of love and love-stories.

Ich weiss es sicher wie den
  Tod
Und hab's erkannt in eigner
  Not:
Wer minnt mit edlem Sinne,
Liebt Mären von der Minne.
5 Drum wer nach solchen trägt
  Begier,
Der hat nicht weiter als zu mir.
Ich künd' ihm süsse Schmerzen
Von zweien edlen Herzen,
Die Liebe trugen echt und wahr,
10 Ein sehnend junges Menschen-
  paar,
Ein Mann, ein Weib, ein Weib,
  ein Mann,
Tristan Isold, Isold Tristan
  Treu, wie ich las die Kunde
Von ihrem Liebesbunde,
15 So leg' ich sie mit willigem Sinn
Allen edlen Herzen hin,
Dass sie durch Kurzweil dran
  genesen;
Das ist sehr gut für sie zu lesen.
Gut? fraget ihr. Ja, innig gut,
20 Macht lieb die Liebe, rein den
  Mut,
Stählt die Treue, ziert das
  Leben;
Wohl kann's dem Leben Zier-
  den geben.
Denn wo man höret oder liest,
Wie Herz sich treu zum Herzen
  schliesst,

Da lernen die Getreuen   25
Sich recht der Treue freuen.
Liebe, Treue, steter Mut,
Ehre und manch andres Gut
Stehn nirgends so dem Herzen
  nah,
Sind nirgends ihm so lieb wie da, 30
Wo man von Herzeliebe sagt
Und Herzeleid von Liebe klagt.
Lieb' ist selig allezeit,
Ein Ringen so voll Seligkeit,
Dass ohne ihre Lehre   35
Nicht Tugend ist noch Ehre.
Da Liebe so das Leben weiht,
Da so viel Tugend sie verleiht,
Ach, dass nicht alles, was da
  lebt,
Nach rechter Herzensliebe
  strebt;   40
Dass ich so wenig finde deren,
Die lautres herzliches Begehren
Um Freundes willen mögen
  leiden,
Nur um den armen Schmerz zu
  meiden,
Der bei der Lieb' zu mancher
  Stund'   45
Verborgen liegt im Herzens-
  grund.
  Wie litte nicht ein edler Mut
Ein Weh für tausendfaches
  Gut,
Für grosse Freude kleinen
  Gram?

50 Wem niemals Leid von Liebe
    kam,
Dem kam auch Lust von Liebe
    nie:
Lust und Leid, wann liessen die
Im Lieben je sich scheiden?
Man muss mit diesen beiden
55 Lob und Ehre sich erwerben
Oder ohne sie verderben.
Von denen diese Märe kündet,
Hätten sie nicht treu verbün-
    det
Um Herzenswonne sehnend
    Klagen
60 In einem Herzen einst getragen,
Es wär' ihr Name im Gedicht
So manchem edlen Herzen nicht
Zum Heil und lieben Trost ge-
    kommen.
Nun wird noch heute gern ver-
    nommen
65 Und rührt noch immer süss aufs
    neue

Ihre innigliche Treue,
Ihr Glück und Jammer, Wonn'
    und Not.
Und liegen sie auch lange tot,
Ihr süsser Name lebt uns doch;
Auch soll der Welt zu gute
    noch   70
Lang ihr Tod und ewig leben,
Den Treubegier'gen Treue
    geben,
Den Ehrbegier'gen Ehre.
Die ewig neue Märe
Von ihrer Treue Lauterkeit, 75
Von ihrer Herzen Lust und
    Leid,
Ist aller edlen Herzen Brot:
So lebt in uns ihr beider Tod.
    Wer nun begehrt, dass man
      ihm sage
Ihr Leben, Sterben, Freud' und
    Klage,   80
Der neige Herz und Ohren her.
Er findet alles sein Begehr.

From ' Tristan,' Book 16, lines 11711–11844 : The fateful love-potion.[1]

Doch als die Jungfrau und
    der Mann,
Als nun Isolde und Tristan
85 Den Trank getrunken, was ge-
    schah?
Gleich war der Welt Unruhe da,
Minne, die Herzensjägerin,
Und schlich zu ihren Herzen
    hin.

Sie liess, eh' beide sich's versehn,
Ihr Siegspanier darüber wehn 90
Und unterwarf sie mit Gewalt.
Eins und einig wurden bald,
Die zwei gewesen und entzweit.
Nun hatten sie nach langem
    Streit
In raschem Frieden sich ge-
    funden.   95

[1] Tristan, a young embodiment of all knightly virtues, has been sent to Ireland to win the hand of the peerless Isold for his old uncle Marke, King of
Cornwall. He succeeds in his mission. On the voyage to Cornwall, however,
it befalls by accident that he partakes with Isold of a philter prepared by her
mother and intended for her and King Marke.

Der Hass [1] Isoldens war ent-
schwunden:
Minne, die Versöhnerin,
Die hatte ihrer beider Sinn
Von Hasse so gereinigt,
100 In Liebe so vereinigt,
Dass eins dem andern hell und
klar
Und lauter wie ein Spiegel war.
Sie hatten nur ein einz'ges Herz:
Isoldens Leid war Tristans
Schmerz,
105 Und Tristans Schmerz Isoldens
Leid.
Sie einten sich für alle Zeit
In Freude und in Leide
Und hehlten sich's doch beide.
Das tat die Scham, dass sie
nichts sagten,
110 Der Zweifel tat's, dass sie ver-
zagten,
Sie an ihm und er an ihr.
Und riss auch ihre Herzensgier
Nach Einem Ziel sie blindlings
fort,
Sie bangten vor dem ersten
Wort.
115 Drum blieb in Scheu' und
Sorgen
Ihr Sehnen noch verborgen.
Als Tristan fühlt der Minne
Bann,
Da rief er Treu' und Ehre an,
Und diese beiden mahnten ihn,
120 Vor ihrer Lockung zu entfliehn.
Nein, dacht' er fort und fort bei
sich,

Sei standhaft, Tristan, hüte
dich!
Lass ab und schlag dir's aus
dem Sinn.
Doch drängte stets sein Herz
dahin.
Mit seinem Willen kämpft' er
schwer,   125
Begehrte wider sein Begehr:
Es zog ihn ab, es zog ihn an.
So wand sich der gefang'ne
Mann
Und suchte, aus den Schlingen
Sich mühsam loszuringen,   130
Und hielt sich tapfer lange Zeit.
Es ging dabei ein zwiefach Leid
Seinem treuen Herzen nah:
Wenn er in ihre Augen sah,
Und ihm die süsse Minne   135
Verzehrte Herz und Sinne
Mit ihrem holden Angesicht,
So dacht' er an der Ehre Pflicht,
Und die entriss ihn ihrem
Bann.
Gleich griff ihn Minne wieder
an,   140
Seine Erbekönigin,
Und trieb ihn wieder zu ihr hin.
Bedrängt ihn Ehr' und Treue
schwer,
Minne bedrängt ihn doch noch
mehr;
Sie tat ihm mehr zu leide   145
Als Treu' und Ehre beide.
Schaute sein Herz sie lachend
an,
So blickte weg der treue Mann;

---

[1] Tristan had slain Morold, a kinsman of Isold's, wherefore she had tried,
with small success, to 'hate' him.

Doch sollt' er sie nicht sehen,
150 Wollt' ihm das Herz vergehen.
Oft, wie Gefang'ne sinnen,
Oft sann er zu entrinnen,
Und dachte: Sieh nach andern,
Lass dein Begehren wandern
155 Und liebe, was sich lieben lässt!
Da hielt ihn stets die Schlinge
fest.
Oft prüft' er sorgsam Herz und
Sinn,
Als spürt' er eine Wandlung
drin;
Doch fand er nur darinne
160 Isolden und die Minne.
   Nicht anders war es mit Isot.
Sie kämpfte mit derselben Not,
Auch ihr war angst und weh zu
Mut.
Kaum fühlt sie in der weichen
Flut
165 Der zauberischen Minne
Versinken ihre Sinne,
Da — in jähem Schreck und
Graus
Spähte sie nach Rettung aus
Und wollte schnell auf und
davon;
170 Jedoch verloren war sie schon
Und haltlos sank sie nieder.
Sie sträubte sich dawider,
Suchte nach allen Enden
Mit Füssen und mit Händen
175 Und wandte sich bald hin, bald
her;
Doch so versenkte sie nur mehr
Die Hände und die Füsse
Tief in die blinde Süsse
Des Mannes und der Minne.

Wie die gefang'nen Sinne   180
Sich mochten drehn und regen,
Auf allen ihren Wegen,
Auf jedem Schritt, auf jedem
Tritt,
Ging Minne, ihre Herrin mit,
Und alles, was sie dacht' und
sann,   185
War Minne nur und nur Tristan.
Doch all das blieb verschwiegen;
Entzweit in stetem Kriegen
War hier das Herz, die Augen
dort,
Scham trieb die Augen von ihm
fort;   190
Doch Minne bracht' ihr Herz
ihm dar.
Und diese widerspenst'ge Schar,
Scham und Minne, Mann und
Magd,
Die war teils mutig. teils ver-
zagt:
Die Magd begehrte nach dem
Mann   195
Und sah ihn nicht mit Augen an;
Die Scham, die wollte Minne,
Doch ward es niemand inne.
Was mocht' es helfen? Scham
und Magd
Kommt leicht zu Falle, wie man
sagt;   200
Sie haben gar ein kurzes Leben
Und können nicht lang wider-
streben.
Isot auch unterwarf sich bald,
Und sieglos weichend der Ge-
walt
Ergab sie Leib und Sinne   205
Dem Manne und der Minne.

From 'Tristan,' Book 24, lines 15522–15748 :/The ordeal of God.[1]

Der König sprach: "Frau
   Königin,
Ich lass' es dabei gern beruhn.
Wollt Ihr uns so Genüge tun,
210 Wie's Eure Rede zugestand,
So gebt uns sich'res Unterpfand:
Kommt her, gelobt mit Wort
   und Eid
Zum Gottesurteil Euch bereit
Mit dem glüh'nden Eisen,
215 Wie wir's Euch werden weisen."
Die Herrin weigerte sich nicht;
Sie schwur, die Probe vor Ge-
   richt
Zu leisten nach sechs Wochen,
Wie's ihr ward zugesprochen,
220 In der Stadt zu Karliun.
Der Herr entliess die Fürsten
   nun;
Sie kehrten heimwärts insge-
   mein.
Isolde aber blieb allein
Mit Ängsten und mit Leide,
225 Und es bedrückten beide
Ihr Herz mit gleicher Schwere:
Angst um ihre Ehre
Und heimlich Leid, nicht min-
   der schwer,
Dass ihre Lüge sie nunmehr
230 Zur Wahrheit sollte bringen.
In diesem heissen Ringen
Wusste sie nicht aus noch ein,
Und darum beides, Angst und
   Pein,

Vertraute sie dem gnäd'gen
   Christ,
Der hilfreich in den Nöten ist; 235
Der möchte sie entlasten.
Ihm mit Gebet und Fasten
Befahl sie all die Angst und Not,
Und eine List erfand Isot:
Im stillen Herzen hoffte sie   240
Getrost auf Gottes Courtoisie
Und schrieb an Tristan einen
   Brief,
Der ihn nach Karliun berief,
Wie er's auch möglich mache,
Dass, wenn der Tag erwache, 245
An dem das Schiff dort lande,
Er frühe sei am Strande
Und da im Hafen ihrer warte.
Nun, so geschah's: er kam und
   harrte
Im Pilgermantel arm und
   schlicht;   250
Er hatte sich das Angesicht
Überschminkt und aufge-
   schwellt
Und Leib und Kleidung ganz
   entstellt.
Als dann Isot und Marke
Anhielten mit der Barke,   255
Ersah ihn gleich die Herrin
   dort,
Und sie erkannt' ihn auch so-
   fort.
Und als das Schiff zu Strande
   stiess,

[1] Having become justly suspicious of his wife's fidelity, King Marke requires her to prove her innocence by the ordeal of the hot iron. She complies — in a way.

Isot den Waller bitten liess,
260 Wenn er nicht fürchte zu er-
  lahmen,
So möcht' er doch in Gottes
  Namen
Sie tragen von des Schiffes Rand
Hinüber auf das trockne Land;
Sie wollte sich in diesen Tagen
265 Von keinem Ritter lassen tragen.
Da riefen sie den Pilger an:
"He, kommet näher, guter
  Mann,
Und tragt die Herrin ans Ge-
  stad!"
Der Pilger tat, wie man ihn bat:
270 Er ging zu seiner Herrin hin
Und trug Isot, die Königin,
Auf seinen Armen nach dem
  Port.
Sie raunt ihm zu mit raschem
  Wort,
Dass, was ihm auch draus
  würde,
275 Er unter seiner Bürde
Mit ihr am nahen Ziele
Zur Erde niederfiele.
So tat er: kaum dass am Ge-
  stad
Der Waller aus dem Wasser
  trat
280 Aufs trockne Land, so strau-
  chelt' er
Und fiel, als wär's von unge-
  fähr,
Und bracht' im Fallen es dahin,
Dass er der schönen Königin
Im Arme lag an ihrer Seite.
285 Da ward ein Aufruhr im Ge-
  leite:

Sie kamen gleich in Haufen
Mit Stecken hergelaufen,
Um ihm mit blauen Malen
Den Trägerlohn zu zahlen.
"Nein, nein, lasst ab!" so rief
  Isot,   290
"Denn es geschah ihm nur aus
  Not.
Der Pilger ist so matt und krank,
Dass er vor Schwäche nieder-
  sank."
Dafür erscholl ihr in der
  Runde
Ehr' und Dank aus jedem
  Munde.   295
Sie lobten's im Gemüte,
Dass sie mit solcher Güte
Verteidigte den armen Wicht.
Sie sprach mit lächelndem Ge-
  sicht:
"Welch Wunder wäre nun dar-
  an,   300
Wenn dieser fremde Pilgers-
  mann
Mit mir zur Kurzweil wollte
  scherzen?"
So gewann sie alle Herzen,
Da sie so milde sich erwiesen,
Und Frau Isolde ward gepriesen 305
Und hochgerühmt von manchem
  Mann.
Doch Marke sah das alles an
Und hörte schweigend jedes
  Wort.
Sie aber fuhr zu scherzen fort:
"Nun weiss ich nicht, was draus
  entsteht,   310
Dass ich doch, wie ihr selber
  seht,

Von heut an nicht mehr
schwören kann,
Dass ausser Marke nie ein
Mann
Mir in den Arm gekommen,
315 Noch einer je genommen
Sein Lager mir zur Seiten."
So scherzten sie im Reiten,
Und war der arme Waller
Fortan im Munde aller,
320 Bis sie zum Stadttor zogen ein.
Da waren Pfaffen viel und
Lai'n,
Barone, Ritterschaft in Menge,
Gemeinen Volks ein gross Ge-
dränge,
Bischöfe und Prälaten auch,
325 Die hielten da nach heil'gem
Brauch
Das Amt und weihten das Ge-
richt.
Gewärtig ihrer strengen Pflicht
Harrten schon die Weisen;
Im Feuer lag das Eisen.
330   Die gute Königin Isold,
Die hatt' ihr Silber und ihr Gold
Und was vom Schmuck ihr war
zuhanden,
Samt ihren Rossen und Ge-
wanden
Dahingeschenkt um Gottes
Huld,
335 Dass Gott an ihre wahre Schuld
Zur Stunde nicht gedächte
Und sie zu Ehren brächte.
So war zum Münster sie ge-
kommen
Und hatte Messe da vernom-
men

Mit inniglichem Mute.   340
Andächtig sah die Gute
Zu Gott auf, dem sie sich ver-
traut.
Sie hatte auf der blossen Haut
Ein rauhes härnes Hemd und
dann
Ein wollnes Röcklein drüber an, 345
Das ihr, wenn's an ihr nieder-
hing,
Nicht auf die zarten Knöchel
ging.
Die Ärmel waren aufgezogen
Bis nahe an den Ellenbogen,
Arm' und Füsse waren bloss.   350
Da rührt ihr Anblick und ihr
Los
Manch Herz und Auge mit Er-
barmen;
Wie dürftig war das Kleid der
Armen,
Wie bleich, wie trübe sah sie
drein!
Hiemit kam auch der Heiligen-
schrein,   355
Darauf den Schwur sie sollte
tun,
Und man gebot Isolden nun,
Ihre Schuld an diesen Sünden
Vor Gott und vor der Welt zu
künden.
Sie hatte Ehr' und Leben   360
An Gottes Huld ergeben
Und bot ihr Herz und ihre Hand
Furchtsam, wie es um sie stand,
Dem Schreine und dem Eide.
Hand und Herz im Leide   365
Befahl sie Gottes Segen
Zu hüten und zu pflegen.

Doch war auch mancher in der
    Schar,
Der hätte, alles Hochsinns bar,
370 Der Königin den Eidschwur
    gern
Vorgesagt im Kreis der Herrn
Ihr zu Schaden und zu Falle.
Ihr alter Feind voll Gift und
    Galle,
Des Königs Truchsess Marjodo,
375 Versuchte es bald so, bald so,
Und trug es ihr zum Schaden an.
Doch war auch wieder mancher
    Mann,
Der sich selbst an ihr ehrte
Und ihr's zu Gute kehrte.
380 So stritten sie sich her und hin
Um den Eid der Königin;
Der war ihr gut, der bös ge-
    sinnt,
Wie's immer geht, wo Menschen
    sind.
"Herr König," fiel die Herrin
    ein,
385 "Was sie auch reden insgemein,
Der Eid muss doch vor allen
Euch und nur Euch gefallen;
Und darum seht nun selber zu,
Was ich hier spreche oder tu'.
390 Ob ich den Eid Euch sage,
So dass er Euch behage.
Der wirre Hader schweige still;
Vernehmt, was ich Euch
    schwören will:
Dass ausser Euch kein andrer
    Mann
395 Kunde meines Leibs gewann,
Und dass wahrhaftig, wenn
    nicht Ihr,

Kein Lebender auf Erden mir
Im Arm und an der Seite lag
Als der, den ich nicht leugnen
    mag —
Was würd' es mir auch taugen, 400
Da Ihr mit eignen Augen
Ihn saht in meinem Arme —
Der Pilgersmann, der arme:
So helfe mir denn, red' ich wahr,
Mein Gott und aller Heiligen
    Schar,   405
So dass ich ohne Wehe
Das Urteil hier bestehe.
Herr, wollt Ihr mehr, gebietet
    nur,
Und ich verbess're Euch den
    Schwur
In jeder Weise, wie Ihr wollt." 410
"Nein," sprach der König,
    "Frau Isold,
Soweit ich das erwägen kann,
Bedünkt es mich genug hieran.
Nun nehmt das Eisen auf die
    Hand,
Und wie die Wahrheit Ihr be-
    kannt,   415
So helf' Euch Gott in dieser
    Not!"
"Amen," sprach die Frau Isot.
Sie griff es an auf Gottes
    Gnaden —
Und trug das Eisen ohne
    Schaden.
Da wurde deutlich wohl und
    klar   420
Vor aller Augen offenbar,
Dass unsern lieben Herrgott
    man
Wie einen Ärmel wenden kann:

Er schmiegt sich an und fügt
   sich glatt,
425 Wie man es nur im Sinne hat,
So weich, so handsam und be-
   quem,
Wie's artig ist und angenehm,

Ist allen Herzen gleich bereit
Zum Trug wie zur Wahrhaftig-
   keit,
Zum Ernste wie zur Spielerei, 430
Wie man's begehrt, er ist da-
   bei.

XXVI. KONRAD VON WÜRZBURG

The most gifted of the romancers after the famous trio. He was born at Würzburg about 1230, wrote some of his earliest poems there, lived afterwards at Basel, then at Strassburg, and died at Basel in 1287. He loved the good old times of knighthood and wrote of them in facile verse whose popularity is attested by several notices. His works are rather numerous. The most important of the longer romances is *Engelhart*; of the shorter tales, *The World's Reward*, *Otto with the Beard*, *Silvester*, and the *Story of a Heart*. This last is given below in condensed form.

Story of a Heart.

Ein Ritter und ein gutes
   Weib,
Die hatten einmal Seel' und
   Leib
So fest verwebt in Minneglut,
Dass beider Leben, beider Mut
5 War eins geworden ganz und
   gar.
Was je der Frau zuwider war,
Das war es auch dem Ritter.
Davon zuletzt ward bitter
Ihr Lebensende, leider.
10 Es war die Minne beider
Nun worden so gewaltig,
Dass sie sehr mannigfaltig
Die Herzen machte schmer-
   zen.
Gross Schmerz ward ihren
   Herzen
15 Von süsser Minne kund.

Die hatte sie bis auf den Grund
Mit ihrer Flamm' entzündet
Und dergestalt ergründet
In heisser Leidenschaft,
Dass Worte machtlos bleiben 20
Dieselbe zu beschreiben.
Doch konnten sie nun leider
   nicht
Zusammenkommen, um die
   Pflicht
Der Minne nach Begehr zu
   üben.
Denn jenes Weib, gemacht zum
   Lieben, 25
Hatt' einen werten Ehgemal,
Der brachte beiden grosse Qual,
Weil dieser, immer auf der Hut,
Bewachte jenen Ritter gut,
So dass er niemals konnte
   stillen 30

An ihr des wunden Herzens
   Willen,
Das blutete im Busen sein.
Deswegen litt er eine Pein,
Die grausam war und fürchter-
   lich.
35 Nach ihrem Leibe minniglich
   Begann er sich gar sehr zu
     quälen
Und konnte seine Not verhehlen
Nicht mehr vor ihrem Mann.
Zur Frau begab er sich sodann
40 Bei günstiger Gelegenheit
   Und klagte ihr sein Herzens-
     leid.
Daraus entstand erst lang da-
   nach
Für ihn ein schweres Ungemach.
   Der Gatte, in verdächt'gem
     Mut,
45 Bewachte sie mit strenger Hut
So lange, bis ihm leider klar
An ihrem Tun geworden war,
Dass süsse Minne beider Glück
Umwickelt hielt in ihrem Strick.
50 Das tat dem guten Herrn leid;
   Er dachte bei sich sehr gescheit:
Lass ich mein Weib also ge-
   baren,
Werd' ich an ihr nun bald er-
   fahren,
Was all mein Glück vergiftet,
55 Wenn sie mir Schaden stiftet
   Mit diesem werten Mann.
Also, wenn ich es fügen kann,
Entrück' ich sie seinem Begehr:
Über das grosse wilde Meer
60 Will ich nun mit ihr fahren
   Und sie auf solche Art bewahren

Vor ihm, bis er dann ganz von
   ihr
Wegwendet seines Herzens Gier.
Und bald denkt sie an ihn nicht
   mehr:
Dem, hört' ich sagen von je her, 65
Wird nach und nach sein Lieb
   zu Leid,
Der lebt beständig lange Zeit
Von ihm getrennt. So steht
   mein Sinn:
Ich fahre bald mit ihr dahin
Und bleibe in der heil'gen Stadt, 70
Bis meine Frau vergessen hat
Die Liebe, die sie überkam
Von diesem Ritter lobesam.
   Als es dem ward bekannt,
Der nach der Dame war ent-
   brannt,   75
Beschloss der Liebende bei sich,
Ihr nachzufolgen schleuniglich.
Die strenge Kraft der Minne
Bezwang so seine Sinne,
Dass er ja um das schöne Weib 80
Hätte willig seinen Leib
In den grimmen Tod gebracht.
Drum wollt' er, wie er's aus-
   gedacht,
Nicht lang verziehen mit der
   Fahrt.
   Als nun die Dame inne ward 85
Der Absicht, die er hegte,
Rief heimlich ihn, so wie sie
   pflegte,
Zu sich das kaiserliche Weib
Und sagte: "Freund und lieber
   Leib,
Mein Mann ist auf den Plan ge-
   kommen,   90

Wie du wohl selber hast ver-
    nommen,
Mich zu entfernen weit von dir.
Nun, Trautgesell, gehorche mir
In deiner hochholdseligen Art
95 Und mach' zunichte diese Fahrt,
Die er ersann zu meinem Weh.
Fahr' du alleine über See;
Und hat er dann davon ver-
    nommen,
Dass du vor ihm dahin gekom-
    men,
100 So bleibt er hier wohl stehen,
Und jener Argwohn wird ver-
    gehen,
Den er auf mich gelenkt,
Wenn er nun bei sich denkt:
'Wär' etwas Wahres an der
    Sünde,
105 Der ich mein Weib für schuldig
    finde,
Hätte der Ritter solchermassen
Das Land gewiss niemals ver-
    lassen.'
So wird der Argwohn bald ent-
    kräftet,
Den er bisher auf mich ge-
    heftet;
110 Auch soll es dir kein Leid be-
    reiten,
Dich aufzuhalten dort im weiten,
Bis das Geschwätz wird einmal
    stumm,
Das hier zu Lande läuft herum.
Und bringt der süsse reine
    Christ
115 Dich wieder heim nach kurzer
    Frist,
So hast du's besser künftiglich

Mit deiner Minne, wie auch ich,
Denn das Geplapper von uns
    zwein
Wird, hoff' ich, ausgestorben
    sein.
Gott sei's geklagt, dass du
    allhier   120
Nicht immer bleiben kannst bei
    mir,
Und ich bei dir, wie ich begehr'.
Nun komm zu mir, mein lieber
    Herr,
Und steck' dir dieses Ringlein
    an:
Dich soll's erinnern dann und
    wann,   125
Wie ich hier weil' mit schwerem
    Sinn,
Weil ich von dir geschieden bin.
Jetzt küsse mich nur noch ein-
    mal
Und tue, wie ich dir befahl."
    Der werte Ritter trennte sich 130
Von ihr und ging wehmütiglich
Ans Ufer, wo ein Schiff sich
    fand,
Und fuhr nach dem gelobten
    Land.
Doch schwerer wurde mit der
    Zeit
Des Liebekranken Weh und
    Leid.   135
Es drang bis auf der Seele
    Grund,
Er ward von tiefer Sorge wund
Und klagte öfters von der Pein,
Die wütete im Herzen sein.
So lebt' er jammervolle Tage   140
Und trieb so lange seine Klage,

Bis er am Ende kam so weit
In seinem grenzenlosen Leid,
Dass er nicht mehr mochte
    leben.
145 Solch elend Los war ihm ge-
    geben,
Dass auch sein Äussres deut-
    lich sprach
Von seinem inneren Ungemach.
Und als der Ritter wusste,
Dass er bald sterben musste,
150 Sprach er also zu seinem Knecht:
"Mein Trautgesell, vernimm
    mich recht!
Ich sehe leider wohl,
Dass ich bald sterben soll,
Weil die, die ich so sehr geliebt,
155 Grausam zu Tode mich getrübt.
Das ist nun meine Lage,
Drum höre, was ich sage:
Wenn meine allerletzte Not
Vorbei ist, und ich liege tot
160 Durch das holdselige Weib,
So lass aufschneiden meinen
    Leib
Und nimm mein Herz heraus,
All blutig und von Farbe graus.
Sodann sollst du es salben
165 Mit Balsam allenthalben;
So bleibt es frisch auf Jahr und
    Tag.
Und höre, was ich weiter sag'.
Schaff' dir ein goldnes Büchse-
    lein,
Verziert mit edelem Gestein;
170 Darein mein totes Herze tu'
Lege das Ringlein auch hinzu
Und bring' es meiner Frauen,
Damit sie möge schauen,

Was ich von ihr erlitten,
Und wie mein Herz verschnitten 175
Um ihretwillen. Gott beglücke
Meine arme Seel' und schicke,
Dass die weitentfernte Süsse
Glück und Lebensfreud' ge-
    niesse,
Da ich hier nun liege tot."   180
    In solcher schweren Herzens-
    not
Verschied der Ritter. Mit dem
    Toten
Verfuhr der Knecht, wie ihm
    geboten:
Er kehrte heim mit heissem
    Schmerz
Und trug mit sich das tote Herz. 185
Doch als er durch die Gegend
    eilte,
Wo jene hohe Frau verweilte,
Kam ihm — es war sehr unge-
    legen —
Ihr werter Ehgemahl entgegen,
Bedrohte ihn mit scharfem
    Wort   190
Und nahm das Herze mit sich
    fort.
Dem Koche liess er's über-
    reichen,
Der eine Speise sondergleichen
Für seine Herrin machen sollte.
Der Koch tat, wie der Schloss-
    herr wollte,   195
Und ganz unwissentlicher Weise
Genoss die Frau die ekle Speise.
Es deucht' ihr gut, sie ass es
    gern
Und sprach also zu ihrem
    Herrn:

200 "Ist dieses Essen lobesam
Wild gewesen oder zahm?"
Der Herr erwiderte gemessen:
"Du hast des Ritters Herz gegessen,
Der mit so liebevollem Sinne
205 Stets trachtete nach deiner
Minne.
Von sehnsuchtsvoller Herzensnot
Liegt er in weiter Ferne tot
Und hat sein Herz in dieses
Land
Durch seinen Knecht zu dir
gesandt."
210 Entsetzen traf das holde Weib,
Das Herz erkaltet' ihr im Leib,
Die Hände fielen ihr zum
Schoss,

Das Blut ihr aus dem Munde
goss;
Zuletzt sprach sie in tiefem
Schmerz:
"Ass ich also des Freundes Herz, 215
Der stetig mich geliebt so sehr,
So sag' ich Euch bei meiner
Ehr',
Dass keine andre Speise mir
Von diesem Tage für und für
Den Mund berührt. Ich folge
nach 220
Dem Freunde, der nie Treue
brach;
Ich weiss, ich komme bald ans
Ende."
Sie faltete die weissen Hände,
Es brach das Herz in ihrem
Leib,
Sie sank dahin ein totes Weib. 225

XXVII. LATER MINNESINGERS

During the 13th century the making of amatory verses in honor of a liege
lady became a part of the ordinary fashion of knighthood. In time the 'nightingales' could be counted by the hundred. Many of them were very clever
metricians, but not many found anything to express that had not been better
expressed before. A few of the more noteworthy among Walter's successors
are represented in the following selections, which are taken from Obermann's
Deutscher Minnesang. The most original is Neidhart von Reuental, who
eschewed the conventional *hohe Minne* and sang lustily of the plebeian maid
and the rustic dance.

I

Reinmar von Zweter: Gebet an den Unendlichen.

Gott, Ursprung aller guten Ding',
Gott, alle Weit' und Breite rings umschliessend wie ein Ring,
Gott, aller Höh' Bedeckung, aller Tiefe endeloser Grund,
O sieh aus deiner Göttlichkeit

Herab auf deine teuer dir erkaufte Christenheit,   5
Um die dein eingeborener Sohn ward an dem heil'gen Kreuze wund.
Er hat sich uns vermählt mit seinem Blute:
Die Liebe komm' uns auch von dir zugute
Um dessen will'n, durch den wir kamen
Von Hölle los und Teufelsmacht.   10
Ihm sei mit dir, Herr, Lob gebracht
Als Einem Gotte mit dreifachem Namen.

2

| Reinmar von Zweter: Kurze Lust und langes Leid.

Du süsses Weib! Im Herzen mein
Sieh dich doch um, und find'st du dort noch wen als dich allein,
So lass mich nur vergehn und ohne Trost bis an mein Ende leben.
Doch herrschest du darin, o dann,
Vielsüsses Weib, so nimm in Huld dich meiner mehr auch an.   5
Mehr kann ich nicht: durch meine Augen bist du mir ins Herz
    gegeben.
Ganz bist du, Süsse, mir hineingegangen,
Ich hab' dich oftmals heimlich drin empfangen.
Wenn ich so lieb dann an dich dachte,
Ein wenig wohler mir geschah;   10
Doch dann sass ich gar traurig da,
Und kurze Lust mir langes Leid stets brachte.

3

Reinmar von Zweter: Der tapfere Hahn.

Preis muss ich, Hahn, Euch zugestehn!
Ihr seid in Wahrheit tapfer, wie gar oft ich hab' gesehn,
Denn Eure Meisterschaft ist gross bei Euern Fraun, sind's noch so
    viel.
Nun ist nur Eine mir beschert,
Die doch mir alle Freude nimmt und meinen Sinn beschwert,   5
Sie trägt das grössre Messer, und sie zürnt, wenn froh ich werden will.
Hätt' ich so zwei, dann wagt' ich nie zu lachen,
Hätt' ich so vier, könnt' nichts mehr froh mich machen,

Hätt' acht ich, würd' ich nicht mehr leben können,
10 Sie brächten mir den Tod vor Leid.
O Hahn, dass Ihr so tüchtig seid,
Ist Euer Glück, — Ihr meistert selbst zwölf Hennen.

4

Ulrich von Lichtenstein: Glück der Hoffnung.

In dem Walde süsse Töne
Singen kleine Vögelein.
Auf der Heide blühen schöne
Blumen zu des Maien Schein.
5 Also blüht auch froh mein Mut,
Wenn er denkt an ihre Güte,
Die mir reich macht mein Ge-
    müte,
Wie der Traum dem Armen
    tut.

Ja, zu ihrer Tugend hege
10 Diese Hoffnung ich,
Dass ich endlich sie bewege,
Und sie noch beglücket mich.
Dieser Hoffnung bin ich froh.
Gebe Gott, dass sich's voll-
    ende,
15 Sie mir diesen Wahn nicht
    wende,
Der mich jetzt erfreut schon so.

Du viel Süsse, Wohlgetane,
Frei von Truge, treu und stet,
Lasse mich in liebem Wahne,
20 Wenn es jetzt nicht anders geht,
Dass die Freude lange währ',
Ich vor Weinen nicht erwache,
Nein, dem Trost entgegenlache,
Der von ihrer Huld kommt her.

Lieber Wunsch und froh Ge-
    denken   25
Ist die grösste Freude mein.
Nichts soll mir den Trost be-
    schränken,
Lässt sie mich nur immer sein
Ihr mit beidem nahe bei
Und vergönnt mir, ihretwegen 30
Süsse Lust daran zu hegen,
Wie beglückend sie stets sei.

Süsser Mai, auch du alleine
Tröstest sonst die Welt für-
    wahr;
Doch du freust selbst im Vereine 35
Mit der Welt mich kaum ein
    Haar.
Brächtet ihr wohl Freude mir
Ausser der Viellieben, Guten?
Trost will ich von ihr vermuten;
Ich leb' nur des Trosts von ihr. 40

5

Ulrich von Lichtenstein: Treue Liebe.

In dem duftigsüssen Maien,
Wenn erprangt des Waldes
    Trieb,
Sieht man lieblich auch zu
    zweien,
Was nur irgend hat ein Lieb.
Eins ist mit dem andern froh, 5
Und mit Recht, die Zeit will's
    so.

Wo ein Lieb zum Lieb sich
reihet,
Gibt die Liebe frohe Lust,
Und mit hohen Freuden maiet
10 Es fortan in jeder Brust.
Liebe will, dass Trauern flieht,
Wo man Lieb bei Liebe sieht.

Wo zwei Lieb' einander meinen
Treulich sich von Herzens-
grund,
15 Und sich beide so vereinen,
Dass nie schwankt ihr Liebes-
bund:
Für ein Leben wonniglich
Schenkte Gott die beiden sich.

Treue Liebe nennt man Minne:
20 Eins ist Lieb' und Minne dann,
Dass ich sie in meinem Sinne
Nimmermehr drum scheiden
kann.
Liebe muss im Herzen mein
Immer mir auch Minne sein.

25 Kann ein treues Herze finden
Treue Liebe, treuen Mut.
Muss ihm alle Trauer schwin-
den.
Treue Liebe ist so gut,
Dass sie stete Freude leiht
30 Treuem Herzen allezeit.

Möcht' ich treue Liebe finden,
Wollt' ich so getreu ihr sein,
Dass ich damit überwinden
Wollte alle Sorg' und Pein.
35 Treue Liebe hab' ich gern,
Ungetreue bleib' mir fern.

6

Neidhart von Reuental. Die tanz-
lustige Junge.

"Der Mai, der ist so mächtig,
Drum führt er auch so prächtig
Den Wald an seinen Händen,
Der ist jetzt voll von neuem
Laub, der Winter muss sich
enden.

Ich freu' mich an der Heide 5
Der hellen Augenweide,
Die uns jetzt aufgegangen;"
So sprach ein schmuckes Mäg-
delein, "die will ich schön
empfangen.

Lasst, Mutter, ohne Weilen
Mich hin zum Felde eilen 10
Und dort im Reihen springen.
Ich hörte wahrlich lange nicht
die Kinder Neues singen."

"Ach nein doch, Tochter, nein
doch!
Dich hab' ich ganz allein doch
Genährt an meinen Brüsten; 15
Drum folg' mir nur und lass
dich ja nach Männern nicht
gelüsten."

"Den ich Euch will nennen,
Den werdet Ihr ja kennen.
Zu dem ich voll Verlangen
Jetzt will, ist der von Reuental,
ihn will ich jetzt umfangen. 20

Es grünt ja an den Zweigen,
Dass berstend fast sich neigen

Die Bäume tief zur Erden.
Nun wisst nur, liebe Mutter
mein, der Knabe muss
mir werden!

25 Mutter, ach schon lange
Verlangt er nach mir bange;
Soll ich dafür nicht danken?
Er sagt, dass ich die schönste
sei von Bayern bis nach
Franken."

7
Neidhart von Reuental: Die tanz-
lustige Alte.

Eine Alte fing zu springen
Munter wie ein Zicklein an,
    sie wollte Blumen bringen.
"Tochter, gib mir mein Ge-
    wand,
Ich muss an des Knappen Hand,
5 Er ist von Reuental genannt."
    Trara nuretum, trara nuri
    runtundeie!

"Mutter, bleibt doch nur bei
    Sinne!
Dieser Knappe denkt ja nicht
    je an treue Minne."
"Tochter, lass mich ohne Not;
10 Ich weiss ja, was er mir entbot,
Nach seiner Minne bin ich tot."
    Trara nuretum, trara nuri
    runtundeie!

8
Neidhart von Reuental: Die zwei
Gespielen.

Nun ist ganz vergangen
Der Winter kalt.

Mit Laube steht behangen
Der grüne Wald.
Wonniglich   5
Mit Stimmen, süss und freu-
    diglich,
So singen jetzt die Vöglein Lob
    dem Maien.
Gehn auch wir zum Reihen!

Allen im Vereine
Kam froher Sinn.   10
Blumen in dem Haine
Hab' nun weithin
Ich gesehn;
Aber ich kann nicht gestehn,
Dass mir mein langer Liebes-
    gram verschwinde,   15
Er, mein treu Gesinde.

Zwei Gespielen fragten,
Wie's jedem geh'.
Stille sie sich klagten
Ihr Herzensweh.   20
Eine sprach:
"Trauer, Leid und Ungemach,
Das zehrt mir am Leib und
    allen Sinnen,
Freud' ist nicht mehr drin-
    nen.

Es lässt mich im Gemüte   25
Leid nicht in Ruh'.
Ein Freund voll hoher Güte
Zwingt mich dazu.
Bleibt der Mann
Fern doch, der mir's angetan, 30
Dass langes Liebesleid sich bei
    mir mehret
Und mein Herz verzehret."

"Sag's nur frei von Herzen,
Was fehlt denn dir?
35 Macht dir die Liebe Schmerzen,
Dann folge mir:
Hab' Geduld!
Ist ein lieber Mann dran schuld,
So trag es still im Herzen als
dein eigen.
40 Ich will gern auch schweigen."

"Nun, du wirst ihn kennen,
Denn manches Mal
Hört'st du wohl schon nennen
Den Reuental.
45 Sein Gesang
Mein Gemüte ganz bezwang.
Der da weiss den Himmel zu
verwalten,
Mag ihn mir erhalten!"

9

| Tannhäuser: | Gute Aussicht.

Hört, lohnen will die Herrin
mir,
Der ich gedienet ohne Wank!
Das ist gar schön getan von
ihr,
Drum sagt ihr alle euern Dank!

5 Abwenden soll ich nur den
Rhein,
Dass er nicht mehr bei Koblenz
geh',
Dann will sie mir willfährig sein.
Und bring' ich Sand erst aus
der See,

Da wo zur Ruh' die Sonne geht,
10 Erhört sie mich; doch einen
Stern.

Der grade in der Nähe steht,
Den wünscht sie auch von mir
recht gern.

Doch denkt mein Mut: was sie
mir tut,
Es soll mich alles dünken gut.
Sie nahm vor mir sich gute Hut,
die Reine; 15
Ausser Gott alleine
Kennt niemand ja die Liebste,
die ich meine.

Nähm' ich der Elbe ihren Fall,
Sagt sie, so tu' sie mir noch wohl,
Dazu der Donau ihren Schall. 20
Ei ja, sie ist gar tugendvoll!

Den Salamander muss ich ihr
Erst bringen aus dem Feuer her,
Dann lohnet auch die Liebste
mir
Und tut dann ganz mir nach
Begehr. 25

Kann ich den Regen und den
Schnee
Wegwenden, das versprach sie
mir,
Dazu den Sommer, samt dem
Klee,
So wird auch wohl viel Liebes
mir.

Doch denkt mein Mut: was sie
mir tut, 30
Es soll mich alles dünken gut.
Sie nahm vor mir sich gute Hut,
die Reine;

Ausser Gott alleine
Kennt niemand ja die Liebste,
    die ich meine.

10
Gottfried von Neifen: Die Flachs-schwingerin.

Ei ja, uns jungen Männern
    mag
Bei Fraun es leicht mislingen.
Es war mal mitten um den Tag,
Da hört' ich eine schwingen:
5 Sie schwang Flachs,
Sie schwang Flachs, ja Flachs,
    ja Flachs.

Guten Morgen bot ich ihr
Und sprach: "Gott mög' Euch
    ehren!"
Die schöne Jungfer dankte mir,
10 Ich wollte ein schon kehren.
Sie schwang Flachs,
Sie schwang Flachs, ja Flachs,
    ja Flachs.

Da sprach sie: "Weiber gibt's
    hier nicht,
Ihr seid wohl fehlgegangen.
15 Eh' Euer Will' an mir ge-
    schicht,
Säh' ich Euch lieber hangen!"
Sie schwang Flachs,
Sie schwang Flachs, ja Flachs,
    ja Flachs.

11
Steinmar: Die hübsche Bäuerin.

Sommerzeit, wie froh ich bin,
Dass ich nun kann schauen

Eine hübsche Häuslerin,
Krone aller Frauen!
Denn ein Dirnlein, das nach
    Kraute   5
Geht, die ist es, die als Traute
Ich ersah.
Ihr zum Dienst nur bin ich da!
    Schau' rings um dich!
    Wer verstohlen minnt, der
    hüte sich!   10

War vor mir sie winterlang
Leider eingeschlossen,
Geht zur Heide jetzt ihr Gang,
Wo die Blüten sprossen;
Wo sie Blumen sich zum
    Kranze   15
Pflücket, den sie bei dem Tanze
Trägt zur Zier.
Viel noch kos' ich da mit ihr.

Ja, mich freut die Stunde schon,
Wenn sie geht zum Garten,   20
Und ihr ros'ger Mund zum
    Lohn
Mich heisst auf sie warten.
Fröhlich wird dann mein Ge-
    müte;
Dass die Mutter sie nicht hüte
Fernerhin,   25
Vor der ich behutsam bin.

Da ich mich nun hüten muss
Vor der Mutter Tücke,
Liebchen, wag' zum guten
    Schluss
Bald mit mir dein Glücke!   30
Brich den Trotz, der dich will
    hüten,

Denn ich will's dir ja vergüten;
Allezeit
Sei dir Leib und Gut geweiht!

35 Steinmar, hab' denn frohen
      Mut!
Wird dir noch die Hehre,
Die so hübsch ist und so gut,

Hast du an ihr Ehre.
Denn vom allerbesten Teile
Dessen, was zum Erdenheile   40
Dienen kann,
Wird dir reich beschert ja dann!
      Schau' rings um dich!
      Wer verhohlen minnt, der
      hüte sich!

XXVIII. POEMS OF THE DIETRICH-SAGA

More than a dozen late-medieval epics, mostly anonymous and not precisely datable, have to do with the exploits of heroes who are the same as those that appear in the Nibelungen Lay or in some way related to them. Some of the poems are written in the Nibelungen meter, or a close approximation to it, others in short rimed couplets, still others in a peculiar stanza of twelve lines. The most of them relate to Dietrich of Bern, the doughtiest and most eminent of all the saga-heroes. Of the selections below No. 3 is given in Simrock's translation, *Das kleine Heldenbuch*, 3rd edition, 1874.

I

From 'Laurin': Dietrich and his men encounter the dwarf-king.[1]

Sie ritten auf einander los
Und trafen sich mit hartem
      Stoss,
Der eine hoch, der andre klein,
Denn Laurin hatte kurze Bein'.
5 Fehl ging des Herrn Witeges
      Schuss,
Doch traf der Zwerg, ihm zum
      Verdruss,
Und stach ihn nieder in den Klee.
Kein Unglück tat ihm je so weh.
      Laurin, der kühne,
Sprang nieder auf das Grüne;

Er wollte nehmen schweres
      Pfand,   10
Den rechten Fuss, die linke
      Hand,
Und wäre Dietrich nicht ge-
      kommen,
Er hätte solches Pfand genom-
      men.
Erzürnt sprang Dieterich heran,
Und sprach, beschirmend seinen
      Mann: 15
 "He da, du kleiner Wicht,
Behellige ihn nicht!

[1] The locus is the mountains of Tirol. Laurin, the diminutive dwarf-king, has a rose-garden the trespasser upon which must lose a hand and foot. The arrogant Witege, Dietrich's man, wantonly tramples down the roses; whereupon Laurin assails him, in knightly fashion, on horseback.

Er ist mir zugesellt,
Das wisse ja die Welt,
20 Und mit mir hergekommen.
Würd' ihm solch Pfand genom-
    men,
Des hätt' ich immer Schande,
Wenn man es mir im Lande
Nachsagte, mir dem Berner;
    nicht
25 So leicht ertrüg' ich solch Ge-
    rücht."
    Da sprach Laurin, der kleine
    Mann:
"Was geht mich wohl dein
    Name an?
Die Märe von dem Berner
Will ich nicht hören ferner;
30 Davon hab' ich genug vernom-
    men.
Mich freut, dass du hierher ge-
    kommen:
Du musst mir geben schweres
    Pfand,
Den rechten Fuss, die linke
    Hand.
Du sollst mich kennen lernen,
    traun!
35 Den Garten hast du mir ver-
    haun,
Zertreten unter Füssen.
Das sollst du mir nun büs-
    sen.
Ich dünk' euch wohl nicht gross,
Doch wäre euer Tross
40 Dreitausend stark und mehr,
Ich schlüg' das ganze Heer."
    Herr Dietrich hatte gnug ge-
    hört;

Er sah sich um nach seinem
    Pferd,
Erreichte es in schnellem Lauf,
Sprang ohne Stegereif hinauf, 45
Ergriff den Ger mit starker
    Hand —
Da kam sein Meister Hilde-
    brand,
Und dieser vielerfahrne Mann
Rief also seinen Herren an:
"Mein lieber Dieterich,   50
Sei klug und höre mich!
Verwirfst du meine Lehre,
Verlierst du wohl die Ehre.
Verkennst du doch den Wicht!
Dein Reiten taugt hier nicht. 55
Hättst du die ganze Welt im
    Bann,
Er sticht dich nieder auf den
    Plan;
So verlierst du deine Ehr'
Und darfst dann nimmermehr
Als Fürst mit Fürsten gehen.   60
Zu Fusse sollst du ihn bestehen,
Steig' ab vom Rosse auf das
    Feld;
Das rat' ich dir, du kühner Held.
Und höre einen weitern Rat:
Durch Schmiedewerk, wie er es
    hat,   65
Kommst du dem Zwerg, wie
    auch es sei,
Mit Schneidewaffen niemals bei.
Hau' mit dem Knopf[1] ihm um
    die Ohren
Und mache ihn also zum Toren.
So trägst du, dir und uns zum
    Lohn,   70

---

[1] The 'pommel' of his sword.

Mit Gottes Hilf' den Sieg davon."
Des Meisters Rat war nicht ver-
    lorn,
Er sprang von seinem Ross in
    Zorn:
"Laurin, ich widersage dir;
75 Nun, räche deinen Grimm an
    mir."
"Ja wohl," so sprach der Kleine,
"Das tu' ich ganz alleine."
Den Schild zu fassen er begann
Und lief den Berner hastig an.
80 Er schlug ihm einen grimmen
    Schlag,
So dass sein Schild auf Erden
    lag.
Des Berners Zorn war gross;
Er stürtzte auf das Männlein los
Und schlug auf seinen Schildes-
    rand,
85 So dass er fiel ihm aus der Hand.
Herr Dieterich von Bern
Hätt' ihn betäubet gern;
Er rannt' ihn an und mit dem
    Knopf
Schlug er ihn grimmig auf den
    Kopf,
90 Dass weit und breit erklang der
    Ton
Des Helmes und der goldnen
    Kron'.
Es schwindelte dem Zwerg so-
    gar,
Er wusste nicht, wie's mit ihm
    war.
Er griff in seine Tasche klein
95 Und holte sich sein Tarnkäpp-
    lein,
Worin er gleich unsichtbar ward.

Jetzt ging's dem Berner erst
    recht hart.
Der Kleine schlug ihm hier und
    dort
Furchtbare Wunden fort und
    fort,
So dass dem schwergeprüften
    Mann   100
Dass Blut nun durch die Brünne
    rann.
Da sprach der Held von
    Bern:
"Ich schlüge dich ja gern,
Doch weiss ich nicht zur Frist,
Wo du zu treffen bist.   105
Wohin bist du gekommen?
Wer hat dich mir entnommen?"
Der Berner holte aus und schlug
In grimmem Zorn ob dem Be-
    trug;
Und ellenweit die Waffe sein   110
Biss in die Felsenwand hinein.
All unverletzt der kleine Mann
Lief abermals den Berner an,
Der, hart bedrängt, den
    Streichen
Nicht wusste zu entweichen.   115
Er kam in furchtbare Gefahr,
Wiewohl er stark und weise war
Und sich aufs Waffenwerk ver-
    stand.
Da sprach der weise Hilde-
    brand:
"Wirst du von einem Zwerg er-
    schlagen,   120
Kann ich dich nicht so sehr be-
    klagen.
Dir könnt' es bass gelingen,
Wollt' er nur mit dir ringen.

Ergreif' und halte fest den But-
          zen,
125 So ist sein Käpplein ohne Nut-
          zen."
Der Berner sprach: " Ja, käm's
          zum Ringen,
Es könnte mir doch bass ge-
          lingen."
Er trug dem Zwerge grimmig
          Hass.
Als dieser nun bemerkte, was
130 Der Held von ihm begehrte,
Wie bald er's ihm gewährte!
Er schleuderte sein Schwert von
          sich
Und stürzte auf Herrn Diete-
          rich.
Kraftvoll ergriff der Kleine
135 Des Riesen starke Beine,
Und beide fielen in den Klee;
Die Schande tat dem Berner
          weh.
     Da sprach — er war ja gleich
          zur Hand —
Der weise Meister Hildebrand:
140 "Dietrich, lieber Herre mein,
Zerreiss' ihm doch das Gürtelein,
Davon er hat Zwölfmänner-
          kraft;
So magst du werden siegehaft."
Nun ging es an ein starkes
          Ringen,

Noch wollt's dem Berner nicht
          gelingen.   145
Gross war Herrn Dieterichs
          Bemühn:
Man sah's ihm aus dem Munde
          sprühn,
Wie Feuer aus der Esse tut;
Nicht mehr verträglich war sein
          Mut.
Zuletzt griff er ins Gürtlein zäh 150
Und hob das Zwerglein in die
          Höh'
Mit rasender Gebärde
Und schmiss es auf die Erde.
Ums Gürtlein war es jetzt ge-
          tan,
Dem Laurin war es übel dran; 155
Denn als der Kleine fiel zu
          Hauf,
Griff Hildebrand das Gürtlein
          auf,
Das jenem Riesenkraft verlieh.
Jetzt kam der Zwerg in Not;
          er schrie
Und heulte, dass der Schall   160
Ertönte über Berg und Tal.
Demütig rief er Dietrich an:
"Warst du je ein guter Mann,
So friste mir das Leben.
Ich will mich dir ergeben,   165
Ich will dir werden untertan
Mit meinem Gut von heute an."

2

From the 'Lay of Ecke': Ecke's death and Dietrich's remorse.[1]

Die Schwerter warfen sie von | Und rangen nun gewaltiglich
          sich | Auf freier Stätt' im Walde.

[1] Ecke is a redoubtable young giant whose conceit leads him to seek an
encounter with Dietrich of Bern. Three queens promise him the choice among
them if he brings the famous man to them, so that they can see him. At first

Einander taten sie so weh,
5 Dass Blut begoss den grünen
    Klee
Hinab die Bergeshalde.
Gen einen Baum der Berner
    zwang
Den riesenhaften Ecke;
Das Blut ihm aus den Wunden
    drang,
10 Betäubet ward der Recke.
Der Berner drückte ihn aufs
    Gras
Mit solcher fürchterlichen Kraft,
    dass er kaum noch genas.

Der mächt'ge Ecke war gefällt,
Und auf ihm lag der edle Held,
15 Herr Dieterich von Berne:
"Dein Leben steht in meiner
    Hand,
Gib mir sofort dein Schwert
    zum Pfand,
Du, der du kämpfst so gerne.
Tust du es nicht, musst du den
    Tod
20 Von meiner Hand erdulden.
Drum hilf dir selber aus der
    Not
Und komme mir zu Hulden.
Du wirst geführt an meiner
    Hand
Gefangen vor die Frauen drei;
    so werd ich dort bekannt."

25 Der Riese sprach, ein Recke
    wert:

"Dir geb' ich nicht mein gutes
    Schwert,
Du lobenswerter Degen.
Drei Königinnen wohlgestalt
Schickten mich her in diesen
    Wald,
Wo ich dir jetzt erlegen.   30
Doch eher als gefangen gehn
Mit dir nun nach Jochgrimme
Vor jene Königinnen schön,"
Rief er mit lauter Stimme,
"Und deren Spott in Angst und
    Not   35
Aushalten zu Jochgrimme dort,
    erkür' ich hier den Tod."

Der lobenswerte Held von Bern
Vernahm des Feigen[2] Wort nicht
    gern,
Er sprach. "Es reut mich, Ecke.
Kann es also nicht anders sein, 40
Verlierst du bald das Leben
    dein,
Du ausgewählter Recke.
Also erweiche deinen Sinn
Im Namen aller Frauen;
Sonst hast du grossen Unge-
    winn,   45
Wie du sogleich wirst schauen.
Mit wildem Hass blickst du
    mich an,
Und stündst du einmal auf,
    müsst' ich den Tod emp-
    fahn."

Er riss den Helm ihm zornig ab,

Dietrich refuses to fight, but Ecke finally goads him to it with insults. After a fierce battle Ecke is killed. — [2] In the archaic sense of 'mortally wounded,' 'doomed to death.'

50 Doch war der Schwertstich, den
  er gab,
Ein nutzloses Beginnen,
Denn zähes Gold schirmt' ihm
  den Kopf.
Er schlug ihn grimmig mit dem
  Knopf,
Das Blut begann zu rinnen
55 Ihm allenthalben durch das
  Gold,
Es schwanden ihm die Sinne;
Der rechte Lohn war ihm ge-
  zollt.
Er öffnet' ihm die Brünne,
Die herrliche von Golde rot,
60 Und stach ihn mit dem Schwerte
  durch; dazu zwang ihn die
  Not.

Als er den Sieg ihm abgewann,
Da stand er ob dem kühnen
  Mann
Und sprach die Trauerworte:
"Mein Sieg und auch dein
  junger Tod,
65 Sie machen mich nun reuerot;

Ich muss an jedem Orte
Erscheinen als der Ehre bar,
Das klag' ich dir dem Feigen.
Wohin ich auch im Lande fahr',
Wird jeder auf mich zeigen   70
Mit starker Abscheu im Gesicht
Und sagen: Seht den Berner da,
  der Könige ersticht.

Da diese Tat einmal getan,
Bleib' ich nun ohne Lob fortan
Und ohne Fürstenehre.   75
Wohlan denn, Tod, nimm du
  mich hin,
Da ich der Ungetreue bin;
Wer gab mir diese Lehre?
Dass ich dich, junger Held, er-
  stach,
Es muss mich ewig dauern.   80
Zu Gott klag' ich mein Unge-
  mach
Mit wehmutsvollem Trauern.
Ich kann's verhehlen vor der
  Welt,
Doch denk' ich selbst daran, ist
  all mein Glück vergällt."

3

From the 'Rose-garden, Adventure 11: The battle between Dietrich and Siegfried.[1]

Vermessentlich die Helden   zwei scharfe Schwerter zogen,
Dass spannenlange Scherben   von ihren Schilden flogen.
Um die Späne von den Schilden   weinte manches Weib:
"Sollen zwei Fürsten milde   verlieren Leben und Leib,"

[1] Kriemhild has at Worms a rose-garden which is guarded by twelve famous champions. She challenges Dietrich and his Amelungs to invade her garden if they dare, promising to each victor a kiss and a wreath. Eleven duels, in which Kriemhild's man is either slain or barely holds his own, precede the encounter between the two invincibles.

Sprachen sie, "der Königin zu lieb, das ist zu viel!"   5
"Lasst sie fechten," sprach Kriemhild, "es ist mir nur ein Spiel."
Da fochten mit einander die beiden kühnen Degen
Mit ungefügen Sprüngen, dazu mit grossen Schlägen.

Der Küsse dachte Siegfried, die er bei Kriemhild empfing;
Da kam zu neuen Kräften der kühne Jüngling,   10
Man sah ihn mordlich fechten, das will ich euch sagen.
Da begann er im Kreise Dietrichen umzujagen.

Da sprach die schöne Kriemhild: "Nun schaut, ihr Frauen mein.
Das ist der kühne Siegfried, der Held vom Niederrhein.
Wie treibt er den Berner umher auf grünem Feld!   15
Noch trägt mein lieber Siegfried das Lob vor aller Welt."

Siegfried der edle war ein starker Mann,
Jetzt lief er gewaltig Dietrichen an;
Er schlug ihm eine Wunde durch seinen Eisenhut,
Dass man hernieder rinnen ihm sah das rote Blut.   20

"Wie hält sich unser Herre?" frug heimlich Hildebrand.
"Er ficht leider übel,' sprach Wolfhart allzuhand;
"Eine tiefe Wunde hat er durch seinen Eisenhelm,
Er ist mit Blut beronnen, er ficht recht wie ein Schelm."

"Er ist noch nicht im Zorne," sprach da Hildebrand.   25
"Nun ruf' in den Garten, du kühner Weigand,
Und sag' ich sei gestorben, er habe mich erschlagen; [1]
Wenn das ihn nicht erzürnet, dann mögen wir wohl klagen."

Wolfhart rief in den Garten, dass weit die Luft erscholl:
"O weh mir meines Leides, das ist so gross und voll!   30

---

[1] In the preceding adventure we hear that Dietrich was at first unwilling to face Siegfried on account of his horny skin, his magic sword and his impenetrable armor. To provoke his master's wrath — Dietrich can only fight when enraged — the faithful Hildebrand takes him aside and calls him a coward; whereat Dietrich knocks him down — to the old man's private satisfaction.

Hildbrand ist erstorben, wir müssen ihn begraben.
O weh, du Vogt von Berne, was hast du ihn erschlagen!"

"Ist Hildebrand gestorben," rief der Held von Bern,
" So findet man an Treue ihm keinen gleich von fern.
35 Nun hüte deines Lebens, Siegfried, kühner Mann,
Es ist mein Scherz gewesen, was ich noch stritt bis heran.

Wehr' dich aus allen Kräften, es tut dir wahrlich not.
Uns beide scheidet niemand als des einen Tod.
Ich hab' um deinetwillen verloren einen Mann,
40 Den ich bis an mein Ende nimmer verwinden kann.'

Wie ein Haus, das dampfet, wenn man es zündet an,
So musste Dietrich rauchen, der zornige Mann.
Eine rote Flamme sah man gehen aus seinem Mund.
Siegfried's Horn erweichte; da ward ihm Dietrich erst kund.

45 Er brannte wie ein Drache, Siegfrieden ward so heiss,
Dass ihm vom Leibe nieder durch die Ringe floss der Schweiss.
Den edeln Vogt von Berne ergriff sein grimmer Zorn:
Er schlug dem kühnen Siegfried durch Harnisch und durch
Horn,

Dass ihm das Blut, das rote, herabsprang in den Sand;
50 Siegfried musste weichen, wie kühn er eben stand.
Er hatt' ihn hin getrieben, jetzt trieb ihn Dietrich her;
Das sah die schöne Kriemhild, die begann zu trauern sehr.

Der Berner schnitt die Ringe, als wär' es faules Stroh;
Zum erstenmal im Leben sah man, dass Siegfried floh.
55 Da jagt' ihn durch die Rosen der Berner unverzagt;
Nun säumte sich nicht länger die kaiserliche Magd.

Sie sprang von ihrem Sitze, ein Kleid sie von sich schwang,
Kriemhild in grosser Eile hin durch die Rosen drang.

Da rief mit lauter Stimme die Königstochter hehr:
"Nun lasst von Eurem Streite, Dietrich, ich fleh' Euch sehr. 60

Steht ab um meinetwillen, und lasst das Kämpfen sein;
Euch ist der Sieg geworden zu Worms an dem Rhein."
Da tat der Vogt von Berne, als hätt' er's nicht gehört,
Er schlug mit seinem Schwerte, schier hätt' er ihn betört.

Er hörte nichts von allem, was die Königstochter sprach, 65
Bis er dem kühnen Siegfried vollends den Helm zerbrach.
Wie viel man der Stühle zwischen die Streiter warf,
Die zerhieb der Berner mit seinem Schwert so scharf.

Da warf sie ihren Schleier über den kühnen Degen;
So dachte sie dem Gatten zu fristen Leib und Leben. 70
Da sprach die Königstochter: "Bist du ein Biedermann,
So lass ihn des geniessen, dass er meine Huld gewann."

Da sprach der Held von Berne: "Die Rede lasset sein;
Wessen Ihr mich bittet, zu allem sag' ich nein.
Euch Ritter und euch Frauen, ich bring' euch all' in Not; 75
Ihr müsst vor mir ersterben, da Hildebrand ist tot."

Alles, was im Garten war, wollt' er erschlagen,
Dietrich in seinem Zorne, wie wir hören sagen.
Hildebrand der alte tat als ein Biedermann,
Er sprang in den Garten und rief seinen Herren an. 80

Er sprach: "Lieber Herre, lasst ab von Eurem Zorn;
Ihr habt den Sieg gewonnen, nun bin ich neu geborn."
Dietrich der kühne sah Hildebranden an,
Da erweicht' ihm sein Gemüte, da er stehen sah den
    Mann.

Der Berner liess sein Toben, er küsst' ihn auf den Mund: 85
"Gott will ich heute loben, dass du noch bist gesund;

Sonst hätte nicht verfangen ihr Flehen insgemein;
Um Siegfried war's ergangen: das schuf das Sterben dein,

Nun lass' ich von dem Harme, da Hildbrand ist gesund."
90 Da schlug die Königstochter sich selber auf den Mund.
Da sprach Frau Kriemhild: "Ihr seid ein biedrer Mann,
Dem man seinesgleichen in der Welt nicht finden kann.'

Auf setzte sie dem Berner ein Rosenkränzelein,
Ein Halsen und ein Küssen gab ihm das Mägdelein.
95 Sie sprachen einhellig: "Das mag man Euch gestehn,
Es ward in allen Reichen kein Mann wie Ihr gesehn."

Siegfried dem kühnen man zu Hilfe kam,
Sie führten ins Gestühle den Degen lobesam.
Man zog ihm ab den Harnisch, dem kühnen Weigand;
100 Da verbanden ihm die Wunden die Frauen allzuhand.

XXIX. MEYER HELMBRECHT

A metrical novelette written about 1250 by a man who calls himself Wernher
the Gardner. The locus of the story, which is interesting as a picture of the
times, is the region about the junction of the Inn and the Salzach. Its hero is
a depraved young peasant who gets the idea that the life of a robber knight
would be preferable to hard work upon his father's farm. So he dresses himself
in fine clothes to ape the gentry, becomes a robber and commits all manner of
outrages until one day he is caught and hanged by a party of his victims. In
the course of his career he revisits his former home and compares notes with his
father. The selection is from Bötticher's translation in Part II of Bötticher and
Kinzel's *Denkmäler.*

Lines 844–986 : The old knighthood and the new.

Als sie in Freuden assen,
Da konnt's nicht länger lassen
Der Vater, ihn zu fragen
Nach höfischem Betragen,
5 Wie er's bei Hof gelernt jetz-
und.

"Mein Sohn, die Sitten tu mir
kund,
So bin ich auch dazu bereit,
Zu sagen, wie vor langer Zeit
In meinen jungen Jahren
Die Leut' ich sah gebaren." 10

"Ach Vater, das erzähle jetzt,
Ich geb' auch Antwort dir zu-
    letzt
Auf alle deine Fragen
Nach höfischem Betragen."
15 "Vor Zeiten, da ich Knecht
    noch war
Bei meinem Vater manches
    Jahr,
— Den du Grossvater hast ge-
    nannt —
Hat der mich oft zu Hof ge-
    sandt
Mit Käse und mit Eiern,
20 Wie's heut noch Brauch bei
    Meiern.
Da hab' die Ritter ich be-
    trachtet
Und alles ganz genau be-
    achtet.
Sie waren edel, kühn und treu,
Von Trug und niederm Sinne
    frei,
25 Wie's leider heut nicht oft zu
    schaun
Bei Rittern und bei Edelfraun.
Die Ritter wussten manches
    Spiel,
Das edlen Frauen wohlgefiel.
Eins wurde Buhurdier'n [1] ge-
    nannt,
30 Das tat ein Hofmann mir be-
    kannt,
Als ich ihn nach dem Namen
    fragte
Des Spiels, das da so wohl be-
    hagte.

Sie rasten dort umher wie toll
— Drob war man ganz des
    Lobes voll, —
Die einen hin, die andern her. 35
Jetzt sprengte dieser an und
    der,
Als wollt' er jenen niederstossen.
Bei meinen Dorfgenossen
Ist selten solcherlei geschehn,
Wie dort bei Hof ich's hab' ge-
    sehn. 40
Als sie vollendet nun das Reiten,
Da sah ich sie im Tanze
    schreiten
Mit hochgemutem Singen;
Das lässt Kurzweil gelingen;
Bald kam ein muntrer Spiel-
    mann auch, 45
Der hub zu geigen an, wie's
    Brauch.
Da standen auf die Frauen,
Holdselig anzuschauen.
Die Ritter traten jetzt heran
Und fassten bei der Hand sie
    an; 50
Da war nun eitel Wonne gar
Bei Frauen und der Ritterschar
Ob süsser Augenweide.
Die Junker und die Maide,
Sie tanzten fröhlich allzugleich 55
Und fragten nicht, ob arm, ob
    reich.
Als auch der Tanz zu Ende
    war,
Trat einer aus der edlen Schar
Und las von einem, Ernst [2] ge-
    nannt,

[1] A sham battle between two troops of mounted knights. — [2] That is, Duke
Ernst; see above, No. xvii.

60 Und was von Kurzweil aller-
    hand
Am liebsten jeder mochte trei-
    ben,
Das fand er dort: Nach Scheiben
Mit Pfeil und Bogen schoss man
    viel;
Die andern trieben andres Spiel,
65 Sie freuten sich am Jagen.
O weh, in unsern Tagen
Wär' nun der Beste, das ist wahr,
Wer dort der Allerschlecht'ste
    war.
Da wusst' ich wohl, was Ehr'
    erwarb,
70 Eh' leid'ge Falschheit es ver-
    darb.
Die falschen, losen Gesellen,
Die boshaft sich verstellen,
Nicht Recht und Sitte kennen,—
Niemand wollt's ihnen gönnen,
75 Zu essen von des Hofes Speise.
Heut ist bei Hofe weise,
Wer schlemmen und betrügen
    kann;
Der ist bei Hof der rechte Mann
Und hat an Geld und Gut und
    Ehr'
80 Ach, leider immer noch viel
    mehr
Als einer, der rechtschaffen lebt
Und fromm sich Gottes Huld
    erstrebt.
So viel weiss ich von alter Sitte;
Nun, Sohn, tu mir die Ehr', ich
    bitte,
85 Erzähle von der neuen nun."
    "Das, Vater, will ich treulich
    tun.

Jetzt heisst's bei Hof nur:
    Immer drauf,
Trink, Bruder, trink, und sauf
    und sauf!
Trink dies, so sauf' ich das:
    juchhe!
Wie könnt' uns wohler werden
    je?   90
Nun höre, was ich sagen will:
Einst fand man edle Ritter viel
Bei schönen, werten Frauen.
Heut kann man sie nur schauen,
Wo unerschöpflich fliesst der
    Wein.   95
Und nichts macht ihnen Müh'
    und Pein
Vom Abend bis zum Morgen,
Als nur das eine Sorgen,
Wenn nun der Wein zur Neige
    geht,
Ob sie der Wirt auch wohl berät 100
Und neuen schafft von gleicher
    Güte.
Da suchen Kraft sie dem Ge-
    müte.
Ihr Minnesang heisst ungefähr·
Reich, Schenkin, schnell den
    Becher her!
Komm, süsses Mädchen, füll'
    den Krug,   105
's gibt Narr'n und Affen noch
    genug,
Die, statt zu trinken, ihren Leib
Elend verhärmen um ein Weib.
Wer lügen kann, der ist ein
    Held,
Betrug ist, was bei Hof gefällt, 110
Und wer nur brav verleumden
    kann,

Der gilt als rechter höf'scher
   Mann.
Der Tüchtigste ist allerorten,
Wer schimpft mit den gemein-
   sten Worten.
115 Wer so altmodisch lebt wie
   ihr,
Der wird bei uns, das glaubet
   mir,
In Acht und schweren Bann
   getan.
Und jedes Weib und jeder
   Mann
Liebt ihn nicht mehr noch
   minder
120 Als Henkersknecht und Schin-
   der.
Und Acht und Bann ist Kinder-
   spott."[1]
   Der Alte sprach: "Erbarm'
   sich Gott!
Ihm klag' ich täglich neu das
   Leid,
Dass sich das Unrecht macht so
   breit.
125 Dahin ist der Turniere Pracht,
Dafür hat Neues man erdacht.
Einst rief man kampfesfreudig
   so:

Frisch auf, Herr Ritter, frisch
   und froh!
Jetzt aber schallt's an allen
   Tagen:
Hussa, Herr Ritter, auf zum 130
   Jagen,
Stich hier und schlag' zu Tode
   den,
Und blende, wer zu gut kann
   sehn.
Dem dort hau' frisch nur ab das
   Bein,
Den lass der Hände ledig sein.
Lass den am nächsten Baume
   hangen, 135
Doch jenen Reichen nimm ge-
   fangen,
Er zahlt uns gerne hundert
   Pfund."
"Mir sind die Sitten alle kund,
Mein Vater, und ich könnte
   eben
Von diesem neuen Brauch und
   Leben 140
Noch viel erzählen, doch heut
   nicht mehr;
Ich ritt den ganzen Tag umher,
Und mich verlangt nach Ruhe
   nun."

Lines 1700-1790: Helmbrecht's sad end.

Wohin er kam bei seinem
   Wandern,
145 Da zeigt' ein Bauer ihn dem
   andern
Und schrie ihn an und seinen
   Knecht:

Haha! Du dieb'scher Schuft,
   Helmbrecht,
Wärst du ein Bauer noch wie
   ich,
Man führte nicht als Blinden[2]
   dich."

[1] That is: We pay no attention to the decrees of the courts. — [2] Helmbrecht has had his eyes put out by a magistrate.

150 Ein Jahr lang litt er solche Not,
Bis durch den Strang er fand
    den Tod.
    Ich sag' euch nun, wie das ge-
      schah.
    Ein Bauer ihn von weitem sah,
    Als eines Tags er durch den
      Wald
155 Hinstrich um seinen Unterhalt.
    Der Bauer spaltete mit andern
    Sich Holz; da sah er Helm-
      brecht wandern,
    Der eine Kuh ihm einst ge-
      nommen,
    Die sieben Bänder [1] schon be-
      kommen.
160 Gleich sprach er zu den lieben
      Freunden,
    Dass sie zur Rachetat sich
      einten.
    "Wahrhaftig," fiel gleich einer
      ein,
    "In Stücke reiss' ich ihn so klein,
    Wie Stäubchen in dem Sonnen-
      licht,
165 Nimmt ihn vorweg ein andrer
      nicht.
    Denn mir und meinem Weibe
    Zog er hinweg vom Leibe
    Das letzte Kleid, das unser war;
    Drum ist er mein mit Haut und
      Haar."
170 Ein dritter, der dabei stand sagte:
    "Und wenn er aus sich drei auch
      machte,
    Ich wollt' ihn töten doch allein.
    Der Schuft schlug Schloss und
      Türen ein

Und nahm aus Küch' und Keller
    frech
Mir auch den letzten Vorrat
    weg."   175
Dem vierten, der das Holz zer-
    hieb,
Vor Wut kaum noch die Sprache
    blieb:
"Ich reisse gleich den Kopf ihm
    ab
Und denke, dass ich Ursach'
    hab'.
Mein Kind in einen Sack er
    stiess,   180
Dieweil's noch schlummerte so
    süss.
Mitsamt den Betten stopft' er's
    ein,
In dunkler Nacht blieb ich
    allein.
Und als es schrie vor Schmerz
    und Weh,
Da schleudert' er's in kalten
    Schnee.   185
Da wär' es elend umgekommen,
Hätt' ich's nicht schnell ins
    Haus genommen."
Der fünfte sprach: "Ja, meiner
    Treu,'
Wie ich mich seines Hierseins
    freu'!
Wie soll mein Herz sich heute
    weiden   190
An seinen Qualen, seinen Lei-
    den!
Er tat Gewalt an meinem Kind;
Und wär' er dreimal noch so
    blind,

[1] Of the 'bands' or 'rings' on the cow's horns.   She was seven years old.

Ich hängt' ihn an den nächsten
Baum.
195 Ich selber rettete mich kaum
Aus seinen Händen, nackt und
bloss.
Ja, wär' er wie ein Haus so gross,
Es wird an ihm noch heut ge-
rochen,
Nun er sich hierher hat ver-
krochen
200 In diesen tiefen, dichten Wald."
"Nur näher, kommt doch
näher bald!"
So riefen sie, und bald ergoss
Sich auf Helmbrecht der ganze
Tross.
Indes die Schläge auf ihn
sausten,
205 Hohnworte ihm im Ohre
brausten:
"Helmbrecht, die Haube[1] nimm
in Acht!"
Was Henkershand noch nicht
vollbracht
An diesem Werk voll Schmuck
und Zier,
Das war gar bald getan allhier.
210 Ein grauses Bild: auch nicht
ein Stück,
Breit wie ein Pfennig, blieb
zurück.
Die Sittiche und Lerchen schön,
Wie lebende fast anzusehn,
Die Sperber und die Turtel-
tauben,

Und was genäht sonst auf die
Hauben,   215
Das lag zerstreut nun aller-
orten.
Hier trieben Lockenbüschel,
dorten
Das Seidenzeug und blondes
Haar.
Wär' sonst keins meiner Worte
wahr,
Ihr könntet mir doch glauben, 220
Was ich erzähle von der Hauben.
Wie jämmerlich sie ward zer-
rissen!
Wollt ihr von einem Kahlkopf
wissen?
Kein kahlerer ward je gesehn.
Sein Lockenhaar, so blond und
schön,   225
Das lag verachtet und zer-
streut
Rings auf der Erde weit und
breit.
Das kümmerte die Bauern nicht,
Sie liessen noch den armen
Wicht
Die Beichte sprechen; gleich
zur Stund   230
Schob einer Helmbrecht in den
Mund
Ein Bröckchen Erd'[2] zu Schutz
und Hut
Vor Höllenfeuers heisser Glut.
Dann hängten sie ihn an den
Baum.

---

[1] At the beginning of the poem Helmbrecht's elaborately embroidered hood is described at length. — [2] This is not to be understood as a mockery of religion. A dying person might be shrived by a layman if no priest was at hand, a bit of earth or grass being substituted for the holy host.

XXX. THOMASIN OF ZIRCLAERE

A North-Italian cleric — Zirclaere was a village in the old duchy of Friuli —
who wrote a rimed treatise on manners, morals, education, etc. He wrote first
in *Wälsch, i. e.* Italian, or more probably French, and then in German. His
German title, *Der wälsche Gast,* was a bid for the hospitable reception of the
foreigner's book in Germany. And it was well received, there being evidence
that it was widely read for two centuries. The poem consists of 14,752 verses
in ten books and was written in 1215. There is no poetry in it, but it is interesting as a specimen of medieval didacticism.

From the 'French Guest,' Book 3 : Life's compensations; riches and poverty.

Der Bauer möchte werden
   Knecht,
Dünkt ihm einmal das Leben
   schlecht;
Der Knecht, der wäre gern ein
   Bauer,
Dünkt ihm einmal das Leben
   sauer.
5 Der Pfaffe möchte Ritter wesen,
Langweilt es ihm, sein Buch zu
   lesen;
Sehr gern der Ritter Pfaffe wär',
Wenn er den Sattel räumt dem
   Speer.
Der Kaufmann, kommt er in die
   Not,
10 Sagt: "Weh und ach, o wär' ich
   tot!
Mir ist ein elend Los gegeben.
Der Werkmann hat ein gutes
   Leben;
Er bleibt zu Hause, sel'ger
   Mann,
Da ich, der ich nicht werken
   kann,
15 Muss fahren immer hin und her
Und leiden Mühsal hart und
   schwer."

Der Werkmann sagt: "Wie
   wonniglich
Lebt doch der Kaufmann!
   Während ich
Mich nachts mit harter Arbeit
   plag',
Schläft ja der Kaufmann, wenn
   er mag."   20
Was diesem lieb, ist jenem leid;
Das macht die Unbeständig-
   keit.
Wollte ziehen der Hund am
   Wagen,
Und der Ochse Hasen jagen,
Es deuchte uns doch wunder-
   lich.   25
Noch schlimmer aber reimt es
   sich,
Bei diesem oder jenem Leiden
Den Stand des andern zu be-
   neiden,
Der Knecht den Bauer und um-
   gekehrt;
Das ist ja beiderseits verkehrt. 30
Wird Pfaffe Ritter, Ritter Pfaffe,
So handelt jeder wie der Affe,
Der, sorglos ob es ihm sei recht,
Ein jedes Amt bekleiden möcht'.

35 Die Sach' ist trüglich ganz und
    gar;
Ich sage euch, und es ist wahr:
Das seine würde keiner geben,
Kannt' er nur des andern Leben.
    Des Armen Mühen und des
    Reichen,
40 Die beiden sich vollständig
    gleichen.
Wer hat Verstand, der deutlich
    sieht,
Dass Armut nicht den kürzern
    zieht.
Dem Armen weh die Armut tut,
Der Reiche quält sich um sein
    Gut.
45 Ist man mir schuldig, tut's mir
    leid,
Dass keine Barschaft steht be-
    reit;
Bin ich der Schuld'ge, leid' ich
    Qualen,
Weil ich nichts habe zu be-
    zahlen.
Man sieht ja, zwischen arm und
    reich
50 Ist alles abgewogen gleich.
Der arme Mann sehnt sich nach
    Gut,
Der reiche Mann bedarf der
    Hut.
Gut wünschen ist des Armen
    Plage,
Und wer es hat, kommt in die
    Lage,
55 Dass er um Hilfe bitten muss·
Auf gleicher Stufe geht ihr Fuss.
Der Arme plagt sich nach dem
    Gute,

Dem Reichen ist es schlecht zu
    Mute,
Weil er noch ungesättigt bleibt;
Besitz die Sorgen nie vertreibt. 60
Wer hat genug und mehr noch
    will,
Dem hilft sein Gut genau so
    viel,
Als Rauch den Augen nützlich
    ist;
Das ist nun wahr zu jeder Frist.
Der ist sehr arm bei grossem
    Gut,   65
Der mehr begehrt in seinem
    Mut.
Der hat an kleinen Dingen viel,
Der hat genug und nichts mehr
    will.
Hat jemand einen reichen Mut,
Er ist nicht arm bei kleinem
    Gut.   70
Wem nicht genüget, was er hat,
Für dessen Armut ist kein Rat:
Des bösen Mannes kargem Mut
Genügt ja nicht das grösste Gut.
Der Geiz'ge hätte stets die
    Fülle,   75
Wäre nur nicht sein böser Wille.
Wer nicht mit wenigem kann
    leben,
Muss seinen Leib zu eigen geben.
Der brave Mann weiss stets Be-
    scheid
In Reichtum und in Dürftigkeit. 80

———

Wir wenden mehr der Müh'
    und List
An das, was uns nicht nötig ist,
Als an das Nötige sogar:

Ist doch die Art sehr wunderbar.
85 Man lässt zu Hause Kind und
    Weib
Und plagt mit Arbeit seinen
    Leib,
Und der Gewinn ist manchmal
    klein;
Es würd' also viel besser sein,
Wenn man mit nur geringer
    Müh'
90 Nach Tugend würbe; so gedieh'
Uns Reichtum und ein grosses
    Gut
(Ich meine in dem reichen Mut).
Man gibt sehr oft den eignen
    Leib,
Freiheit, Seele, Kind und Weib
95 Um weniges, und wenn zur
    Stund'
Wir's kaufen sollten für ein
    Pfund,
Wir liessen es ganz unberührt.
Der tör'chte Mensch zu Markte
    führt
Sein eignes Selbst und weiss
    nicht wie,
100 Um lauter Sorge, Reu' und
    Müh'.
Mit seinem Selbst kauft er was
    ein,
Und meint, das Ding nun wäre
    sein;
Doch mit der Zeit wird er be-
    lehrt,
Dass er vielmehr dem Ding ge-
    hört.
105 Er wäre sein, wär' nicht sein
    Gut;
Dermassen hat er seinen Mut,

Und seinen Sinn dem Gut ge-
    geben
Und muss als ein Leibeigner
    leben.
Der, der verkauft den freien
    Mut,
Erhält niemals ein gleiches Gut. 110
Wem sein Reichtum läufet vor,
Der folget nach ihm wie ein
    Tor.
Wer mit dem Gute unrecht tut,
Der unterwirft ihm seinen Mut,
Und wer es nicht beherrschen
    kann,   115
Der ist des Pfennigs Dienste-
    mann.
    Jetzt von der Unbeständig-
    keit:
Von grosser Lieb' kommt grosses
    Leid.
Was man erwirbt mit grosser
    Not,
Man lässt es doch zurück im
    Tod.   120
Der Reichtum macht niemand
    gesund,
Der ruft ihn in der Krankheit
    Stund'.
Wer da ihn liebt mit grossem
    Neid,
Verlässt ihn auch mit grossem
    Leid;
Und wie er sich mag wenden, 125
Es muss mit ihm doch enden.
Und Leid von Lieb' entstehen
    mag,
Sogar auch vor dem Todestag:
Feind, Feuer, Spiel und Tod
    und Diebe,

130 Die können machen Leid aus
   Liebe.
Drum mein' ich, dass der Reiche
   tut
Das beste, wenn er gibt sein
   Gut
Um ein viel besseres, das heisst,
Um Gottes Huld, die allermeist
135 Einträglich ist und ihm ge-
   währt
Den Reichtum, der sich ewig
   mehrt,
Den kauft des Armen reiner
   Mut;
Drum haben sie ein gleiches
   Gut.
   Der Arme kommt zu seinem
   Ziel
140 Geschwinder, wenn er es nur
   will.
Der Reiche fährt in seiner
   Würde,
Der Arme mit geringer Bürde
Und ohne Sorge, wie's ihm
   passt;
Der Reiche mit des Reichtums
   Last,
145 Dazu mit Angst und argem
   Wahn.
Hört er nur etwas, hält er an.

Rührt sich irgendwo 'ne Maus,
Er meint, es wäre in sein Haus
Ein Dieb gekommen, und
   schreit "Diebe!"
Das macht doch nur des Geldes
   Liebe. 150
Indessen dringt der Arme vor
Dem Reichen zu des Herren
   Tor.
Wer stets behalten will sein Gut,
Der geb' es in des Armen Hut;
Denn dieser bringt es an den
   Ort, 155
Wo es ihm bleibt als ew'ger Hort.
Wer seine Kammer hier will
   machen,
Er mag sie, wie er will, be-
   wachen,
Verliert den Schatz, das Wort ist
   wahr,
So hier wie dort auf immerdar. 160
Der Karge bleibt ein Nimmer-
   satt:
Solch Wesen auch die Hölle hat;
Drum sollten beide, meine ich
Zusammenhalten ewiglich.
Wer sich erweist der Hölle
   gleich, 165
Gehört nicht hin in Gottes
   Reich.

XXXI. DER STRICKER

The assumed name of a thirteenth century writer whose real name is unknown. *Der Stricker* probably means 'the composer,' 'the poet.' He wrote a
long epic, *Karl the Great,* an Arthurian romance, *Daniel of the Blooming Vale,*
and several short tales of which the best is *Pfaffe Ameis.* The hero is a peripatetic rogue and practical joker who plays tricks on people and makes much
money. The selection is from the translation by Karl Pannier in the Reclam
library.

From [Pfaffe Ameis,] lines 805 ff : Ameis as doctor.

Als nun Ameis durch diesen
    Schlich
Gar vieles Gut erworben sich
Dort an dem Hof zu Karo-
    lingen,[1]
Ritt er hin nach Lotharingen
5 Und fragete da unverwandt,
Bis er des Landes Herzog fand.
Dem meldete er eine Märe,
Dass nach dem Herrgott keiner
    wäre,
Der besser heilen könnt' als
    er.
10 "So hat Euch Gott gesendet
    her,"
Hat da das Wort der Herzog
    nommen;
"So bin ich froh, dass Ihr ge-
    kommen.
Ich hab' Verwandt' und Dienst-
    leut' hier,
Von deren Leiden Kummer mir
15 Ersteht; siech ist ein grosser
    Teil.
Verleiht Euch Gott ein solches
    Heil,
Dass Ihr sie machen könnt ge-
    sund,
Ihr werdet reich zur selb'gen
    Stund'."
    Ameis zu sprechen da be-
    gann:
20 "Ich bin ein Arzt, der solches
    kann.
Die von dem Aussatz sind be-
    freit

Und nicht durch Wunden haben
    Leid,
Die haben Krankheit nicht so
    schwer —
Und wären's tausend oder
    mehr, —
Dass ich sie nicht gesunden 25
    macht',
Bevor der Tag entweicht der
    Nacht;
Geschieht dies nicht, nehmt mir
    das Leben.
Drum bitt' ich Euch, mir nicht
    zu geben
Geschenke oder Lohn, bevor
Ihr nicht gehört mit eignem Ohr, 30
Dass sie gesagt, sie sei'n ge-
    sund.
Dann tut mir Eure Gnade
    kund."
    Des freute sich der Herzog
    sehr:
"Ihr redet wohl," erwidert' er
Und rief die Kranken unver-
    weilt.   35
An zwanzig kamen da geeilt;
Die führt' der Pfaff' in ein Ge-
    mach.
"Bald hab' ich," er zu ihnen
    sprach,
"Von eurer Krankheit euch be-
    freit,
Wenn ihr mir schwöret einen
    Eid,   40
Erst nach Verlauf von sieben
    Tagen

[1] Paris.

Von meiner Red' etwas zu sagen.
Nicht anders ich euch heilen
    kann."
    Als er mit solcher Red' be-
        gann,
45 Da liessen sie sich bald besiegen.
Sie schworen, dass sie es ver-
    schwiegen,
Und er zu ihnen nun begann:
"Nun gehet ohne mich hindann
Und wollt besprechen euch da-
    bei,
50 Wer unter euch der kränkste
    sei.
Ist er gefunden, tut's mir
    kund —
Bald sollt ihr werden dann ge-
    sund.
Den kränksten will ich näm-
    lich töten,
Um euch zu helfen aus den
    Nöten
55 Mit seinem Blute allsogleich.
Mein Leben sei zum Pfande
    euch."
    Darob erschraken alle Siechen,
Und wer da kaum vermocht' zu
    kriechen
Vor seiner Krankheit grimmer
    Not,
60 Der fürchtete, es sei sein Tod,
Wenn seine Not gemerkt man
    hab',
Und ging dahin gar ohne Stab,
Wo sie die Unterredung hatten.
Vernehmet jetzo, wie sie taten.
65   Es dachte da ein jeder Mann:
"Wie klein ich auch behaupten
    kann,

Dass meiner Krankheit Leiden
    sei,
So redet einer doch dabei,
Das seine sei noch kleiner;
Dann redet wieder einer,   7c
Das seine sei zweimal so klein.
Dann sprechen alle insgemein,
Ich sei der allerkränkste hie.
So sterbe ich, geheilt sind sie.
Drum will ich mich behüten
    eh'r   75
Und sagen, dass gesund ich
    wär'."
So dachte er bei sich allein,
So dachten alle insgemein.
Und alle gaben zu verstehn,
Dass ihnen Gnade wär' ge-
    schehn;   80
Sie wären munter und gesund.
Das taten sie dem Meister kund.
Er sprach: "Ihr wollt betrügen
    mich."
Da schwor ein jeder feierlich
Bei seiner Treu', es wäre wahr, 85
Nichts tät' ihm weh, auch nicht
    ein Haar.
    Da ward der Meister hoch
        erfreut.
"Geht hin nun," sprach er,
    "liebe Leut',
Und saget es dem Herzog an."
Das wurde unverweilt getan: 90
Sie gingen hin und sagten an,
Sobald sie ihren Herren sahn,
Es wär' ein heil'ger Mann ge-
    kommen;
Der Krankheit wären sie be
    nommen.
    Darob zu staunen er begann

Und fragte alle Mann für Mann,
Ob sie durch Lug ihn täuschten
    nicht.
Da zwang sie ihres Eides Pflicht,
Den sie Ameis, dem Pfaffen,
    taten,
100 Dass keine andre Red' sie
    hatten,
Als die: "sie wären ganz ge-
    sund."

Da liess an Silber zu der Stund'
Dem Pfaffen hundert Mark er
    geben.
Und dieser kannt' kein Wider-
    streben,
Liess ab sich schnell das Silber
    wägen   105
Und forderte den Reisesegen;
Dann eilt' hinweg er unver-
    wandt.

XXXII. FREIDANK.

The assumed name of a popular gnomic poet who lived in the first half of the 13th century. His fame rests on his *Bescheidenheit*, which means the 'wisdom' or 'sagacity' that comes of experience. The book is a miscellaneous collection of proverbial and aphoristic sayings. The titles of those given below were supplied by the translator.

1
Geheimnis der Seele.

Wie die Seele geschaffen sei,
Des Wunders werd' ich hier
    nicht frei.
Woher sie komme, wohin sie
    fahr',
Die Strass' ist mir verborgen
    gar.
5 Hier weiss ich selbst nicht, wer
    ich bin;
Gott gibt die Seel', er nehme sie
    hin:
Gleichwie ein Hauch verlässt sie
    mich,
Und wie ein Aas da liege ich.

2
Unentbehrlichkeit der Toren.

Der Weisen und der Toren
    Streit

Hat schon gewähret lange Zeit
Und muss auch noch viel länger
    währen;
Man kann sie beide nicht ent-
    behren.

3
Borniertheit der Toren.

Der Tor, wenn er 'ne Suppe hat,
Kümmert sich gar nicht um den
    Staat.

4
Nachahmungssucht der Toren.

Findet ein Tor eine neue Sitt',
Dem folgen alle Toren mit.

5
Selbstgefälligkeit.

Uns selbst gefallen wir alle wohl;
Drum ist das Land der Toren
    voll.

6
Selbstüberschätzung.

Wer wähnt, dass er ein Weiser
  sei,
Dem wohnt ein Tor sehr nahe
  bei.

7
Alter und Jugend.

Haben alte Leute jungen Mut,
Und junge alten, das ist nicht
  gut;
Singen, springen soll die Ju-
  gend,
Die Alten wahren alte Tugend.

8
Grenzen der Fürstenmacht.

Und sollte es der Kaiser
  schwören,
Der Mücken kann er sich nicht
  wehren;
Was hilft ihm Herrschaft oder
  List,
Wenn doch ein Floh sein Meister
  ist.

9
Der unbedeutende Feind.

Dem Löwen wollt' ich Friede
  geben,
Liessen mich die Flöhe leben.

10
Der kühnste Vogel.

Die Flieg' ist, wird der Sommer
  heiss,
Der kühnste Vogel, den ich
  weiss.

11
Rom und der Papst.

Zu Rom ist manche falsche
  List,
Daran der Papst unschuldig ist.

12
Weisheit und Reichtum.

Ich nähme Eines Weisen Mut
Für zweier reicher Toren Gut.

13
Scheinheiligkeit.

Von manchem hört' ich schon
  mit Neid,
Er pflege grosser Heiligkeit;
Und sah ich ihn, da dünkt' es
  mich,
Er wäre nur ein Mensch wie ich.

14
Der freie Gedanke.

Deshalb sind Gedanken frei,
Dass die Welt unmüssig sei.

15
Lebensregel.

Man soll nach Gut und Ehre
  jagen
Und Gott dennoch im Herzen
  tragen.

16
Minneglück.

Wer minnet, was er minnen soll,
Dem ist mit Einem Weibe wohl;
Ist sie gut, so ist ihm gewährt,
Was man von allen Weibern
  gehrt.

XXXIII. PLAY OF THE TEN VIRGINS

One of the earliest attempts at dramatic composition in German. There is a tradition that it was played in 1322 before the Landgrave of Thüringen and that he was so overwhelmed by its picture of Christ as stern judge that he fell into a moody despair which endured five days and ended with an apoplectic stroke from which he died three years later.

Die erste Törichte spricht also:

Herr Vater, himmelischer
    Gott,
Tu' es bei deinem bittern Tod,
Den du am Kreuze hast er-
    duldet:
Verzeih' uns armen Jungfraun,
    was wir verschuldet.
5 Verleitet hat uns leider unsre
    Torheit;
Lass uns geniessen deiner grossen
    Barmherzigkeit,
Und Mariens, der lieben Mutter
    dein,
Und lass uns zu dem Gastmahl
    hier herein.

Jesus spricht also:

Wer die Zeit der Reue ver-
    säumet hat
10 Und auch nicht büsste seine
    Missetat
Und kommt zu stehn vor meiner
    Tür,
Der findet keinen Eintritt hier.

Die zweite Törichte spricht:

Tu' auf, o Herr, dein Tor!
Die gnadenlosen Jungfraun
    stehen davor

Lieber Herr, wir bitten dich
    sehr,   15
Dass deine Gnade sich uns zu-
    kehr'.

Jesus spricht also:

Ich weiss nicht, wer ihr seid.
Da ihr zu keiner Zeit
Mich selber habt erkannt
Noch die Taten meiner Hand, 20
So bleibt euch Gnadenlosen
Das Himmelstor verschlossen.

Die dritte Törichte spricht also:

Da Gott uns Heil versagt,
Beten wir zu der reinen Magd,
Mutter aller Barmherzigkeit, 25
Dass sie uns huld sei in unsrem
    grossen Herzeleid
Und zu ihrem Sohn flehe für
    uns Armen,
Dass er sich unser woll' er-
    barmen.

Die vierte Törichte spricht:

Maria, Mutter und Magd,
Uns ward gar oft gesagt, 30
Du seiest aller Gnade voll;
Nun bedürfen wir der Gnade
    wohl,

Dies bitten wir dich sehr
Bei aller Jungfrauen Ehr',
35 Dass du zu deinem Sohn flehest
    für uns Armen,
Er möge sich unser gnädig er-
    barmen.

Maria spricht also:

Tatet ihr je mir oder meinem
    Kinde etwas zu Frommen,
Es müsste euch jetzt zu statten
    kommen.
Das tatet ihr aber leider mit
    nichten,
40 Drum wird unser beider Bitte
    wenig ausrichten.
Doch will ich's versuchen bei
    meinem Kinde,
Ob ich vielleicht Gnade finde.

*Maria fällt auf die Kniee vor un-
    sern Herrn und spricht:*

Ach, liebes Kind mein,
Gedenke der armen Mutter
    dein,
45 Gedenke der mannigfaltigen
    Not,
Die ich erlitt durch deinen Tod.
Herr Sohn, da ich dein genas,
Hatt' ich weder Haus noch
    Palas,
Ganz arm war ich;
50 Das hab' ich erlitten für dich.
Ich hatte mit dir Mühe, es ist
    wahr,
Mehr als dreiunddreissig Jahr;
Sieh, liebes Kind, das lohne mir
Und erbarme dich dieser Armen
    hier.

Jesus spricht zu Maria:

Mutter, denkt an das Wort,   55
Das sie finden geschrieben dort:
Wolken und Erde sollen ver-
    gehn,
Meine Worte sollen immer stehn.
Du errettest den Sünder nim-
    mermehr,
Weder du noch das ganze himm-
    lische Heer.   60

Die erste Törichte spricht also:

Ach Herr, bei deiner Güte
Erweiche dein Gemüte
Und erzürne dich nicht so sehr.
Bei aller Jungfrauen Ehr'
Schau' heute unser Elend an;   65
Es reut uns, was wir dir zu Leid
    je haben getan.
Nicht wieder wollen wir uns
    vergehen;
Erhöre deiner Mutter Flehen
Und lass uns arme Jungfrauen
Die Festlichkeit beschauen.   70
Maria, aller Sünder Trösterin,
Hilf uns zum Freudensaal darin!

Maria spricht also:

Eure Fürsprecherin will ich
    gerne sein.
Wäret ihr nur von Sünde frei,
Ihr kämet desto leichter herein.   75
Ich will aber für euch mein
    Kind Jesum bitten.
Liebes Kind, lass dich meiner
    Bitte nicht verdriessen!
Lass heute unsre Tränen vor
    deinen Augen fliessen,
Und denke an das Ungemach,

80 Das ich erlitt an deinem Todes-
    tag,
Da ein Schwert durch meine
    Seele ging.
Also für jene Pein, die ich um
    dich empfing,
Belohne mich zu gunsten dieser
    Armen
Und ihrer lass dich nun erbar-
    men.
85 Du bist ihr Vater, eine jede ist
    dein Kind;
Denke, wie lästig sie dir auch ge-
    worden sind
In manchem Ungemache,
Und in was für einer Sache
Der Sünder dich auch geplagt,
90 Er ist dennoch die Schöpfung
    deiner Macht.
Mein Sohn, du trauter, guter,
Erhöre deine Mutter.
Hab' ich dir je einen Dienst
    getan,
So nimm dich dieser Armen an,
95 Damit die jammervolle Schar
Zu Himmel ohne Urteil fahr'.

Jesus spricht also :

Nun schweiget, Frau Mutter
    mein;
Solche Rede mag nicht sein.

Da sie auf der Erde waren,
Gute Werke sie nicht gebaren. 100
Ihnen gemäss war alle Schlecht-
    igkeit;
Drum versag' ich ihnen meine
    Barmherzigkeit,
Nach der sie dort nie suchten,
Und schicke sie zu den Ver-
    fluchten;
Ihre späte Reue soll nichts
    nützen. 105
Zu Gericht will ich jetzt sitzen:
Geht, ihr Verfluchten an Seel'
    und Leibe,
Wie ich euch von mir jetzt ver-
    treibe.
Geht in das Feuer unter die Hut
Des übeln Teufels und seiner
    Brut! 110
Sünder, geh von mir!
Trost und Gnade versag' ich dir.
Kehre von den Augen mein,
Fern bleibe dir meines Antlitz'
    Schein!
Scheide von meinem Reich, 115
Das du, dem Toren gleich
Durch deine Sünden verloren
    hast;
Trage mit dir der Sünden Last!
Gehe hin und schrei' und heul'!
Keine Hilfe wird dir je zu teil. 120

XXXIV. EASTER PLAYS

The Easter plays grew out of a brief and solemn church function, which followed a Latin ritual. In time German superseded the Latin, but without replacing it entirely; the performances increased greatly in scope, took in elements of fun, buffoonery and *diablerie*, outgrew the churches and became great popular festivals, which were usually held in the market-place. The performance of an Easter play together with a preceding passion play might occupy several hundred actors for a number of days. The texts as known to us are hardly 'literature' in the narrower sense. They were written by men of small poetic talent, who rimed carelessly, used the rough-and-ready language of the people, did not shrink from indecency and aimed at dramatic rather than poetic effects.

I

From the Redentin play: Christ's descent into hell.[1]

LUCIFER

Nun seht, ist das nicht ein
   wunderlich Getue,
Dass wir nicht mehr sollen
   leben in Ruhe?
Wir wohnen hier schon über
   fünftausend Jahr
Und wurden solches Unfugs
   noch nie gewahr,
5 Wie man ihn jetzt gegen uns will
   treiben;
Dennoch wollen wir hier verbleiben,
So lange wir stehen noch kampf-
   bereit,
Ob es euch allen sei lieb oder
   leid.

LUCIFER (*ad David*)

David, wer ist dieser König der
   Ehren?

DAVID

10 Das kann ich dir wohl leicht
   erklären:
Er ist der starke Herr,
Mächtig im Kampf und in aller
   Ehr';

Er ist's, der alle Dinge hat erschaffen.

LUCIFER

O weh, so sind unnütz all unsre
   Waffen
Und all unsre Wehr,   15
Kommt der gewaltige König
   hierher.

JESUS

Ich fordre, Riegel an dieser
   Hölle,
Dass du dich auftuest in der
   Schnelle.
Ich will zerbrechen das Höllen-
   tor
Und die Meinen führen hervor. 20

(*et cantat: Ego sum Alpha et Ome-
ga, etc.*)

Ich bin ein A und auch ein O;
Das sollt ihr wissen alle, so
Hier seid in dieser Höllenfeste.
Ich bin der Erste und auch der
   Letzte.
Der Schlüssel Davids bin ich
   gekommen,   25
Um zu erlösen meine Frommen.

[1] The original, in the Middle Low German of Mecklenburg (Redentin is a village near Wismar) is printed in Kürschner's *Deutsche Nationalliteratur*, Vol. 14. — Upon coming to life in the tomb and escaping the guards stationed by Pilate, Christ descends into hell to release the 'fathers.' Lucifer's first speech — he is the over-lord of hell and Satan his first lieutenant — is addressed to the devils in view of the rumored approach of the King of Glory.

SATANAS

Wer ist dieser Mann mit dem
   roten Kleide,
Der uns so vieles tut zu Leide?
Eine Unanständigkeit ist das
30 Und beleidigt uns in hohem
   Mass.

JESUS

Schweig', Satan, und sei bange!
Schweige, verdammte Schlange!
Spring auf, du Höllentor!
Die Seelen sollen hervor,
35 Die darin sind gefangen.
Ich habe am Galgen gehangen
Für die, die taten den Willen
   mein.
Ich habe gelitten grosse Pein
In meines Leibs fünf Wunden.
40 Damit soll Lucifer sein ge-
   bunden
Bis an den jüngsten Tag:
Ihm ewige Pein und ein grosser
   Schlag.

(*Tunc cum vehemencia confringit
infernum*)

Weichet von hier geschwinde,
All ihr Höllengesinde!

(*et arripit Luciferum*)

45 Lucifer, du böser Gast,
   Du trägst fortan dieser Ketten
      Last,
   Nicht mehr treibst du dein
      schändlich Wesen;
   Meine Lieben sollen vor dir ge-
      nesen.

(*Chorus cantat: Sanctorum populus
— Anime cantant: Advenisti*

— *Jesus cantat: Venite benedicti —
cum ricmo:*)

Kommt her, meine Benedei-
   ten!
Not sollt ihr nicht mehr leiden.   50
In meines Vaters Reich begleitet ihr mich,
Um dort euch zu freuen ewiglich
Im lauteren Glanz der Seligkeit,
Die euch ohn' Ende stehet bereit.

(*et arripit Adam manu dextra*)

Adam, gib mir deine rechte
   Hand!   55
Heil und Glück sei dir bekannt!
Ich vergebe dir,
Was du verbracht zu Leide
   mir.

ADAM

Lob sei dir und Ehr',
Du Weltgebieter hehr!   60
Ich und all mein Geschlecht
Waren verdammt mit Recht.
Doch wolltest du in deiner
   Barmherzigkeit
Uns erlösen aus solcher Jäm-
   merlichkeit.
Eva! Eva!   65
Selig Weib, komm mal her ja!
(*et cantat: Te nostra vocabant suspi-
ria —*)

JESUS

Du warst an deinen Sünden gestorben;
Nun hab' ich sterbend dich
   wieder erworben

Und will dich führen zu des
    Vaters Thron.

EVA

70 O Herr Jesus, Gottes Sohn,
    Ich habe gesündigt gegen dich,

Indem ich liess betrügen mich
Und Trotz bot deinem Worte.
Drum wohn' ich hinter der Höl-
    lenpforte
Wohl fünftausend Jahr!   75
Nun bin ich erlöset offenbar.

2

From the Vienna play: The quacksalver scene.[1]

(*Nun kommen die Personen und
    singen.*)
  Allmächtiger Gott, Vater der
    höchste,
  Der Engel Trost, der aus der
    Not
  Uns rettete und Trost uns bot —

    DIE ZWEITE PERSON
  Vater, allmächtiger Gott,
5 Dem die Engel stehn zu Ge-
    bot,
  Was soll uns Armen nun ge-
    schehen,
  Da wir dich nicht mehr sollen
    sehen?
  Wir haben den verloren,
  Der uns zum Troste ward ge-
    boren,
10 Jesus Christus,
  Der reinen Jungfrau Sohn,
  Der der Welt Hoffnung war.
  O, wie gross ist unser Schmerz!
  Wir haben verloren Jesus Christ,
15 Der aller Welt ein Tröster ist,

Mariens Sohn, den reinen;
Drum müssen wir beweinen
Bitterlich seinen Tod,
Da er uns half aus grosser
    Not.

    DIE DRITTE PERSON
Wir wollen dahin, wo er im
    Grabe liegt,   20
Und ihn betrauern, der den Tod
    besiegt
Für uns, und salben ihm die
    Wunden sein;
O weh, wie gross ist unsre Her-
    zenspein!
Geliebte Schwestern beide,
Wie sollen wir leben in unserm
    Leide,   25
Wenn wir entbehren müssen
Jesus den süssen?
Drum gehen wir und kaufen
    Salben,
Damit wir ihm allenthalben
Bestreichen seine Wunden   30
In diesen frühen Stunden.

---

[1] The original is printed in the *Fundgruben* of Hoffmann von Fallersleben, 1837. The 'Personen' are the three Marys, who go at break of day to anoint the body of the buried Christ. On the way they are taken in by a peripatetic quacksalver who has a cantankerous wife and a scapegrace clerk named Rubin.

*(Der   Kaufmann   ruft   dem
    Knechte)*
Rubein! Rubein! Rubein!

(Rubinus kommt gelaufen)
Was wollt Ihr denn, Herr
    Meister mein?

MERCATOR
Rubein, wo hast du so lange ge-
    steckt?
35 Du tust deinen Dienst nicht
    recht.
Du solltest hier kaufen und ver-
    kaufen
Und die Leute schinden und
    täuschen.

RUBINUS
Herr, ich besuchte jene alten
    Weiber;
Ich wollte auftreten als Harn-
    steinschneider.

MERCATOR
40 Rubein, es wird wohl nächstens
    tagen.
Ich hör' ein jämmerlich Klagen
Von drei Frauen, die singen;
Uns mag jetzt wohl gelingen,
Ein gut Geschäft zu machen
    mit Ehr';
45 Geh und rufe sie hierher.

RUBINUS
Herr, welche meinest du?
Soll ich sie alle rufen herzu?

MERCATOR
Doch nicht! Rufe nur die allein,
Die am Wege klagen und schrein.

(Rubinus geht zu den Schwestern)
Gott grüss' euch, Frauen, zu
    jeder Zeit.   50
Ich sehe wohl, dass ihr betrübet
    seid.
Was euch mag immer schmerzen,
Ihr seufzt mit schwerem Herzen.
Es tut mir leid, das glaubet mir,
Dass so betrübt ihr stehet hier. 55

Die Personen sagen:
Gut Kind, Gott lohn' es dir!
Wir haben ein schwer Gemüt
    allhier.

RUBINUS
Das bessere Gott in seiner Güte
Und euch vor allem Leid be-
    hüte!
Ausser Trost hättet ihr was gern, 60
So geht und fragt bei meinem
    Herrn.

DIE ZWEITE PERSON
Gott segne dich, du guter Knabe,
Und lass gedeihen deine Habe!
Unser Leid ist verborgen.
Wir wollen dir gerne folgen;   65
Nicht länger wollen wir hier
    stehn,
Wir wollen gerne mit dir gehn.

Mercator canit:
Ihr Frauen, seid mir höchst
    willkommen!
Ich hoffe zu fördern euer From-
    men.

70 Ist etwas hier, was ihr begehrt,
Es wird euch gern von mir ge-
  währt.
Ich habe die besten Salben,
Die da allenthalben
Im Lande werden zu finden
  sein,
75 In Ysmodia und in Neptaleim.
So wahr ich mir den Korb und
  Stab
Mitgebracht habe aus Arab;
So wahr mein schönes Weib
  Antonie
Mit mir kam von Babylonie,
80 So muss euch diese recht ge-
  deihen,
Denn ich brachte sie von Alex-
  andreien.

DIE DRITTE PERSON

Guter Mann, ich hab' in der
  Hand
Drei schöne Gulden von By-
  zant.
Gib uns dafür reichlichermas-
  sen,
85 Und möge Gott dich leben lassen!

MERCATOR

Da ihr beim Kauf nicht feil-
  schen wollt,
Will ich verdienen euer Gold.
Nehmt also erstens diese Büchse,
Die besser ist als andre fünfe.
90 Und nehmet diese auch dabei,
Die besser ist als andre zwei.
Und diese Büchse nehmet, so
Noch besser ist als andre zwo.

TERTIA PERSONA

Nun sage uns, du guter Mann,
Sollen wir mit dieser Salbe
  gahn?   95

MERCATOR

Ja, Frau, und wär' ich rotes
  Gold,
Ihr sollt sie tragen, wohin ihr
  wollt.

Die Ärztin spricht zornig:

Ihr Frauen, lasst die Büchsen
  stehn!
Ihr sollt damit von hier nicht
  gehn,
Sie kosteten mir allzuteuer;   100
Die macht' ich neulich überm
  Feuer.
Geht schnell von meinem Krame
  ab,
Sonst schlag' ich euch mit
  einem Stab.

Der Krämer spricht zu ihr:

Wie doch, Ihr böse Haut!
Wie dürft Ihr immer werden
  laut?   105
Wollt Ihr tadeln mein Ver-
  kaufen,
Ich will Euch schlagen, will
  Euch raufen.

MERCATRIX

Wie ist der Flachsbart doch so
  dreist!
Du bist ein rechter Plagegeist.
Der Geier soll dich schänden   110
Hier unter meinen Händen!

MERCATOR

Frau, lasst ab von Eurem
    Schwatzen,
Sonst fühlt Ihr nächstens meine
    Tatzen.

MERCATRIX

Ich schweige nicht, das sag' ich
    dir!
115 Wenn du kommst von deinem
    Bier,
Bist du betrunken wie ein
    Schwein.
Mög' es dir nimmermehr ge-
    deihn!

MERCATOR

Schweigt, Frau, sonst rollt Ihr
    bald zu Hauf.

MERCATRIX

Da drüben geht der Vollmond
    auf.

MERCATOR

120 Schweigt, oder ich geb' Euch
    einen Schlag.

MERCATRIX

Klotz, da er hier besoffen lag!

MERCATOR

O du altes Redefass!
Ich trug dir doch niemals Hass.
Nun geb' ich dir eins auf den
    Kopf,
125 Dass es summt dir unterm
    Schopf.

Und eins noch kriegst du auf
    den Rücken,
Das weh tun soll in allen
    Stücken.

MERCATRIX

Ach, ach, ach und leider!
Sind das doch die neuen Kleider,
Die du zu Ostern mir gesandt. 130
Wärst du nur ins Feuer gerannt!
Gott gebe dir Geschwür' im
    Magen,
Dass du krepierst in wenig
    Tagen!
Wärst du nicht zu Wien ent-
    gangen,
Man hätte dich schon längst ge-
    hangen.   135
Du hast auch einen roten Bart
Und bist ein Kobold schlimm-
    ster Art.

MERCATOR

Fraue, liebe Fraue mein,
Möget Ihr immer selig sein!
Vergib mir, dass ich dich ge-
    schlagen,   140
Aber du hast so viel zu sagen.
Die Klage machst du mannig-
    falt,
Und daran tust du mir Gewalt.
Du hast ein wunderlich Ge-
    bärde,
Und willst mich bringen unter
    die Erde.   145

MERCATRIX

Ja, ich vergebe dir die Schläge
Am Tag, wo ich dich ins Grab
    hinlege.

MERCATOR (*zu Rubin*)

Hinweg mit den Pulvern!
Hier kann ich nicht mehr
bleiben.
150 Hebe auf Korb und Stab,
Und laufen wir nach Arab

Weithin von diesem Lande:
Sonst kämen wir vielleicht zu
Schande.

RUBINUS (*dicit*)

Herr, ich packe ein recht gerne
Und laufe mit in weite Ferne. 155

XXXV. REYNARD THE FOX

A humorous poem, with incidental satire, which enjoyed the favor of all medieval Europe. The earliest German attempt to weave a continuous narrative out of the animal-stories that had previously been current in Latin, and to some extent in French, was that of an Alsatian poet, Heinrich der Glichezare, who wrote about 1180 and drew upon French sources. With the exception of a badly preserved fragment this poem is lost. It was called *Isengrines Not* and described the pranks played by the cunning fox on the stupid wolf. Half a century later it was worked over by an unknown rimester who changed the title to *Reinhart Fuchs*. This is the High German version from which the first of the selections below is translated. More important in a literary way is the Low German version, of which the earliest print dates from 1498. A specimen of this is given in Simrock's translation.

I

From the High German 'Reinhart Fuchs,' lines 663 ff : Reynard initiates the wolf as a monk and teaches him to catch fish.

"Gevatter," sprach Herr Isen-
grin,
"Gedenkst du stets als Mönch
hierin
Zu wohnen bis zu deinem Tod?"
"Ja wohl," sprach er, "es tut
mir not:
5 Du wolltest ohne meine Schuld
Mir versagen deine Huld
Und nehmen wolltest du mein
Leben."
Sprach Isengrin: "Ich will's
vergeben,
Hast du mir je ein Leid getan,

Wenn ich nun mit dir wohnen
kann." 10
"Vergeben? Mir?" sprach da
Reinhart,
"Mein Leben sei nicht mehr
bewahrt,
Tat ich je was zu Leide dir.
Wüsstest du mir Dank dafür,
Ich gäbe dir zwei Stücke Aal, 15
Den Rest von meinem letzten
Mahl."
Herr Isengrin war hoch er-
freut.
Er öffnete das Maul sehr weit.

Und Reinhart warf sie ihm in
    Mund.
20 "Ich bliebe immermehr ge-
    sund,"
Sprach Isengrin mit blödem
    Sinne,
"Wär' ich nur einmal Koch da
    drinne."
Reinhart sprach: "Ist bald
    getan.
Willst du hier Brüderschaft emp-
    fahn,
25 So wirst du Meister über die
    Braten."
Dem war es recht, wie ihm
    geraten.
"Das tu' ich," sagte Isengrein.
"Also steck deinen Kopf her-
    ein,"
Sprach Reinhart.   Jener war
    bereit,
30 Und eilig nahte sich sein Leid.
Er tat hinein die Schnauze gross,
Und Bruder Reinhart ihn be-
    goss
Mit heissem Wasser, das ist
    wahr,
Und brachte ihn um Haut und
    Haar.
35 Isengrin sprach: "Weh tut das
    mir."
Reinhart sagte: "Wähnet Ihr
Den Himmel mühlos zu gewin-
    nen?
Ihr seid doch nicht so ganz von
    Sinnen?
Gern mögt Ihr leiden diese
    Not,
40 Gevatter, wenn Ihr läget tot:

Die Brüderschaft habt Ihr emp-
    fahn,
Und alle Tage von nun an
Habt Ihr an tausend Messen teil,
Was sicherlich Euch bringt zum
    Heil."
    Isengrin meint', es wäre wahr; 45
Er klagte nicht um Haut und
    Haar,
Die er nun nicht mehr nannte
    sein.
Er sprach: "Jetzt, Bruder, sind
    gemein
Die Äle, die noch drinne sind,
Da ich wie du ein Gotteskind.   50
Wer mir ein Stück davon ver-
    sagt,
Wird vor dem Abte angeklagt.
Reinhart sprach: "Nie tät' es
    not;
Euch steht das Unsrige zu Gebot
In brüderlicher Minn' und Ehr', 55
Doch hier sind keine Fische
    mehr.
Ich will Euch aber führen gleich
Zu unserm klösterlichen Teich,
In dem so viele Fische gehen,
Dass niemand mag sie über-
    sehen.   60
Die Brüder taten sie hinein."
"Lasst uns nur hin," sprach
    Isengrein;
Da gingen sie gleich ohne Zorn,
Der Teich war aber überfrorn.
Sie begannen nachzuschauen;   65
Es war ein Loch im Eis gehauen,
Wo man sich Wasser heraus-
    nahm,
Was Isengrin zu Schaden kam.

Sein Bruder trug ihm grossen
Hass
70 Und einen Eimer nicht vergass;
Reinhart war froh, als er ihn
fand
Und an den Schwanz dem
Bruder band.
Da sprach Herr Isengrein:
"In nomine patris! Was soll das
sein?"
75 "Senkt hier den Eimer," Rein-
hart sprach,
"Und wartet ruhig und ge-
mach
Indem ich treibe sie hierher;
Nicht lange bleibt Ihr magen-
leer,
Weil ich sie sehen kann durchs
Eis."
80 Herr Isengrin war nicht sehr
weis'.
Er sprach: "Sagt mir in Bruder-
minne,
Gibt es denn wirklich Fisch'
hierinne?"
"Ja Tausende hab' ich gesehn."
"Wohl denn, es kann uns Glück
geschehn."
85   Isengrin hatte dummen Sinn;
Bald fror der Schwanz ihm fest
darin.
Die Nacht ward schrecklich
kalt am Ort,
Doch Reinhart schwieg nur immerfort.
Herr Isengrin fror mehr und
mehr;
Er sprach: "Der Eimer wird
90   mir schwer."

"Ich zähle drin, bei meiner
Ehr',
Der Äle dreissig," sprach Rein-
hart;
"Dies wird uns eine nütze
Fahrt.
Steht nur noch wenig Zeit in
Ruh',
Es kommen hundert noch dazu." 95
Nachher, als es begann zu
tagen,
Sprach Reinhart: "Leider muss
ich sagen,
Mir bangt des grossen Reich-
tums wegen.
Ich bin in hohem Grad verle-
gen,
Weil so viel Fische uns gegönnt, 100
Dass Ihr sie gar nicht heben
könnt.
Versucht's doch, ob es Euch
gelingt,
Dass Ihr heraus den Eimer
bringt."
Herr Isengrin fing an zu ziehen,
Doch all umsonst war sein
Bemühen;   105
Den Eimer musst' er lassen
stehen.
Reinhart sprach: "Ich will
jetzt gehen
Zu den Brüdern, dass sie kom-
men;
Es soll der Fang uns allen from-
men."
Bald kam herauf die helle
Sonn',   110
Und Reinhart machte sich
davon.

2

*From the Low German ' Reinke de Vos,' Book 2: Reinke under the Pope's
ban ; Martin the Ape offers to assist him.*

Als Martin der Affe das ver-
nommen,
Reinke wolle zu Hofe kommen,
Zu reisen gedacht' er just nach
Rom.
Er ging ihm entgegen und
sprach: "Lieber Ohm,
5 Fasst Euch ein Herz und fri-
schen Mut."
Den Stand seiner Sache kannt'
er gut,
Doch frug er nach ein und
anderm Stück.
Reineke sprach: "Mir ist das
Glück
In diesen Tagen sehr zuwider.
10 Gegen mich klagen und zeugen
wieder
Etliche Diebe, wer es auch sei,
Das Kaninchen ist und die
Krähe dabei.
Der eine hat sein Weib verloren,
Der andre die Hälfte von seinen
Ohren.
15 Könnt' ich selber vor den König
kommen,
So sollt' es beiden wenig from-
men.
Was mir am meisten schaden
kann,
Ist dies: Ich bin in des Papstes
Bann.
Der Probst hat in der Sache
Macht,
20 Aus dem der König selber viel
macht.

Warum man in den Bann mich
tat,
Ist, weil ich Isegrim gab den
Rat,
Da er ein Klausner war gewor-
den,
Dass er weglief' aus dem Orden,
In den er bei Clemar sich bege-
ben.   25
Er schwur, er könne nicht mehr
leben
In solch hartem, strengem
Wesen,
So lang zu fasten, so viel zu
lesen.
Ich half ihm weg; das reut
mich jetzt,
Zumal er mich zum Dank
verschwätzt: 30
Er feindet mich beim König an
Und tut mir Schaden, wo er
kann.
Geh' ich nach Rom, so setz' ich
fürwahr
Weib und Kinder in grosse Ge-
fahr,
Denn Isegrim wird es nicht las-
sen,   35
Ihnen nachzustellen und aufzu-
passen
Mit andern, die mir zu schaden
trachten
Und schon manches wider mich
erdachten.
Würd' ich nur aus dem Bann
gelöst,

40 So wär' mir Mut ins Herz ge-
    flösst;
Ich könnte getrost mit besserm
    Gemache
Sprechen für meine eigne Sache.''
    Martin sprach: ''Reineke,
    lieber Ohm,
Ich bin eben auf dem Weg nach
    Rom;
45 Da will ich Euch helfen mit
    schönen Stücken,
Ich leide nicht, dass sie Euch
    unterdrücken.
Als Schreiber des Bischofs,
    könnt Ihr denken,
Versteh' ich was von solchen
    Ränken.
Ich will den Probst nach Rom
    citieren
50 Und will so gegen ihn plädiren;
Seht, Ohm, ich schaff' Euch Ex-
    cusation
Und bring' Euch endlich Abso-
    lution,
Und wenn der Probst sich vor
    Ärger hinge.
Ich kenn' in Rom den Lauf der
    Dinge,
55 Und was zu tun ist, weiss ich
    schon.
Da ist auch mein Oheim Simon,
Der sehr mächtig ist und hoch-
    gestellt
Und jedem gerne hilft fürs Geld.
Herr Schalkefund steht auch da
    hoch,
60 Dr. Greifzu und andre noch,
Herr Wendemantel und Herr
    Losefund,

Die sind da all mit uns im
    Bund.
Ich habe Geld voraus gesandt,
Mit Geld wird man am besten
    bekannt.
Ja, Quark, man spricht wohl
    von Citieren;   65
Sie wollen nur, man soll spen-
    dieren.
Wär' eine Sache noch so krumm,
Man biegt mit Geld sie um und
    um.
Wer Geld bringt, mag sich
    Gnade kaufen;
Wer das nicht hat, den lässt man
    laufen.   70
Seht, Ohm, seid ruhig um den
    Bann,
Ich nehme mich der Sachen an
Und bring' Euch frei, Ihr habt
    mein Wort.
Geht dreist zu Hof, Ihr findet
    dort
Frau Riechgenau, mein Ehge-
    mahl.   75
Der König liebt sie, und zumal
Auch unsre Frau, die Königin,
Denn sie hat klugen, behenden
    Sinn.
Sprecht sie an, sie liebt die
    Herrn
Und verwendet sich für Freunde
    gern.   80
Sie ist Euch zu jedem Dienst
    erbötig.
Das Recht hat manchmal Hilfe
    nötig.
Bei ihr sind ihrer Schwestern
    zwei,

Dazu auch meiner Kinder drei
85 Und viel andre noch von Euerm
Geschlecht,
Die gern Euch helfen zu
Euerm Recht.
Kann Euch denn sonst kein
Recht geschehn,
So lass' ich meine Macht Euch
sehn.
Macht es mir nur gleich bekannt.
90 Alle, die wohnen im ganzen
Land,
Den König und alle, Weib und
Mann,
Die bring' ich in des Papstes
Bann
Und schick' ein Interdict so
schwer,
Man soll nicht begraben noch
taufen mehr,
95 Und keine Messe lesen noch
singen.
Drum, lieber Ohm, seid guter
Dingen!
Der Papst ist ein alter, schwacher
Mann,
Er nimmt sich keiner Sache
mehr an;
Drum hat man sein auch wenig
acht.
100 Am Hofe übt die ganze Macht
Der Kardinal von Ohnegenügen,
Ein rüstiger Mann, der weiss es
zu fügen.
Ich kenn' ein Weib, die hat er
lief,
Die soll ihm bringen einen Brief.
105 Mit der bin ich sehr wohl
bekannt,

Und, was sie will, geschieht im
Land.
Sein Schreiber heisst Johann
Partei,
Der kennt wohl Münze alt und
neu.
Horchgenau ist sein Kumpan,
Der ist des Hofes Kurtisan.   110
Wendundschleich ist Notarius,
Beider Rechte Baccalaureus;
Übt der ein Jahr noch seine
Tücken,
So wird er Meister in Prak-
tiken.
Moneta und Donarius halten
jetzt   115
Die Richterstühle dort besetzt;
Wem sie das Recht erst abge-
sprochen,
Dem ist und bleibt der Stab
gebrochen.
So gilt in Rom jetzt manche List,
Daran der Papst unschuldig ist. 120
Die muss ich alle zu Freunden
halten:
Sie haben über die Sünden zu
schalten
Und lösen das Volk all aus dem
Bann.
Oheim, vertraut Euch mir nur
an!
Der König hat es schon vernom-
men,   125
Dass ich Euch will zu Hilfe
kommen.
Er weiss auch, dass ich der
Mann dazu bin;
Drum kommt Ihr nicht zu Un-
gewinn.

Bedenkt alsdann der König recht,
130 Wie viele vom Affen- und Fuchsgeschlecht,
In seinem geheimsten Rate sitzen.

Geh's wie es will, das muss
Euch nützen."
Reineke sprach: "Ich bin getröstet;
Ich dank' Euch's gern, wenn Ihr mich löstet."

XXXVI. PETER SUCHENWIRT

The most gifted verse-writer of the poetically barren 14th century. He was a 'wandering singer' who depended for his livelihood upon the patronage of princes and spent the most of his life in Austria. He died about 1400. The selection is a translation of his *Red' von der Minne*.

A Discourse of Love.

Ich wanderte an einem Tag
In einen wonniglichen Hag,
Darin die Vögel sungen;
Da kam ich unbezwungen
5 Auf einem wonniglichen Raume
Zu einem dichtbelaubten Baume,
An deren Wurzeln wundervoll
Hervor ein kaltes Brünnlein quoll.
Da fand ich sitzen hart anbei
10 Drei Frauen alle mangelfrei,
Minne, Stæt' und Gerechtigkeit.
Die erste klagt' ihr Herzensleid,
Bezwungen von des Schmerzes Not;
Sie sprach: "Ich bin beinahe tot
15 An Ehren und an Sinnen:
Die mich sollten minnen,
Sie sind ein ehrloses Geschlecht.
Da ich nun, Minne, mit Unrecht
Auf Erden kam zu solchem Leben,
20 Sollt ihr getreuen Rat mir geben.

Gerechtigkeit, in Gottes Namen,
Von dem die zehn Gebote kamen,
Macht, dass mein Recht mir werd' erteilt:
Wer Minne lasterhaft vergeilt
Und reiner Frauen Würdigkeit, 25
Der büss' es! Das ist nun mein Leid."
Gerechtigkeit sprach zu der Stæte:
"Wir hätten nötig gute Räte,
Um recht zu richten die Geschicht'."
Frau Stæte sprach mit Worten schlicht: 30
"Nun hört und merkt, was ich will sagen:
Wem Minne Hass mag tragen,
Den wollen wir in aller Schnelle
Sogleich verhören auf der Stelle."
Gerechtigkeit tat auf den Mund: 35
"Macht uns allhier mit Worten kund,

Durch wen Ihr leidet solche
　Pein."
Frau Minne sprach:　"Der
　Jammer mein
Ist leider hart und schauderhaft,
40 Weil mancher Prahler lügenhaft
Von reinen Frauen faselt. Ach,
Dass Gott ihn nicht mit seinem
　Schlag
Getroffen aller Welt zur Lehr'!
Das würde mich erfreuen sehr,
45 Wie ich bekenne öffentlich.
Die schnöden Dinge liebt er sich
Und schwatzt von dem, was er
　nie sah.
Drum sollt' er in die Höll' und
　da
Die heisse Loh ihn sengen,
50 Der Teufel hart bedrängen,
Zur Ahndung seiner falschen
　List,
Weil er ein loser Schwätzer ist.
Darüber sollt ihr richten mir."
Gerechtigkeit erwidert' ihr:
55 "So sei's! Ein Urteil soll ge-
　schehn:
Ihn soll kein lieblich Aug'
　ansehn,
Von einer reinen Frauen zart;
Ihr Mund sei gegen ihn verspart,
Dass ihm kein Gruss mag
　werden kund
60 Von einem rosenroten Mund.
Das ist der strenge Wille mein."
　Frau Stæte sprach:　"Ich
　leid' auch Pein
In meinem Herzen mannigfalt:
Ich habe Diener, jung und alt,
65 Die sagen, dass sie stätig sein

Und tun das öffentlich zum
　Schein
Bei reinen Frauen manchmal
　kund;
Doch tief in ihres Herzens
　Grund
Liegt falscher List ein grosser
　Hort:
Das ist der Seele arger Mord   70
Und reiner Frauen Ungewinn.
Ich wollt', wer hätt' so falschen
　Sinn,
Dass dem doch aus dem Munde
　sein
Die Zähne wüchsen, wie dem
　Schwein;
Daran erkenntlich wären die
　Leut',   75
Und reine Frauen leicht befreit
Von jener Schälkchen loser
　Schar
Mit Worten sanft und doch
　nicht wahr,
Mit Zungen, die wie Messer
　schneiden;
Ach, was muss man davon
　leiden!   80
Und noch eins mich mit Schmerz
　bewegt:
Dass mancher Blau am Leibe
　trägt
Und wähnt davon stätig zu sein,
Weil er in blauer Farbe Schein
Erzeiget sich den Frauen gut.   85
Mich dünkt nun so in meinem
　Mut:
Wäre die Farbe, wie man hört,
Die Elle hätte wohl den Wert
Von hundert Gulden sicherlich;

90 Doch Stæte wiegt im Herzen
sich,
Sie tut nicht von der Farbe
kommen,
Drum kann es manchem wenig
frommen,
Wenn er der Unstæt' huldigt
Und wird von Fraun beschul-
digt."
95 Ich hört' ihr Plaudern mannig-
falt,
Und was zu tun, entschied ich
bald.
Ich ging hinzu und sprach kein
Wort.
Frau Minn' erblickte mich
sofort,
Die war gar wundersam geziert:
100 "Sag' mir, mein lieber Suchen-
wirt,"
Sprach sie, "was tust du hie?"
Geschwinde fiel ich auf ein
Knie.
"Gnade, Frau," darauf sprach
ich;
"Der Mai hat Blumen won-
niglich

Im ganzen Land herumgestreut, 105
Dass manches Herze wird er-
freut,
So wie die kleinen Vögelein.
Ich kam verlockt vom Augen-
schein
Auf diesen Anger wunderbar;
Da wurde Euer ich gewahr 110
Und hörte Eure Klage gross."
Sie sprach: "Ich bin der
Freuden bloss
Und weiss, was ich beginnen
soll.
Die Welt ist schlechter Kniffe
voll:
Hast du gehört des Jammers
Pein, 115
So handle nach dem Willen mein
Und tu' es offenherzig kund
Den Edlen hier zu mancher
Stund',
Dass sie vor Schande hüten sich."
"Das tu' ich gerne, Frau,"
sprach ich. 120
So schied ich von der Minne
dann
Beglückt und ohne argen Wahn.

XXXVII. BRANT'S SHIP OF FOOLS

A famous satire published at Basel in 1494, with numerous excellent wood-
cuts. Its author, Sebastian Brant, was born at Strassburg in 1457, took his degree in law, became city clerk of his native place and died in 1521. The *Ship
of Fools*, which consists of disconnected sections describing the various kinds
of fools — over a hundred of them — who have embarked in the ship for Fool-
land, was translated into Latin, into French three times and into English twice.
It was Germany's first important contribution to world-literature. The selections
are from the modernization by Simrock, Berlin, 1872.

I

Von Geiznarren.

Wer sich verlässt auf zeitig
Gut,
Drin Freude sucht und guten
Mut,
Der ist ein Narr mit Leib und
Blut.[1]

———

Der ist ein Narr, der sammelt
Gut
5 Und hat nicht Freud', und guten
Mut
Und weiss auch nicht, wem er's
wird sparen,
Wenn er muss zum düstern
Keller fahren.
Noch törichter ist, wer vertut
In Üppigkeit und Frevelmut
10 Was Gott ins Haus ihm hat
gegeben.
Er nur verwalten soll sein Leben
Und Rechenschaft drum geben
muss
Wohl schwerer als mit Hand
und Fuss.
Ein Narr häuft den Verwandten
viel;
15 Die Seel' er nicht bedenken will,
Sorgt, ihm gebrech' es in der
Zeit,
Und fragt nicht nach der Ewig-
keit.
O armer Narr, wie bist du blind!

Du scheust den Ausschlag,
kriegst den Grind.
Erwirbt mit Sünden mancher
Gut   20
Und brennt dann in der Hölle
Glut,
Des achten seine Erben klein:
Sie hülfen ihm nicht mit einem
Stein,
Lösten ihn kaum mit einem
Pfund,
Wie tief er läg' im Höllen-
schlund.   25
Gib weil du lebst, ist Gottes
Wort:
Ein andrer schaltet, bist du fort.
Kein weiser Mann trug je
Verlangen
Mit Reichtum auf der Welt zu
prangen.
Er trachtet nur sich selbst zu
kennen;   30
Den Weisen mag man stein-
reich nennen.
Das Geld am Ende Crassus
trank;
Danach gedürstet hatt' ihn lang.
Crates sein Geld warf in das
Meer,
So stört's im Lernen ihn nicht
mehr.   35
Wer sammelt, was vergänglich
ist,
Begräbt die Seel' in Kot und
Mist.

———

[1] These three lines, which are a sort of motto, precede a picture representing a rich man seated at a table which is loaded with money and plate. Two poor travelers approach and look covetously upon the wealth. All three men wear the fool's cap.

2
Selbstgefälligkeit.

Den Narrenbrei ich nie vergass,
Seit mir gefiel das Spiegelglas:
10 Hans Eselsohr mein Herz besass.[1]

_____

Der rührt sich wohl den Nar-
renbrei,
Der wähnt, dass er sehr witzig sei,
Und gefällt sich selber gar so
wohl,
Dass er in den Spiegel guckt wie
toll
15 Und doch nicht mag gewahren,
dass
Er einen Narren sieht im Glas.
Und sollt' er schwören einen Eid,
Spricht man von Zucht und
Artigkeit,
Meint er, die hätt' er ganz allein,
50 Seinsgleichen könnt' auch nir-
gends sein,
Der aller Fehler ledig wär'.
Sein Tun und Ruhn gefällt ihm
sehr.
Des Spiegels er drum nicht enträt,
Wo er sitzt und reitet, geht und
steht,
55 Wie es Kaiser Otho hat gemacht,
Der den Spiegel mitnahm in die
Schlacht

Und schor die Backen zwier am
Tag,
Mit Eselsmilch sie wusch her-
nach.
Dem Spiegel sind die Fraun
ergeben;
Ohne Spiegel könnte keine
leben.   60
Eh' sie sich recht davor geschlei-
ert
Und geputzt, wird Neujahr
wohl gefeiert.
Wem so gefällt Gestalt und
Werk,
Ist dem Affen gleich zu Heidel-
berg.[2]
Dem Pygmalion gefiel sein Bild, 65
Vor Narrheit ward er toll und
wild.
Sah in den Spiegel nicht Narciss,
Lebt' er noch manches Jahr
gewiss.
Mancher sieht stets den Spiegel
an,
Der ihm doch nichts Schönes
zeigen kann.   70
Wo du solch närrisch Schaf
siehst weiden,
Das mag auch keinen Tadel
leiden,
Es geht in seinem Taumel hin,
Und kein Verstand will ihm zu
Sinn.

_____

[1] The picture shows a fool stirring porridge and looking into a mirror. — [2] A note by Simrock states that upon the old bridge at Heidelberg was formerly to be seen an emblematic ape, with the verses:

Was hast du mich hier anzugaffen?
Sahst du noch nie den alten Affen?
Zu Heidelberg sieh hin und her;
Du findest meinesgleichen mehr.

A large number of folk-songs originated in the 15th and still more in the 16th century. From the nature of the type they can seldom be exactly dated unless they relate to a known historical occurrence. The following selections are taken from Erk and Böhme's admirable *Deutscher Liederhort*, 3 volumes quarto, Leipzig, 1893-4. As any translation into smooth modern verse would destroy a part of the characteristic flavor of the songs, they are printed as in Erk and Böhme; but with occasional modernizations of spelling and grammar.

1

Reigen um das erste Veilchen.[1]

Der Maie, der Maie
Bringt uns der Blümlein viel;
Ich trag' ein frei's Gemüte,
Gott weiss wohl, wem ich's will.

5 Ich will's ei'm freien Gesellen,
Derselb' der wirbt um mich,
Er trägt ein seiden Hemd an,
Darein so preist[2] er sich.

Er meint, es säng' ein' Nachtigall,
10 Da war's ein' Jungfrau fein:
Und kann er mein nicht werden,
Trauret das Herze sein.

2

Burschenleben.[3]

Ich weiss ein frisch Ge-
 schlechte,
Das sind die Burschenknechte,
Ihr Orden steht also:
Sie leben ohne Sorgen

Den Abend und den Morgen, 5
Sie sind gar stätiglich froh.
Du freies Burschenleben!
Ich lob' dich für den Gral ;[4]
Gott hat dir Macht gegeben
Trauren zu widerstreben, 10
Frisch wesen überall.

Sie können auch nit hauen
Des Morgens in dem Taue
Die schönen Wiesen breit;
Sonder[5] die schönen Frauen 15
Die können sie wohl schauen
Die Nacht bis an den Tag.
Das macht ihr frei's Gemüte
Der schönen Frauen klar;
Gott selber sie behüte 20
Durch seine milde Güte,
Die minnigliche Schar!

Wie selten sie auch messen
Das Koren,[6] das sie essen,
Und was der Metzen[7] gilt! 25
Die Bauern müssen schneiden
Und dazu Gerwel reiden[8]

---

[1] A song for the ring-dance about the earliest spring violet; Erk and Böhme, II, 713. — [2] M. H. G. *brisen*, equivalent to modern *schnüren*. — [3] An old student song, found in a manuscript of the year 1454; Erk and Böhme, III, 484. — [4] The holy Grail as symbol of something very precious. — [5] In the sense of modern *aber*. — [6] For *Korn, i. e.* 'grain.' — [7] The miller's 'toll' (part of the grist taken in payment for grinding). — [8] *Gerwel reiden*, 'turn the hand-mill.'

Viel gar ohn' ihren Dank.[1]
Du feines Burschenleben!
30 Ich lob' dich für den Gral;
Gott hat dir Macht gegeben
Trauren zu widerstreben,
Frisch wesen überall.

3
Mädchenkunde eines fahrenden Sängers.[2]

Ich spring' an diesem Ringe
Des besten, so ich's kann,[3]
Von hübschen Fräulein sin-
gen,[4]
Als ich's gelernet han.[5]
5 Ich ritt durch fremde Lande,
Da sah ich mancherhande,
Da ich die Fräulein fand.

Die Fräuelein von Franken
Die seh' ich allzeit gern;
10 Nach ihn' stehn mein' Ge-
danken,
Sie geben süssen Kern.
Sie sind die feinsten Dirnen,
Wollt' Gott, ich sollt' ihn' zwir-
nen,
Spinnen wollt' ich lern.[6]

15 Die Fräuelein von Schwaben
Die haben golden Haar,
Sie dürfen's frischlich wagen,
Sie spinnen über Lahr;[7]

Wer ihn' den Flachs will
schwingen,
Der muss sein nit geringe,[8]   20
Das sag' ich euch fürwahr.

Die Fräuelein vom Rheine
Die lob' ich oft und dick:[9]
Sie sind hübsch und feine
Und geben freundlich Blick.   25
Sie können Seide spinnen,
Die neuen Liedlein singen,
Sie sind der Lieb' ein Strick.

Die Fräuelein von Sachsen
Die haben Scheuern weit;   30
Darin da posst[10] man Flachse,
Der in der Scheuern leit.[11]
Wer ihn' den Flachs will pos-
sen,
Muss haben ein' Flegel grosse,
Dreschend zu aller Zeit.   35

Die Fräuelein von Baiern
Die können kochen wohl,
Mit Käsen und mit Eiern
Ihr' Küchen die sind voll.
Sie haben schöne Pfannen   40
Weiter denn die Wannen,
Heisser denn ein' Kohl'.

Den Fräuelein soll man ho-
fieren[12]
Allzeit und weil man mag,

---

[1] *Ohne Dank*, 'reluctantly.' — [2] An elderly minstrel joins in the dance and sings the praise of girls that he has seen in different German lands; Erk and Böhme, II, 712. — [3] *Des besten . . . kann*, equivalent to *so gut ich kann*. — [4] 'To sing,' or perhaps 'singing.' — [5] *Habe*. — [6] *Lernen.* — [7] *Über die Lehre*, 'surpassing their instruction,' 'outdoing their teachers.' — [8] *Nit geringe*, 'smart.' — [9] *Sehr.* — [10] Equivalent to *klopft*, 'beats.' — [11] *Liegt.* — [12] 'Court.'

45 Die Zeit die kommet schiere,[1]
Es wird sich alle Tag';[2]
Nun bin ich worden alte,
Zum Wein muss ich mich halten
Alldieweil ich mag.

4

Anweisung zum Raubritterberuf.[3]

Der Wald hat sich belaubet,
Des freuet sich mein Mut.
Nun hüt' sich mancher Bauer,
Der wähnt, er sei behut![4]
5 Das schafft des argen Winters Zorn,
Der hat mich beraubet,
Das klag' ich heut und morn.

Willst du dich ernähren,
Du junger Edelmann,
10 Folg' du meiner Lehre,
Sitz' auf und trab' zum Bann![5]
Halt' dich zu dem grünen Wald,
Wenn der Bauer ins Holz fährt,
So renn' ihn frischlich an!

15 Erwisch' ihn bei dem Kragen,
Erfreu' das Herze dein,
Nimm ihm, was er habe,
Spann' aus die Pferdlein sein!

Sei frisch und dazu unverzagt,
Wann er nummen[6] Pfennig hat,   20
So russ ihm d' Gurgel ab.[7]

Heb' dich bald von dannen,
Bewahr' dein' Leib, dein Gut!
Dass du nit werdest zu Schannen,[8]
Halt' dich in stäter Hut!   25
Der Bauern Hass ist also gross;
Wenn der Bauer zum Tanze geht,
So dünkt er sich Fürstengenoss.

Er nimmt die Metze[9] bei der Hand,
Die gibt ihm einen Kranz;   30
Er ist der Metze eben
Derselbe Ferkelschwanz.[10]
Die Tölpel trippeln hinten nach,
Das ist der Metze eben[11]
Und dem Conzen[12] auch.   35

Ich weiss ein' reichen Bauern,
Auf den hab' ich's gericht';
Ich will ein' Weile lauern,
Wie mir darum geschicht.[13]
Er hilft mir wohl aus aller Not,   40
Gott grüss' dich, schönes Jungfräulein,
Gott grüss dich, Mündlein rot!

---

[1] 'Soon.' — [2] *Es wird . . . Tag*, equivalent to *Tag reiht sich an Tag.* The sense is : The time comes fast when one must turn from girls to wine, as I am even now doing. — [3] A robber knight greets the spring-time as good for his business, and expresses his lordly contempt of the peasantry ; Erk and Böhme, II, 23. — [4] 'Secure.' — [5] *Bann* here means the robber's lurking-place. — [6] *Keinen mehr.* — [7] *So russ . . . ab*, 'cut his throat.' — [8] *Schanden.* — [9] 'Wench.' — [10] 'Pig's tail,' figuratively for 'dirty clown.' — [11] 'Agreeable.' — [12] *Conz*, or *Kunz*, contemptuously for a country lubber. — [13] *Geschicht*, for *geschieht.* The sense is: I 'll lurk for him and see what comes of it.

5
Ritter und Schildknecht.[1]

Es ritt ein Herr und auch sein Knecht
Wohl über eine Heide, die war schlecht, ja schlecht,
Und alles, was sie red'ten da,
War alles von einer wunderschönen Frauen,
     Ja Frauen.   5

"Ach, Schildknecht, lieber Schildknecht mein,
Was redest du von meiner Frauen, ja Frauen?
Und fürchtest nicht mein' braunen Schild,
Zu Stücken will ich dich hauen,
     Vor meinen Augen!"   10

"Euern braunen Schild, den fürcht' ich klein,[2]
Der lieb' Gott wird Euch wohl behüten, behüten."
Da schlug der Knecht sein' Herrn zu Tod,
Das geschah um des Fräuleins[3] Güte,
     Ja Güte.   15

"Nun will ich heimgehn landwärts ein,
Zu einer wunderschönen Frauen, ja Frauen."
"Ach Fräulein, gebt mir's Botenbrot,
Eu'r edler Herr und der[4] ist tot,
So fern auf breiter Heide,   20
     Ja Heide."

"Und ist mein edler Herre tot,
Darum will ich nicht weinen, ja weinen;
Der schönste Buhle, den ich hab',
Der sitzt bei mir daheime,   25
     Mutteralleine.

[1] Erk and Böhme, I, 374. Imagine the story thus: A faithless wife instigates her husband's squire to kill him. When the murder is reported to her she is at first pleased, then touched with remorse. She rides forth to find the body of her husband, and the lilies — symbols of purity — bow in shame as she passes. At sight of her dead husband's face, she resolves to enter a convent. — [2] *Wenig.* — [3] *Fräulein* here in the sense of 'young wife'; *um des Fräuleins Güte*, 'to gain the young wife's favor.' — [4] *Und der* is pleonastic.

Nun sattle mir mein graues Ross!
Ich will von hinnen reiten, ja reiten."
Und da sie auf die Heide kam,
30   Die Lilien täten sich neigen,[1]
Auf breiter Heide.

Auf band sie ihm sein' blanken Helm
Und sah ihm unter die Augen, ja Augen.
"Nun muss es Christ geklaget sein,
35   Wie bist du so zerhauen
Unter dein' Augen.

Nun will ich in ein Kloster ziehn,
Will den lieben Gott bitten, ja bitten,
Dass er dich ins Himmelreich woll' lan,[2]
40   Das gescheh' durch meinen Willen![3]
Schweig stille!"[4]

6
Tannhäuser.[5]

Nun will ich aber heben an
Von dem Tannhäuser singen,
Und was er Wunders hat getan
Mit Venus, der edlen Minne.

5 Tannhäuser war ein Ritter gut,
Wann er wollt' Wunder schau-
en,
Er wollt' in Frau Venus Berg,
Zu andern schönen Frauen.

"Herr Tannhäuser, Ihr seid
mir lieb,
Daran sollt Ihr gedenken!   10
Ihr habt mir einen Eid ge-
schworn,
Ihr wollt von mir nit wenken."

"Frau Venus, das en[6] hab ich nit,
Ich will das widersprechen;
Und red't das jemands mehr
denn Ihr,[7]   15
Gott helf' mir's an ihm rächen!"

---

[1] *Täten sich neigen*, 'did bow'; *täten* being indicative. — [2] *Lan*, for *lassen*.
— [3] *Durch meinen Willen*, 'for my sake.' — [4] Addressed to the husband; he
is not to accuse her before God. — [5] Erk and Böhme, I, 40. The Venus of the
folk-song represents the German Frau Holde, a love-goddess who holds her
court in a mountain and infatuates men to the peril of their souls. Just how
and when the saga attached itself to the historical minnesinger Tannhäuser
is not known. Urban IV, referred to in the last stanza, was pope from 1261 to
1265. — [6] A form of the old negative particle; *en nit = nicht.* — [7] *Jemands
. . . Ihr*, 'any one but you.'

"Herr Tannhäuser, wie red't
　　Ihr nun?
Ihr sollt bei mir beleiben;[1]
Ich will Euch mein' Gespielin
　　geben
20 Zu einem stäten Weibe."

"Und nähm' ich nun ein ander
　　Weib,
Ich hab' in meinem Sinne:
So müsst' ich in der Hölle Glut
Auch ewiglich verbrinnen."

25 "Ihr sagt mir viel von der
　　Hölle Glut,
Habt es doch nie empfunden;
Gedenkt an meinen roten
　　Mund,
Der lacht zu allen Stunden."

"Was hilft mich Euer roter
　　Mund?
30 Er ist mir gar unmäre;[2]
Nun gebt mir Urlaub, Fräulein
　　zart,
Durch aller Frauen Ehre!"

"Herr Tannhäuser, wollt Ihr
　　Urlaub han,
Ich will Euch keinen geben;
35 Nun bleibt hie, edler Tann-
　　häuser,
Und fristet Euer Leben."

"Mein Leben das ist worden
　　krank,

Ich mag nit länger bleiben;
Nun gebt mir Urlaub, Fräulein
　　zart,
Von Eurem stolzen Leibe!"　40

"Herr Tannhäuser, nit reden
　　also,
Ihr tut Euch nit wohl besin-
　　nen;
So gehn wir in ein Kämmerlein
Und spielen der edlen Minne."

"Eu'r Minne ist mir worden leid, 45
Ich hab' in meinem Sinne:
Frau Venus, edle Fraue zart,
Ihr seid ein' Teufelinne."

"Herr Tannhäuser, was red't
　　Ihr nun,
Und dass Ihr mich tut schelten? 50
Nun, sollt Ihr länger hierinnen
　　sein,
Ihr müsst' es sehr entgelten."

"Frau Venus, das en will ich
　　nit,
Ich mag nit länger bleiben.
Maria Mutter, reine Maid, 55
Nun hilf mir von dem Weibe!"

"Herr Tannhäuser, Ihr sollt
　　Urlaub han,
Mein Lob das sollt Ihr preisen,
Wo Ihr in dem Land umfahrt;
Nehmt Urlaub von dem Grei-
　　sen!"[3] 60

---

[1] *Bleiben.* — [2] Equivalent to *gleichgültig.* — [3] The legendary old man, faithful Eckart, who warns of danger and rebukes sinners.

Da schied er wieder aus dem
   Berg,
In Jammer und in Reuen:
"Ich will gen Rom wohl in
   die Stadt
Auf eines Papstes Treuen.

65 Nun fahr' ich fröhlich auf die
   Bahn,
Gott müss' sein immer walten!
Zu einem Papst, der heisst
   Urban,
Ob er mich möcht' behalten."

"Ach Papste, lieber Herre
   mein,
70 Ich klag' Euch hie mein'
   Sünde,
Die ich mein' Tag' begangen
   hab',
Als ich Euch's will verkünden.

Ich bin gewesen auch ein Jahr
Bei Venus, einer Frauen.
75 So wollt' ich Buss' und Beicht'
   empfahn,
Ob ich möcht' Gott an-
   schauen."

Der Papst hat ein Stäblein in
   seiner Hand,
Das war sich also dürre:
"Als wenig das Stäblein grünen mag,
80 Kommst du zu Gottes Hulde!"

"Und sollt' ich leben nur ein
   Jahr,

Ein Jahr auf dieser Erden,
So wollt' ich Beicht' und Buss'
   empfahn
Und Gottes Trost erwerben."

Da zog er wied'rum aus der
   Stadt   85
In Jammer und in Leiden:
"Maria Mutter, reine Magd,
Muss ich mich von dir schei-
   den!"

Er zog nun wied'rum in den
   Berg
Und ewiglich ohn' Ende: 90
"Ich will zu meiner Frauen
   zart,
Wo mich Gott will hin senden."

"Seid gottwillkommen, Tann-
   häuser!
Ich hab' Eu'r lang entboren;[1]
Seid gottwillkommen, mein
   lieber Herr,   95
Zu einem Buhlen auserkoren."

Das währet an den dritten Tag,
Der Stab hub an zu grünen.
Der Papst schickt' aus in alle
   Land:
Wo der Tannhäuser wär' hin-
   kommen?   100

Da war er wieder in den Berg
Und hatt' sein Lieb erkoren;
Des muss der vierte Papst Ur-
   ban
Auf ewig sein verloren!

[1] For *entbehrt.*

XXXIX. LATE MEDIEVAL RELIGIOUS PROSE

Prior to Luther the most noteworthy prose is found in the sermons of Berthold von Regensburg, the great 13th century preacher, and in the somewhat later writings, largely sermons, of the mystics Eckhart, Seuse, Tauler and Meerschwein. Their interest is rather more religious than literary. The earliest example of imaginative prose is the so-called *Farmer of Bohemia*, written in 1399, in which a bereaved husband discourses of his lost wife with Death. The 15th century shows a considerable body of prose literature in the form of sermons, chronicles, translations, paraphrases, but nothing of great artistic distinction.

Ackermann aus Böhmen

I

From a Sermon of Berthold von Regensburg ‛On the Angels.’[1]

Wir begehen heute das Fest der grossen Fürsten, der heiligen Engel, die der ganzen Welt ein überaus grosses Wunder sind, und an denen der allmächtige Gott viele Wunder und grosse Wunder geschaffen hat. Und wollte ein Mensch nicht aus anderm Grunde in den Himmel kommen, so könnte er doch gerne darum in den Himmel kommen, nur damit er sähe, was für Wunder und Wunder da sind. Und des Wunders kann niemand zu Ende kommen, das Gott in den heiligen Engeln an den Tag gelegt hat. Und sie sind unseres Herrn Boten, denn Engel heisst auf Griechisch ein Bote. Unser Herr hatte grosse Freude, da er ohne Anfang war, wie er auch auf immer ohne Ende ist. Ich rede von der Gottheit, von der Krone; ehe er etwas erschuf, wie wir jetzt sind, da hatte er gar grosse Freude in sich selbst und mit sich selbst. Da gedachte er zu machen, er wollte zwei Kreaturen machen, zweierlei Kreaturen, damit diese seiner Freude teilhaftig würden, er selbst aber darum nicht weniger Freude hätte. Und wie grosse Freude er auch ihnen gab, hatte er doch selbst darum nicht mindre Freude, recht wie der Sonnenschein. Wie viel die Sonne uns auch alle Tage ihres Lichtes gibt, hat sie selbst um nichts weniger. Und also machte Gott zwei Kreaturen: das waren der Mensch und der Engel. Da machte Gott ein Ding,[2] und das war das allerbeste Ding unter allen Dingen, die Gott je gemacht hat. Und nie machte er ein Ding so gut unter allen Dingen, die Gott gemacht hat, [wie dieses, das er machte,] damit

5

10

15

20

---

[1] Pfeiffer's edition of Berthold von Regensburg, Vienna, 1862, vol. ii, page 174. — [2] The 'thing,' as explained further on, is *die Tugend*.

Mensch und Engel seiner Freude teilhaftig würden, da es so nütze
25 und so gut war. Und also machte es Gott, dass Menschen und
Engel davon immermehr Freude haben sollten. Und wie ausseror-
dentlich nütze das Ding auch war, und wie viel Ehre und Seligkeit
auch daran liegt, so waren doch etliche Engel im Himmel, die das
Ding nicht behalten wollten, und diese wurden verstossen aus den
30 ewigen Freuden und wurden in die ewige Marter geworfen. Und
alle, die das Ding behielten, die blieben bei dem allmächtigen Gott
in den ewigen Freuden, weil sie das Ding behielten, das so gut ist,
unter allen Dingen das beste. . . .

Und also begeht man heute das Fest der Engel, die bei Gott
35 blieben und aushielten, dass sie nicht fielen. Und also begeht man
heute das Fest Sankt Michaels und der heiligen Engel. Und dass
man das Fest der heiligen Engel nicht oft im Jahre begeht, daran
tat unser Herr gar weislich und wohl; wie billig es auch wäre, dass
man ihr Fest dreimal im Jahre beginge, so tat unser Herr gar
40 weislich und wohl daran, und es ist besser, dass man es nicht oft
begeht. Warum? Seht, aus diesem Grunde. Wenn man ihr Fest
mit Singen und Lesen beginge, müsste man auch von ihnen predigen.
Und wenn wir also oft von den Engeln predigen müssten, so käme
vielleicht ein Frevler und würde vielleicht so frevelhaft sein, dass er
45 von den heiligen Engeln Ketzerei predigen könnte. Denn unser Herr
hat so viel Wunders an den Engeln gemacht, dass wir es nicht alles
sicherlich wissen. Er hat etliche Wunder an den Engeln gemacht,
wovon wir nicht genau wissen sondern nur vermuten. Und wer ein
Ding vermutet, der weiss es nicht sicherlich. So hat auch unser Herr
50 manches Ding an ihnen gemacht, das wir wohl wissen. Wer daher
die Dinge predigen wollte, die wir vermuten, der könnte vielleicht
Ketzerei predigen. Also soll niemand etwas predigen als das, was
man sicherlich weiss.

2

From Eckhart's tractate ' On the Nature and Dignity of the Soul.' [1]

Die Seele hat zwei Füsse, das Verständnis und die Minne; und
je mehr sie versteht, desto mehr minnet sie. Und wer kann sie

[1] Pfeiffer's edition of Meister Eckhart, Leipzig, 1857, page 401.

fällen, da der sie erhält, der alle Kreaturen erhält? Denn die Gnade reizet die Begierde und ziehet die Seele aus sich selber heraus, so dass sie mit der Gnade und in der Gnade in Gnade kommt, und 5 über die Gnade in Gott, ihren ersten Ursprung kommt, wo es ihr wohler als je wird in wonnesamer Einigung. Denn da verstummen alle Sinne, und der Seele Wille und der Wille Gottes fliessen ineinander, so dass die zwei Willen sich minnesam umfangen in rechter Einigung. Und da kann die Seele weder mehr noch minder denn 10 göttliche Werke hervorbringen, und zwar deshalb, weil an ihr nichts mehr als Gott lebet. Darum spricht die Seele in dem Buch der Minne: Ich habe den Kreis der Welt umlaufen und konnte nicht zu dessen Ende kommen; deshalb habe ich mich in den einzigen Punkt meines einzigen Gottes versenkt, weil er mich verwundet hat mit seinem 15 Anblicke. Und wen dieser Anblick nicht verwundet hat, dessen Seele ist von der Minne Gottes nie verwundet worden. Darum sagt Sankt Bernhard: Welcher Geist den Anblick empfunden hat, der vermag ihn nicht zu beschreiben, und wer ihn nicht empfunden hat, der vermag nicht daran zu glauben. Denn da wird ein Pfeil ohne Zorn 20 geschossen, und man empfindet es ohne Schmerzen; denn da wird der lautere und klare Brunnen der Arzenei der Gnade aufgetan, der die inneren Augen erleuchtet, so dass die Seele mit einem wonnesamen Anschauen den Wollust der göttlichen Heimsuchung empfindet, in dem man unerhörte Dinge geistlichen Gutes gewahrt, die nie 25 gehört noch gepredigt wurden und in keinem Buche geschrieben stehen.

3

From Seuse (Suso): The Prelude to the Silent Mass. [1]

Er ward gefragt, was er damit meinte, als er Messe sang und vor der stillen Messe das Präludium anhub: *Sursum corda.* (Denn nach ihrer gewöhnlichen Bedeutung meinen die Worte auf Deutsch: Saust auf in die Höhe, alle Herzen, zu Gott!). Die Worte kamen recht begehrlich aus seinem Munde, so dass die Menschen, die sie hörten, auf 5 einen sonderbaren Andacht haben daraus schliessen können. Auf

[1] Kürschner's Deutsche National-Litteratur, Vol. 12², page 210.

diese Frage antwortete er mit einem minniglichen Seufzer und sprach
also:

"Wenn ich diese lobreichen Worte *sursum corda* in der Messe
10 sang, geschah es gewöhnlich, dass mein Herz und meine Seele zusam-
menflossen von göttlicher Qual und Begierde, die mein Herz sofort
aus sich selbst entrückten; denn es erhoben sich gewöhnlich drei hoch-
entzückende Vorstellungen, in denen ich zu Gott aufgeschwungen
ward, und durch mich alle Kreaturen. Die erste einleuchtende Vor-
15 stellung war also: Mich selbst nach allem, was ich bin, nahm ich
vor meine inneren Augen mit Leib und Seele und allen meinen
Kräften und stellte um mich herum alle Kreaturen, die Gott je
erschuf im Himmel und auf Erden und in den vier Elementen, waren
es Vögel der Luft, Tiere des Waldes, Fische des Wassers, Laub und
20 Gras des Erdreiches, oder der unzählige Sand am Meer, und dazu
all das kleine Gestäube, das im Glanz der Sonne schimmert, und alle
die Wassertröpflein, die vom Tau oder vom Schnee oder vom Regen
je gefallen sind oder fallen werden, und wünschte, es hätte deren
jegliches ein süsses, aufdringendes Saitenspiel, wohlgenährt vom Safte
25 meines innigsten Herzens, und dass also ein neues, hochherziges Lob
dem geminnten, zarten Gott aufklänge von Ewigkeit zu Ewigkeit.
Und dann zertrennten und zerteilten sich auf eine fröhliche Weise
die minnereichen Arme der Seele gegen die unsägliche Zahl aller
Kreaturen, und es war ihr Gedanke, sie alle darin eifrig zu machen,
30 recht wie ein freier, wohlgemuter Vorsänger die singenden Gesellen
anspornt, fröhlich zu singen und ihre Herzen zu Gott aufzubieten:
Sursum corda!"

"Die zweite Vorstellung," sprach er, "war also: Ich nahm in meine
Gedanken mein Herz und aller Menschen Herzen und überlegte,
35 welche Lust und Freude, was für Glück und Frieden die geniessen,
die ihr Herz Gott allein geben, und dagegen was für Schaden und
Leiden, was für Qual und Unruhe vergängliche Minne ihren Unter-
tanen einträgt, und ich rief dann mit grosser Sehnsucht zu meinem
Herzen und den andern Herzen, wo sie auch sein möchten in allen
40 Enden dieser Welt: Wohlauf, ihr gefangenen Herzen, aus den engen
Banden vergänglicher Minne! Wohlauf, ihr schlafenden Herzen, aus
dem Tode der Sünde! Wohlauf, ihr üppigen Herzen, aus der Lauheit

eures trägen, lässigen Lebens! Hebt euch auf mit einer gänzlichen
ledigen Umkehr zu dem minniglichen Gott: *Sursum corda!*"

4

*From the 'Farmer of Bohemia,' Chapter 3: A bereaved husband expostulates
with Death for taking away his wife.*[1]

Ich bin genannt ein Ackermann; von Vogelweid' ist mein Pflug.[2]
Ich wohne im Böhmer Land. Gehässig, widerwärtig und widerstre-
bend soll ich Euch [o Tod] immer mehr sein, denn Ihr habt mir den
zwölften Buchstaben,[3] meiner Freuden Hort, gar grausam aus dem
Alphabet entrückt. Ihr habt meiner Wonne lichte Sommerblume mir   5
aus des Herzens Anger auf ewig ausgerodet. Ihr habt meines Glückes
Inbegriff, meine auserwählte Turteltaube, arglistig entfremdet; Ihr
habt unwiederbringlichen Raub an mir getan. Erwägt es selber,
ob ich nicht billig zürne, wüte und klage; bin ich doch von Euch
freudenreichen Wesens beraubt, täglicher guter Lebtage verlustig   10
gemacht, und aller wonnebringenden Freuden benommen. Froh und
freudig war ich ehemals zu jeder Stunde; kurz und lustig war all
meine Zeit Tag und Nacht in gleichem Mass, beide freudenreich,
überschwenglich reich. Jedes Jahr war für mich ein gnadenreiches
Jahr. Nun wird zu mir gesagt: Vorbei! bei trübem Getränk, bei   15
dürrem Ast, betrübt, schwarz und zerstört, bleib' und heul' ohne
Unterlass! Also treibt mich der Wind; ich schwimme durch des
wilden Meeres Flut; die Wogen haben überhand genommen, mein
Anker haftet nirgends. Darum will ich schreien ohne Ende: Tod,
seid verflucht!   20

From the same, Chapter 12, in which Death makes reply.

Könntest du richtig messen, wägen, zählen oder aus dem Kopfe
dichten, hieltest du nicht solche Rede. Du fluchst und bittest unver-

[1] Kürschners Deutsche National-Litteratur, Vol. 12², page 145, with comparison of Knieschek's edition, Prag, 1877. The work consists of thirty-two chapters
in which, alternately, the widower complains and Death replies. Then God, as
judge, decides in favor of Death: the body must die that the soul may live. The
whole ends with a fervid and eloquent prayer for the repose of the dead wife's
soul. — [2] It is conjectured that the author was a schoolmaster who chose to
call himself symbolically an *Ackermann*, that is, a 'sower of seed.' Hence he
says that his 'plow' comes from the birds; in other words, it is a pen — [3] The
letter M with which the dead wife's name (Margareta) began.

nünftig und ohne alle Notdurft. Was taugt solcher Unsinn? Wir
haben früher gesagt: kunstreich, edel, ehrhaft, fruchtreich, artig,
25 — alles, was lebt, muss von unsern Händen zu Ende kommen.
Doch schwatzest du und klagst, all dein Glück sei an deinem frommen Weib gelegen. Soll nach deiner Meinung Glück an Weibern
liegen, wollen wir dir wohl raten, dass du immer bei Glück bleibest.
Warte nur, ob es dir nicht in Unglück gerät! Sage uns: Da du
30 zuerst dein löblich Weib nahmst, fandst du sie fromm oder machtest
du sie fromm? Hast du sie fromm gefunden, so suche vernünftig-
lich: du findest noch viele fromme Frauen auf Erden, von denen
eine dir zur Ehefrau werden mag. Hast du sie aber fromm gemacht, so freue dich: du bist der lebendige Meister, der noch ein
35 frommes Weib und eine Frau auferziehen kann. Ich sage dir noch
mehr: je mehr dir Liebes wird, desto mehr Leides widerfährt dir.
Hättest du dich des Lieben enthalten, würdest du jetzt des Leiden
entbehren. Je mehr Liebes zu erfahren, desto mehr Leides in Entbeh-
rung des Lieben. Lieb', Weib, Kind, Schatz und alles irdisch Gut
40 muss am Anfang etwas Freude und am Ende mehr Leides bringen.
Alles irdische Lieb muss zu Leide werden: Leid ist Liebes Ende;
der Freude End' ist Trauer; nach Lust muss Unlust kommen;
Willens Ende ist Unwillen. Zu solchem Ende laufen alle lebendigen
Dinge. Lern' es besser, willst du von Klugheit prahlen.

5

From a sermon of Johann Geiler von Kaisersberg.[1]

Der Mensch, der Gott lieb hat und ihm anhängt allein darum,
dass er ihm das Himmelreich gebe, der hat Gott nicht recht lieb.
Warum? Darum: sein Gedanke an Gott ist nicht lauter; er denkt
an sich selbst; er sucht seinen eignen Nutzen. Ich sage nicht, dass
5 du das Himmelreich nicht begehren solltest, oder dass du Gott nicht
darum bitten, ihm nicht darum dienen solltest. Nein, ich verwerfe
das nicht; die Schrift ist voll davon, dass man Gott um das Himmelreich bitten sollte. Du sollst das Himmelreich begehren, sollst
Gott darum bitten; aber du sollst nicht da stehen bleiben, dass du

---

[1] Kürschners Deutsche National-Litteratur, Vol. 12², page 265.

Gott allein darum dienest, und ihn allein darum liebhabest, damit 10
er dir das Himmelreich gebe, und anders nicht. Das heisst nicht
rechte Liebe; das ist Freundschaft um Freundschaft, wobei einer
dem andern eine Freundlichkeit tut, damit er es ihm wiedervergelte;
wie wenn du einem andern eine Wurst schenktest, damit er dir
dagegen eine Seite Speck schenke. Du tust ihm eine Freundlichkeit; 15
erwartetest du aber keine Freundlichkeit dagegen, du tätest ihm
auch keine. Das heisst nicht rechte Liebe : es ist Freundschaft
um Freundschaft. Aber das heisst rechte Liebe, dass einer einen
lieb hat nicht um der Gabe willen, oder weil er etwas von ihm
erwartet; sondern er hat ihn eben lieb; er gönnet ihm Gutes; er 20
fördert seinen Nutzen; er wendet Schaden von ihm ab, wo er kann
und mag, ohne dass er Wiedervergeltung erwartet. Der hat den
andern recht lieb. Also tut der Mensch, der Gott recht lieb hat,
allein um dessentwillen, weil er solch ein grosser Herr ist, dass er
es würdig wäre; weil er der Höchste und das beste Gut ist. 25

END OF PART FIRST

XL. MARTIN LUTHER

1483–1546. Some of the cardinal dates in a career that changed the course of history for the whole Germanic world are as follows: In 1517 Luther posted up the ninety-five theses at Wittenberg; 1520, burned the papal bull and issued the *Address to the German Nobility;* 1522, attended the Diet at Worms and refused to recant; in seclusion at the Wartburg translated the New Testament, which was published that same year; 1525, married Katharina Bora, a nun, having previously renounced monasticism; 1534, published the complete German Bible. Aside from the polemics, tractates, epistles, commentaries, and sermons, whereby he provoked, defended, and organized the Protestant revolt, Luther wrote a few short poems, mostly hymns for worship, also fables and aphorisms. But his great work was his translation of the Bible.

Of the selections below, No. 1 follows the Weimar edition of Luther, VI, 406; No. 3, the reprint in Müller's *German Classics,* I, 488; Nos. 4 and 5, Kürschner's *Nationalliteratur,* Vol. 15.

I

From the Address to the Nobility.

Die Romanisten haben drey mauren, mit grosser behendickeit,[1] umb sich zogen, damit sie sich bissher beschutzt, das sie niemant hat mugenn[2] reformierenn, dadurch die gantz Christenheit grewlich gefallen ist. Zum ersten, wen man hat auff sie drungen mit weltlicher gewalt, haben sie gesetzt und gesagt,[3] weltlich gewalt habe nit recht 5 ubir sie, sondern widderumb,[4] geystlich sey ubir die weltliche. Zum andern, hat man sie mit der heyligen schrifft wolt straffen,[5] setzen sie da kegen,[6] Es gepur[7] die schrifft niemant ausstzulegenn, den dem Bapst. Zum dritten, drewet[8] man yhn[9] mit einem Concilio, szo ertichten sie, es muge niemant ein Concilium beruffen, den der Bapst. 10 Alsso haben sie die drey rutten[10] uns heymlich gestolen, das sie mugen ungestrafft sein, und sich in sicher befestung disser dreyer maur gesetzt, alle buberey und bossheit zutreyben, die wir dan itzt sehen,

---

[1] *Behendickeit,* 'skill,' 'cunning.' — [2] *Mugenn = mögen* in the sense of modern *können.* — [3] *Gesetzt und gesagt,* 'proclaimed the doctrine.' — [4] *Widderumb = dagegen, im Gegenteil.* — [5] *Straffen,* 'refute.' — [6] *Da kegen = dagegen.* — [7] *Gepur = gebühre.* — [8] *Drewet = drohet.* — [9] *Yhn = ihnen.* — [10] The three 'rods' with which Luther proposed to chastise the papists were the temporal power, scripture, and the Councils.

und ob sie schon ein Concilium musten machen, haben sie doch das-
15 selb zuvor mat[1] gemacht, damit, das sie die fursten zuvor mit eyden
vorpflichten,[2] sie bleyben zulassen, wie sie sein, dartzu dem Bapst vollen gewalt geben ubir alle ordnung des Concilii, alsso das gleich gilt, es
sein vil Concilia odder kein Concilia, on das[3] sie uns nur mit larven
und spiegelfechten[4] betriegen, szo gar greulich furchten sie der haut
20 fur einem rechten freyen Concilio, und haben damit kunig und
fursten schochter[5] gemacht, das sie glewben, es were widder got, szo
man yhn nit gehorchte in allen solchen schalckhafftigen, listigen
spugnissen.[6]

2

From the Bible of 1534: Psalm xlvi and Matthew v, 1-12.

Gott ist vnser zuuersicht vnd stercke, eine hülffe jnn den grossen
nöten, die vns troffen haben.

Darum fürchten wir vns nicht, wenn gleich die welt vntergienge,
Vnd die berge mitten jnns meer süncken.

5 Wenn gleich das meer wütet vnd wallet, Vnd von seinem vngestüm
die berge ein fielen.   Sela.

Dennoch sol die stad Gottes fein lüstig bleiben, mit jren brünlin,
Da die heiligen wonungen des Höhesten sind.

Got ist bey jr drinnen, darumb wird sie wol bleiben, Gott hilfft jr
10 frue.

Die Heiden müssen verzagen, vnd die Königreiche fallen, Das
erdreich mus vergehen, wenn er sich hören lesst.

Der HERR Zebaoth ist mit vns, Der Gott Jacob ist vnser schutz.
Sela.

15 Kompt her, vnd schawet die werck des HERRN, Der auff erden
solch zestören anrichtet.

Der den Kriegen steuret jnn aller welt, Der bogen zubricht, spies
zuschlegt vnd wagen mit fewr verbrend.

Seid stille, vnd erkennet, das ich Gott bin, Ich wil ehre einlegen
20 vnter den Heiden, ich wil ehre einlegen auff erden.

Der HERR Zebaoth ist mit vns, Der Got Jacob ist vnser schutz.

---

[1] *Mat,* 'impotent.' — [2] *Vorpflichten = verpflichteten.* — [3] *On das = ohne dass*
'aside from the fact that.' — [4] *Larven und spiegelfechten,* 'masks and tricks.' —
[5] *Schochter = schüchtern.* — [6] *Spugnissen,* 'humbug.'

Da er aber das volck sahe, gieng er auff einen berg, vnd satzte sich, vnd seine Jünger tratten zu jm. Und er that seinen mund auff, leret sie vnd sprach: Selig sind, die da geistlich arm sind, denn das Himelreich ist jre. Selig sind, die da leide tragen, denn sie sollen 25 getröst werden. Selig sind die senfftmütigen, denn sie werden das erdreich besitzen. Selig sind, die da hungert vnd dürstet nach der gerechtigkeit, denn sie sollen sat werden. Selig sind die barmhertzigen, denn sie werden barmhertzigkeit erlangen. Selig sind die reines Hertzens sind, denn sie werden Gott schauen. Selig sind die 30 friedfertigen, denn sie werden Gottes kinder heissen. Selig sind, die vmb gerechtigkeit willen verfolget werden, denn das Himelreich ist jre. Selig seid jr, wenn euch die menschen vmb meinen willen schmehen vnd verfolgen vnd reden allerley vbels widder euch, so sie daran liegen. Seid frölich vnd getrost, Es wird euch im himel wol beloh- 35 net werden, Denn also haben sie verfolget die Propheten, die vor euch gewesen sind.

3

From the Epistle on Translating (1530).[1]

Ich hab mich des gefliessen [2] im dolmetschen, das ich rein vnd klar deudsch geben möchte. Vnd ist vns wol offt begegenet, das wir 14 tage, drey, vier wochen haben ein einiges [3] Wort gesucht vnd gefragt,[4] habens dennoch zuweilen nicht funden. In Hiob erbeiten [5] wir also, M. Philips,[6] Aurogallus [7] vnd ich, das wir in vier tagen 5 zuweilen kaum drey zeilen kundten fertigen. Lieber, nu es verdeudscht vnd bereit ist, kans ein jeder lesen vnd meistern.[8] Leuft einer jtzt mit den augen durch drey oder vier Bletter, vnd stösst nicht einmal an, wird aber nicht gewar, welche Wacken vnd Klötze [9] dh gelegen sind, da er jtzt vber hin gehet wie vber ein gehoffelt [10] 10 Bret, da wir haben must schwitzen [11] vnd vns engsten, ehe denn wir

---

[1] In his New Testament, Luther had rendered Romans iii, 28 — in the Vulgate *arbitramur hominem iustificari ex fide absque operibus legis* — as follows: <u>Wir halten, das der mensch gerecht werde on des gesetzes werke, *allein* durch den glauben.</u> As there is nothing in the Latin or Greek corresponding to *allein*, the Papists charged him with falsifying scripture. — [2] *Gefliessen = befleissigt.* — [3] *Einiges = einziges.* — [4] *Gesucht vnd gefragt,* 'sought for and queried over.' — [5] *Erbeiten = arbeiteten.* — [6] *M. Philips = Magister Philippus* (Melanchthon). — [7] *Aurogallus, i. e.* Goldhahn, name of a Wittenberg Hebraist. — [8] *Meistern,* 'criticise.' — [9] *Wacken vnd Klötze,* 'stones and stumps.' — [10] *Gehoffelt = gehobelt.* — [11] *Haben must schwitzen = haben schwitzen müssen.*

solche Wacken und Klötze aus dem wege reumeten, auff das man
kündte so fein daher gehen. Es ist gut pflügen, wenn der Acker
gereinigt ist. Aber den Wald vnd die Stöcke ausrotten, vnd den
15 Acker zurichten, da wil niemand an. Es ist bey der Welt kein
danck zu uerdienen. Kann doch Gott selbs mit der Sonnen, ja mit
Himel vnd Erden, noch mit seines eigen Sons tod, keinen danck
verdienen, Sie sey vnd bleibe Welt ins Teufels namen, weil sie ja
nicht anders wil.

20   Also hab ich hie Röm. 3 fast[1] wol gewusst, das im Lateinischen
vnd Griechischen Text das wort *sola* oder *solum* nicht stehet, vnd
hetten mich solchs die Papisten nicht dürffen[2] leren. War ists,
Diese vier buchstaben *sola* stehen nicht drinnen, welche buchstaben
die Eselsköpff ansehen, wie die Küe ein new thor. Sehen aber
25 nicht, das[3] gleichwol die Meinung des Texts in sich hat, vnd wo
mans wil klar vnd gewaltiglich verdeudschen, so gehöret es hinein.
Denn ich habe Deudsch, nicht Lateinisch noch Griechisch reden
wöllen, da ich Deudsch zu reden im Dolmetschen furgenommen
hatte. Das ist aber die art vnser Deudschen sprache, wenn sich
30 ein Rede begibt[4] von zweien dingen, der man eins bekennet vnd das
ander verneinet, so braucht man des worts *allein* neben dem wort
nicht oder *kein*, Als[5] wenn man sagt, Der Bawr bringt allein[6] Korn,
vnd kein Gelt; Item,[7] ich hab warlich jtzt nicht gelt, sondern allein
Korn, Ich hab allein gessen[8] vnd noch nicht getruncken, Hastu
35 allein geschrieben vnd nicht uberlesen[9]? Vnd dergleichen unzelige
Weise[10] in teglichem brauch. In diesen reden allen, obs gleich die
Lateinische oder Griechische Sprache nicht hut, so thuts doch die
Deudsche, vnd ist jr art, das sie das wort *allein* hinzusetzt, auf das
das wort *nicht* oder *kein* deste völliger[11] vnd deutlicher sey. Denn
40 man mus nicht die buchstaben in der Lateinischen sprachen fragen,
wie man sol Deudsch reden, Sondern man mus die Mutter im hause,
die Kinder auff der gassen, den gemeinen Man auff dem marckt

---

[1] *Fast* = *sehr.* — [2] *Dürffen*, in the old sense of 'need.' — [3] *Das* = *das's, i.e.
dass es;* the *es*, referring to *sola*, being the object of *hat*, which means 'contains,'
or 'implies.' — [4] *Sich begibt* = *es gibt;* 'when there is talk.' — [5] *Als* = *wie, zum
Beispiel.* — [6] *Allein* = modern *bloss;* so in the other examples. — [7] *Item*, 'like-
wise,' 'again.' — [8] *Gessen* = *gegessen.* — [9] *Uberlesen* = *durchgelesen.* — [10] *Unzelige Weise* = *unzähliger Weise*, 'countlessly.' 'ad infinitum.' — [11] *Deste völliger*
== *desto kräftiger.*

drumb fragen, vnd denselbigen auff das Maul sehen, wie sie reden, vnd darnach dolmetschen. So verstehen sie es denn vnd mercken, das man Deudsch mit jnen redet. 45

4
Ein feste Burg.[1]

Ein feste burg ist unser Gott,
Ein gute wehr und waffen,[2]
Er hilfft uns frey[3] aus aller not,
Die uns itzt hat betroffen.
5 Der alt böse feind
Mit ernst[4] ers itzt meint,
Gros macht und viel list
Sein grausam rüstung ist,
Auff erd ist nicht seins gleichen.

10 Mit unser macht ist nichts ge-
than,
Wir sind gar bald verloren,
Es streit für uns der rechte man,
Den Gott hat selbs erkoren.
Fragstu wer der ist?
15 Er heisst Jhesus Christ,
Der HERR Zebaoth,[5]
Und ist kein ander Gott,
Das felt mus er behalten.

Und wenn die welt vol Teuffel
wer

Und wolt uns gar verschlingen, 20
So fürchten wir uns nicht so
sehr,
Es sol uns doch gelingen.
Der Fürst dieser welt,
Wie saur[6] er sich stelt,
Thut er uns doch nicht[7]; 25
Das macht, er ist gericht,[8]
Ein wörtlin kan jn fellen.

Das wort sie söllen lassen stan
Und kein danck dazu haben;
Er ist bey uns wol auff dem
plan[9] 30
Mit seinem Geist und gaben.
Nemen sie den leib,
Gut, ehr, kind und weib,
Las faren dahin;
Sie habens[10] kein gewin, 35
Das Reich mus uns doch bleiben.

5
Frau Musica.[11]

Für[12] allen freuden auf erden
Kan niemand[13] keine feiner werden,

---

[1] This famous hymn, based on Psalm xlvi and often called the battle-hymn of the Reformation, dates from 1529. — [2] *Waffen* (das) = modern *Waffe* (die). — [3] *Frey*, probably factitive rather than adverbial; 'he helps us free,' *i. e.* 'sets us free.' — [4] *Ernst*, probably in the old sense of *Kampf;* 'he means fight.' — [5] *Zebaoth*, 'of hosts'; a Hebrew plural. — [6] *Saur*, 'fierce,' 'menacing.' — [7] *Nicht* = *nichts.* — [8] *Gericht* = *gerichtet*, 'judged.' Satan's impotence is caused ('made') by the fact that he is under doom. See Revelation xx, 3. — [9] *Plan*, 'field' of battle. — [10] *Habens, i. e. haben es*, the *es* being a genitive = 'of it,' 'from it.' — [11] The poem dates from 1538. In lines 1–14, and again in lines 25–40, Frau Musica speaks in her own person; but in lines 15–24 Luther speaks *of* her, proving the goodness of her art by scriptural instances. — [12] *Für* = *vor;* translate by 'of' or 'among.' — [13] *Niemand* is dative; 'no joy can be more exquisite for any one.'

Denn die ich geb mit meim
    singen
Und mit manchem süssen klin-
    gen.
5 Hie kan nicht sein ein böser mut,
Wo da singen gesellen gut,
Hie bleibt kein zorn, zank, hass
    noch neid,
Weichen muss alles herzeleid,
Geiz, sorg und was sonst hart
    anleit,[1]
10 Fert hin mit aller traurigkeit.
Auch ist ein jeder des wol frei,[2]
Das solche freud kein sünde sei,
Sondern auch Gott viel bass
    gefelt,
Denn alle freud der ganzen
    welt.
15 Dem teufel sie sein werk zer-
    stört
Und verhindert viel böser mörd.
Das zeugt David des königs
    that,[3]
Der dem Saul oft geweret hat
Mit gutem süssem harfenspiel,
20 Das er nicht in grossen mord
    fiel.

Zum göttlichen wort und war-
    heit
Macht sie das herz still und
    bereit;
Solchs hat Eliseus bekant,[4]
Da er den geist durchs harfen
    fand.
Die beste zeit im jar ist mein,   25
Da singen alle vögelein;
Himel und erden ist der vol,
Viel gut gesang da lautet wol.
Voran die liebe nachtigal
Macht alles frölich überal   30
Mit irem lieblichen gesang;
Des muss sie haben immer
    dank.
Vielmehr der liebe Herre Gott,
Der sie also geschaffen hat,
Zu sein die rechte sengerin,   35
Der Musicen ein meisterin;
Dem singt und springt sie tag
    und nacht,
Seines lobs sie nichts müde
    macht.
Den ehrt und lobt auch mein
    gesang
Und sagt im ein ewigen dank.   40

XLI. ULRICH VON HUTTEN

1488–1523. An eminent humanist and poet laureate of knightly stock, Hutten had attacked the papacy in various Latin writings before resorting to the vernacular in support of Luther, of whose cause he became, in 1520, an ardent champion. The defeat of his friend Sickingen compelled him to flee to Switzerland, where he died on the island of Ufnau, in the Lake of Zürich.

The selections follow Kürschner's *Nationalliteratur*, Vol. 17², pages 249 ff., and pages 269 ff.

[1] *Anleit = anliegt;* 'whatever lies hard upon us.' — [2] *Des wol frei,* 'quite at ease about this.' — [3] *That;* see I Sam. xvi, 23. — [4] *Bekant = erkannt;* see II Kings iii, 15.

I

From the Poem 'Complaint and Admonition.' [1]

Hilf, werder Künig,[2] es ist not!
Lass fliegen auss des adlers
    fan![3]
So wöllen wir es heben an.
Der weingart gottes ist nit rein,
5 Vil ungewächss ist kommen
    drein.
Der weytz des herren wicken[4]
    tregt;
Wer do zů[5] nit sein arbeit legt
Und hilfft das unkraut tilgen
    auss,
Der würt mit gott nit halten
    hauss.
10 Wir reuten auss unfruchtbarkeit
Und thůnd, als gott hatt selbs
    geseit,
Zu dem, der solichs rauben pflegt,
Do ers propheten mund[6] bewegt.
Du hast beraubt all nation,
15 Drumb dir auch werden wider-
    ston
All völcker, überfallen dich,
Berauben wider gwaltiglich.
Fürwar, das würt ein gůtte that!
Ich gib all frommen Teutschen
    rat,
20 Seit sich nit bessert disser stadt.[7]
Doch halt die frommen ich
    beuor,[8]

Der greiff man keinem an ein
    hor.[9]
Und die seind gůtter gschrifft
    gelert,
Ich bitt, das keiner werd versert.
Und wer ein geistlich leben fürt, 25
In disser sach bleib unberürt. —
All ding[10] der Bapst hatt über-
    macht!
Wer das dann hat zům besten
    gdacht,
Den hatt er mit dem bann
    erschreckt.
Ich hoff, es seyen schon erweckt 30
Vil teutscher hertzen, werden
    sich
Der sachen nemen an, als[11] ich.
Ich hab ye[12] gůt vormanung
    gthan,
Ich hoff, sye lassen mich nit
    stan!
Den stolzen Adel ich beruff, 35
Ir frommen Stett, euch werffet
    uff!
Wir wöllents halten in gemein;
Lasst doch nit streiten mich
    allein!
Erbarmt euch übers vatterlandt,
Ir werden Teutschen, regt die
    handt; 40

[1] The title of the poem, which comprises 1578 lines and was written in 1520, runs: *Clag und Vormanung* [i. e. *Ermahnung*] *gegen dem übermässigen, unchristlichen gewalt des Bapsts zu Rom und der ungeistlichen geistlichen.* —[2] *Künig;* Karl V (1500–1558). —[3] *Adlers fan*, the imperial eagle. —[4] *Wicken*, 'weeds.' —[5] *do zů = dazu*, *daran*. In early prints, an *uo*, which later became *ue*, then *u*, often appears as *û*. —[6] *Propheten mund;* see Jer. xii, 10 ff. —[7] *Stadt = status*, *Zustand*. —[8] *Halt beuor = nehme aus*, 'except.' —[9] *Hor = Haar*. —[10] *All ding*, 'in all things'; gen. with *übermacht*. —[11] *Als = wie*. —[12] *Ye = je*. 'aiways.'

Yetzt ist die zeit, zůheben an
Umb freyheit kryegen, gott wils
   han!
Här zů![1] wer mannes hertzen
   hatt!
Gebt vorter[2] nit den lügen statt,
45 Domit sye han vorkert die welt!
Vor hatt es an vormanung gfelt,
Und einem, der euch sagt den
   grund,
Kein ley[3] euch damals weissen[4]
   kund,
Und waren nůr die pfaffen glert.
50 Yetzt hatt uns gott auch kunst[5]
   beschert,
Das wir die bücher auch verstan.
Wollauff, ist zeyt, wir müssen
   dran!

2
Ich habs gewagt.[6]

Ich habs gewagt mit sinnen[7]
Und trag des noch kain rew,
Mag ich nit dran gewinnen,
Noch[8] mŭss man spüren trew[9];
5 Dar mit ich main[10]
Nit aim allain,
Wen man es wolt erkennen,
Dem land zů gůt,

Wie wol man tůt
Ain pfaffenfeint[11] mich nennen. 10

Da lass ich ieden liegen[12]
Und reden, was er wil;
Het warheit ich geschwigen,
Mir wären hulder vil.[13]
Nun hab ichs gsagt, 15
Bin drumb verjagt,[14]
Das klag ich allen frummen,
Wie wol noch ich
Nit weiter fleich,[15]
Villeicht werd wider kummen. 20

Umb gnad wil ich nit bitten,
Die weil ich bin on schult;
Ich het das recht gelitten,[16]
So[17] hindert ungedult,
Dass man mich nit 25
Nach altem sit
Zů ghör hat kummen lassen;
Villeicht wils got,
Und zwingt sie not,
Zu handlen diser massen. 30

Nun ist oft diser gleichen[18]
Geschehen auch hie vor,
Dass ainer von den reichen

---

[1] *Här zů = herzu.* — [2] *Vorter = fürder.* — [3] *Ley = Laie,* 'layman.' — [4] *Weissen = weisen,* 'point the way,' 'instruct,' 'warn.' — [5] *Kunst,* 'knowledge.' — [6] The song was printed separately in 1521 as *Ain new lied herr Vlrichs von Hutten.* The phrase *ich habs gewagt,* translating the Latin *jacta est alea,* became a sort of motto with Hutten after he had taken, in the fall of 1520, the momentous step of defending Luther and advocating a German war of liberation. — [7] *Mit sinnen,* 'deliberately.' — [8] *Noch = dennoch.* — [9] *Spüren trew,* 'perceive stedfastness,' 'see that I am faithful' to the decision taken. — [10] *Main = meine;* 'I intend the weal not of one only (myself), but of the whole fatherland.' — [11] *Pfaffenfeind,* as a term of reproach among the humanists, had a suggestion of flying at ignoble game. — [12] *Liegen = lügen.* — [13] *Mir . . . vil,* 'many would have liked me better.' — [14] *Verjagt;* Hutten's revolutionary writings led to a papal order that he be brought to Rome in chains. Banished on that account by his former friend, the Archbishop of Mainz, he took refuge in the castle of Franz von Sickingen at Ebernburg. — [15] *Fleich = fliehe.* — [16] *Recht gelitten,* 'submitted to trial.' — [17] *So = aber.* — [18] *Diser gleichen = dergleichen.*

Ain gûtes spil verlor,
35 Oft grosser flam
Von fünklin kam;
Wer waiss, ob ichs werd rechen!
Stat schon im lauf,
So setz ich drauf [1]:
40 Mûss gan oder brechen.

Dar neben mich zû trösten
Mit gûtem gwissen hab,
Dass kainer von den bösten
Mir er [2] mag brechen ab,
45 Noch sagen, dass
Uff ainig mass [3]
Ich anders sei gegangen,
Dan eren nach,
Hab dise sach
50 In gûtem angefangen.

Wil nun ir selbs [4] nit raten [5]

Dis frumme nation,
Irs schadens sich ergatten, [6]
Als ich vermanet han,
So ist mir laid! 55
Hie mit ich schaid,
Wil mengen bass die karten.
Bin unverzagt,
Ich habs gewagt
Und wil des ends erwarten. 60

Ob dan mir nach tût denken
Der curtisanen [7] list,
Ain herz last sich nit krenken,
Das rechter mainung ist!
Ich waiss noch vil, 65
Wöln auch ins spil,
Und soltens [8] drüber sterben:
Auf, landsknecht gût
Und reuters mût,
Last Hutten nit verderben! 70

XLII. THOMAS MURNER

1475–ca. 1536. An Alsatian friar of the Franciscan order, Murner traveled
much and won great prestige as a scholar. His earliest German writings, the
Guild of Fools and the *Exorcism of Fools*, are metrical satires in the vein of
Sebastian Brant. Though himself a sharp critic of clerical abuses, he could
not brook the thought of a rupture with the Roman church. In the *Great Lutheran Fool* he assailed Luther scurrilously. His verse is mostly prosaic and
often coarse, but there is a certain elegiac warmth in his song of thirty-five
stanzas on the *Downfall of the Christian Faith*, which was published in the
early days of the Lutheran revolt. A part of it is given below, the text according to Kürschner's *Nationalliteratur*, Vol. 17[1], page 62.

Ain new Lied von dem undergang des Christlichen glaubens.

Nun hört, ich wil euch singen,
In brûder Veiten ton, [9]

Von ungehörten Dingen,
Die laider iez [10] fürgon [11]:

---

[1] *Setz ich drauf*, 'take my risk on it.' — [2] *Er = Ehre.* — [3] *Uff ainig mass =
irgendwie.* — [4] *Ir selbs = sich selbst.* — [5] *Raten = Rat schaffen*, 'find means.' —
[6] *Ergatten = erholen.* — [7] *Curtisanen = Höflinge.* — [8] *Soltens = sollten sie.* —
[9] The *Bruder Veits Ton*, verse-form and tune, was a popular favorite. See Erk
und Böhme's *Liederhort*, II, 59. — [10] *Iez = jetzt.* — [11] *Fürgon = vorgehen.*

⁵ Wie dass mit falschen listen
Die christenhait zergat;
Wan das die fürsten wisten,
Sie täten zû der tat.¹

Der hirt, der ist geschlagen,
₁₀ Die schäflin sein ² zerstreut,
Der bapst, der ist verjagen,³
Kein kron er me ⁴ aufdrait,⁵
Und ist mit kainen worten
Von Christo ie erstift ⁶;
₁₅ An hundert tausent orten
Ist gossen auss das gift.

Der kaiser ist kain advocat,
Gar hin ist sein gewalt,
Den er ja zu der kirchen hat,
₂₀ Der schirm zu boden falt;
Sein gebot sein ganz verachtet,
We armer christenhait,
Wa undertäni ⁷ brachtet,⁸
Und herschaft niderleit!

₂₅ Die patriarchen alle
Und cardinäl gemain,⁹
Die bischof sein im falle,
Der pfarrer bleibt allain;
Ja den die gmain ¹⁰ erwelet
₃₀ Nach irem unverstand
Und für ain hirten zelet;
Ach, we der grossen schand!

Die minsten sein iez all gelert,
Der ¹¹ vor nie beten kunt,
Kain ler auf erden ie gehört,   35
Dorft nie aufton sein mund:
Die widerfechten alle
Die zierd ¹² der christenhait,
Gent steur ¹³ zû niderfalle
Ir lob und herlichait.   40

Die mess, die sol nim ¹⁴ gelten
Im leben noch im dot,
Die sacrament sie schelten,
Die seien uns nit not;
Fünf ¹⁵ hon sie gar vernichtet,   45
Die andern ¹⁶ lon sie ston
Der massen zû gerichtet,
Dass sie auch bald zergon.

Wir sein all pfaffen worden,
Baid, weiber und die man,   50
Wie wol wir hant kain orden,
Kain weihe gnomen an.
Die stiel ston auf den benken,
Der wagen vor dem ross,
Der glaub wil gar versenken,   55
Der grund ist bodenlos.

Die pfaffen sein zerschlagen,
Die münch sein auch zertrent,
Mit luter stimmen klagen,
Man hab sie lang geschent:¹⁷ 60

---

¹ *Täten . . . tat = würden zur Tat schreiten*, 'would do something.' — ² *Sein = sind.* — ³ *Verjagen = beseitigt*, 'done away with.' — ⁴ *Me = mehr.* — ⁵ *Aufdrait = aufträgt*, 'wears.' — ⁶ *Erstift*, 'established'; see Mat. xvi, 18. — ⁷ *Undertäni*, an abstract from *Untertan*, in the collective sense of *Untertanenschaft.* — ⁸ *Brachtet*, from *brachten = schreien, toben.* The sense is: 'Where subjects revolt and rulers are powerless.' — ⁹ *Gemain = sämtlich.* — ¹⁰ *Gmain = Gemeinde.* — ¹¹ *Der*, in the sing., as if *der minste* had preceded. — ¹² *Zierd*, the church. — ¹³ *Gent steur = geben Steuer*, 'help on,' 'aid.' — ¹⁴ *Nim = nimmer (nie mehr).* — ¹⁵ *Fünf*, namely, confirmation, penance, extreme unction, order, and matrimony. — ¹⁶ *Andern*, namely, baptism and the eucharist. — ¹⁷ *Geschent = geschändet*, 'treated disgracefully.'

Uns alles für erlogen,[1]
Was sie hont ie gesait,
Auss ihren fingern gsogen,
Verfiert die christenhait.

65 Wer iez zû mal kan liegen,
Veracht all oberkait,
Das evangeli biegen[2]
Auf mort und herzenlaid:
Dem lauft man zû mit schalle,
70 Hanthabt[3] in mit gewalt,
Biss unser glaub verfalle
Und gar in eschen falt.

Der apfel ist geworfen
Der zwitracht, das ist war,
75 In steten und in dorfen;
Und geben nit ain har,
Ja nit ain meit[4] auf erden
Umb alle oberkait;

Mit listen und gefärden
Erdenkt man herzenlaid.   80

Das evangeli frone,[5]
Das was ein frölich mär,
Von got eroffnet schone
Zû frid von himel her:
Das hont sie iez vergiftet   85
In mort und bitterkait;
Es was zû freud erstiftet,
Iez bringt es herzenlaid.

Ich kan michs nit beklagen
Ja über gotes wort,   90
Allain dass sies vertragen
Und rinklen[6] auf ain mort
Das wort des ewigen leben
Zû aufrûr und dem dot,
Von Christo uns gegeben,   95
Das er auss lieb erbot.

XLIII. THE REFORMATION DRAMA

The spirit of Luther — opposition to the papacy and reliance on scripture — soon found expression in the acted drama. To illustrate this phase of the new literary movement three plays have been drawn on: first, a Swiss play, performed on the streets of Bern in 1522; second, a Low German play, performed at Riga in 1527; third, a midland play, performed at Kahla in 1535. The text of No. 1 follows Bächtold's *Bibliothek älterer Schriftwerke der deutschen Schweiz*, II, 103; for No. 2 see Braune's *Neudrucke*, No. 30; for No. 3, Tittmann's *Schauspiele aus dem 16. Jahrhundert*, pages 21 ff.

1

From the 'Contrast between the Pope and Christ,' by Niklaus Manuel.[7]

[1] *Für erlogen = vorgelogen.* — [2] *Biegen*, with *kan* above; 'whoso can bend the gospel to murder,' etc. — [3] *Hanthabt*, 'invests' (puts into his hands). — [4] *Meit*, 'mite.' — [5] *Frone = heilig.* — [6] *Rinklen*, 'twist,' 'pervert,' — like the preceding *vertragen.* — [7] Niklaus Manuel (*ca.* 1484–1530), locally famous both as a painter and a writer, was a leader of the early Swiss Reformers. The play consisted of a procession representing the Pope, riding in pontifical splendor and attended by pompous retainers; while Christ rode an ass, wearing a crown of thorns and followed by a throng of the lame and the blind. The speakers are two Swiss peasants.

CLÄIWE PFLŮG

Vetter Rüede, was lebens ist nun vorhand?
Mich dunkt, es sig [1] aber neiwas nüws [2] im land
Wer ist der gůt fromm biderman,
Der da ein grawen rock treit an [3]
5 Und uf dem schlechten esel sitzt
Und treit ein kron, von dörnen gespitzt?
Er ist on zwifel ein trut [4] biderman,
Das sich [5] ich im wol an sim angsicht an;
Es ist kein hoffart in im nit,
10 Sin hofgesind im des zügnuss git [6]:
Die im nachgand, [7] hinkend und kriechen,
Die armen blinden und feldsiechen. [8]
Schouw, was armer lüten gand im nach!
Ich mein, dass er niemand verschmach. [9]
15 Die armen stinkenden ellenden lüt,
Sie hend doch kein gelt und gend im gar nüt.
Das ist doch ein ellende unlustige schar
Und gand ouch so gar gottsjämerlich dahar:
Der lam, der ander blind, der dritt wassersüchtig!
20 Und sitzt aber der gůt man so herzlich züchtig,
So ganz schämig und einfeltig uf dem tier.
Lieber min etter [10] Rüedi, wie gfalt er dir?
Lieber etter, weistu, wer er ist,
Ach, so sag mir's ouch durch Jesum Christ!

RÜEDE VOGELNEST

25 Etter Cläiwe, ich bekennen [11] in vast wol, [12]
Darumb ich's dir ouch billichen sagen sol!
Er ist unser höchster schatz und hort,
Er ist des ewigen vaters wort,
Das in dem anfang was bi gott,

---

[1] *Sig = sei.* — [2] *Neiwas nüws = etwas Neues.* — [3] *Treit an = anträgt.* — [4] *Trut = traut (er).* — [5] *Sich = sehe.* — [6] *Des . . . git = gibt Zeugnis davon.* — [7] *Nachgand = nachgehen.* — [8] *Feldsiechen = aussätzigen.* — [9] *Verschmach = verschmähe.* — [10] *Etter = vetter* (Rüedi being familiar for Rudolf). — [11] *Bekennen = kenne.* — [12] *Vast wol = sehr gut.*

Do er alle ding beschaffen wott,[1]   30
Himmel und erden, tag und nacht.
On in ist ganz nüt gemacht,
Noch das firmament, noch der erdenklotz:
Er ist der sun des lebendigen gotts.
Es ist der süess, milt und recht demüetig,   35
Tröstlich, frölich, barmherzig und güetig,
Heilmacher der welt, herr Jesus Christ,
Der am crütz für uns gestorben ist
In sinem dri und drissigsten alter,
Unser schöpfer, erlöser und behalter,   40
Ein künig aller künig, herr aller herren,
Den ouch die kreft der himel eren.

CLÄIWE PFLŮG

Verden plůst willen,[2] ist das der?
Wenn er halb als hoffertig wer,
Als unser kilchherr[3] und sin caplan,   45
So sähe er der bettler keinen an.
Was gemeint der alt glatzet[4] fischer darmit,
Dass er so dapfer neben im dahar tritt,
Und ouch die anderen biderben lüt?
Weist du ouch, was doch das selb bedüt?   50

RÜEDE VOGELNEST

Der alt fischer das ist sant Peter.
Der herr Jesus hat kein trumeter,[5]
Blind und lam sind sin trabanten.
Und die in ein sun gottes erkanten,
Das warend schlecht einvaltig lüt;   55
Die pfaffen schatztend in gar nüt
Und widerstrebtend im alle zit,
So straft er sie umb iren git[6]
Und ander süntlich wis und berden.[7]

---

[1] *Wott = wollte.* — [2] *Verden plůost willen;* an untranslatable oath. — [3] *Kilchherr = Kirchherr.* — [4] *Glatzet,* 'bald.' — [5] *Trumeter = Trompeter.* — [6] *Git = Geiz.* — [7] *Wis und berden = Weise und Gebärden,* 'character and conduct.'

60 Er kond nie eins mit iuen werden.
Darumb sie in allwegen verstiessend
Und zůletst am krütz ermörden liessend.

(Hie zwischen kam der bapst geritten in grossem triumph in harnisch mit grossem kriegszüg[1] zů ross und fůss mit grossen panern und fenlinen von allerlei nationen lüt. — Sin eidgenossen gwardi[2] all in siner farb, trumeten, pasunen,[3] trummen, pfifen, kartonen,[4] schlangen,[5] hůren und bůben und was zum krieg gehört, richlich, hochprachtlich, als ob er der türkisch keiser wär. Do sprach aber)

CLÄIWE PFLŮG

Vetter Rüede, und wer ist aber der gross keiser,
Der mit im bringt so vil kriegischer pfaffen und reiser[6]
65 Mit so grossen mechtigen hochen rossen,
So mencherlei wilder seltsamer bossen,[7]
So vil multier mit gold, samet beziert,
Und zwen spicherschlüssel[8] im paner fiert?
Das nimpt mich frömbd und mechtig wunder.
70 Wärind nit so vil pfaffen darunder,
So meinte ich doch, es wärind Türken und heiden.
Mit denen seltsamen kappen und wilden kleiden. . . .

RÜEDE VOGELNEST

Das weiss ich ouch und kan dir's sagen.
Man můss in uf den achslen tragen
75 Und wil darfür gehalten werden,
Dass er sig ein gott uf der erden;
Darumb treit er der kronen dri,
Dass er über all herren si
Und sig ein statthalter Jesu Christ,
80 Der uf dem esel geritten ist.

CLÄIWE PFLŮG

Das möcht wol ein hoffertig statthalter sin!
Das lit heiter am tag und ist ougenschin.

---

[1] *Kriegszüg = Kriegsheer.* — [2] *Gwardi = Garde, Leibwache.* — [3] *Pasunen = Posaunen.* — [4] *Kartonen = Cartaunen,* 'heavy guns.' — [5] *Schlangen,* '(long) cannon.' — [6] *Reiser = Reisiger, Krieger.* — [7] *Bossen = Burschen, Buben.* — [8] *Spicherschlüssel,* 'granary keys'; the keys of St. Peter.

Das sind doch warlich zwo unglich personen.
Des ewigen gotts sun treit ein dörne kronen
Und ist der armût geliebt und hold;   85
So ist sins statthalters kronen gold
Und benüegt sich dennocht nit daran,
Er wil dri ob einandern han.
So ist Christus fridsam, demüetig und milt,
So ist der bapst kriegsch, rumorisch und wild   90
Und ritet dahar so kriegsch und fri,
Grad als ob er voller tüflen si.

2

From the 'Prodigal Son,' by Burkard Waldis.[1]

VORLORN SZOHN

Ick seh vp erden hir keyn trost,
Dar mit ick werden mocht erlöst.
Wor ick my kere edder [2] wende,
Dar ys kummer an allen endenn.
Vele dagelöner myn vader hefft,   5
Der keyn ynn solcken kummer lefft [3]:
Sze hebbent all tho male [4] guedt
Vnd hebben brodes ouerfloedt.
Auers [5] ick mach hir keyn trost erweruenn,[5]
Ick moeth [7] von grotem hunger steruenn.   10
Ick will my schicken ynn de sakenn
Vnd will my all thohand vpmakenn,
Inn düsser moyge [8] nicht lengher staenn.
Will hen tho mynen vader gaenn
Vnd spreken, vader, ick sy de mann,   15
De dar hefft alsso öuel [9] gedaenn,

---

[1] Waldis was a Hessian, born about 1495, who went to Riga in his youth, and there worked and suffered in the cause of the new Lutheranism. The *Prodigal Son* preaches the Lutheran doctrine of justification by faith. The selection is from the beginning of Act II, where the Prodigal, having lived some time with thieves and harlots, decides to return to his father. — [2] *Edder* = *oder.* — [3] *Lefft* = *lebt.* — [4] *All tho male* = *allzumal,* 'constantly.' — [5] *Auers* = *aber.* — [6] *Erweruenn* = *erwerben, gewinnen.* — [7] *Moeth* = *muss.* — [8] *Moyge* = *Mühe.* — [9] *Öuel* = *übel.*

Gesundiget ynn hemmel vnd vor dy,
Dat laeth [1] du nicht entgelden my.
Dat ick geheten was dyn Szohn,
20   Des will ick my nu gantz entslaen [2];
Ick bin des namens yo nicht werdt,
Dat ick dyn szohn geheyten werde;
Sunder nym my ynn dyne gemeyn, [3]
Make my als dyner dachlöner eynn.
25   Darumm blyue [4] ick nicht lenger hir.

VADER

Dat ys myn Szohn, den ick dar seh.
Ick meynde, he hadde doet [5] gewessenn:
Nu seh ick woll, he ys genessenn
Vnd leuet noch tho düsser stundt;
30   Idt [6] bewegt sick myns herten grundt.
My yamert syn elende groet, [7]
Ick seh, he ys ynn groter noeth;
Ick kanss my werlich nicht entslaenn,
Ick moeth ohm [8] vorwar entegen gaenn.

(Hir gengk de vader entegen demm vorlornn Szohn.)

35   Myn leue szoen, wes [9] my willkomenn!
Ick hebbe dyne grote noedt vornomenn.
Vorwar, ick moet my dyner vorbarmenn. [10]
Kumm her, myn szohn, yn myne armenn,
Lech dynen mundt ann myne wanghenn,
40   Du schalst van my alle gnade erlangenn,
Vortruwe my dat vth [11] hertzen grunde.

(Vorlorn Szohn veel nedder vor den Vader sprekende):

Ick seh wol, ick hebbe gnade fundenn.
Ach vader myn, vnd ick bin dey,
De dy hefft willen volgen nü, [12]

---

[1] *Laeth = lass.* — [2] *Entslaen = entschlagen;* with reflexive object 'to leave out of account.' — [3] *Gemeyn;* here = 'household.' — [4] *Blyue = bleibe.* — [5] *Doei = tot.* — [6] *Idt = es.* — [7] *Elende groet = Elend gross.* — [8] *Ohm = ihm.* — [9] *Wes = sei.* — [10] *Vorbarmenn = erbarmen.* — [11] *Vth = aus.* — [12] *Nü = nie.*

All tydt [1] dyn geboden wedderstreuet 45
Vnd nü nha [2] dynen willen geleuet.
Ick hebbe gesundiget ynn ouermoedt,
Inn hemmel vnd vor dy, vader guedt.
De nahm my nicht mehr euen [3] kumpt,
Dat ick mach werden dyn szohn genümbt. [4] 50
Du haddest ydt my tho voren [5] gesecht, [6]
Ehr wenn [7] ick van dy toch hen wech, [8]
Vnd hefft my gewarndt vor mynen schaden,
Ick wolde my ouers nicht laten raden.
Solcken kummer hefft keyn mynsch gesehn, 55
De my alleyne ys geschehn.
Darumm, dat ick nicht, wo ick denn scholde,
Dyns guden rades volgen wolde,
Inn dyner straff [9] nicht wolde leuenn,
Darumm hefft my leydt vnd müg [10] vmmgeuen. 60
Vor myne sunde vnd myssethat
Is ouer my gegan alle quaedt. [11]
Myn sunde bekenne ick all vor dy,
Bidde dy, vader, wes gnedich my;
Ick hebbe gesundiget, ydt rowet [12] my szehr. 65

3

From Rebhun's 'Susanna,' Act III, Sc. 4: Having been menaced with death by the wanton judges, Susanna tells her father, mother, and sister of the infamous plot. [13]

HELCHIAS

Frid mit dir!

ELISABET

O, liebste tochter mein!

[1] *Tydt = Zeit.* — [2] *Nha = nach.* — [3] *Euen = eben;* with *kumpt = '*befits.' — [4] *Genümbt = genannt.* — [5] *Tho voren = zuvor.* — [6] *Gesecht = gesagt.* — [7] *Ehr wenn = früher als, bevor.* — [8] *Toch hen wech = zog hin weg = hinwegzog.* — [9] *Straff,* 'discipline.' — [10] *Müg = Mühe.* — [11] *Quaedt = böse, schlecht.* — [12] *Rowet = reüet.* — [13] Paul Rebhun, who died in 1546, was a Lutheran schoolmaster and pastor. In his *Susanna* he essayed a more regular and varied versification than that of the ordinary *Knittelvers.* The apocryphal story of Susanna was in high favor with the Protestant playwrights on account of its vindication of a chaste wife.

Rebecca

O Susann, du traute schwester mein!

Elisabet

Hilf uns, lieber Got, in ewigkeit!
Wie kumts ewig,[1] das in sölches leid
Du, mein liebste tochter, kummen sollt,
Welches ich lang der meid [2] nicht glauben wollt?
Solstu nu zur zeit deinr höchsten ern
Für ein sölche erst gehalten werden,
Die du hast von jugnt dein lebn gefürt
Keusch, wie einer frummen fraun gebürt?
Ach, das dir sol gschehen sölche gwalt!
Got wöll sehen an [3] dein unschuld bald.

Susanna

Sei dann, das mir Got, mein herr, helf draus,
Ist es auch mit meinem leben aus;
Dann sie mir den tot gedrohet han,
Weil ich nicht nach irem willn hab tan.

Helchias

Liebe tochter, hör itz auf vom klagn;
Dann wir wollen Got dein not fürtragn.
Der on zweifel dir wirt helfen aus,
Machen sie gleich was sie wöln daraus.
Wollst uns selber recht erzeln die sach,
Wie du kumst zu diesem ungemach.

Susanna

Da die sonn heut warm zu scheinn anfieng,
Nach gewonheit ich in [4] garten gieng,
Wolt beim brunn mich badn ein kleine weil,
Drumb ich sant die meid von mir in eil,

---

[1] *Ewig = immer.* — [2] *Meid;* the housemaid who had brought the news to Susanna's mother. — [3] *Sehen an,* 'look on.' 'bring to light.' — [4] *In = in den.*

Liess den garten fest beschliessen zu,
Meint, ich wer nu da mit guter ru.[1]
Da erhubn sich plötzlich zu mir her
Dise richter, des erschrak ich ser.   30
Bald sie mir ir unart muten an,
Lagn mir auch mit bitten heftig an,
Teten mir dazu verheissung vil,
Das ich mich ergeb zu irem will;
Da sie aber nichts mit güt von mir   35
Kunten habn, da namens frevel für[2]
Und bedroten mich mit irer gwalt,
Sagten, was für gfar mir folgen solt,
Wie sie mir mein er[3] und auch das lebn
Nemen woltn, so ich nicht ergebn   40
Würde mich zu irem willn so bald;
Da ich aber in nicht ghorchen wolt,
Wurden sie von stund vol zorn und grim,
Ruften meinem gsind[4] mit lauter stimm,
Sagten, wie ich die und dise wer,   45
Also kum ich leider in die gfer.

SAMRI[5]

Hab ich nicht die sach erraten fein,
Das die richter selber böswicht sein?

GORGIAS

Das sie potz[6]! wer het sich des vertraut,
Das sölchs stecken sol in alter haut?   50

HELCHIAS

Helf dir Got, du liebe tochter mein,
Welchem wol ist kund die unschuld dein.

---

[1] *Guter ru,* 'security'; 'I thought I should be safe there.' — [2] *Namens* . . .
für, 'they resorted to crime.' — [3] *Er = Ehre.* — [4] *Gsind = Gesinde,* 'servants.'
— [5] Samri and Gorgias are *Hausknechte* of Susanna's husband. — [6] *Potz,* a
euphemism for *Gott* in oaths: *dass Gott sie (verdamme).*

Susanna

Wenn doch nur mein her [1] vorhanden wer.
Oder wüste disen jamer schwer!

Elisabet

55   Schweig, villeicht wirt er nu kumen schier. [2]

Rebecca

Liebe schwester, Got wöll helfen dir.

Chorus tertius

David, der prophetisch man,
Zeigt an,
Durch Gottes geist geleret:
60   Wer sich fest auf Got erbaut
Und traut,
Der wirt nicht umbgekeret;
Wie Sion steht er unbewegt,
Wird nicht geregt
65   Von starken winden
Des fleischs, des teufels und der welt,
Gegn in sich stellt, [3]
Sich nicht mit sünden
Von in lässt überwinden.

70   Sein haus, auf eim felsen hart
Verwart,
Ist gwaltig unterfasset;
Wasser, wind kans nicht bewegn,
Noch regn,
75   On schad sichs alls abstosset.
Got fürchten ist sein burg und schloss;
Kein teufels gschoss
Kan das zersprengen;

---

[1] *Her;* her husband, Joachim, is away on business. — [2] *Schier = bald*
[3] *Gegn . . . stellt = stellt sich ihnen entgegen.*

Gots wort sein waffen ist und schwert,
Damit er wert,[1]   80
Lässt sich nicht drengen,
Zu sünd und abfal brengen.

Aber wer den hern veracht,
Nicht tracht
Auf seine wort und wege,   85
Den tut wie ein ror im teich
Gar leicht
Ein kleiner wind bewegen.
Sein haus gebaut ist auf den sand,
Hat kein bestand,   90
Kan sich nicht halten;
Wenn in ein kleine sünd anficht
Und nur besticht,[2]
Wird er zerspalten[3]
Und lässt die bosheit walten.   95

XLIV. HANS SACHS

1494–1576. Sachs is the most winsome and versatile German poet of
the 16th century. He lived at Nürnberg, practising the trade of the shoe-
maker and the art of the mastersinger, and writing an immense number of
poetic productions. His total of verses has been estimated at half a million.
For the reader of to-day he is most enjoyable in his *Schwänke*, or humorous
tales, and his *Fastnachtspiele*, or shrovetide plays. The text of the first selection follows Keller's reprint in the *Bibliothek des Literarischen Vereins in
Stuttgart*, Vol. 106, page 109; that of the second, Goetze's reprint in Braune's
Neudrucke, No. 40.

I

Sanct Peter mit der Gais.

Weil noch auf Erden ging
Christus
Unnd auch mit im wandert
Petrus,
Eins tags auss eym dorff mit im
gieng,

Bey einer wegscheid Petrus an-
fieng:
O herre Got und maister mein,   5
Mich wundert sehr der güte dein,
Weil du doch Gott allmechtig
bist,
Lest es doch gehn zu aller frist
In aller welt, gleich wie es geht,

---

[1] *Wert = sich verteidigt.* — [2] *Besticht = verführt.* — [3] *Wird er zerspalten =
kommt er in Zwiespalt mit sich selbst* (Tittmann).

10 Wie Habacuck sagt, der prophet:
Frevel und gewalt geht für recht;
Der gotloss uberforthailt schlecht
Mit schalckeit den ghrechten und
    frummen,
Auch könn kein recht [1] zu end
    mehr kummen.
15 Die lehr gehn durcheinander
    sehr,
Eben gleich wie die fisch im
    meer,
Da immer eyner den andern ver-
    schlind,[2]
Der böss den guten uberwind.
Des steht es ubel an allen
    enden,
20 Inn obern und in niedern sten-
    den.
Des [3] sichst du zu und schwey-
    gest still,
Samb [4] kümmer dich die sach nit
    viel
Und geh dich eben glat [5] nichts
    an.
Könst doch als ubel undterstan,[6]
25 Nembst recht int [7] hand die
    herrschafft dein.
O solt ich ein jar herrgott sein
Und solt den gwalt haben, wie
    du,
Ich wolt anderst schawen darzu,
Fürn viel ein besser regiment
30 Auff erdterich [8] durch alle stend.
Ich wolt stewern mit meiner
    hand
Wucher, betrug, krieg, raub und
    brand.

Ich wolt anrichten ein rühigs
    leben.
Der Herr sprach: Petre, sag mir
    eben!
Mainst, du woltst ye baser [9] re-
    gieren,   35
All ding auff erd bass ordinieren,
Die frummen schützen, die bösen
    plagen?
Sanct Peter thet hinwider sagen:
Ja, es müst in der welt bass [9]
    stehn,
Nit also durch einander gehn. 40
Ich wolt viel besser ordnung
    halten.
Der Herr sprach: Nun, so must
    verwalten,
Petre, die hohe herrschafft mein.
Heut den tag solt du herrgott
    sein.
Schaff und gepeut als, was du
    wilt!   45
Sey hart, streng, gütig oder
    milt!
Gieb auss den fluch oder den
    segen!
Gieb schön wetter, wind oder
    regen!
Du magst straffen, oder belonen,
Plagen, schützen oder ver-
    schonen.   50
Inn summa, mein ganz regiment
Sey heut den tag in deiner hend!
Damit reichet der Herr sein
    stab
Petro, den inn sein hende gab.
Petrus war dess gar wolgemut, 55

---

[1] *Recht*, 'lawsuit.' — [2] *Verschlind* = *verschlingt.* — [3] *Des*, for *dem* (*allen*). —
[4] *Samb* = *als ob.* — [5] *Glat* = *gar.* — [6] *Als . . . undterstan* = *alles Übel unter-
drücken.* — [7] *Int* = *in die.* — [8] *Erdterich* = *Erdreich.* — [9] *Baser, bass* = *besser.*

Daucht sich [1] der herrligkeyt
sehr gut.
Inn dem kam her ein armes weib,
Gantz dürr, mager und blaich
von leib,
Parfuss inn eym zerrissen klaid.
50 Die trieb ir gaiss hin auff die
waid.
Da sie mit auf die wegschaid
kam,
Sprach sie: Geh hin in Gottes
nam!
Got bhüt und bschütz dich immerdar,
Das dir kein ubel widerfar
65 Von wolffen oder ungewitter,
Wann ich kan warlich ye nicht
mit dir!
Ich muss gehn arbeyten [2] das
taglon.
Heint [3] ich sunst nichts zu essen
hon
Dahaym mit meinen kleynen
kinden.
70 Nun geh hin, wo du weyd thust
finden!
Gott der bhüt dich mit seiner
hend!
Mit dem die fraw widerumb wend
Ins dorff; so ging die gaiss ir
strass.
Der Herr zu Petro sagen was [4]:
75 Petre, hast das gebet der armen
Gehört? du must dich ir erbarmen.

Weil du den tag bist herrgott
du,
So stehet dir auch billig zu,
Das du die gaiss nembst in dein
hut,
Wie sie von hertzen bitten thut, 80
Und behüt sie den ganzen tag,
Das sie sich nit verirr im hag, [5]
Nit fall noch müg gestolen wern,
Noch sie zerreissen wolff noch
bern,
Das auff den abend widerumb 85
Die gaiss unbeschedigt haym
kumb
Der armen frawen in ir hauss!
Geh hin und richt die sach wol
auss!
Petrus namb nach des herren
wort
Die gaiss in sein hut an dem ort 90
Und trieb sie an die waid hindan.
Sich fing sanct Peters unrhu an.
Die gaiss war mutig, jung und
frech,
Und bliebe gar nit in der nech, [6]
Loff auff der wayde hin und
wider, 95
Stieg ein berg auff, den andern
nieder
Und schloff [7] hin und her durch
die stauden.
Petrus mit echtzen, [8] blassn und
schnauden
Must immer nachdrollen [9] der
gaiss,

---

[1] *Daucht sich* (with gen.), 'was proud of,' 'elated over.' — [2] *Arbeyten = erar-
beiten,* 'earn.' — [3] *Heint = heute nacht.* — [4] *Sagen was = sagend was,* 'was say-
ing,' 'said.' — [5] *Hag = Busch, Gehölz.* — [6] *Nech = Nähe.* — [7] *Schloff,* 'strayed'
(from *schliefen = schlüpfen*). — [8] *Echtzen = ächzen.* — [9] *Nachdrollen = nach-
trollen.*

100 Und schin die sunn gar uber-
          haiss.
Der schwaiss uber sein leib abran.
Mit unruh verzert der alte man
Den tag biss auff den abend spat,
Machtloss, hellig,[1] gantz müd
          und mat
105 Die gaiss widerumb haym hin
          bracht.
Der Herr sach Petrum an und
          lacht.
Sprach: Petre, wilt mein regi-
          ment
Noch lenger bhalten in deiner
          hend?
Petrus sprach: Lieber herre,
          nein,
110 Nemb wider hin den stabe dein
Und dein gwalt! ich beger mit
          nichten
Fort hin dein ampt mehr ausszu-
          richten.
Ich merck, das mein weissheit
          kaum döcht,[2]
Das ich ein gaiss regieren möcht
115 Mit grosser angst, müh und ar-
          beyt.
O Herr, vergieb mir mein thor-
          heit!
Ich will fort der regierung dein,
Weil ich leb, nit mehr reden ein.
Der Herr sprach: Petre, das
          selb thu!
120 So lebst du fort mit stiller rhu.

Und vertraw mir in meine hend
Das allmechtige regiment!

2

**Das heiss Eysen: Ein Fassnacht-
     spil [3] mit 3 Person.**

Die FRAW tritt einn vnd spricht:

Mein Man hab ich gehabt vier
          jar,
Der mir von erst viel lieber war.
Dieselb mein Lieb ist gar erlo-
          schen
Vnd hat im hertzen mir auss-
          droschen.[4]
West geren,[5] wes die schulde wer.   5
Dort geht mein alte Gfatter her,
Die ist sehr alt vnd weiss gar viel.
Dieselbigen ich fragen wil,
Was meiner vngunst vrsach sey,
Das ich werd der anfechtung
          frey.   10

Die alt GEFATTERIN spricht:

Was redst so heimlich wider
          dich?

Die FRAW spricht:

Mein liebe Gfattr, es kümmert
          mich:
Mich dunckt, mein Mann halt nit
          sein Eh,
Sonder mit andern Frawn vmb-
          geh.
Des bit ich von euch einen rath.   15

---

[1] *Hellig = müde.* — [2] *Döcht = taugt.* — [3] *Fassnacht.* The usual modern
form is *Fastnacht*, as if from *Faste*, and meaning 'eve of the Lenten fast.' So
the Grimm Dictionary explains it. But in early texts we find *vasnacht, fasnacht,
fasenacht, fassnacht*, which Kluge in his Etymological Dictionary derives from
faseln in the sense of *Unsinn treiben.* — [4] *Aussdroschen*, 'gone bankrupt,'
'failed.' — [5] *West geren = wüsste gern.*

Die alt GEFATTER spricht:
Gfatter, das ist ein schwere that.

Die FRAW spricht:
Da rath zu, wie ich das erfar!

Die GEFATTER spricht:
Ich weiss nicht, mir felt ein für-
    war,
Wie man vor jaren gwonheit het,
20 Wenn man ein Mensch was zey-
    hen thet,[1]
Wenn es sein vnschuld wolt
    beweysen,
So mustes tragn ein glüend
    Eyssen
Auff bloser Hand auss einem
    kreiss;
Dem vnschulding war es nicht
    heyss
25 Vnd jn auff blosser Hand nit
    prent,
Darbey sein vnschuld würd
    erkent.
Darumb hab fleiss vnd richt auch
    an,
Das diss heiss Eyssen trag dein
    Man!
Schaw, dass du jn könst vberre-
    den!

Die FRAW spricht:
30 Das wil ich wol thun zwischn
    vns beden.
Kan wain vnd seufftzen durch
    mein list,
Wenns mir schon vmb das hertz[2]
    nicht ist,

Das er muss als thun, was ich
    wil.

Die GEFATTER spricht:
So komb dem nach vnd schweig
    sonst still,
Darmit du fahest deinen Lap-
    pen[3]   35
Vnd jm anstreiffst die Narren-
    kappen!
Ytzund geht gleich herein dein
    Man.
Ich wil hin gehn; fah mit jm
    an!

(*Die alt Gefatter geht ab. Die Fraw
    sitzt, hat den kopff in der hend.*)

Der MANN kompt vnd spricht:
Alte, wie sitzt du so betrübt?

Die FRAW spricht:
Mein Mann, wiss, das mich
    darzu übt   40
Ein anfechtung, welche ich hab,
Der mir kan niemandt helffen
    ab,
Mein hertzen lieber Man, wenn
    du!

Der MANN spricht:
Wenns an mir leyt, sag ich dir zu
Helffen, es sey wormit es wöll. 45

Die FRAW spricht:
So ich die warheit sagen söll,
So dunckt mich, lieber Mann, an
    dir,

---

[1] *Ein Mensch . . . thet*, 'accused a person of anything.' — [2] *Es ist mir um
das Herz*, 'I am concerned,' 'it is my wish. — [3] *Lappen;* a foolish or 'soft'
person.

Du helst dich nicht gar wol an
   mir,
Sonder bulest mit andern Fraw-
   en.

   Der MANN spricht:

50 Thustu ein solches mir zu
      trawen?
Hastu dergleich gmerckt oder
      gsehen?

   Die FRAW spricht:

Nein, auff mein warheit mag ich
      jehen.
Du abr bist mir vnfreuntlich gar,
Nicht lieblich, wie im ersten jar.
55 Derhalb mein lieb auch nimmet
      ab,
Das ich dich schier nicht mehr
      lieb hab.
Diss als ist deines Bulens schuld.

   Der MANN spricht:

Mein liebes Weib, du hab gedult!
Die lieb im hertzen ligt ver-
      porgen!
60 Mhü vnd arbeit vnd teglichs
      sorgen
Thut vil schertz vnd schimpffens
      vertreiben.
Meinst drumb, ich bul mit an-
      dern weiben?
Des denck nur nit! ich bin zu
      frumb.

   Die FRAW spricht:

Ich halt dich vor ein Bulr kurt-
      zumb:

Sey denn sach,[1] das du dich
   purgierst,   65
Der zicht[2] von mir nicht ledig
   wirst.

   Der MANN reckt 2 finger auff, spricht:

Ich wil ein herten Eyd dir
   schwern,
Das ich mein Eh nit thet versehrn
Mit andren schönen Frawen
   jung.

   Die FRAW spricht:

Mein lieber Man, das ist nicht
   gnung.   70
Eyd schwern ist leichtr, denn
   Ruben grabn.

   Der MANN spricht:

Mein liebes Weib, was wilt denn
   habn?

   Die FRAW spricht:

So trag du mir das heisse Eyssen!
Darmit thu dein vnschuld beweissen!

   Der MANN spricht:

Ja, Fraw, das wil ich geren thon. 75
Geh! heiss die Gfattern vmbher
   gon,
Das sie das Eyssen leg ins Fewr!
Ich wil wagen die abenthewr
Vnd mich purgiren, weil ich leb,
Das mir die Gfatter zeugnus
   geb.   80

---

[1] *Sey denn sach,* 'unless,' 'except.' — [2] *Zicht = Beschuldigung.*

(Die Fraw geht auss. Er spricht:)

Mein Frau die treibt gar seltzam
   mucken [1]
Vnd zepfft mich an mit diesen
   stucken,[2]
Das ich sol tragen das heiss
   Eyssen,
Mein Vnschuld hie mit zu
   beweissen,
85 Das ich nie brochen hab mein
   Eh.
Es thut mir heimlich auff sie
   weh.
Ich hab sie nie bekümmert mit,
Ob sie jr Eh halt oder nit.
Nun ich wil jr ein schalkheit
   thon,
90 In Ermel stecken diesen Spon.
Wenn ich das Eyssn sol tragn
   dermassn,
So wil ich den Span heimlich
   lassen
Herfür hoschen [3] auff meine
   Hendt,
Das ich vom Eyssen bleib vn-
   prent.
95 Mein frömbkeit ich beweissen
   thu.
Da kommen sie gleich alle zwu.

Die ALT tregt das heiss Eyssen in
   einer Zangen vnd spricht:

Glück zu, Gfatter! das Eyssn
   ist heiss.
Macht nur da einen weyten
   Kreiss!
Da legt jms Eyssen in die mit!

Tragt jrs herauss vnd prent
   euch nit, 100
So ist ewer vnschuld bewert,
Wie denn mein Gfattern hat
   begert.

Der MANN spricht:

Nimb hin! da mach ich einen
   kreiss.
Legt mir das glüend Eyssen
   heiss
Daher in kreiss auff diesen
   Stul! 105
Vnd ist es sach, vnd das ich Bul,
Das mir das heyss Eyssen als
   denn
Mein rechte Hand zu kolen
   prenn.

*(Der Man nimbt das Eysen auff die
   Hand, tregets auss dem Kreiss
   vnd spricht:)*

Mein weib, nun bist vergwiest [4]
   fort hin,
Das ich der zicht vnschuldig
   bin, 110
Das ich mein Eh hab brochen
   nie,
Weil ich das glüend Eyssen hie
Getragen hab gantz vngebrent.

Das WEIB spricht:

Ey, las mich vor schawen dein
   Hendt!

Der MANN spricht:

Se hin! Da schaw mein rechte
   hand, 115
Das sie ist glat vnd vnverprant!

---

[1] *Mucken = Grillen.* — [2] *Zepfft . . . stucken,* 'bothers me with this business.'
— [3] *Hoschen = huschen.* — [4] *Vergwiest = vergewissert.*

Die FRAW schawt die hand, spricht:

Nun, du hast recht; das merck
    ich eben.
Man muss dir dein Kü wider
    geben.[1]

Der MANN spricht:

Du must mir vnschuldigen Man
120 Vor meinr gfattern ein widr-
    spruch than.

Die FRAW spricht:

Nun, du bist fromb, vnd schweig
    nur stil!
Nichts mehr ich dir zusachen wil.

Der MANN spricht:

Weil du nun gnug hast an der
    prob,
Wil ich nun auch probieren, ob
125 Du dein Eh biss her habst nit
    prochen
Von anfang, weilt[2] mir warst
    versprochen.
Mein Gfattern, thut darzu ewr
    stewr!
Legt das Eyssn wider in das
    Fewr,
Das es erfewr vnd glüend wer!
130 Darnach so bringt mirs wider
    her,
Auff das es auch mein Fraw trag
    mir,
Darmit jr frömbkeit ich probier!

Die GEFATTER spricht:

Ey, was wolt jr ewr Frawen
    zeyhen?

Thut sie des heissen Eyssens
    freyen!

Der MANN spricht:

Ach, liebe Gfattr, was ziech sie
    mich?   135

Die FRAW spricht:

Mein hertz lieber Mann, wiss,
    das ich
Das hab auss lauter einfalt than!

Der MANN spricht:

Gfatter, legt bald das Eyssen an!
Darfür hilfft weder fleh noch
    bit.

(*Die Gefatterin geht hin mit dem
Eyssen.*)

Die FRAW spricht:

Mein lieber Mann, weistu dann
    nit,   140
Ich hab dich lieb im hertzen
    grundt.

Der MANN spricht:

Dein that laut anders, denn dein
    mundt,
Da ich das heiss Eyssen must
    tragen.

Die FRAW spricht:

Ach, mein Mann, thu nicht
    weyter fragen,
Sonder mir glauben vnd ver-
    trawen   145

---

[1] *Die Kuh wiedergeben* seems to be a peasant phrase for acknowledging that one has been in the wrong. — [2] *Weilt = weil du.*

Als einer auss den frömbsten
　　Frawen!
Lass mich das heiss Eyssen
　　nicht tragen!

Der MANN spricht:

Was darffst dich lang weren vnd
　　klagen?
Bist vnschuldig, so ists schon
　　fried,
150 So prent dich das heiss Eyssen
　　nit
Vnd hast probiert dein Weiblich
　　Ehr.
Derhalb schweig nur vnd bitt
　　nicht mehr!

Die GFATTER

bringt das glüent eysen, legts auff den
　stul im kreiss, spricht:

Gfattern, da liegt das glüend
　　Eyssen,
Ewer vnschuld mit zu beweisen.

Der MANN spricht:

155 Nun geh zum Eyssen! greiff es
　　an! . . .¹

Die GEFATTER spricht:

Mein Gfatter, lasts best bey euch
　　liegen!

Wölt meiner Gfattern vergeben
　　das!
Wer ist der, der sich nie vergass?
Kompt! wir wöllen dran giessn
　　ein Wein!

Der MANN spricht:

Nun, es sol jr verziehen sein!　160
Mein Fraw bricht Häfn,² so
　　brich ich Krüg,
Vnd wo ich anderst redt, ich lüg.
Doch, Gfatter, wenn jr bürg
　　wolt werden,
Dieweil mein Weib lebet auff
　　Erden,
Das sie solches gar nimmer thu. 165

Die GEFATTER spricht:

Ey ja, glück zu, Gfatter! glück
　　zu!
Ich wil euch gleich das glait³
　　heimgeben.
Vnd wölien heint in freuden
　　leben
Vnd auff ein newes⁴ Hochzeit
　　halten
Vnd gar vrlaub geben der alten. 170
Das kein vnrat weyter drauss
　　wachs
Durch das heiss Eyssen, wünscht
　　Hans Sachs.

¹ At this point nearly a hundred lines are omitted. The wife confesses several
transgressions and pleads to be let off, but the husband insists that she handle
the iron. When at last she does so it burns her badly. The husband chides
her in strong language, whereupon **Gefatter** intervenes as a peacemaker. —
² *Häfn* = *Töpfe.* — ³ *Glait* = *Geleit.* — ⁴ *Auff ein newes* = *aufs neue.*

XLV. FOLKSONGS OF THE SIXTEENTH CENTURY

While the 16th century brought forth no great German lyrist, it is excep-tionally rich in good songs, mostly anonymous, that express the joys and sor-rows of the general lot. Not all of them were the work of unlettered poets, but all were made to be sung; for lyric poetry as a branch of 'mere literature' had not yet come into being. The selections are from Tittmann's *Liederbuch aus dem 16. Jahrhundert*, Leipzig, 1881, which gives full information as to the source of the various texts. The titles have been supplied by the editor.

1

Lob der Geliebten.

Mein einigs herz, mein höch-
　　ste zier,
Wie we ist mir allzeit nach dir,
Wie leuchten deine äuglein klar,
Wie schön ist dein goldgelbes
　　har,
5　Dein mündlein rot, dein wäng-
　　lein weiss!
Für allen bleibt dir doch der
　　preis.
In deinem dienst, sag[1] sicherlich,
Bleib ich allzeit und ewiglich.

2

Begegnung im Walde.

Ich gieng einmal spazieren
Durch einen grünen walt,
Da hört ich lieblich singen
Ein freulein wol gestalt.
5　Sie sang so gar ein schönen gsang,
Dass[2] in dem grünen wald er-
　　klang.
Ich tet mich zu ir nahen,
Schön tet sie mich empfahen.
Sie hat ein schönen grünen rock

Und war so gar ein hübsche
　　dock;　　　　　　　　10
Sie tet mir wol gefallen
Und liebet[3] mir ob allen.
Solt ich ein andre werben,
Vil lieber wolt ich sterben!

3

Liebesbitte.

Ich kam für liebes[4] fensterlein
An einem abend spate;
Ich sprach zur allerliebsten
　　mein:
Ich fürcht, ich kum zu drate.[5]
Erzeig mir doch die treue dein,　5
Die ich von dir bin gwarten[6];
Sieh, liebe, lass mich ein!

Bei meiner treu ich dir versprich,
Ich wil dich nit verkeren,[7]
Mein treu ich doch an dir nit
　　brich,　　　　　　　　10
Tust du mich nun geweren.
Kum, glück, und schlag mit
　　haufen drein,
Dass sie mich tu geweren,[8]
Sieh, liebe, lass mich ein!

---

[1] *Sag*, i. e. *sage ich*. — [2] *Dass = dass es*. — [3] *Liebet = gefiel*. — [4] *Liebes*, a neuter noun = *der Geliebten*. — [5] *Drate = früh*. — [6] *Bin gwarten = erwarte* (*gwarten* for *gewartend*). — [7] *Verkeren = verführen*. — [8] *Geweren*, 'gratify.'

4
Herzog Ulrichs Jagdlied.[1]

Ich schell mein horn ins
 jamertal,
Mein freud ist mir verschwunden,
Ich hab gejagt, muss abelan,[2]
Das wild lauft vor den hunden.
5 Ein edel tier in diesem feld
Het ich mir auserkoren,
Das schieht[3] ab mir, als ich wol
 spir,[4]
Mein jagen ist verloren.

Far hin, gewild, in waldes lust!
10 Ich wil dich nimmer schrecken
Mit jagen dein schneeweisse
 brust[5];
Ein ander muss dich wecken
Mit jägers gschrei und hundes
 biss,
Dass du nicht magst entrinnen.
15 Halt dich in hut, mein tierle gut!
Mit leid scheid ich von hinnen.

Kein hochgewild ich fahen kann,
Das muss ich oft entgelten,
Noch halt ich stät auf jägers ban,
20 Wiewol mir glück komt selten.
Mag mir nit gbirn[6] ein hoch-
 gwild schon,
So lass ich mich beniegen[7]
An hasenfleisch, nit mer ich
 heisch,
Das mag mich nit betriegen.

5
Verlorene Liebesmühe.

Ein meidlein zu dem brunnen
 gieng,
Und das was seuberlichen;
Begegnet im ein stolzer knab,
Der grüsst sie herziglichen.
5 Sie setzt das krüglein neben sich
Und fraget, wer er were.
Er kusts an iren roten mund:
Ir seit mir nit unmere,[8]
Tret here!

Das meidlein tregt pantoffel an, 10
Darin tuts einher schnappen.
Wer ir nicht recht zusprechen
 kan,
Dem schneidt sie bald ein
 kappen[9];
Kein tuch daran nit wirt ge-
 spart,
Kan einen höflich zwagen,[10] 15
Spricht, sie woll nit mer unser
 sein,
Sie hab ein andren knaben,
Lat traben!

6
Hüt du dich.

Ich weiss ein meidlein hübsch
 und fein.
Hüt du dich!
Sie kan gar falsch und freundlich
 sein,

<hr>

[1] Duke Ulrich of Würtemberg (1487–1550) was a passionate lover of the chase. To please the emperor he married an unamiable Bavarian princess, though he was in love with Elizabeth of Brandenburg.— [2] *Abelan = ablassen,* 'cease.' — [3] *Schieht ab,* 'shies away.' — [4] *Spir = spüre.* — [5] *Brust;* probably to be taken as object of *jagen,* rather than as a loose appositive to *dich.* — [6] *Gbirn = gebühren.* — [7] *Beniegen = begnügen.* — [8] *Unmere = gleichgültig.* — [9] *Kappen = Narrenkappen.* — [10] *Zwagen = waschen* in the sense of 'reject,' 'refuse.'

Hüt du dich, vertrau ir nicht!
5 Sie narret dich.

Sie hat zwei euglein, die sind
braun,
Hüt du dich!
Sie sech [1] dich nicht an durch ein
zaun,
Hüt du dich, vertrau ir nicht!
10 Sie narret dich.

Sie gibt dir ein krenzlein wol
gemacht,
Hüt du dich!
Für einen narren wirstu geacht,
Hüt du dich, vertrau ir nicht!
15 Sie narret dich.

7
Insbruck, ich muss dich lassen.

Insbruck, ich muss dich lassen,
Ich far dahin mein strassen,
In fremde land dohin;
Mein freud ist mir genomen,
5 Die ich nit weiss bekommen,[2]
Wo ich im ellend [3] bin

Gross leid muss ich jetzt tragen,
Das ich allein tu klagen
Dem liebsten bulen mein.
10 Ach lieb, nun lass mich armen
Im herzen dein erbarmen,
Dass ich muss von dannen sein.

Mein trost ob allen weiben,
Dein tu ich ewig bleiben,

Stet, treu, der eren frum.[4] 15
Nun muss dich Got bewaren,
In aller tugent sparen,
Biss dass ich wider kum.

8
Sorgenfrei.

Zwischen berg und tiefe tal
Do lit ein frie strasse,
Wer seinen bulen nit haben mag,
Der sol in faren lassen.

Far hin, far hin, du hast die wal, 5
Ich kan mich din wol massen [5];
Im jar sind noch viel langer tag,
Glück ist in allen gassen.

9
Der Muskateller.[6]

Den liebsten bulen,[7] den ich
han,
Der leit beim wirt im keller;
Er hat ein hölzens röcklein an,
Er heisst der muscateller.
Er hat mich nechten [8] trunken
gmacht 5
Und frölich heut den ganzen tag,
Got geb im heint ein gute nacht!

Von disem bulen, den ich mein,
Wil ich dir bald eins bringen;
Es ist der allerbeste wein, 10
Macht mich lustig zu singen,
Frischt mir das blut, gibt freien
mut,

---

[1] *Sech = sähe.* — [2] *Bekommen,* 'get back,' 'recover.' — [3] *Im ellend = in der Fremde.* — [4] *Der eren frum = der Ehre treu.* — [5] *Sich massen,* with genitive = *entbehren.* — [6] *Muskateller,* 'muscatel'; a rich, sweetish wine from the muscat grape. — [7] *Bulen;* object of *han,* the following *den* being demonstrative. — [8] *Nechten,* 'last night.'

Alls durch sein kraft und eigen-
　schaft;
Nu grüss dich Got, mein reben-
　saft!

10

Der Schwartenhals.[1]

Ich gieng für einer frau wirtin
　haus,
Man fragt mich, wer ich wäre;
Ich bin ein armer schwartenhals,
Ich ess und trinke geren.

5 　Man fürt mich in die stuben ein,
Da bot man mir zu trinken;
Mein äuglein liess ich umbher
　gan,
Den becher liess ich sinken.

Man satzt mich oben an den
　tisch,
10 　Als ob ich ein kaufman were,
Und da es an ein zalen gieng,
Mein seckel der war lere.

Und da man nu solt schlafen gan,
Man wies mich wol in die
　scheure;

Da stund ich armer schwarten-
　hals,　　　　　　　　　　15
Mein lachen ward mir teure.

Und da ich in die scheure kam,
Da fieng ich an zu nisten;
Da stachen mich die hagedorn,
Darzu die rauhen distel.　　　20

Da ich des morgens frü aufstund,
Der reif lag auf dem dache;
Da must ich armer schwarten-
　hals
Meins unglücks selber lachen.

Ich nam mein schwert wol in
　die hand,　　　　　　　　25
Ich gürts wol an die seiten;
Da ich kein geld im seckel het,
Zu fussen must ich reiten.

Ich macht mich auf, ich gieng
　darvon,
Ich macht mich wol auf die
　strassen;　　　　　　　　30
Da begegnet mir ein kaufman
　gut,
Sein tasch must er mir lassen.

XLVI. THE CHAPBOOKS

The so-called *Volksbücher* of the 16th century were published in cheap and careless form, and designed to meet the popular demand for entertaining and edifying literature — a demand which increased rapidly with the cheapening of paper and the invention of printing. They vary greatly in content and have no common character except a certain artlessness, which is sometimes pleasing but often runs into extreme vulgarity. Special favor was enjoyed by certain collections of anecdotes, specimens of which are given in the first three numbers. The text of Nos. 1, 4, and 5 follows Braune's *Neudrucke* (Nos. 55-6, 34-5, 7-8); that of Nos. 2 and 3 the *Bibliothek des literarischen Vereins in Stuttgart* (Vols. 85 and 229).

[1] *Schwartenhals* = *armer Teufel*, 'vagabond.'

I

From 'Eulenspiegel,' the 14th story: Eulenspiegel [1] *gathers a crowd to see him fly.*

Die xiiii history sagt wie Ulenspiegel vss gab, das er zu Megdburg von der lauben [2] fliegen wolt, vnd die zuseher mit schimpffred ab wise.

Bald nach diser zeit als vlenspiegel ein sigrist wz gesein,[3] Da
5 kame er geen Megdburg, vnd treib vil anschleg, vnd sein nom ward da von erst bekant, das man von Vlenspiegel wusst zesagen, da ward er angefochten von den besten der burger von der stat dz er solt etwz abenthür treiben, da sagt er, er wolt es thůn, vnd wolt vff dz rathuss, vnd von der lauben fliegen, da ward ein geschrei in der
10 stat, dz sich iung und alt samlete vff dem marckt, vnd wolten es sehen. Also stunde Vlenspiegel vff der lauben von dem rathuss, vnd bewegt sich mit den armen, vnd gebar eben als ob er fliegen wolt. Die lüt stůnden theten augen vnd müler vff, vnd meinten er wolt fliegen. Da lacht vlenspiegel vnd sprach, Ich meinte es wer
15 kein thor oder nar mer in der welt dan ich. So sih ich wol, dz hie schier die gantz stat vol thoren ist, und wann ir mir alle sagtē dz ir fliegen woltē ich glaubt es nit, vnd ir glouben mir als einem toren. Wie solt ich fligen kunde, ich bin doch weder ganss noch fogel, so hon ich kein fettich, vnd on fettich oder federn kan nieman fliegen.
20 Nun sehē ir offenbar, dz es erlogen ist, vnd lieff da von der lauben, vnd liess dz volck eins teils fluchende, das ander teil lachende vnd sprachen, Das ist ein schalckssnarr noch, dann so hat er war gesagt.

2

From Pauli's 'Jest and Earnest,' [4] *the 47th story: The clever fool.*

Es kan auch etwan ein nar ein Vrteil finden, das ein weisser nit finden kan. Es kam vff ein mal ein armer man ein betler in eins wirtzhauss, da was ein groser braten an dem spiss. Der arm man het ein stück brotz das hůb er zwischen den braten vnd das feur,

---

[1] Till Eulenspiegel, the hero of the tales, is a waggish vagabond who goes about the country, — originally Brunswick, it would seem, — working at this and that and playing pranks on people. The earliest extant edition of the Eulenspiegel stories — that here followed — was printed at Strassburg in 1515. — [2] *Lauben*, 'loggia,' 'balcony' (of the town hall). — [3] *Wz gesein = war gewesen.* The preceding story tells how he had taken the rôle of sacristan at an Easter play. — [4] The first edition was published at Strassburg in 1522.

das der geschmack [1] von dem braten in das brot gieng, da ass er 5
dan das brot, das thet der arm man biss das er kein brot me het,
da wolt er hinweg gon. Der würt hiesch im die ürten.[2] Der arm
man sprach, ir haben mir doch nichtz zů essen noch zů trincken
geben, was sol ich bezalen. Der wirt sprach du hast dich gesettigt
von dem meinen, von dem geschmack des bratens, das soltu mir 10
bezalen. Sie kamen mit einander an das gerüht, da ward die sach
vff geschlagen, biss vff ein andern gerichtztag, da was der gerichtz
herren einer der het ein narren da heim, vnd ob dem tisch da ward
man der sach zůred. Da sprach der nar, er sol den wirt bezalen
mit dem klang des geltz, wie der arm man ersettiget ist worden von 15
dem geschmack des bratens. Da nun der gerichtztag kam da
bleib es bei dem vrteil, das vrteil fand der nar.

3

From Wickram's 'Coaching Booklet' [3]: An accommodating parson.

Ein armer ungelerter pfaff stalt nach [4] einer gůten reichen pfarr;
dann er hort, wie sy so vil inkommens hette, derhalb sy im so wol
gefiel; es war im nit umb das schäfflinweiden zů thůn, sunder er
verhofft, vil gelts darauff zu überkommen. Und alss er nun vil
und offt darumb gebetten unnd geloffen hette, warde er von den 5
bauren auff ein sontag bescheiden, so wolten sy mit im handlen
und auff die pfarr annemmen.

Do nun derselbig sontag kame, erschein der pfaff vor dem schult-
heyss und gantzen gericht in beysein des amptmans, und alss nun
alle ding was bestelt,[5] was er solt zů lon haben, alss behausung, den 10
kleinen zehenden [6] und ettlich viertel früchten, als rocken, weissen,
gersten, habern, wein unnd gelt, dess der pfaff seer wol zůfriden
was, abgeredt und beschlossen war, name in der schultheiss auff
ein ort [7] und sagt im in einer geheimne: Lieber herr pfarrer, nachdem ir bissher im bapstumb euch hand gehalten, solt ir wüssen, 15
das es in disem dorff ein andere gestalt hatt; dann wir sindt hie gůt
eigenwillisch. Darumb müsst ir uns das sacrament in zweierley

---

[1] *Geschmack = Geruch.* — [2] *Ürten = Zeche* (cost of food and drink). —
[3] *Rollwagenbüchlein,* a collection of tales to while away the tedium of travel;
first published in 1555. — [4] *Stalt nach,* 'wanted to secure.' — [5] *Bestelt,* 'ordered,'
'arranged.' — [6] *Zehenden,* 'tithes' (the dative in apposition to *lon*). — [7] *Auff ein
ort,* 'aside.'

gestalt reichen, nemlich im brot und wein. Der gůt pfarrer forcht,
wo er sich des widert, die bauren geben im wider urlaub; derhalben
20 war er gůtwillig unnd sprach zů dem schultheiss: Das will ich gern
thůn. Damit ir solt sehen, das ichs treuwlich und gůt mit euch
meine, so will ichs euch in dreyerley gestalt geben, als nemblich im
brot und wein und dem käss darzů. Das gefiel dem schultheissen
fast wol und sagt, er wolt es an seine buren hinder sich bringen, ob
25 sy sich damit wolten lassen beniegen.

4

From 'Grobianus' [1]: *How to behave at table.*

Will jemandt mit zu taffel sitzen,
Zum besten ort solt du dich spitzen,[2]
Dass du allzeit sitzst oben an,
Vnd zelt [3] werdst für ein weisen man.
5   Acht niemands adels oder stands,
Wesens, reichthumb, kunst, oder lands.
Sitz nider, biss ein gůt gesell,
Ein jeder sitz dann wo er wöll.
Vnd ob er schon ein Prior wer,
10   Sprich hie sind noch vil sessel ler.
Sagt jemands, gsell sitz vnden an,
So sprich, was hast du mangels dran?
Gedenck so man dich nidrer [4] mächt,
Was schand es deinen ehren brächt.
15   Sprich, lieber gsell hie ist mein sitz,
Vnd gäb nit vmb den Papst ein schnitz [5]:
Warumb solt ich eim andern weichen,
So er doch eben ist meins gleichen?
Wir sind von einem vatter gleich,
20   Ob wir schon arm sind oder reich,
Vnd sind gemacht auss staub vnd erdt,

---

[1] The German *Grobianus* (1551), by Casper Scheit, is a translation of a Latin
satire by Dedekind (1549) which tells how to attain perfection in bad manners
— how to become a perfect boor. 'Grobian' is the polar opposite of 'gentle-
man.' — [2] *Spitzen; sich spitzen* (with *zu*) means to 'set one's heart on,' here
perhaps 'go for.' — [3] *Zelt = gezählt.* — [4] *Nidrer*, 'further down.' — [5] *Schnitz*,
the worthless part of fruit or vegetable, that which is 'cut off' and thrown away

Ist ein gût gsell des andern werdt.
Drumb lasst vns bey einander bleiben,
Ich will auch ewer kein vertreiben.
Doch ob du auch zu spat werst komen,   25
Vnd einer het dein sitz eingnomen,
So steh nicht lang vorm disch zu gaffen,
Du hast bessers darbey zu schaffen:
Gedenck dass sitzen besser thû
Dann stehn, so gschicht dir liebs darzû.   30
Sprich, auff lantzman, setz dich hiehar,
Geh auss meim ort, dann ich ghör dar.
Ist er dir nicht an krefften gleich,
So seis jm gût dass er bald weich:
Will er da sitzen lang zu mausen,[1]   35
So greiff jm bald nach der kartausen,[2]
Vnd wirff jn vbern nechsten banck,
Das ist ein guter taffel schwanck.
Dann Cato hat geleret wol,
Dass man dem grössern weichen sol.   40
Vnd setz dich dann an seine stat,
Sorg nit wo er zu fressen hat.
Vnd rhüm die that mit grossen freiden.
Vnd zeuch dein messer auss der scheiden,
Das stumpff, schärtig, vnd rostig sey,   45
Dass steht vor erbarn leuten frey:
Hengt dann noch gestrig brot daran,
So heb ein lüstigs wetzen an.
Dein groben paurenschûch zeuch ab,
Den selben für ein wetzstein hab,   50
Ker jn fein vmb, vnd spey darauff,
Vnd wetz das schinder messer drauff,
So wirt es dann gar hell erglitzen,
Vnd blenden all die bey dir sitzen.
Will andern das gefallen nit,   55
So sprich, hörah, das ist mein sitt.

---

[1] *Mausen:* the Grimm Dictionary explains it as denoting here *ein verstärktes dasitzen, warten, nicht vom flecke gehen.* — [2] *Kartausen = Kragen.*

5

From the original Faustbook of 1587: Faust's compact with the Devil.

ABendts oder vmb Vesperzeit, zwischen drey vnd vier Vhren, erschien der fliegende Geist dem Fausto wider, der erbotte sich jhm in allem Vnterthänig vnd gehorsam zu seyn, dieweil jm von seinem Obersten Gewalt gegeben war, vnnd sagt zu D. Fausto: Die Ant-
5 wort bring ich dir, vnnd Antwort mustu mir geben. Doch wil ich zu vor hören, was dein Beger sey, dieweil du mir aufferleget hast auff diese Zeit zu erscheinen. Dem gab D. Faustus Antwort, jedoch zweiffelhafftig vnd seiner Seelen schädlich, denn sein Datum [1] stunde anders nit, dann dass er kein Mensch möchte seyn, sondern ein
10 Leibhafftiger Teuffel, oder ein Glied darvon, vnd begert vom Geist wie folgt:

Erstlich, dass er auch ein Geschicklichkeit, Form vnnd Gestalt eines Geistes möchte an sich haben vnd bekommen.

Zum andern, dass der Geist alles das thun solte, was er begert,
15 vnd von jhm haben wolt.

Zum dritten, dass er jm gefliessen,[2] vnterthänig vnd gehorsam seyn wolte, als ein Diener.

Zum vierdten, dass er sich allezeit, so offt er jn forderte vnd be-ruffte, in seinem Hauss solte finden lassen.

20 Zum fünfften, dass er in seinem Hause wölle vnsichtbar regiern, vnd sich sonsten von niemandt, als von jm sehen lassen, es were denn sein Will vnd Geheiss.

Vnd letzlich, dass er jhm, so offt er jhn forderte, vnnd in der Gestalt, wie er jhm aufferlegen wurde, erscheinen solt.

25 Auff diese sechs Puncten antwort der Geist dem Fausto, dass er jhm in allem wolt willfahren vnd gehorsamen, so ferrn dass er jm dagegen auch etlich fürgehaltene Artickel wölle leisten, vnd wo er solches thue, sol es weiter kein noht haben, vnd seind diss darunter dess Geistes etliche Artickel gewesen:

30 Erstlich, dass er, Faustus, verspreche vnd schwere, dass er sein, dess Geistes, eygen seyn wolte.

Zum andern, dass er solches zu mehrer Bekräfftigung, mit seinem eygen Blut wölle bezeugen, und sich darmit also gegen jm verschreibe.

---

[1] *Sein Datum stunde (stand)*, 'his purpose was.' — [2] *Gefliessen*, 'assiduous.'

Zum dritten, dass er allen Christgläubigen Menschen wölle feind seyn.

Zum vierdten, dass er den Christlichen Glauben wölle verläugnen.

Zum fünfften, dass er sich nicht wölle verführen lassen, so jhne etliche wöllen bekehren.

Hingegen wölle der Geist jhme, Fausto, etliche Jahr zum Ziel setzen, wann solche verloffen, soll er von jhme geholt werden, Vnd so er solche Puncten halten würde, soll er alles das haben, was sein Hertz belüste vnd begerte, vnnd soll er alsbaldt spüren, dass er eines Geistes gestallt vnnd weise haben würde. D. Faustus war in seinem Stoltz vnnd Hochmut so verwegen, ob er sich gleich ein weil besunne, dass er doch seiner Seelen Seligkeit nicht bedencken wolte, sondern dem bösen Geist solches darschluge, vnnd alle Artickel zuhalten verhiesse. Er meynet der Teuffel wer nit so schwartz, als man jhn mahlet, noch die Hell so heiss, wie mann davon sagte.

XLVII. JOHANN FISCHART

1550–1590. Fischart was an Alsatian humorist of satiric bent, great learning, and little originality. His prose — especially in *Gargantua*, his most important work, which is an amplified and Germanized version of the first book of Rabelais — is hard to read on account of its recondite allusions, far-fetched puns, and generally eccentric diction. As a poet he is at his best in the *Lucky Boat of Zürich*, a narrative poem which describes, with much patriotic warmth, the notable feat of a Swiss boat-crew in rowing from Zürich to Strassburg in a single day (June 21, 1576) to attend a *Schützenfest*. The selection follows Kürschner's *Nationalliteratur*, Vol. 18, page 141.

From the 'Lucky Boat of Zürich,' lines 259–366.

Da frewten sich die Reysge- | Vnd grüssten jhn da mit Trom-
ferten, | meten:
Als sie den Rein[1] da rauschen | " Nun han wir deiner hilff von
hörten, | nöten,
Vnd wünschten auff ein newes | O Rein, mit deynem hellen fluss
Glück, | Dien du vns nun zur fürder-
Das Glücklich sie der Rein | nuss[2];
fortschick, | Las vns geniesen deyner Gunst,

---

[1] *Rein;* the preceding lines have described the start early in the morning, and the pull on the Limmat and the Aar to the Rhine. — [2] *Fürdernuss = Fördernis, Fortkommen.*

10 Dieweil du doch entspringst
    bey vns
Am Vogelberg bey den Lucht-
    mannen,[1]
Im Rheintzierland,[2] von alten
    anen,
Vnd wir dein Thal, dadurch du
    rinnst,
Mit bawfeld zirn, dem schönsten
    dienst.
15 Schalt[3] diss Wagschiflein nach
    begeren,
Wir wöllen dir es doch verehren.
Leyt[4] es gen Strassburg, deine
    zird,
Darfür[5] du gern lauffst mit
    begird,
Weyl es dein strom ziert vnd
    ergetzt,
20 Gleich wie ein Gstein im Ring
    versetzt."
Der Rein mocht dis kaum hören
    auss,
Da wund er vmb das schiff sich
    kraus,
Macht vmb die Rûder ein weit
    Rad,
Vnd schlûg mit freuden anss
    gestad,
25 Vnd liess ein rauschend Stimm
    da hören,
Drauss man mocht dise wort
    erklären:
"Frisch dran, jr liebe Eydge-
    nossen,"

Sprach er, "frisch dran, seit
    vnuerdrossen;
Also folgt eweren Vorfaren,
Die diss thaten vor hundert
    jaren.[6]   30
Also muss man hie Rhûm erja-
    gen,
Wann man den Alten will
    nachschlagen.
Von ewerer Vorfaren wegen
Seit jr mir wilkumm hier zu-
    gegen.
Jr sûcht die alt Gerechtigkeit,   35
Die ewer Alten han bereit[7];
Dieselbig will ich euch gern
    gonnen,
Wie es die Alten han gewonnen.
Ich weiss, ich werd noch offtmals
    sehen
Solchs von ewern nachkommen
    gschehen.   40
So erhält man nachbarschafft,
Dann je der Schweitzer eygen-
    schafft
Ist Nachbaurliche freuntlichkeit
Vnd inn der Not standhafftig-
    keit.
Ich hab vil ehrlich leut vnd
    Schützen,   45
Die auf mich inn Schiff thäten
    sitzen,
Geleit gen Strassburg auff das
    schiessen,
Dafür mit freuden ich thu flisen;
Aber keyne hab ich geleit

---

[1] *Luchtmannen;* the Vorderrhein rises on the heights of Lukmanier Pass, a few miles east of the summit of St. Gotthard — [2] *Rheintzierland;* a flattering pun on *Rhätierland.* — [3] *Schalt = bringe vorwärts, befördere.* — [4] *Leyt == geleite.* — [5] *Darfür = worüber.* — [6] *Vor hundert jaren;* the feat of rowing from Zürich to Strassburg in a single day had been performed by a band of Zürich oars-men in 1456. — [7] *Bereit = bereitet,* in the sense of *erworben.*

50 Noch heut des tags[1] mit solcher
  freud.
  Fahr fort, fahr fort, lasst euch
    nichts schrecken,
  Vnd thût die lenden daran
    strecken.
  Die Arbeit trägt darvon den
    Sig,
  Vnd macht, das man hoch daher
    flig
55 Mit Fama, die Rûmgöttin her-
    lich,
  Dan was gschicht schwärlich,
    das würd ehrlich.
  Mit solchen leuten solt man
    schiffen
  Durch die Mörwirbeln vnd Mör-
    difen,
  Mit solchen forcht man kein
    Meerwunder
60 Vnd kein wetter, wie sehr es
    tunder[2];
  Mit solchen dörfft man sich ver-
    messen,
  Das einen fremde fisch nicht
    fressen,
  Dann dise alles vberstreitten
  Durch jr vnuerdrossen arbeyten.
65 Mit disen Knaben solte einer
  Werden des Jasons Schiffart-
    gmeyner[3]
  Inn die Jnsul zum Gulden
    Wjder,[4]
  Da wüsst er, das er käm herwider.
  Weren dise am Meer gesessen,
70 So lang wer vnersûcht nicht
    gwesen

America, die newe Welt,
  Dan jr Lobgir het dahin
    gstellt.[5]
  Lasst euch nicht hindern an
    dem thun,
  Das auff die haut euch sticht die
    Sunn,
  Sie will euch manen nur da-   75
    durch,
  Das jr schneid dapfer durch die
    furch,
  Dann sie seh[6] gern, das jr die
    gschicht
  Vollbrächten bey jrm Schein vnd
    liecht,
  Damit sie auch Rhûm davon
    drag,
  Gleich wie ich mich des Rümen
    mag.   80
  Die Blatern,[7] die sie euch nun
    brennt,
  Vnd die jr schaffet inn der
    hend,
  Werden euch dienen noch zu
    Rhûm,
  Wie zwischen Tornen eyne plûm.
  Jr dörft euch nicht nach wind
    vmbsehen,   85
  Jr seht, der windt will euch
    nachwähen;
  Gleych wie euch nun diss wetter
    libt,
  Also binn ich auch vnbetrübt.
  Jr sehet je mein wasser klar
  Gleich wie ein Spiegel offenbar.   90
  So lang man würd den Rein
    abfaren,

---

[1] *Noch heut des tags = bis heute.* — [2] *Tunder = donnre.* — [3] *Schiffartgmeyner = Schiffahrtgenosse.* — [4] *Wjder = Widder* (the Golden Fleece). — [5] *Gestellt = getrachtet.* — [6] *Seh = sähe.* — [7] *Blatern,* 'blisters.'

Würd keyner ewer lob nicht
    sparen,
Sonder wünschen, das sein Schiff
    lieff
Wie von Zürch das Glückhaffte
    Schiff.
95 Wolan, frisch dran, jr habt mein
    gleyt
Vmb ewer standhafft frewdig-
    keyt.
Die strass auff Strassburg sei
    euch offen,
Jr werd erlangen, was jr hoffen;
Was jr euch heut frü namen vor,
100 Das würd den abent euch noch
    wor,[1]

Heut werd jr die Statt Strassburg
    sehen,
So war ich selbs herzů werd nä-
    hen.
Heut werd jr als wolkommen
    gäst
Zů Strassburg noch ankommen
    resch.[2]
Nun, liebs Wagschiflin, lauff
    behend,   105
Heut würst ein Glückschiff noch
    genent,
Vnd durch dich werd ich auch
    geprisen,
Weil ich solch trew dir hab
    bewisen."

XLVIII. JAKOB AYRER

A prolific Nürnberg dramatist (died in 1605), who might be styled a lesser Hans Sachs. He wrote some sixty-nine plays which show, more especially in the prominence of the clown, the influence of the English actors who began to visit Germany toward the end of the 16th century. Among his shrovetide plays are several of a new species, called by him *Singtspiele*, in which the parts, instead of being spoken, were sung to a preëxisting tune. A selection from one of these musical comedies is given below, the text according to the *Bibliothek des literarischen Vereins in Stuttgart*, Vol. 80. The meter is an eight-line stanza called the *Roland's Ton*.

The 'English clown' as stupid servingman.

ROLANDT

geht ein mit Willanda, seinem Weib,
    in Baurs-Kleidern und singt:

Ach soll ich dir nit sagen
Von Janen, vnserm Sohn?
Der thut sich so hart klagen
Vnd will kurtzumb davon.
Er will nicht bey uns bleiben,
Sonder verdingen sich;

Will lernen lesen und schreiben:
Liebs Weib, wie dünckt dich?

WILLANDA singt:

Er ist nun bey sein Jaren.
Wenn er nicht bleiben will,   10
So lass den lecker[3] faren!
Er nützt dir sonst nit vil;
Dann er arbeit nit geren,

---

[1] *Wor = wahr.* — [2] *Resch = rasch*, or perhaps *frisch.* — [3] *Lecker*, 'scamp, 'rascal.'

Leyrt [1] geren feurent [2] vmb.

15 Sein kan ich wol emperen,
Biss er wider herkumb.

JANN POSSET

geht ein, tregt sein Bündel an eim
Spiesslein und spricht:

Hört, Vatter! ich will wandern,
Mag nicht mehr eur Knecht
sein.

Darumb dingt euch ein andern!
20 Ich will in die Statt nein,
Mir schaffen einen Herren,
Der mir gibt einen lohn
Vnd mich thut etwas lehren.
Eur beeder ich gnug han.

ROLLANDT singt:

25 Du bist ein fauler Bengel,
Drumb bleib bei mir herauss!
Ich meint, du habst kein mengel
In deines Vatters hauss.
Kanst du aber nicht bleiben,
30 Solst du wissen von mir:
Ich will dir den Buckl reiben, [3]
Du solsts empfinden schir.

JANN singt:

Fürwar, alhie so bleib ich nicht,
Ir seit ein grober Baur,
35 Ir habt ein strenges Angesicht
Und secht schellig [4] vnd saur.
So ist die Mutter vngschaffen,
Zeiht gar zerlampet [5] her,
Runtzlet gleich wie die Affen
40 Vnd brummt als wie ein Beer.

WILLANDA singt:

Ach du leichtfertiger Hudler,
Wolst mich so machen auss?
Du bist ein fauler sudler,
Pack dich balt auss meim hauss!
Mit dir mag ich nicht palgen; 45
Wend [6] je nicht bleiben wilt,
So droll dich nauss an Galgen!
Deinthalb es mir gleich gilt.

(*Jann will fortgehen, sein Vater ist
zornig.*)

ROLAND singt:

Wart, Lecker, thu vor [7] hören!
Ich will dirs drencken ein 50
Vnd dich vor lernen ehren
Vatter vnd Mutter dein.
Das nimm zu einer zehrung
mit!
Pack dich zum Teuffel heut!
Dann wenn du schon hie bleibest
nit, 55
Hab ich dennoch gnug freundt.

(*Er schlegt jn ab vnd gehn alle ab.*)

Kummt Herr EMERICH vnd sagt:

Ich bin fürwar ein alter Mann
Vnd gar vbel zu fuss.
Ein Knecht den will ich nemen
an,
Der auff mich warten muss 60
Im hauss vnd auff der Gassen,
Dieweil die Haussfrau mein
Mich nicht allein will lassen
Also gehn auss vnd ein.

---

[1] *Leyrt*, 'loafs around.' — [2] *Feurent = feiernd*, 'doing no work.' — [3] *Dir . . .
reiben*, 'tan your jacket.' — [4] *Schellig*, 'crazy,' 'savage.' — [5] *Zerlampet*, probably
a mistake for *zerlumpet*. — [6] *Wend = wenn du.* — [7] *Vor = erst.*

(Jann Posset geht ein.)
Herr EMERICH singt:

65 Schau! dort kummt hergangen
Ein Knecht; den nimm ich an,
Will jn gehn balt empfangen.

(Er geht zu ihm vnd sagt:)

Was seit ir für ein Mann?
Ein Knecht den solt ich dingen,
70 Der thet warten auff mich.
Will du dich lassen zwingen,[1]
Darff ich annemen dich.

JANN singt:

So wist! ich kumm geloffen rein
Von einem Dorf drey Meil,
75 Von Rolanden, dem Vater mein,
Bey dem ich ward ein weil,
Von dem ich nichts kund lehren,
Vnd kumm her in die Stadt.
Halt jr mich nun in ehren,
80 So finden wir beid stat.[2]

Auch will ich gern sein euer
        Knecht,
Wenn jr mich dingen wolt,
Wils euch auch als verrichten
        recht;
Iedoch jr mir auch solt
85 Als, was ich hab zu schaffen,
Schreiben auff einen Brieff;
Vnd dörfft mich auch drumb
        straffen,
Wenn ichs nich als wol triff.

Herr EMERICH sagt:

Was soll ich dir lang schreiben?
90 Thu halt, was ich dich heiss!

So kanst du bey mir bleiben,
Wenn thu es thust mit fleiss.
Du must halt auff mich warten
Vnd all Handreichung than,
Mich führn in mein Garten   95
Vnd was ich dir zeig an.

JANN singt:

Weil ich vor nicht bin gwest alhie
Vnd gedient in der Stadt,
Den gebrauch auch erfahren nie,
Was es für Arbeit hat,   100
So last euch nicht schwer fallen
        für,
Zu machen mir ein Brieff,
Das ichs als hab geschribn bey
        mir
Vnd mich nicht vbergrieff.

Ich bin gar ein vergessner Mann; 105
Wenn man mir sagt zu vil,
Ich es fürwar nicht mercken kan.
Iedoch ich als thon will,
Was man mir wird auffschreiben.
Mein Herr, versuchts mit mir! 110

Herr EMERICH singt:

Nun so thu bey mir bleiben!
Ich will dirs schreiben für.

So geh halt in die Stuben nein
Vnd foder ein Schreibzeug!
Denselben trag zu mir herein! 115
So beschreib ich dirs gleich,
Wastu hast zu schaffen bey mir.
Kummst du demselben nach,
So bin ich zu friden mit dir
Ietzund vnd mein lebtag.   120

---

[1] *Lassen zwingen*, 'accept the conditions.' — [2] *Finden . . . stat*, 'find our account,' 'get along.'

JANN

neigt sich vnd geht ab. Kummt bald wieder, bringt ein Feurzeug und singt:

Alhie bring ich den Feurzeug
    euch,
Wie jr den habt begert.

Herr EMERICH singt:

Ey nein, ich mein ein Schreib-
    zeug,
Du hast nicht recht gehört.
125 Ein Schreibzeug bring mit Din-
    ten,
Dass ich kan schreiben dir!
Gehe nein (du wirst ihn finden)
Vnd bring denselben mir!

JANN

geht wider ab, zeicht den Hut ab, kummt balt wider, bringt ein Krug vnd singt:

Ach, mein Herr, da habt jr den
    Krug,
130 Die weil jr trincken wölt,
Da trincket euch halt eben gnug,
So vil, als euch gefelt!

EMERICH singt:

Wie bist du so vnbesunnen?
Du hast nicht gsuchet recht,
135 Sonst hest gnug Dinten gfunnen.

(Jann will gehen.)

EMERICH singt:

Ey, hör noch eins, mein Knecht!

Wenn du die Dinten bringen
    thust,
So bring sie mir herein!
Dabey du mir auch bringen must,

Ein Federn tragen rein.   140
So will ich dir auffschreiben,
Wie ich mit dir hab gredt.

JANN sagt:

Ich will nicht lang aussbleiben,
Balt kommen an der stet.

(Er geht ab.)

EMERICH, der alt, singt:

Dass ist ein rechter Knecht für
    mich   145
Vnd für die Frauen mein.
Für gar frumm ich jn zwar an-
    sich,
Dort kummt er gleich herein.
Er thut die Dinten tragen,
Drumb hort mir alle zu,   150
Was der gut gsell wird sagen,
Wenn ich jtzt schreiben thu.

JANN

geht ein, tregt ein Schreibzeug in der Hand vnd in der andern ein lange Hannenfedern vnd singt:

Secht da, Herr, diesen Schreib-
    zeug,
Den schicket euch die Frau.
Auch schicket sie die Federn
    euch.   155

EMERICH singt:

Du grober Dilldap,[1] schau!
Was soll doch diese Federn mir?
Man kan nit schreiben mit.
Der Federn bass geziemet dir.

(Er steckt Jannen die Federn auff.)

JANN sagt:

Ach, mein Herr, zürnet nit!   160

---

[1] Dilldap, 'simpleton.'

Herr EMERICH sagt:

So geh balt wider neinwartz du
Vnd bring ein Federn mir!
So richt ich dir dein bstallung
  zu;
Auch hol mir ein Papir!
165 So kan ich darauff schreiben,
Was du must richten auss.

JANN geht ab vnd singt:

Ich will nicht lang aussbleiben,
Sonder balt kommen rauss.

(*Jann geht balt wider ein, bringt ein
Schreibfedern vnnd ein Glass mit
Bier vnd singt:*)

Hort, Herr! jtzt kumm ich wider
  rein,

Bring ein Feder mit mir.   170
Eur Frau hat mir auch erst
  gschencket ein
Dieses frisch Glass mit Bier.
Dass solt jr von mir haben,
Wenn es euch schmecken thut,
Eur Hertz damit zu laben,   175
Vnd haben ein guten muth.

Herr EMERICH sagt:

Du must ein seltzamer Vogl sein,
Ich schick dich nach Papir,
So bringstu mir zu trincken rein.
Geh nein! heiss geben dir   180
Ein Papir, drauff zu schreiben
Vnd thu der Sachen recht!
Sonst kanst nicht bey mir bleiben,
Du Eilenspigelsknecht!

XLIX. GEORG RODOLF WECKHERLIN

A Swabian precursor (1584–1653) of the Opitzian era. In the service of
the Duke of Würtemberg he lived some years in France and England, where
he became familiar with the literary forms and fashions of the Renascence.
These he imitated in German, writing odes, songs (for the reader), anacreontics,
sonnets, epigrams, elegies in alexandrine verse, and occasional poems of elabo-
rate metrical structure. For the most part his substance is very thin, consisting in extravagant and affected praise, with much infusion of Roman mythology,
of the high-born personages by whose favor he prospered or hoped to prosper.
The text of the selections follows Goedeke's edition in *Deutsche Dichter des 17.
Jahrhunderts.*

I

Amor betrogen.

Cupido einmal sehr verdros-
  sen,
Dass er hat so vil pfeil umsunst
Auf meine Myrta los geschossen,
Die niemals achtet seiner kunst,
5 Erwählet, ihre zarte Schoss
Zu wunden, zornig ein geschoss.

Also flog er bald in den garten,
Da er dieselb zu sein gedacht,
Und nehmend war [1] von fern der
  zarten,
Die ihn in diese Welt gebracht,   10
"Wolan, sprach er, nu soll dein
  blut
Recht büssen, Myrta, deinen
  mut."

[1] *Nehmend war = wahrnehmend*

Er spannet, unweis, seinen bogen
Und, zilend auf das herz ohn
    gnad,
15 Schoss er ihn plötzlich los,
    betrogen,
In seiner mutter brust gerad,
Darauf dan ein elender schmerz
Vergiftet bald der göttin herz.

"Ach weh! was magst du wol
    gedenken,"
20 Sprach sie, "undankbar böser
    knab?
Wie kanst so tödlich du be-
    kränken
Die, welche dir das leben gab?
Und sparest gleich wol deine
    macht
Noch wider die, die dich ver-
    lacht."

25 Die red so sehr das kind er-
    schrecket,
Dass es bald seine wängelein
Mit heissen zähern überdecket
Und schrie: "Ach, liebes müt-
    terlein,
Verzeihet mir, dan ich nam
    euch
30 Für Myrta, deren ihr gar gleich."

2

Anakreontisch: Frölich zu leben.

Wan ich mit guter geselschaft
Frisch zechend an dem tisch
    gesessen,
Macht mich der süsse rebensaft
Des leids und unmuts bald ver-
    gessen!
Ich will stets springen an den
    danz,   5
Gekrönet mit dem ebheukranz.

Mein hirn, erhitzet durch ein glas,
Vermeinet mehr reichtum zu
    haben,
Dan Midas und Crösus besass;
Ja grosser fürsten gunst und
    gaben,   10
Dienst ämpter, glück und herr-
    lichkeit
Tritt ich zu grund als eitelkeit.

Wolan, bring her ein volle flasch,
Die sorg aus meinem Kopf zu
    jagen,
Und dass ich lung und leber
    wasch;   15
Was hilft es, sich selbs vil zu
    plagen?
Ist es nicht bass, zu bet voll wein,
Dan auf der erden tod zu sein?

3
Sonett. Im dem Jahr 1619.[1]

Verfolgung, müh und leid ist allein das banier,
Darunter durch die welt sich gottes kinder schlagen;

[1] Georg Friedrich, Margrave of Baden, was a partisan of the Calvinistic Friedrich V, Elector Palatine, who was chosen King of Bohemia in 1619, and is known as the "Winter King." As the sonnet shows, the defeated Protestants set high hopes on the Margrave of Baden, who commanded an army of 20,000 men; but he was soon defeated by the imperial forces and died in exile (1638).

Und der höchst general hat acht, wie man sie führ,
Und wie ein jeder sich begehr für ihn zu wagen.
5   Oftmal erlaubet er, dass ihr feind triumfier,
Doch lässet er sein volk gänzlich niemal verzagen;
Sondern damit sein feind nicht gar zu vil stolzier,
Verkehret mächtig er sein jauchzen bald in klagen.
Darum ihr, deren will, des teufels willen gleich,
10   Und deren lust allein ist, gottes volk zu schaden,
Wie euer zorn, grim, wut, sein wort, sein volk, das reich,
Mit schmach, mit qual, mit schand, verbrant, verbaut, beladen.
Also in euerm blut zu steter schand soll euch
Noch zwingen mein marggrav Georg Friderich zu Baden.

L. MARTIN OPITZ

A Silesian scholar (1597–1639) who won great renown as a poet and a literary lawgiver. In a pioneer treatise on poetics (1624, in which year his *Teutsche Poemata* also appeared), he came to the defense of the German language, pleaded for a purer diction, and defined the principal *genres* current abroad, illustrating them with verses of his own. His theory recognized but two feet, the iamb and the trochee, which he defined in terms of accent. He prescribed a more regular alternation of accented and unaccented syllables and recom‑ mended the use of the alexandrine verse. Under his influence German poetry became more regular and artistic, but lost touch with the general life, being more and more regarded as a refined diversion of the scholar class. The text of selections 1–4 follows Braune's *Neudrucke*, No. 1 and Nos. 189–192; for No. 5 see Tittmann's edition in *Deutsche Dichter des 17. Jahrhunderts.*

1

From the 'Buch von der deutschen Poeterey.'

Wiewol ich mir von der Deutschen Poeterey, auff ersuchung vor‑
nemer Leute, vnd dann zue besserer fortpflantzung [1] vnserer sprachen.
etwas auff zue setzen vorgenommen, bin ich doch solcher gedancken
keines weges, das ich vermeine, man könne iemanden durch gewisse
5   regeln vnd gesetze zu einem Poeten machen. . . .
Die worte vnd Syllaben in gewisse gesetze zue dringen, vnd verse
zue schreiben ist das allerwenigste was in einem Poeten zue suchen
ist. Er muss εὐφαντασιωτός,[2] von sinnreichen einfällen vnd erfin‑

---

[1] *Fortpflantzung* = *Verbesserung.* — [2] Εὐφαντασιωτός, 'very fanciful': see Quintilian vi. 2, 30.

flungen sein, muss ein grosses vnverzagtes gemüte haben, muss
hohe sachen bey sich erdencken können, soll anders [1] seine rede
eine art kriegen, vnd von der erden empor steigen. Ferner so
schaden auch dem gueten nahmen der Poeten nicht wenig die jenigen,
welche mit jhrem vngestümen ersuchen auff alles was sie thun vnd
vorhaben verse fodern. Es wird kein buch, keine hochzeit, kein
Legräbnüss ohn vns gemacht; vnd gleichsam als niemand köndte
alleine sterben, gehen vnsere gedichte zuegleich mit jhnen vnter.
Mann wil vns auff allen Schüsseln vnd kannen haben, wir stehen
an wänden vnd steinen,[2] vnd wann einer ein Hauss ich weiss nicht
wie an sich gebracht hat, so sollen wir es mit vnsern Versen wieder
redlich machen. Dieser begehret ein Lied auff eines andern Weib,
jenem hat von des nachbaren Magdt getrewmet, einen andern hat
die vermeinte Bulschafft ein mal freundtlich angelacht, oder, wie
dieser Leute gebrauch ist, viel mehr aussgelacht; ja des närrischen
ansuchens ist kein ende. Müssen wir also entweder durch ab-
schlagen jhre feindschafft erwarten, oder durch willfahren den würden
der Poesie einen mercklichen abbruch thun. Denn ein Poete kan
nicht schreiben wenn er will, sondern wenn er kann, vnd jhn die
regung des Geistes, welchen Ovidius vnnd andere vom Himmel her
zue kommen vermeinen, treibet. . . .

Vnd muss ich nur bey hiesiger gelegenheit ohne schew dieses
errinnern, das ich es für eine verlorene arbeit halte, im fall sich
jemand an vnsere deutsche Poeterey machen wolte, der, nebenst
dem das er ein Poete von natur sein muss, in den griechischen vnd
Lateinischen büchern nicht wol durchtrieben ist, vnd von jhnen den
rechten grieff erlernet hat; das auch alle die lehren, welche sonsten
zue der Poesie erfodert werden, vnd ich jetzund kürzlich berühren
wil, bey jhm nichts verfangen können. . . .

Nachmals ist auch ein jeder verss entweder ein *iambicus* oder
trochaicus; nicht zwar das wir auff art der griechen vnnd lateiner
eine gewisse grösse der sylben können inn acht nemen; sondern
das wir aus den accenten vnnd dem thone erkennen, welche sylbe
hoch vnnd welche niedrig gesetzt werden soll. Ein Jambus ist
dieser: *Erhalt vns Herr bey deinem Wort;* der folgende ein Tro-
cheus: *Mitten wir im leben sind.* Dann in dem ersten verse die

<hr>

[1] *Anders.* 'anywise.' — [2] *Steinen = Türsteinen.*

₄₅ erste sylbe niedrig, die andere hoch, die dritte niedrig, die vierde hoch, vnd so fortan; in dem anderen verse die erste sylbe hoch, die andere niedrig, die dritte hoch, u. s. w. aussgesprochen werden. Wiewol nun meines wissens noch niemand, ich auch vor der zeit selber nicht, dieses genawe in acht genommen, scheinet es doch so ₅₀ hoch von nöthen zue sein, als hoch von nöthen ist, das die Lateiner nach den *quantitatibus* oder grössen der sylben jhre verse richten vnd reguliren.

2

Ode.[1]

Ich empfinde fast ein grawen,
Das ich, Plato, für vnd für
Bin gesessen vber dir;
Es ist zeit hienauss zue schawen,
₅ Vnd sich bey den frischen quel-
len
In dem grünen zue ergehen,
Wo die schönen Blumen stehen,
Vnd die Fischer netze stellen.

Worzue dienet das studieren,
₁₀ Als zue lauter vngemach?
Vnter dessen laufft die Bach
Vnsers lebens das wir führen,
Ehe wir es innen werden,
Auff jhr letztes ende hin;
₁₅ Dann kompt ohne geist vnd sinn
Dieses alles in die erden.

Hola, Junger, geh' vnd frage
Wo der beste trunck mag sein;
Nim den Krug, vnd fülle Wein.
₂₀ Alles trawren leidt vnd klage,
Wie wir Menschen täglich haben,
Eh vns Clotho fortgerafft,

Wil ich in den süssen safft
Den die traube giebt vergraben.

Kauffe gleichfalls auch Melonen,[2] ₂₅
Vnd vergiss des Zuckers nicht;
Schawe nur das nichts gebricht.
Jener mag der heller schonen,
Der bey seinem Gold vnd
Schätzen
Tolle sich zue krencken pflegt ₃₀
Vnd nicht satt zue bette legt;
Ich wil weil ich kan mich letzen.

Bitte meine guete Brüder
Auff[3] die music vnd ein glass;
Nichts schickt, dünckt mich,
nicht sich bass ₃₅
Als guet tranck vnd guete Lieder.
Lass ich gleich nicht viel zue
erben,
Ey, so hab' ich edlen Wein;
Wil mit andern lustig sein.
Muss ich gleich alleine sterben. ₄₀

3

Chansonnette.

Mit Liebes Brunst behafftet
sein,

---

[1] From the *Poeterey*, Ch. 5, where it is offered in elucidation of lyric poetry. It is a free rendering of Ronsard, II, 18. — [2] *Melonen;* the point is: Do not mind the expense. The muskmelon (*cucumis melo*) came from Italy and Southern France, and (with sugar!) was a luxury. — [3] *Auff*, with *bitten*, in the sense of 'invite to.'

Ist warlich eine schwere Pein;
Es ist kein Schmerz auff dieser
    Erdt,
Der recht mit jhm verglichen
    werdt:
5 Drumb will ich mich gantz
    embsiglich
Von dem Leyden allzeit scheiden,
Vnd die süsse Gifft vermeiden.
Auff dass nun nicht die schnöde
    Brunst
Mich lasse zu ihr tragen Gunst,
10 Soll Venus mich nicht treffen an
Auff jergendt einer Liebes Bahn;
Der Tugendt Weg ist ein schön
    Steg,
Darauff eben ich will schweben,
Vnd jhr gantz verpflichtet leben.
15 Recht vnd gar wol auch Pallas
    blieb
Allzeit befreyet von der Lieb,
Sie gab dem Fewer niemals
    raum,

Vnd hielte sich in stätem Zaum,
Auff grüner Heyd sie allezeit
Mit dem Hetzen sich thet letzen 20
Vnd frey aller Sorg ergetzen.
Ich will ins künfftig fleissig auch
Nachfolgen dieser Göttin Brauch,
Denn Venus ist die gröste Last,
Cupido ist ein schädlich Gast. 25
Wen er einmal nur bringt zu
    fall,
Muss verderben, offt auch ster-
    ben,
Vnd für Frewden schmertz erer-
    ben.
Also belohnt er alle doch,
Die sich ergeben seinem Joch; 30
Vnd diss bedenck ich offt vnd
    viel,
Es mag lieb haben wer da will,
Ich bleibe meine Zeit allein.
Offt nach schertzen kommen
    schmertzen,
Wohl dem der das thut beherzen. 35

4
Sonnet an die Bienen.

Ihr Honigvögelein, die jhr von den Violen
Und Rosen abgemeit den wundersüssen Safft,
Die jhr dem grünen Klee entzogen seine Krafft,
Die jhr das schöne Feldt so offt vnd viel bestohlen,
Ihr Feldteinwohnerin, was wollet jhr doch holen   5
Das, so euch noch zur Zeit hat wenig nutz geschafft,
Weil jhr mit Dienstbarkeit dess Menschen seit behafft,
Vnd jhnen mehrentheils das Honig müsset Zollen?
Kompt, kompt zu meinem Lieb, auff jhren Rosenmundt,
Der mir mein kranckes Herz gantz inniglich verwundt,   10
Da sollt jhr Himmelspeiss vnd vberflüssig brechen.
Wann aber jemandt ja sich vnderstehen kundt
Ihr vbel anzuthun, dem sollet jhr zur stundt
Für Honig Galle sein, vnd jhn zu tode stechen.

5

The horrors of the Thirty Years' War: From the 'Trostgedichte in Wider-
wertigkeit des Krieges.'

Wie manche schöne Stadt,
Die sonst das ganze Land durch Pracht gezieret hat,
Ist jetzund Asch und Staub! Die Mauren sind verheeret,
Die Kirchen hingelegt, die Häuser umgekehret.
Wie wann ein starker Fluss, der unversehens kömt,
Die frische Saate stürzt, die Äcker mit sich nimt,
Die Wälder niederreisst, läuft ausser seinen Wegen,
So hat man auch den Plitz und schwefelichte Regen
Durch der Geschütze Schlund mit grimmiger Gewalt,
Dass alles Land umher erzittert und erschallt,
Gesehen mit der Luft hin in die Städte fliegen.
Des Rauches Wolken sind den Wolken gleich gestiegen,
Der Feuer-Flocken See hat alles überdeckt
Und auch den wilden Feind im Läger selbst erschreckt.
Das harte Pflaster hat geglühet und gehitzet,
Die Thürme selbst gewankt, das Erz darauf geschwitzet;
Viel Menschen, die der Schar der Kugeln sind entrant,
Sind mitten in die Glut gerathen und verbrant,
Sind durch den Dampf erstickt, verfallen durch die Wände
Was übrig blieben ist, ist kommen in die Hände
Der argsten Wütherei, so, seit die Welt erbaut
Von Gott gestanden ist, die Sonne hat geschaut.
Der Alten graues Haar, der jungen Leute Weinen,
Das Klagen, Ach und Weh der Grossen und der Kleinen,
Das Schreien in gemein von Reich und Arm geführt,
Hat diese Bestien im minsten nicht gerührt.
Hier half kein Adel nicht, hier ward kein Stand geachtet,
Sie musten alle fort, sie wurden hingeschlachtet,
Wie wann ein grimmer Wolf, der in den Schafstall reisst.
Ohn allen Unterschied die Lämmer niederbeisst.
Der Mann hat müssen sehn sein Ehebette schwächen,
Der Töchter Ehrenblüt' in seinen Augen brechen,
Und sie, wann die Begier nicht weiter ist entbrant,
Unmenschlich untergehn durch ihres Schänders Hand.

LI. PAUL FLEMING

1609-1640. Fleming was a gifted lyric poet of the Opitzian era. A Saxon by birth, he studied medicine at Leipzig, where he learned to admire Opitz. Five years of his short life were spent in connection with an embassy of the Duke of Holstein to Russia and Persia. His best work is found in the poems, more especially the sonnets, which he wrote during this long absence from the fatherland. The selections follow Tittmann's edition in *Deutsche Dichter des 17. Jahrhunderts*.

1

An einen guten Freund.

Lass der Zeit nur ihren Willen
Und vergönn' ihr ihren Lauf;
Sie wird sich selbst müssen stillen,
Wenn wir nichts nicht geben
    drauf.
5 Meistes Elend wird verschmer-
    zet,
Wenn mans nicht zu sehr be-
    herzet.

Ist es heute trübes Wetter,
Morgen wird es heiter sein;
Stimmen doch die grossen Götter
10 Stets an Lust nicht überein.
Und wer weiss, wie lang er blei-
    bet,
Der uns itzo so vertreibet.[1]

Ob die Sonne gehet nieder
Und den Erdkreiss traurig macht,
15 Doch so kömt sie fröhlich wieder
Nach der überstandnen Nacht.
Herrschen itzund Frost und
    Winde,
Balde wird es sein gelinde.

Unterdessen sei der Deine,
Brich nicht ab der ersten Kost[2]; 20
Labe dich mit altem Weine
Und versuch den jungen Most.
Lass uns einen Rausch noch
    kaufen,
Ehe denn wir müssen laufen.

2

An Basilenen[3]: Nachdem er von
    ihr gereiset war.

Ist mein Glücke gleich geson-
    nen,
Mich zu führen weit von dir,
O du Sonne meiner Wonnen,
So verbleibst du doch in mir.
Du in mir und ich in dir   5
Sind beisammen für und für.

Künftig werd' ich ganz nicht
    scheuen,
Kaspis, deine fremde Flut,
Und die öden Wüsteneien,
Da man nichts als fürchten thut. 10
Auch das Wilde macht mir zahm,
Liebste, dein gelobter Nam'.

[1] Lines 11-12 allude, probably, to the occupation of Leipzig by imperial troops in 1632. — [2] *Der ersten Kost*, 'your previous fare.' *Abbrechen* with dative = *Abbruch tun, verkürzen, vermindern.* — [3] While sojourning in Reval, on his way to Asia, Fleming fell in love with Elsabe Niehusen, but later transferred his affections to her sister Anna. Basilene is one of several poetic names for Elsabe.

Überstehe diese Stunden,
Schwester, und sei unverwant.
15 Ich verbleibe dir verbunden,
Und du bist mein festes Band.
Meines Herzens Trost bist du,
Und mein Herze selbst darzu.

Ihr, ihr Träume, solt indessen,
20 Unter uns das Beste thun.
Kein Schlaf, der sol ihr vergessen,

Ohne mich sol sie nicht ruhn,
Dass die süsse Nacht ersetzt,
Was der trübe Tag verletzt.

Lebe, meines Lebens Leben, 25
Stirb nicht, meines Todes Tod,
Dass wir uns uns wiedergeben,
Abgethan von aller Noth.
Sei gegrüsst, bald Trost, itzt Qual,
Tausend, tausend, tausendmal! 30

3
Inter Brachia Salvatoris.[1]

Des Donners wilder Plitz schlug von sich manchen Stoss,
Das feige Volk stund blass, das scheuche Wild erzittert'
Vom Schmettern dieses Knalls.   Die Erde ward erschüttert.
Mein Fuss sank unter sich, der Grund war bodenlos.
5   Die Gruft, die fiel ihr nach,[2] schlung mich in ihren Schoss.
Ich gab mich in die See, in der es grausam wittert'
Der Sturm flog klippenhoch.   Mein Schiff, das ward gesplittert,
Ward leck, ward Anker[3] quit, ward Mast[3] und Segel[3] bloss.
Vor, um und hinter mir war nichts als eine Noth;
10   Von oben Untergang, von unten auf der Tod,
Es war kein Muttermensch, der mit mir hatt' Erbarmen.
Ich aber war mir gleich, zum Leben frisch und froh,
Zum Sterben auch nicht faul auf[4] wenn und wie und wo,
Denn mein Erlöser trug mich allzeit auf den Armen.

4
Über Herrn Martin Opitzen auf Boberfeld sein Ableben.

So zeuch auch du denn hin in dein Elyserfeld,
Du Pindar, du Homer, du Maro unsrer Zeiten,
Und untermenge dich mit diesen grossen Leuten,
Die ganz in deinen Geist sich hatten hier verstellt.
5   Zeuch jenen Helden zu, du jenen gleicher Held,

---

[1] The sonnet is reminiscent of a shipwreck in the Caspian Sea, November 15, 1636; the title from St. Augustine's *inter brachia salvatoris mei et vivere volo et mori cupio.* — [2] *Fiel ihr nach,* 'gave way' (*ihr* reflexive). — [3] *Anker, Mast, Segel;* all genitive. — [4] *Faul auf,* 'hesitating over.'

Der itzt nichts Gleiches hat, du Herzog deutscher Seiten,
O Erbe durch dich selbst der steten Ewigkeiten,
O ewiglicher Schatz und auch Verlust der Welt!
Germanie ist tod, die herrliche, die freie,
Ein Grab verdecket sie und ihre ganze Treue.   10
Die Mutter, die ist hin, hier liegt nun auch ihr Sohn,
Ihr Recher und sein Arm.   Lasst, lasst nur alles bleiben,
Ihr, die ihr übrig seid, und macht euch nur davon,
Die Welt hat wahrlich mehr nichts Würdigs zu beschreiben.

LII. FRIEDRICH VON LOGAU

An eminent writer of reflective, critical, and epigrammatic verse (1604–1655).
He was born in Silesia and spent the most of his life at Brieg, where he was
sometime ducal councillor.   In 1654 he published *Salomon von Golaws deutscher
Sinngetichte drei Tausend*, the name Golaw being a disguise of Logau.   They
vary in length from a couplet to a hundred lines or more, and disclose in the
aggregate a virile and interesting personality.   The text follows Eitner's edition
in *Deutsche Dichter des 17. Jahrhunderts*.

I
Das Beste der Welt.

Weistu, was in dieser Welt
Mir am meisten wolgefällt?
Dass die Zeit sich selbst ver-
        zehret,
Und die Welt nicht ewig währet.

2
Die unartige Zeit.

Die Alten konnten fröhlich
        singen
Von tapfern deutschen Heldens-
        dingen,
Die ihre Väter ausgeübet:
WoGott noch uns ja Kinder gibet,
5 Die werden unsser Zeit Be-
        ginnen
Beheulen, nicht besingen können.

3
Geduld.

Leichter träget, was er träget,
Wer Geduld zur Bürde leget.

4
Adel.

Hoher Stamm und alte Väter
Machen wohl ein gross Geschrei;
Moses aber ist Verräther,
Dass dein Ursprung Erde sei.

5
Gunst für Recht.

Kein *Corpus juris* darf [1] man
        nicht,
Wo Gunst und Ungunst Urtel
        spricht.

[1] *Darf = bedarf.*

6
Theure Ruh.[1]

Deutschland gab fünf Mil-
lionen,
Schweden reichlich zu belohnen,
Dass sie uns zu Bettlern machten,
Weil sie hoch dies Mühen achten.
Nun sie sich zur Ruh gegeben　　5
Und von Unsrem dennoch leben,
Muss man doch bei vielen Malen
Höher noch die Ruh bezahlen.

7
Der Glaubensstreit.

Luthrisch, Päbstisch und Calvinisch — diese Glauben alle drei
Sind vorhanden; doch ist Zweifel, wo das Christentum dann sei.

8
Ein unruhig Gemüthe.

Ein Mühlstein und ein Menschenherz wird stets herumgetrieben;
Wo beides nicht zu reiben hat, wird beides selbst zerrieben.

9
Weiberverheiss.

Wer einen Aal beim Schwanz und Weiber fasst bei Worten,
Wie feste der gleich hält, hat nichts an beiden Orten.

10
Zweifüssige Esel.

Dass ein Esel hat gespracht, warum wundert man sich doch?
Geh aufs Dorf, geh auf den Markt: o sie reden heute noch.

11
Die deutsche Sprache.

Deutsche mühen sich jetzt hoch, deutsch zu reden fein und rein;
Wer von Herzen redet deutsch, wird der beste Deutsche sein.

12
Göttliche Rache.

Gottes Mühlen mahlen langsam, mahlen aber trefflich klein;
Ob aus Langmuth er sich säumet, bringt mit Schärf' er alles ein.

[1] The Treaty of Westfalia gave the Swedes a war indemnity of 5,000,000 talers;
but they afterwards demanded and received 200,000 more.

13

Franzosenfolge.

Narrenkappen sam [1] den Schellen, wenn ich ein Franzose wär',
Wollt' ich tragen; denn die Deutschen gingen stracks wie ich so her.

14

Dreierlei Glauben.

Der Papst der will durch *Thun*, Calvin wil durch *Verstehn*,
In den Himmel aber wil durch *Glauben* Luther gehn.

15

Drei Fakultäten.

Juristen, Ärzte, Prediger sind alle drei beflissen,
Die Leute zu purgieren [2] wol am Säckel, Leib, Gewissen.

16

Verwandelung.

Dass aus Menschen werden Wölfe,[3] bringt zu glauben nicht Beschwerden;
Siht man nicht, dass aus den Deutschen dieser Zeit Franzosen werden?

17

Das Hausleben.

Ist Glücke wo und was, so halt' ich mir für Glücke,
Wann ich mein eigen bin, dass ich kein dienstbar Ohr
Um weg verkaufte Pflicht [4] darf recken hoch empor
Und horchen auf Befehl. Dass mich der Neid berücke,
Da bin ich sorgenlos. Die schmale Stürzebrücke,[5]   5
Darauf nach Gunst man zeucht, die bringt mir nicht Gefahr;
Ich stehe, wo ich steh', und bleibe, wo ich war.
Der Ehre scheinlich [6] Gift, des Hofes Meisterstücke,

---

[1] *Sam = zusammen mit.* — [2] *Purgieren,* 'purge,' 'clean out.' — [3] *Wölfe,* in allusion to the superstition of the man-wolf (*werewolf, lycanthropus*). — [4] *Um . . . Pflicht,* 'in venal service.' — [5] *Stürzebrücke = Fallbrücke.* — [6] *Scheinlich,* 'glittering.'

Was gehen die mich an?　Gut, dass mir das Vergnügen
10　　Für grosse Würde gilt; mir ist ja noch so wol,
Als dem der Wanst zerschwillt,[1] die weil er Hoffahrt voll
Wer biegen sich nicht kan, bleibt, wann er fället, liegen.
Nach Purpur tracht' ich nicht; ich nehme weit dafür,[2]
Wann Gott ich leben kan, dem Nächsten und auch mir.

18

An mein väterlich Gut, so ich drei Jahr nicht gesehen

Glück zu, du ödes Feld; Glück zu, ihr wüsten Auen!
Die ich, wann ich euch seh', mit Thränen muss bethauen,
Weil ihr nicht mehr seid ihr; so gar hat euren Stand
Der freche Mord-Gott Mars grundaus herumgewandt.
5　　Seid aber doch gegrüsst; seid dennoch fürgesetzet
Dem allen, was die Stadt für schön und köstlich schätzet.
Ihr wart mir lieb, ihr seid, ihr bleibt mir lieb und werth;
Ich bin, ob ihr verkehrt,[3] noch dennoch nicht verkehrt.
Ich bin, der ich war vor.　Ob ihr seid sehr vernichtet,
10　　So bleib' ich dennoch euch zu voller Gunst verpflichtet,
So lang ich ich kan sein; wann dann mein Sein vergeht,
Kans sein, dass Musa wo an meiner Stelle steht.[4]
Gehab dich wol, o Stadt! die du in deinen Zinnen
Hast meinen Leib gehabt, nicht aber meine Sinnen.
15　　Gehab dich wol! mein Leib ist nun vom Kerker los;
Ich darf nun nicht mehr sein, wo mich zu sein verdross.
Ich habe dich, du mich, du süsse Vatererde!
Mein Feuer glänzt nun mehr auf meinem eignen Herde.
Ich geh', ich steh', ich sitz', ich schlaf', ich wach' umbsunst.[5]
20　　Was theuer mir dort war, das hab' ich hier aus Gunst
Des Herrens der Natur, um "Habe-Dank" zu niessen
Und um gesunden Schweiss; darf nichts hingegen wissen
Von Vortel und Betrug, von Hinterlist und Neid,
Und wo man sonst sich durch schickt etwan in die Zeit.

---

[1] *Zerschwillt = schwellend zerplatzt.* — [2] *Nehme dafür = ziehe vor.* — [3] *Verkehrt,* 'changed.' — [4] *Dass . . . steht;* 'that some other muse than mine will praise you.' — [5] *Umbsunst,* 'for nothing.'

Ich ess' ein selig Brot, mit Schweiss zwar eingeteiget, 25
Doch das durch Bäckers Kunst und Hefen hoch nicht steiget,
Das zwar Gesichte [1] nicht, den Magen aber füllt
Und dient mehr, dass es nährt, als dass es Heller gilt.
Mein Trinken ist nicht falsch [2]; ich darf mir nicht gedenken,
Es sei gebrauen zwier,[3] vom Bräuer und vom Schänken. 30
Mir schmeckt der klare Saft; mir schmeckt das reine Nass,
Das ohne Keller frisch, das gut bleibt ohne Fass,
Drum nicht die Nymphen erst mit Ceres dürfen kämpfen,
Wer Meister drüber sei, das nichts bedarf zum Dämpfen,[4]
Weils keinen Schwefelrauch noch sonsten Einschlag hat, 35
Das ohne Geld steht feil, das keine frevle That
Hat den jemals gelehrt, der dran ihm liess genügen.
Der Krämer fruchtbar Schwur, und ihr geniesslich [5] Lügen
Hat nimmer Ernt' um mich. Der vielgeplagte Lein,
Der muss, der kan mir auch anstatt der Seiden sein. 40
Bewegung ist mein Arzt. Die kräuterreichen Wälde
Sind Apotheks genug; Geld, Gold wächst auch im Felde, —
Was mangelt alsdenn mehr? Wer Gott zum Freunde hat
Und hat ein eignes Feld, fragt wenig nach der Stadt,
Der vortelhaften Stadt, da Nahrung zu gewinnen 45
Fast jeder muss auf List, auf Tück und Ränke sinnen.
Drum hab' dich wol, o Stadt! wenn ich dich habe, Feld,
So hab' ich Haus und Kost, Kleid, Ruh', Gesundheit, Geld.

LIII. ANDREAS GRYPHIUS

1616–1664. Gryphius is the most important of the pseudo-classic dramatists, though his plays lacked the schooling of the stage. He was born in
Glogau, Silesia, won early distinction as a scholar and poet, resided several
years in Holland, France, and Italy, and finally settled down in his birthplace,
which honored him with the office of town syndic. He wrote five original
tragedies in alexandrine verse (always with a chorus of some kind), and several
comedies, partly in verse and partly in prose. The selections follow Tittmann's
edition in *Deutsche Dichter des 17. Jahrhunderts.*

---

[1] The bread does not look good, but is nourishing. — [2] *Falsch,* 'diluted.' —
[3] *Zwier* = *zweimal.* — [4] In allusion to the process of treating wine with sulphur
— nominally to improve its taste and color. — [5] *Geniesslich,* 'profitable.'

I

From the fourth act of 'Murdered Majesty, or Carolus Stuardus': King Charles I. about to face death on the scaffold, confers with his loyal friends, Colonel Thomlinson and Bishop Juxton.

KARL

Fürst, aller Fürsten Fürst, den wir nun sterbend grüssen,
Vor dem wir auf dem Knie das strenge Richtbeil küssen,
Gib, was mein letzter Wunsch noch von dir bitten kan,
Und stecke Karols Geist mit heilgem Eifer an.
5   Entzünde diss Gemüt, das sich ergetzt, zu tragen
Die ehrenvolle Schmach, das sich beherzt, zu wagen
Für unterdrückte Kirch, entzweigesprengte Kron
Und hochverführtes Volk. Ihr, die von eurem Thron
Mein Mordgerüst beschaut, schaut, wie die Macht verschwinde,
10   Auf die ein König pocht; schaut, wie ich überwinde,
Indem mein Scepter bricht. Die Erden stinkt uns an,
Der Himmel ruft uns ein. Wer also scheiden kan,
Verhöhnt den blassen Tod und trotzt dem Zwang der Zeiten
Und muss der Grüfte Recht[1] grossmüthig überschreiten,
15   Indem ein Unterthan sein eigen Mordrecht spinnt
Und durch des Prinzen Fall unendlich Leid gewinnt,
Das häufig schon erwacht; wer nach uns hier wird leben,
Wird zwischen heisser Angst und Todesfurchten schweben,
Indem sich Land auf Land und Stadt auf Stadt verhetzt,
20   Und Rathstuhl dem Altar und Tempel widersetzt,
Und dieser den verdruckt, der jenen aus wil heben,[2]
Und dem, der nach ihm schlägt, den letzten Hieb wil geben;
Biss der, der wider uns den grimmen Schluss aussprach,
Der unser Regiment mit frecher Faust zubrach,
25   Gepresst durch heisse Reu wird diesen Tag verfluchen
Und meine Tropfen Blut auf seiner Seelen suchen;
Biss der, der sich erkühnt, mein sauber Herz zu schmähn,
Von Blut und Thränen nass sich nach uns um wird sehn.
Doch! wir bekränken[3] diss und bitten: Herr, verschone,

---

[1] *Recht;* in the sense of 'limit of jurisdiction,' 'boundary.' — [2] *Ausheben = aus dem Sattel heben, stürzen.* — [3] *Bekränken = beklagen.*

Lass nicht der Rache zu, dass sie dem Unrecht lohne,   30
Das über uns geblitzt! Ihr König schilt sie frei.[1]
Verstopf auch, Herr, dein Ohr vor ihrem Mordgeschrei.
Was sagt uns Thomlinson?

THOMLINSON

Prinz Karl, die Blum der Helden,
Wil ihrer Majestät die treue Pflichtschuld melden
Und schickt durch treue Leut' aus Katten [2] diss Papier!   35

KARL

Mein hochbetrübter Prinz, mein Sohn, wie fern von dir!
Wie fern, wie fern von dir!

JUXTON

Der Höchste wird verbinden,
Was dieser Tag zureisst. Mein Fürst wird ewig finden,
Was Zeit und Unfall raubt.

KARL

Recht! Finden und in Gott
Und durch Gott wiedersehn, die ein betrübter Bot   40
Mit keiner Antwortschrift mehr von uns wird erquicken.
Ich muss die Trauerpost an Freund und Kinder schicken,
Dass Karl itzund vergeh. Nein! Kan der untergehn,
Der zu der Krone geht? Der feste [3] Karl wird stehn,
Wenn nun sein Körper fällt; der Glanz der Eitelkeiten,   45
Der Erden leere Pracht, die strenge Noth der Zeiten
Und diss, was sterblich heisst, wird auf den Schauplatz [4] gehn;
Was unser eigen ist, wird ewig mit uns stehn.
Was hält uns weiter auf? Geh, Thomlinson, und schicke
Dem Prinzen seinen Brief so unversehrt zurücke,   50
Als ihn die Faust empfing. Wir gehn die letzte Bahn!
Unnöthig, dass ein Brief, durch schmerzenvollen Wahn,
Durch jammerreiche Wort und neue Seelenhiebe
Uns aus geschöpfter Ruh erweck' und mehr betrübe.

[1] *Schilt . . . frei*, 'exonerates them.' — [2] *Katten* = Holland. — [3] *Feste*, 'substantial,' 'real.' — [4] *Schauplatz* = *Richtplatz*.

JUXTON

55 Gott, in dem alles ruht, vermehre diese Ruh!

KARL

Er thuts und spricht dem Geist mit starkem Beistand zu

JUXTON

Sein Beistand stärkt in Angst ein unbefleckt Gewissen.

KARL

Das, der unschuldig litt, wusch durch sein Blutvergiessen.

JUXTON

Der, was uns drückt, ertrug in letzter Sterbensnoth.

KARL

60 Uns drückt, diss glaubt uns fest, nichts mehr als Straffords Tod.

THOMLINSON

Die Richter haben ihm die Halsstraf auferleget.

KARL

Sein Unschuld hat den Blitz auf unser Haupt erreget.

THOMLINSON

Der König gab den Mann durch Macht gezwungen hin.

KARL

Lernt nun, was dieser Zwang uns bringe vor Gewinn.

THOMLINSON

65 Der König must' es thun, das toile Volk zu stillen.

KARL

Recht so, seht wie das Volk dem König itzt zu Willen

THOMLINSON

Als Wentworth um den Tod den König selber bat.

KARL

Seht, was der König itzt dadurch erhalten hat!

THOMLINSON

Man schloss für aller Heil auf eines Manns Verderben.

KARL

Der[1] dieses schloss, ist hin, und wer nicht hin, wird sterben.　　70

THOMLINSON

Dem Urtheil fielen bei der Staats- und Kirchenrath.

KARL

Verblümt es, wie ihr wollt, es war ein arge That.

JUXTON

Der Höchste wird die That der langen Reu verzeihen.

KARL

Er wird von diesem Blut uns durch sein Blut befreien.
Auf, Geist! Die Bluttrompet, der harten Drommel Klang,　　75
Der Waffen Mordgeknirsch ruft zu dem letzten Gang.

2

*From the fifth act of 'Horribilicribrifax': Terrific encounter of the two braggart
captains Daradiridatumtarides and Horribilicribrifax.*

HORRIB. Und wenn du mir biss in den Himmel entwichest und
schon auf dem lincken Fuss des grossen Bären sässest, so wolte ich
dich doch mit dem rechten Spornleder erwischen und mit zweien
Fingern in den Berg Ætna werfen.

---

[1] *Der;* the allusion is to John Pym, under whose leadership of the Com-
mons the Earl of Strafford (Thomas Wentworth) was executed in 1641. Pym
himself died in 1643.

5　DARADIR. *Gardez-vous, follâtreau!*[1] Meinest du, dass ich vor dir gewichen? Und wenn du des grossen Carols Bruder, der grosse Roland selbst, und mehr Thaten verrichtet hättest als Scanderbek, ja in die Haut von Tamerlanes gekrochen werest, soltest du mir doch keine Furcht einjagen.

10　HORRIB. Ich? Ich will dir keine Furcht einjagen, sondern dich in zwei und siebentzigmal hundert tausend Stücke zersplittern, dass du in einer See von deinem eigenen Blut ersticken sollest. *Io ho vinto l' inferno e tutti i diavoli.*[2]

DARADIR. Ich will mehr Stücker von dir hauen, als Sternen
15　itzund an dem Himmel stehen, und wil dich also tractiren, dass das Blut von dir fliessen sol, biss die oberste Spitze des Kirchthurms darinnen versunken.

HORRIB. *Per non lasciar piu altre passar questa superba arroganza,*[3] wil ich die ganze Belägerung von Troja mit dir spielen.

20　DARADIR. Und ich die Zerstörung von Constantinopel.

HORRIB. *Io spiro morte e furore,*[4] doch lasse ich dir noch so viel Zeit: befihle deine Seele Gott und bete ein Vaterunser!

DARADIR. Sprich einen englischen Gruss[5] und hiermit stirb.

HORRIB. Du wirst zum wenigsten die *reputation* in deinem Tode
25　haben, dass du von dessen unüberwindlichen Faust gestorben, der den König in Schweden niedergeschossen.

DARADIR. Tröste dich mit dem, dass du durch dessen Hand hingerichtet wirst, der dem Tilly und Pappenheim den Rest gegeben.

HORRIB. So hab ich mein Schwerd ausgezogen in der Schlacht
30　vor Lützen.

DARADIR. *Morbleu, me voila en colère! Mort de ma vie! je suis fâché par ma foi.*[6] So hab ich zur Wehre gegriffen in dem Treffen vor Nördlingen.

HORRIB. Eine solche Positur machte ich in der letzten Nieder-
35　lage vor Leipzig.

---

[1] *Gardez-vous(-en), follâtreau* (from *folâtre*), 'take care, nincompoop.' — [2] *Io ho . . . diavoli,* 'I have vanquished hell and all the devils.' — [3] *Per . . . arroganza,* 'to prevent this arrogant conceit from going further.' — [4] *Io . . . furore,* 'I breathe death and fury.' — [5] *Sprich . . . Gruss,* 'pray an Angelus' (angel's greeting, Luke i, 28), *i.e.* 'attend to your devotions.' — [6] *Morbleu . . . foi,* 'Zounds! Behold me in a rage! Death and destruction! Faith, but I am angry.'

DARADIR. So lief ich in den Wallgraben, als man Glogau hat einbekommen.

HORRIB. Ha! ha! ist er nicht *questo capitano*,[1] mit dem ich Kugeln wechselte bei der Gula?

DARADIR. O! Ist er nicht derjenige Signeur, mit dem ich 40 Brüderschafft machte zu Schlichtigheim?

HORRIB. Ha! *mon signeur, mon frère!*[2]

DARADIR. Ha! *Fratello mio illustrissimo!*[3]

HORRIB. Behüte Gott, welch ein Unglück hätte bald geschehen sollen! 45

DARADIR. Welch ein Blutvergiessen, *massacre et strage*,[4] wenn wir einander nicht erkennet hätten!

HORRIB. *Magnifici et cortesi heroi*[5] können leicht unwissend zusammen gerathen.

DARADIR. *Les beaux esprits*[6] lernen einander durch dergleichen 50 *rencontre*[7] erkennen.

[*Dionysius*[8] *tritt auf.*]

DIONYS. Welche Bärenhäuter rasen hier für unsern Thüren? Wisset ihr Holunken nicht, dass man des Herren Statthalters Pallast anders zu respectiren pfleget? Trollet euch von hier, oder ich lege euch beiden einen frischen Prügel um die Ohren! 55

HORRIB. *Io rimango petrificato dalla meraviglia.*[9] Sol Capitain Horribilicribrifax diss leiden?

DARADIR. Sol Capitain von Donnerkeil sich also despectiren lassen?

HORRIB. *Io mi levo il pugnale dal lato*,[10] der Herr Bruder leide es 60 nicht!

DARADIR. *Me voila*,[11] der Herr Bruder greiffe zu der Wehre, ich folge.

HORRIB. *Comminciate di gratia.*[12] Ich lasse dem Herren Bruder die Ehre des ersten Angriffs. 65

[1] *Questo capitano*, 'that captain.' — [2] *Mon . . . frère*, 'my dear sir, my brother.' — [3] *Fratello . . . illustrissimo*, 'most renowned brother.' — [4] *Massacre et strage*, 'slaughter and carnage.' — [5] *Magnifici . . . heroi*, 'magnificent and gentlemanly heroes.' — [6] *Les beaux esprits*, 'fine spirits.' — [7] *Rencontre*, 'meeting(s).' — [8] Dionysius is the servant of the governor, Cleander, before whose palace the captains have been brawling. — [9] *Io . . . meraviglia*, 'I am petrified with amazement.' — [10] *Io . . . lato*, 'I take my sword from my side.' — [11] *Me voila*, 'here I am.' — [12] *Comminciate di gratia*, 'begin, please.'

DARADIR.   Mein Herr Bruder, ich verdiene die Ehre nicht, er gehe voran.   *C'est trop discourir.   Commencez.*[1]

HORRIB.   Ei, der Herr Bruder fahre fort, er lasse sich nicht auffhalten.   *La necessità vuole.*[2]

70   DIONYS.   Heran, ihr Ertzberenhäuter, ich will euch die Haut sonder Seiffen und Balsam einschmieren.

HORRIB.   Ha! *Patrone mio, questa supercheria è molta ingiusta.*[3]

DARADIR.   O monsieur, bey dem Element, er sihet mich vor einen Unrechten an.

75   HORRIB.   Ei, *signore mio gratioso,*[4] ich bin Signor Horribilicribrifax.

DIONYS.   (*Nimmt beiden die Degen und schlägt sie darmit um die Köpfe.*) Auffschneider, Lügner, Bärenhäuter, Bengel, Baurenschinder, Erznarren, Cujonen![5]

DARADIR.   Ei, ei, monsieur, *basta questo pour istesso,*[6] es ist genung, 80 der Kopf blutet mir.

HORRIB.   Ei, ei, signor, ich wuste nicht, dass der Statthalter hier wohnete.

DIONYS.   Packet euch, oder ich will euch also zurichten, dass man euch mit Mistwagen sol von dem Platze führen.

LIV. SIMON DACH

1605-1659. Dach was a Königsberg schoolmaster who won considerable repute as a writer of religious and occasional verse. He is the earliest Prussian poet of any importance. The second selection shows what he thought of Opitz. His *Anke van Tharau,* though a wedding-song written by request (like many of Dach's productions), is so fresh and hearty that Herder gave it a place among his folksongs. The text follows Oesterley's edition in Kürschner's *Nationalliteratur,* Vol. 30.

I

Abendlied.

Der Tag hat auch sein Ende,
Die Nacht ist wieder hier;
Drum heb ich Herz und Hände,

O Vater, auff zu dir
Und dancke deiner Treu,   5
Die mich gantz überschüttet,
Und für der Tiranney
Der Höllen mich behütet.

---

[1] *C'est . . . commencez,* 'there's too much talking; begin!' — [2] *La . . . vuole,* 'necessity commands.' — [3] *Patrone . . . ingiusta,* 'my good sir, this violence is very unjust.' — [4] *Signore . . . gratioso,* 'my gracious sir.' — [5] *Cujonen,* 'scala wags.' — [6] *Basta . . . istesso.* 'enough of that.'

Dein Wort hat auch daneben
10 Mein kranckes Herz geheilt,
Mir reichlich Trost und Leben
In aller Noth ertheilt.
Für solche Liebesthat
Was soll ich dir erzeigen?
15 Was Erd und Himmel hat,
Das ist vorhin dein eigen.

Mein Herz sey dir geschencket,
Das richt, o Gott, dir zu,
Dass, was es nur gedencket,
20 Sey nichts, als einig du.
Entzeuch es dieser Welt,
Dass es aus diesen Tränen
In deiner Freuden Feld
Sich mög ohn Ablass sehnen.

25 Und da ich heut verübet,
Was gegen dein Geboth
Und deinen Geist betrübet,
Das sey vertilgt und todt
Durch Christi theures Blut,
30 Das mildiglich geflossen,
Als er es, mir zu guth,
Aus Liebe hat vergossen.

Und weil ich jetzt sol schlafen,
So lass mich sicher seyn
35 Durch deiner Aufsicht Waffen,
Schleuss deiner Huth mich ein!
Des Teufels Mord und List,
Der bösen Menschen Tücke
Und was sonst schädlich ist,
40 Treib, Herr, von mir zurücke!

Lass mich kein böses Ende
Betreten allermeist,

Denn ich in deine Hände
Befehle meinen Geist.
Ich bin zu aller Zeit   45
Dein Eigenthum und Erbe,
Es sey lieb oder leid,
Ich leb, Herr, oder sterbe.

2

Opitz in Königsberg.[1]

Ist es unsrer Seiten Werck'
Je einmahl so wol gelungen,
Dass wir dir, o Königsbergk,
Etwas Gutes vorgesungen,
So vernimm auch diess dabey.   5
Wer desselben Stiffter sey.

Dieser Mann, durch welchen dir
Jetzt die Ehre wiederfähret,
Dass der Deutschen Preiss und
    Zier
Sämptlich bey dir eingekehret, 10
Opitz, den die gantze Welt
Für der Deutschen Wunder hält.

Ach, der Aussbund und Begriff
Aller hohen Kunst und Gaben,
Die der Alten Weissheit tieff   13
Ihrem Ertz hat eingegraben,
Und der lieben Vorfahrt[2] Handt
Uns so treulich zugesandt!

Man erschricket, wenn er nun
Seiner tieff-erforschten Sachen 20
Abgrund anhebt auffzuthun,
Und sein Geist beginnt zu
    wachen;

---

[1] The full title runs: Gesang bey des edlen und hochberühmten Herren
Martin Opitzen u.s.w. hocherfreulichen Gegenwart zu Königsberg in Preussen
1638. 29 Heumonat gesungen. — [2] *Vorfahrt = Vorfahren.*

Wer alsdan ihn los sieht gehn,
Der sieht Welschlandt und
    Athen.

25 Orpheus giebt schon besser
    Kauff,[1]
Hört er dieses Mannes Seiten,
Unser Maro horchet auff,
Sagt: Was sol mir das be-
    deuten?
Wird der Weisen Lieder-Ruhm
30 Nun der Deutschen Eigenthum?

Ja, Herr Opitz, eurer Kunst
Mag es Deutschland einig danck-
    en,
Dass der fremden Sprachen
    Gunst
Mercklich schon beginnt zu
    wancken,
35 Und man nunmehr ins gemein
Lieber deutsch begehrt zu sein.

Wer hat eurer süssen Handt
Diesen Nachdruck mitgegeben,
Dass das gantze Norden-Landt,
40 Wenn ihr schlagt, sich muss
    erheben,
Und so mancher edler Geist
Euch zu folgen sich befleist?

Last den stoltzen Thracer-Fluss
Nicht so trotzig sich ergiessen.
Und den edlen Mincius   45
Was bescheidentlicher fliessen:
Eures Bobers kleine Fluth
Nimmt doch allen nun den Muth.

Wol euch, Herr! Was für ein
    Lohn
Hat sich hie mit eingedinget, 50
Dass von hie ab euer Ton
Bis in jenes Leben dringet,
Dessen Nachklangk aller Zeit
Und Vergängnüss sich befreyt?

Hie kunt' eure Jugend zwar 55
Schon den Lorbeer-Krantz er-
    jagen,
Aber dort wird euer Haar
Erst der Ehren Krohne tragen,
Die euch David gern gesteht,
Weil ihr seinen Fusspfad geht. 60

Doch wird auch des Pregels
    Randt,
Weil er ist, von euch nicht
    schweigen;
Was von uns hie wird bekant,
Was wir singen oder geigen,
Unser Nahme, Lust und Ruh' 65
Stehet euch, Herr Opitz, zu.

3

Anke van Tharau.

Anke van Tharau öss, de my geföllt,
Se öss mihn Lewen, mihn Goet on mihn Gölt.

Anke van Tharau heft wedder eer Hart
Op my geröchtet ön Löw' on ön Schmart.

[1] *Giebt . . . . Kauff = wird billiger.*

Anke van Tharau, mihn Rihkdom, mihn Goet,   5
Du mihne Seele, mihn Fleesch on mihn Bloet.

Quöm' allet Wedder glihk ön ons tho schlahn,
Wy syn gesönnt by een anger tho stahn.

Kranckheit, Verfälgung, Bedröfnös on Pihn
Sal unsrer Löwe Vernöttinge syn.   10

Recht as een Palmen-Bohm äver söck stöcht,
Je mehr en Hagel on Regen anföcht,

So wardt de Löw' ön ons mächtig on groht,
Dörch Kryhtz, dörch Lyden, dörch allerley Noht.

Wördest du glihk een mahl van my getrennt,   15
Leewdest dar, wor ön dee Sönne kuhm kennt,

Eck wöll dy fälgen dörch Wöler, durch Mär,
Dörch Yhss, dörch Ihsen, dörch fihndlöcket Hähr.

Anke van Tharau, mihn Licht, mihne Sönn,
Mihn Lewen schluht öck ön dihnet henönn.   20

Wat öck geböde, wart van dy gedahn,
Wat öck verböde, dat lätstu my stahn.

Wat heft de Löwe däch ver een Bestand,
Wor nicht een Hart öss, een Mund, eene Hand,

Wor öm söck hartaget, kabbelt on schleyht   25
On glihk den Hungen on Katten begeyht?

Anke van Tharau, dat war wy nich dohn,
Du böst mihn Dyhfken, mihn Schahpken, mihn Hohn.

Wat öck begehre, begehrest du ohck,
Eck laht den Rock dy, du lätst my de Brohk.   30

Dit öss dat, Anke, du söteste Ruh,
Een Lihf on Seele wart uht öck on du.

Dit mahckt dat Lewen tom hämmlischen Rihk,
Dörch Zancken wart et der Hellen gelihk.

4

The same in Herder's High German translation.

Annchen von Tharau ist, die mir gefällt;
Sie ist mein Leben, mein Gut und mein Geld

Annchen von Tharau hat wieder ihr Herz
Auf mich gerichtet in Lieb' und in Schmerz.

5   Annchen von Tharau, mein Reichtum, mein Gut
Du meine Seele, mein Fleisch und mein Blut!

Käm' alles Wetter gleich auf uns zu schlahn,
Wir sind gesinnt bei einander zu stahn.

Krankheit, Verfolgung, Betrübnis und Pein,
10 Soll unsrer Liebe Verknotigung sein.

Recht als ein Palmenbaum über sich steigt,
Je mehr ihn Hagel und Regen anficht;

So wird die Lieb' in uns mächtig und gross
Durch Kreuz, durch Leiden, durch allerlei Noth

15 Würdest du gleich einmal von mir getrennt,
Lebtest, da wo man die Sonne kaum kennt;

Ich will dir folgen durch Wälder, durch Meer,
Durch Eis, durch Eisen, durch feindliches Heer.

Annchen von Tharau, mein Licht, meine Sonn',
20 Mein Leben schliess' ich um deines herum.

Was ich gebiete, wird von dir gethan,
Was ich verbiete, das lässt du mir stahn.

Was hat die Liebe doch für ein Bestand,
Wo nicht ein Herz ist, ein Mund, eine Hand?

Wo man sich peiniget, zanket und schlägt,   25
Und gleich den Hunden und Katzen beträgt?

Annchen von Tharau, das woll'n wir nicht thun;
Du bist mein Täubchen, mein Schäfchen, mein Huhn.

Was ich begehre, ist lieb dir und gut;
Ich lasse den Rock dir, du lässt mir den Hut.   30

Dies ist uns, Annchen, die süsseste Ruh',
Ein Leib und Seele wird aus Ich und Du.

Dies macht das Leben zum himmlischen Reich,
Durch Zanken wird es der Hölle gleich.

LV. PAUL GERHARDT

1607–1676. Gerhardt was a Lutheran pastor who is preëminent as a writer of hymns for worship. His psalmody has less of the militant spirit than Luther's, his voice being the voice of German Protestantism as chastened by the terrible sufferings of the great war. The selections follow Wolff's edition in Kürschner's *Nationalliteratur*, Vol. 31.

I
Befiehl dem Herrn deine Wege.

Befiehl du deine Wege,
Und was dein Herze kränkt,
Der allertreusten Pflege
Des, der den Himmel lenkt:
5 Der Wolken, Luft und Winden
Giebt Wege, Lauf und Bahn,
Der wird auch Wege finden,
Da dein Fuss gehen kann.

Dem Herren musst du trauen,
10 Wann dirs soll wohlergehn;
Auf sein Werk musst du schauen,
Wann dein Werk soll bestehn.
Mit Sorgen und mit Grämen
Und mit selbsteigner Pein

Lässt Gott ihm gar nichts 15
   nehmen,
Es muss erbeten sein.

Dein ewge Treu und Gnade,
O Vater, weiss und sieht,
Was gut sei oder schade
Dem sterblichen Geblüt: 20
Und was du denn erlesen,
Das treibst du, starker Held,
Und bringst zum Stand und
   Wesen,
Was deinem Rat gefällt.

Weg hast du allerwegen,   25
An Mitteln fehlt dirs nicht;
Dein Thun ist lauter Segen,

Dein Gang ist lauter Licht,
Dein Werk kann niemand hin-
    dern,
30 Dein Arbeit darf nicht ruhn,
Wann du, was deinen Kindern
Erspriesslich ist, willst thun.

Und ob gleich alle Teufel
Hie wollten widerstehn,
35 So wird doch ohne Zweifel
Gott nicht zurücke gehn:
Was er ihm fürgenommen
Und was er haben will,
Das muss doch endlich kommen
40 Zu seinem Zweck und Ziel.

Hoff, o du arme Seele,
Hoff und sei unverzagt!
Gott wird dich aus der Höhle,
Da dich der Kummer plagt,
45 Mit grossen Gnaden rücken:
Erwarte nur der Zeit,
So wirst du schon erblicken
Die Sonn der schönsten Freud.

Auf, auf, gieb deinem Schmerze
50 Und Sorgen gute Nacht!
Lass fahren, was das Herze
Betrübt und traurig macht!
Bist du doch nicht Regente,
Der alles führen soll;
55 Gott sitzt im Regimente
Und führet alles wohl.

Ihn, ihn lass thun und walten,
Er ist ein weiser Fürst
Und wird sich so verhalten,
60 Dass du dich wundern wirst,
Wann er, wie ihm gebühret,

Mit wunderbarem Rat
Das Werk hinausgeführet,
Das dich bekümmert hat.

Er wird zwar eine Weile   65
Mit seinem Trost verziehn
Und thun an seinem Teile,
Als hätt in seinem Sinn
Er deiner sich begeben;
Und solltst du für und für   70
In Angst und Nöten schweben,
So frag er nichts nach dir.

Wirds aber sich befinden,
Dass du ihm treu verbleibst,
So wird er dich entbinden,   75
Da dus am wengsten gläubst:
Er wird dein Herze lösen
Von der so schweren Last,
Die du zu keinem Bösen
Bisher getragen hast.   80

Wohl dir, du Kind der Treue,
Du hast und trägst davon
Mit Ruhm und Dankgeschreie
Den Sieg und Ehrenkron.
Gott giebt dir selbst die Palmen 85
In deine rechte Hand,
Und du singst Freudenpsalmen
Dem, der dein Leid gewandt.

Mach End, o Herr, mach Ende
An aller unser Not!   90
Stärk unser Füss und Hände
Und lass bis in den Tod
Uns allzeit deiner Pflege
Und Treu empfohlen sein,
So gehen unsre Wege   95
Gewiss zum Himmel ein.

2
Abendlied.

Nun ruhen alle Wälder,
Vieh, Menschen, Stadt und
    Felder,
Es schläft die ganze Welt:
Ihr aber, meine Sinnen,
5 Auf, auf, ihr sollt beginnen,
Was eurem Schöpfer wohlge-
    fällt.

Wo bist du, Sonne, blieben?
Die Nacht hat dich vertrieben,
Die Nacht, des Tages Feind;
10 Fahr hin, ein ander Sonne,
Mein Jesus, meine Wonne,
Gar hell in meinem Herzen
    scheint.

Der Tag ist nun vergangen,
Die güldnen Sternen prangen
15 Am blauen Himmels Saal:
Also werd ich auch stehen,
Wenn mich wird heissen gehen
Mein Gott aus diesem Jammer-
    thal.

Der Leib eilt nun zur Ruhe,
20 Legt ab das Kleid und Schuhe,
Das Bild der Sterblichkeit,
Die ich zieh aus: dagegen
Wird Christus mir anlegen
Den Rock der Ehr und Herr-
    lichkeit.

Das Häupt, die Füss und Hände 25
Sind froh, dass nu zum Ende
Die Arbeit kommen sei:
Herz, freu dich, du sollt werden
Vom Elend dieser Erden
Und von der Sünden Arbeit frei. 30

Nun geht, ihr matten Glieder,
Geht hin und legt euch nieder,
Der Betten ihr begehrt:
Es kommen Stund und Zeiten,
Da man euch wird bereiten 35
Zur Ruh ein Bettlein in der Erd.

Mein Augen stehn verdrossen,
Im Hui sind sie geschlossen;
Wo bleibt denn Leib und Seel?
Nimm sie zu deinen Gnaden, 40
Sei gut für allem Schaden,
Du Aug und Wächter Israel.

Breit aus die Flügel beide,
O Jesu, meine Freude,
Und nimm dein Küchlein ein. 45
Will Satan mich verschlingen,
So lass die Englein singen:
Dies Kind soll unverletzet sein.

Auch euch, ihr meine Lieben,
Soll heinte nicht betrüben 50
Ein Unfall noch Gefahr.
Gott lass euch selig schlafen,
Stell euch die güldne Waffen
Ums Bett und seiner Engel Schar.

LVI. FRIEDRICH SPE

1591–1635. Spe was a Jesuit father who won distinction as a poet and also as an opponent of the witch-burning mania. His collection of lyric poems called *Trutz-Nachtigall*, or *Match-Nightingale*, is interesting for its singular blend of

erotic imagery with sincere religious feeling. The poems indicate a genuine
delight in certain aspects of nature. The selections follow Wolff's edition, in
Kürschner's *Nationalliteratur*, Vol. 31.

I

Ein Liebgesang der Gespons Jesu.

   Die reine Stirn der Morgenröt
War nie so fast gezieret,
Der Frühling, nach dem Winter
   öd,
War nie so schön muntieret,
5 Die weiche Brust der Schwanen
   weiss
War nie so wohl gebleichet,
Die gülden Pfeil der Sonnen
   heiss
Nie so mit Glanz bereichet:

Als Jesu Wangen, Stirn und
   Mund
10 Mit Gnad seind übergossen.
Lieb hat aus seinen Äuglein
   rund
Fast tausend Pfeil verschossen:
Hat mir mein Herz verwundet
   sehr,
O weh der süssen Peine!
15 Für Lieb ich kaum kann rasten
   mehr,
Ohn Unterlass ich weine.

Wie Perlen klar aus Orient
Mir Zähr von Augen schiessen:
Wie Rosenwässer wohlgebrennt
20 Mir Thränen überfliessen.
O keusche Lieb, Cupido rein,
Allda dein Hitz erkühle,
Da dunk dein heisse Flüttig ein,
Dass dich so stark nit fühle.

Zu scharf ist mir dein heisser
   Brand,   25
Zu schnell seind deine Flügel;
Drumb nur aus Thränen mit
   Verstand
Dir flechte Zaum und Zügel.
Komm nit zu streng, mich nit
   verseng,
Nit brenn mich gar zu Kohlen, 30
Dich weisen lass, halt Ziel und
   Mass,
Dich brauch der linden Strohlen.

O Arm und Hände Jesu weiss,
Ihr Schwesterlein der Schwanen,
Umbfasset mich nit lind noch
   leis,   35
Darf euch der Griff ermahnen.
Stark heftet mich an seine Brust
Und satt mich lasset weinen:
Ich ihn erweich, ist mir bewusst,
Und wär das Herz von Steinen. 40

O Jesu mein, du schöner Held,
Lang warten macht verdriessen:
Gross Lieb mir nach dem Leben
   stellt,
Wann soll ich dein geniessen?
O süsse Brust! O Freud und
   Lust!   45
Hast endlich mich gezogen:
O miltes Herz! All Pein und
   Schmerz
Ist nun in Wind geflogen.

Allhie nun will ich rasten lind,
50 Auf Jesu Brust gebunden:
Allhie mich mag Cupido blind
Bis gar zu Tod verwunden.
Am Herzen Jesu sterben hin
Ist nur in Lusten leben,
55 Ist nur verlieren mit Gewinn,
Ist tot im Leben schweben.

2

Anders Liebgesang der Gespons Jesu,

darin eine Nachtigall mit der Echo oder Wiederschall spielet.

Ach, wann doch Jesu, liebster mein,
Wann wirst dich mein erbarmen?
Wann wieder zu mir kehren ein,
Wann fassen mich in Armen?
5 Was birgest dich,
Was kränkest mich?
Wann werd ich dich umfangen?
Wann reissest ein
All meine Pein?
10 Wann schlichtest mein Verlangen?

O willkomm, süsse Nachtigall,
Kombst gleich zu rechter Stunde!
Erfrisch den Luft mit bestem Schall,
Erschöpf die Kunst von Grunde;
15 Ruf meinem Lieb,
Er nit verschieb,
"O Jesu!" ruf mit Kräften,
Ruf tausend mal,

Ruf ohne Zahl,
Wer weiss, es je möcht heften![1]   20

Ach, ruf und ruf, o Schwester zart,
Mein Jesum zu mir lade,
Mir treulich hilf zu dieser Fahrt,
Dann ich in Zähren bade.
O Schwester mein,   25
Sing süss und rein,
Ruf meinem Schatz mit Namen;
Dann kurz, dann lang
Zieh deinen Klang,
All Noten greif zusammen!   30

Wohlan, scheint, mich verstanden hat
Die Meisterin in Wälden;
Ihrs allbereit geht wohl von Statt,
Die Färblein schon sich melden.
In starker Zahl,   35
Nun manches Mal
Den Ton sie schon erhebet,
Weil auch der Schall
Aus grünem Thal
Ihr deutlich widerstrebet.[2]   40

Da recht, du fromme Nachtigall,
Du jenem Schall nit weiche!
Da recht, du treuer Wiederschall,
Du stets dich ihr vergleiche!
Zur schönen Wett   45
Nun beide trett,
Mein Jesum lasst erklingen,
Obschon im Streit

---

[1] *Heften = haften bleiben,* 'stick fast' (in his ear), and so win him over. —
[2] *Widerstrebet = widerhallt.*

Der schwächsten Seit
50 Am Leben sollt misslingen.

Die Nachtigall den Schall nit
    kennt
Und hälts für ihr Gespielin,
Verwundert sich, wies mög be-
    hend
So gleichen Ton erzielen;
55 Bleibt wenig stumm,
Schlägt wiederumb,
Denkt ihr bald obzusiegen;
Doch Widerpart
Machts gleicher Art,
60 Kein   Pünktlein   bleibt   ver-
    schwiegen.

Bald steiget auf die Nachtigall
Je mehr und mehr und mehre;
Gleich folget auch der Wieder-
    schall,
Wanns je noch höher wäre.
65 Drumb zierlich fecht
Und stärker schlegt
Das Fräulein reich von Stimmen,
Steigt auf und auf
Ganz ohn Verschnauf;
70 Doch thuts der Schall erklimmen.

Alsdann gehts über Ziel und
    Schnur,
Das Herz möcht sich zerspalten,
Sie sucht es in B Moll, B Dur,
Auf allerhand Gestalten,
75 Thut hundertfalt
Den Bass und Alt,
Tenor und Cant durchstreicnen;
Doch Stimm doch Kunst
Ist gar umbsonst,
80 Der Schall thuts auch erreichen.

Da kitzlet sie dann Ehr und Preis
Mit gar zu scharfen Sporen,
Erdenkt noch schön und schöner
    Weis,
Meint, sei noch nicht verloren.
All Mut und Blut   85
Und Atem gut
Versammelt sie mit Haufen,
Will noch zum Sieg
In schönem Krieg
Mit letzten Kräften laufen.   90

Ei, da kracht ihr so mütigs Herz,
Gleich Ton und Seel verschwin-
    den,
Da leschet sich die gülden Kerz,
Entzuckt von starken Winden.
O mütigs Herz,   95
O schöne Kerz,
O wohl, bist wohl gestorben!
Die Lorbeerkron
Im letzten Ton
Du doch noch hast erworben.   100

Dann zwar ein Seufzerlein gar
    zart
Im Tod hast lan erklingen,
Das so subtil dein Widerpart
Mit nichten möcht erschwingen;
Drumb ja nit lieg,   105
Dein ist der Sieg,
Das Kränzlein dir gebühret,
Welchs dir allein
Von Blümlein fein
Ich schon hab eingeschnüret.   110

Ade dann, falbe Nachtigall,
Von falbem Tod entfärbet,
Weil du nun liegst in grünem
    Thal.

Sag, wer dein Stimmlein erbet;
115 Könnts je nit sein,
Es wurde mein?
O Gott, könnt ichs erwrben!
Wollts brauchen stät
So früh, so spät,
120 Bis auch im Sang thät sterben.

Nun doch will ich in diesem
Wald

Bei deinem Grab verbleiben,
Hoff, mich mit ihren Pfeilen
bald
Begierd und Lieb entleiben.
Will rufen stark 125
Zum Totensarg,
Bis mein Geliebter komme,
Will rufen laut
Meins Herzen Traut,
Bis letzt ich gar erstumme. 130

LVII. HOFMANN VON HOFMANNSWALDAU

A Silesian scholar (1617–1679) who, after extensive foreign travel, spent his life at Breslau as an exemplary and highly esteemed official of the town. Incidentally he poetized in the inflated and ornate style which has given the so-called second Silesian school its evil reputation. His work is decidedly vacuous as poetry, but has its interest as indicating the literary drift of the age of puffs, powder, and pedantry. The selections follow Bobertag's edition in Kürschner's *Nationalliteratur*, Vol. 36.

I

Die Welt.

Was ist die Welt, und ihr berühmtes Gläntzen?
Was ist die Welt und ihre gantze Pracht?
Ein schnöder Schein in kurtzgefasten Grentzen,
Ein schneller Blitz, bey schwarzgewölckter Nacht;
Ein bundtes Feld, da Kummerdisteln grünen; 5
Ein schön Spital, so voller Kranckheit steckt.
Ein Sclavenhauss, da alle Menschen dienen,
Ein faules Grab, so Alabaster deckt.
Das ist der Grund, darauff wir Menschen bauen,
Und was das Fleisch für einen Abgott hält. 10
Komm, Seele, komm, und lerne weiter schauen,
Als sich erstreckt der Zirckel dieser Welt.
Streich ab von dir derselben kurtzes Prangen,
Halt ihre Lust für eine schwere Last.
So wirst du leicht in diesen Port gelangen, 15
Da Ewigkeit und Schönheit sich umbfast.

2

Die Wollust.

Die Wollust bleibet doch der Zucker dieser Zeit,
Was kan uns mehr, denn sie, den Lebenslauf versüssen?
Sie lässet trinckbar Gold in unsre Kehle fliessen,
Und öffnet uns den Schatz beperlter Lieblichkeit,
In Tuberosen kan sie Schnee und Eiss verkehren,
Und durch das gantze Jahr die Frühlings-Zeit gewehren.

Es schaut uns die Natur als rechte Kinder an,
Sie schenckt uns ungespart den Reichthum ihrer Brüste,
Sie öffnet einen Saal voll zimmetreicher Lüste,
Wo aus des Menschen Wunsch Erfüllung quellen kan.
Sie legt als Mutter uns die Wollust in die Armen,
Und lässt durch Lieb und Wein den kalten Geist erwarmen.

Nur das Gesetze wil allzu tyrannisch seyn,
Es zeiget iederzeit ein widriges Gesichte,
Es macht des Menschen Lust und Freyheit gantz zunichte,
Und flöst für süssen Most uns Wermuthtropffen ein;
Es untersteht sich uns die Augen zu verbinden,
Und alle Lieblichkeit aus unser Hand zu winden.

Die Ros' entblösset nicht vergebens ihre Pracht,
Jessmin will nicht umsonst uns in die Augen lachen,
Sie wollen unser Lust sich dienst- und zinsbar machen,
Der ist sein eigen Feind, der sich zu Plagen tracht;
Wer vor die Schwanenbrust ihm Dornen will erwehlen,
Dem muss es an Verstand und reinen Sinnen fehlen.

Was nutzet endlich uns doch Jugend, Krafft und Muth,
Wenn man den Kern der Welt nicht reichlich will genüssen,
Und dessen Zucker-Strom lässt unbeschifft verschüssen? [1]
Die Wollust bleibet doch der Menschen höchstes Gut,
Wer hier zu Seegel geht, dem wehet das Gelücke
Und ist verschwenderisch mit seinem Liebesblicke.

[1] *Verschüssen = verfliessen.*

Wer Epicuren nicht für seinen Lehrer hält,
Der hat den Welt-Geschmack und allen Witz verloren,
Es hat ihr die Natur als Stiefsohn ihn erkoren,
Er mus ein Unmensch seyn und Scheusal dieser Welt;
Der meisten Lehrer Wahn erregte Zwang und Schmertzen,   35
Was Epicur gelehrt, das kitzelt noch die Hertzen.

3
Die Tugend.

Die Tugend pflastert uns die rechte Freudenbahn,
Sie kan den Nesselstrauch zu Lilgenblättern machen,
Sie lehrt uns auf dem Eiss und in dem Feuer lachen,
Sie zeiget, wie man auch in Banden herrschen kan;
Sie heisset unsern Geist im Sturme ruhig stehen,   5
Und wenn die Erde weicht, uns im Gewichte gehen.

Es giebt uns die Natur Gesundheit, Krafft und Mut,
Doch wo die Tugend nicht wil unser Ruder führen,
Da wird man Klippen, Sand und endlich Schiffbruch spüren.
Die Tugend bleibet doch der Menschen höchstes Gutt;   10
Wer ohne Tugend sich zu leben hat vermessen,
Ist einem Schiffer gleich, so den Compass vergessen.

Gesetze müssen ja der Menschen Richtschnur seyn.
Wer diesen Pharus ihm nicht zeitlich will erwehlen,
Der wird, wie klug er ist, des Hafens leicht verfehlen,   15
Und läuffet in den Schlund von vielen Jammer ein;
Wem Lust und Üppigkeit ist Führerin gewesen,
Der hat für Leitstern ihm ein Irrlicht auserlesen.

Diss, was man Wollust heisst, verführt und liebt uns nicht,
Die Küsse, so sie giebt, die triffen von Verderben,   20
Sie läst uns durch den Strang der zärtsten Seide sterben,
Man fühlet, wie Zibeth das matte Herze bricht,
Vergifter Hypocras [1] will uns die Lippen rühren,
Und ein ambrirte [2] Lust zu Schimpf und Grabe führen.

[1] *Hypocras*, a sweet spiced wine. — [2] *Ambrirte*, 'resinated' (perfumed with *mbra*).

25   Die Tugend drückt uns doch, als Mutter, an die Brust,
     Ihr Gold und edler Schmuck hält Farb und auch Gewichte,
     Es leitet ihre Hand uns zu dem grossen Lichte,
     Wo sich die Ewigkeit vermählet mit der Lust;
     Sie reicht uns eine Kost, so nach dem Himmel schmecket,
30   Und giebt uns einen Rock, den nicht die Welt beflecket.

     Die Wollust aber ist, als wie ein Unschlichtlicht,
     So helle Flammen giebt, doch mit Gestanck vergehet.
     Wer bey dem Epicur und seinem Hauffen stehet,
     Der lernt, wie diese Waar als dünnes Glas zerbricht;
35   Es kan die Drachen-Milch uns nicht Artzney gewehren,
     Noch gelbes Schlangengift in Labsal sich verkehren.

LVIII. DANIEL CASPER VON LOHENSTEIN

The other leading light of the second Silesian school (1635–1683). Like his friend Hofmannswaldau, he was an exemplary Breslau official. He wrote half a dozen impossible tragedies in alexandrine verse and a huge erudite romance *Arminius*. The selection from *Arminius* follows an edition of 1731, which contains 2868 pages in four quarto volumes.

From ' Arminius,' Book I · The temple of the Ancient Germans and its wonderful inscription.

Es war ein Thal, welches ungefähr eine Meilweges im Umkreise hatte, rings herum mit steilen Felsen umbgeben, welche allein von einem abschüssenden Wasser zertheilet waren. An dieser Gegend hatte die andächtige Vorwelt dem Anfange aller Dinge, nehmlich
5 dem Schöpfer der Welt, zu Ehren auf ieder Seiten eine dreyfache Reihe überaus hoch und gerade empor wachsender Eich-Bäume gepflantzet, und wie dieses gantze Thal, also auch insonderheit den in der Mitte gelegenen Hügel, und die in selbtem von der Natur gemachte Höle, als auch den daraus entspringenden Brunnen für
10 eines der grössesten Heiligthümer Deutschlands verehret, auch den Glauben, dass in selbtem die Andacht der Opfernden durch einen göttlichen Trieb geflügelt, und das Gebet von den Göttern ehe als anderwerts erhöret würde, von mehr als tausend Jahren her auf ihre Nachkommen fortgepflantzet. Denn die alten andächtigen Deut-
15 schen waren bekümmerter Gott recht zu verehren, als durch Erbauung

köstlicher Tempel die Gebürge ihres Marmels zu berauben und ihre
Ertzt-Adern arm zu machen. Diesemnach sie für eine der grösten
Thorheiten hielten, Affen, Katzen und Crocodilen, ja Knobloch
und Zwibeln mit Weyrauch zu räuchern; welche bey den Egyptiern
mehr die aus Iaspis und Porphyr erbaueten, oder aus einem gantzen 2c
Felsen gehauene Wundertempel verstellten, als durch derselben
Pracht einiges Ansehen ihrer schnöden Hesslichkeit erlangeten.

Nichts minder verlachten sie die zu Rom angebetete Furcht und
das Fieber, als welche Kranckheiten wohl unvergöttert, ja abscheulich
bleiben, wenn gleich zu Überfirnsung ihrer Bilder und Heiligthümer 25
alle Meere ihr Schnecken-Blut, und gantz Morgenland seine Perlen
und Edelgesteine dahin zinset. Da hingegen eine wahre Gottheit [1]
eben so ein aus schlechtem Rasen erhöhetes Altar, und ein mehr
einem finstern Grabe als einem Tempel ähnliches, aber von dem
Feuer andächtiger Seelen erleuchtetes Heiligthum; wie die Sonne 30
alle düstere Wohnungen mit ihrem eigenen Glantze erleuchtet und
herrlich macht, also dass ohne die Gegenwart des grossen Auges der
Welt alle gestirnte Himmels-Kreise düstern, in Abwesenheit einer
wesentlichen Gottheit all von Rubin und loderndem Weyrauch
schimmernde Tempel irrdisch sind. Denn ob wohl Gott in und ausser 35
aller Dinge ist, seine Macht und Herrschafft sonder einige Beunruhi-
gung sich über all Geschöpfe erstrecket, seine Liebe ohne Ermüdung
allen durch ihre Erhaltung die Hände unterlegt; ob er gleich ohne
Ausdehnung alles auswendig umbschleust, alles inwendig ohne seine
Verkleinerung durchdringet; und er also in, über, unter und neben 40
allen Sachen, iedoch an keinen Ort angebunden, noch nach einigem
Maasse der Höhe, Tieffe und Breite zu messen, seine Grösse nirgends
ein-, sein Wesen nirgends auszuschlüssen ist: So ist doch unwider-
sprechlich, dass Gott seiner Offenbarung nach, und wegen der von
denen Sterblichen erfoderten Andacht, einen Ort für dem andern, 45
nicht etwan wegen seiner absonderlichen Herrligkeit, sondern aus
einer unerforschlicher Zuneigung, ihm belieben lasse, ja mehrmahls
selbst erkieset habe. Über dem Eingange nun dieser ebenfals für
andern erwehlten Höle waren nachfolgende Reimen in einen lebendigen Steinfels gegraben, iedoch gar schwer zu lesen; weil sie nicht 50
allein mit denen vom Tuisco erfundenen Buchstaben geschrieben,

---

[1] *Gottheit*, subject of *erleuchtet und herrlich macht* understood.

sondern auch vom Regen abgewaschen und vom Mooss verstellet
waren:

Ihr Eiteln, weicht von hier! der Anfang aller Dinge,
55 Der eh als dieser Fels und dieser Brunnquell war,
Hat hier sein Heiligthum, sein Wohnhaus, sein Altar;
Der will, dass man ihm nur zum Opfer Andacht bringe.
Die ist das Eigenthum der Menschen. Weyrauch, Blut,
Gold, Weitzen, Oel, und Vieh ist sein selbsteigen Gut.

60 Die Opfer, die ihr ihm auf tausend Tischen schlachtet,
Die machen ihn nicht feist, und keine Gabe reich.
Ihr selbst genüsset es, wenn ihr den Schöpfer gleich
Durch eure Erstlingen hier zu beschencken trachtet.
Euch scheint der Fackeln Licht, ihr rücht des Zimmets Brand;
65 Ja, was ihr gebt, bleibt euch mit Wucher in der Hand.

Gott heischt diss zwar, doch nicht aus lüsterner Begierde.
Denn was ergeitzt das Meer ihm an der armen Flut
Des Thaues? welcher Stern wünscht ihm der Würmer Glut,
Die bey den Nachten scheint, und der Rubinen Zierde?
70 Ihr weiht Gott nur das Hertz zum Zeichen euer Pflicht;
Euch selbst zu eurem Nutz, ihm zur Vergnügung nicht.

Ja auch die Andacht selbst weiss Gott nichts zuzufrömen;
Denn eignet sie uns zu gleich seine Gnad und Heil,
So hat sein Wohlstand doch nicht an dem unsern Theil,
75 Wie unsre Freude rinnt aus seinen Wohlthats-Strömen
Hingegen wie kein Dunst versehrt der Sonnen Licht,
So verunehrt auch ihn kein Aberglaube nicht.

Der Lästerer ihr Fluch thut ihm geringern Schaden,
Als wenn ein toller Hund den vollen Mond anbillt.
80 Es rühmt als Richter ihn, was in der Hölle brüllt;
Wie's Lob der Seligen preist seine Vater-Gnaden.
Den grossen Gott bewehrt die Kohle, die dort glüht,
So wohl als die, die man wie Sterne gläntzen sieht

So ist's nun Übermaass, unsäglich grosse Gütte,
Dass Gott die Betenden hier würdigt zu erhörn.   85
Weicht, Eitele! um nicht diss Heil' ge zu versehrn!
Denn dass Gott in diss Thal nur einen Blick ausschütte,
Ist gröss're Gnad, als wenn das Auge dieser Welt
Den schlechtsten Sonnen-Staub mit seinem Glantz erhält.

LIX. HANS JAKOB CHRISTOFFEL VON GRIMMELSHAUSEN

The most important writer of prose fiction in the 17th century (*ca.*
1625–1676). He spent his early years as a roving soldier. After the war he
published anonymously a number of tales, which are known collectively as
Simplicianische Schriften. The best of them is *Der abentheuerliche Simplicissimus,* which is largely autobiographic. The book parodies the fashionable
romances of adventure and takes hints from the picaresque tales which had be-
gun to come in from Spain. It is particularly interesting for its truthful pictures
of German life in the time of the great war. The selection follows Braune's
Neudrucke, Nos. 19–25.

*From 'Simplicissimus,' Book I, Chapter 4: The hero's childhood; brutal soldiers
plunder his foster-father's house and outrage the inmates.*

Wiewol ich nicht bin gesinnet gewesen, den friedliebenden Leser,
mit diesen Reutern, in meines Knäns [1] Hauss und Hof zuführen, weil
es schlim genug darin hergehen wird: So erfodert jedoch die Folge
meiner Histori, dass ich der lieben posterität hinterlasse, was vor
Grausamkeiten in diesem unserm Teutschen Krieg hin und wieder 5
verübet worden, zumalen mit meinem eigenen Exempel zubezeugen,
dass alle solche Übel von der Güte dess Allerhöchsten, zu unserm
Nutz, offt notwendig haben verhängt werden müssen: Dan lieber
Leser, wer hätte mir gesagt, dass ein Gott im Himmel wäre, wan keine
Krieger meines Knäns Hauss zernichtet, und mich durch solche 10
Fahung unter die Leute gezwungen hätten, von denen ich gnugsamen
Bericht empfangen? Kurtz zuvor konte ich nichts anders wissen
noch mir einbilden, als dass mein Knän, Meuder, ich und das übrige
Haussgesind, allein auff Erden sey, weil mir sonst kein Mensch, noch
einzige andre menschliche Wohnung bekant war, als diejenige, darin 15
ich täglich auss und einging: Aber bald hernach erfuhr ich die

---

[1] *Knäns = Vaters;* Spessart dialect. like *Meuder = Mutter* below.

Herkunfft der Menschen in diese Welt, und dass sie wieder darauss müsten; ich war nur mit der Gestalt ein Mensch, und mit dem Namen ein Christen-Kind, im übrigen aber nur eine Bestia! Aber der
20 Allerhöchste sahe meine Unschuld mit barmhertzigen Augen an, und wolte mich beydes zu seiner und meiner Erkantnus bringen: Und wiewol er tausenderley Wege hierzu hatte, wolte er sich doch ohn zweiffel nur dessjenigen bedienen, in welchem mein Knän und Meuder, andern zum Exempel, wegen ihrer liederlichen Aufferziehung ge-
25 strafft würden.

Das Erste, das diese Reuter thäten, war, dass sie ihre Pferde ein-ställeten, hernach hatte jeglicher seine sonderbare Arbeit zuverrichten, deren jede lauter Untergang und Verderben anzeigte, dan obzwar etliche anfingen zumetzgen, zusieden und zubraten, dass es sahe, als
30 solte ein lustig Panquet gehalten werden, so waren hingegen andere, die durchstürmten das Hauss unten und oben, ja das heimliche Gemach war nicht sicher, gleichsam ob wäre das gölden Fell von Colchis darin verborgen; Andere machten von Tuch, Kleidung und allerley Haussrath, grosse Päck zusammen, als ob sie irgends einen
35 Krempelmarkt [1] anrichten wolten, was sie aber nicht mitzunehmen gedachten, ward zerschlagen, etliche durchstachen Heu und Stroh mit ihren Degen, als ob sie nicht Schafe und Schweine genug zustechen gehabt hätten, etliche schütteten die Federn auss den Betten, und fülleten hingegen Speck, andere dürr Fleisch und sonst Geräth hinein,
40 als ob alsdan besser darauff zuschlaffen wäre; Andere schlugen Ofen und Fenster ein, gleichsam als hätten sie einen ewigen Sommer zuverkündigen, Kupffer und Zingeschirr schlugen sie zusammen, und packten die gebogene und verderbte Stücken ein, Bettladen, Tische, Stüle und Bäncke verbranten sie, da doch viel Clafter dürr Holtz
45 im Hof lag, Häfen und Schüsseln muste endlich alles entzwey, ent-weder weil sie lieber Gebraten assen, oder weil sie bedacht waren, nur eine einzige Mahlzeit allda zuhalten, unsre Magd ward im Stall dermassen tractirt, dass sie nicht mehr darauss gehen konte, welches zwar eine Schande ist zumelden! den Knecht legten sie gebunden
50 auff die Erde, steckten ihm ein Sperrholtz ins Maul, und schütteten ihm einen Melckkübel voll garstig Mistlachen-wasser in Leib, das nanten sie einen Schwedischen Trunck, wodurch sie ihn zwungen,

[1] *Krempelmarkt = Trödelmarkt.*

eine Parthey anderwerts zuführen, allda sie Menschen und Viehe
hinweg namen, und in unsern Hof brachten, unter welchen mein
Knän, meine Meuder, und unsre Ursele auch waren.   55

Da fing man erst an, die Steine [1] von den Pistolen, und hingegen
anstat deren der Bauren Daumen auffzuschrauben, und die armen
Schelmen so zufoltern, als wan man hätte Hexen brennen wollen,
massen [2] sie auch einen von den gefangenen Bauren bereits in Backo-
fen steckten, und mit Feuer hinter ihm her waren, unangesehen er   60
noch nichts bekant hatte, einem andern machten sie ein Sail um den
Kopff, und raitelten [3] es mit einem Bengel zusammen, dass ihm das
Blut zu Mund, Nas und Ohren herauss sprang. In Summa, es hatte
jeder sein eigne invention, die Bauren zupeinigen, und also auch
jeder Bauer seine sonderbare Marter: Allein mein Knän war meinem   65
damaligen Bedüncken nach der glückligste, weil er mit lachendem
Munde bekante, was andere mit Schmertzen und jämmerlicher
Weheklage sagen musten, und solche Ehre wiederfuhr ihm ohn
Zweiffel darum, weil er der Haussvater war, dan sie satzten ihn zu
einem Feur, banden ihn, dass er weder Hände noch Füsse regen   70
konte, und rieben seine Fusssolen mit angefeuchtem Saltz, welches
ihm unsre alte Geiss wieder ablecken, und dadurch also kützeln
muste, dass er vor Lachen hätte zerbersten mögen; das kam so artlich,
dass ich Gesellschafft halber, oder weil ichs nicht besser verstund, von
Hertzen mit lachen muste: In solchem Gelächter bekante er seine   75
Schuldigkeit, und öffnete den verborgenen Schatz, welcher von Gold,
Perlen und Cleinodien viel reicher war, als man hinter den Bauren
hätte suchen mögen. Von den gefangenen Weibern, Mägden und
Töchtern weiss ich sonderlich nichts zusagen, weil mich die Krieger
nicht zusehen liessen, wie sie mit ihnen umgingen: Das weiss ich   80
noch wol, dass man theils hin und wieder in den Winckeln erbärmlich
schreyen hörte, schätze wol, es sey meiner Meuder und unserm
Ursele nit besser gangen, als den andern. Mitten in diesem Elend
wante ich Braten, und halff Nachmittag die Pferde träncken, durch
welches Mittel ich zu unsrer Magd in Stall kam, welche wunderwerck-   85
lich zerstrobelt [4] ausssahe, ich kante sie nicht, sie aber sprach zu mir
mit kräncklicher Stimme: O Bub lauff weg, sonst werden dich die

---

[1] *Steine*, i.e. *Feuersteine*, 'gun-flints.' They were held in by a screw. —
[2] *Massen = wie denn.* — [3] *Raitelten*, 'twisted.' — [4] *Zerstrobelt = zerschlagen.*

Reuter mit nemen, guck dass du davon kommst, du siehst wol, wie
es so ubel: mehrers konte sie nicht sagen.

LX. BENJAMIN NEUKIRCH

A trenchant satirist and the father of German literary criticism (1665–1729).
He was by birth a Silesian and in his early years an admirer of Hofmannswaldau
and Lohenstein. Later he turned against them and against the whole tribe of
insincere occasional rimesters, who were bringing the poetic art into contempt.
His lyric poems are of small account, but his satires are vigorous and illuminative.
The text follows Fulda's edition in Kürschner's *Nationalliteratur*, Vol. 39.

Auf unverständige Poeten.

Lass doch, Lysander, ab, mit Reimen dich zu plagen
Und einer Bettelkunst halb rasend nachzujagen,
Die zwar die Phantasei durch süsse Träume rührt,
Dich aber auf den Weg der Hungerwiesen führt
5   Und endlich, wo du dich lässt ihre Grillen treiben,
Mit Meistersängern wird in eine Rolle schreiben.
Die eben ist das Gift, das wie die Missethat
Gleich mit der Muttermilch mir ins Geblüte trat.
Wie glücklich wär' ich doch, wenn mich zu rechter Stunden
10   Ein kluger Arzt davon durch Kräutersaft entbunden
Und alles, was ich nur von Versen angeblickt,
Durch hebend Antimon hätt' in die Luft geschickt;
So dürft' ich nicht wie jetzt in Kummerwinckeln sitzen,
Und bei geborgter Lust von langen Sorgen schwitzen,
15   So hätt' ich auch vielleicht den Wuchergriff erlernt,
Wie man durch Ränke sich von der Vernunft entfernt,
Den Trieb der Redlichkeit mit Silberzäumen lenket,
Den Geist der Gottesfurcht in klugen Schlaf versenket,
Ein reiches Lasterweib zu seinem Willen beugt,
20   Durch höflichen Betrug auf Ehrenbänke steigt
Und endlich, wenn die Kraft der Jugend uns verlassen,
Bei voller Tafel kann von fremdem Gute prassen.
So hab' ich manchen Tag und manche Nacht verreimt
Und oft ein grosses Lied von Zwergen hergeträumt,

Verliebten ihre Lust in Zucker zugemessen, 25
Betrüger reich gemacht, mich aber gar vergessen;
Und ob mich endlich gleich mit der verjährten Zeit
Ein kurzer Sonnenblick bei Hofe noch erfreut
Und Preussens Salomo,[1] den ich mit Recht gepriesen,
Mir zu der Ehrenburg den Vorhof angewiesen, 30
Ward doch durch seinen Tod, der alles umgekehrt,
Mein Glück und auch zugleich mein ganzer Ruhm verzehrt
Nun lacht die Wucherschar bei ihren Judengriffen,
Dass ich der Tugend Lob auf Hoffnung hergepfiffen,
Die Zungendrescherei den Musen nachgesetzt, 35
Und wahre Weisheit mehr als Geld und Gut geschätzt,
Und dass ich, da der Hof zum Laufen mich gezwungen,
Nicht noch zu rechter Zeit in Schulenstaub gesprungen,
Die matte Dürftigkeit in Mäntel eingehüllt,
Mit leerer Wissenschaft die Jugend angefüllt, 40
Die Kinder gegen Lohn den Toten[2] vorgetrieben
Und wöchentlich ein Lied für Thaler hingeschrieben.

Hiebei verbleibt es nicht. Die schwärmende Vernunft
Der von der Hungersucht bethörten Dichterzunft,
Die sich durch falsche Kunst auf den Parnass geschlichen, 45
Von der gesetzten Bahn der Alten abgewichen,
Mit frecher Hurtigkeit gefüllte Bogen schmiert
Und alle Messen fast ein totes Werk gebiert,
Wird so verwegen schon, dass sie Gesetze stellet,
Der Griechen Zärtlichkeit das Todesurteil fället, 50
Des Maro klugen Witz in Kinderklassen weist,
Horazens Dichterbuch verrauchte Grillen heisst,
Und alles, was sich nur nach alter Kraft beweget,
Auf lüsterndem[3] Papier mit Tinte niederschläget.
Da nun das Wespenheer von Tag zu Tage wächst, 55
Und jeder Knabe schon nach Narrenwasser lechzt,
Was Wunder ist es denn, wenn Ruhm und Ehre stirbet,
Die Kunst zu Grabe geht, die Tugend gar verdirbet? . . .

[1] Friedrich I, who died in 1713. — [2] *Den Toten*, i. e. *den alten* (*Schriftstellern*).
— [3] *Lüsterndem*, 'wanton,' 'lubricious.'

So viel als Reimer sind, so viel und mancherlei
60 Wirkt in der Poesie nun auch die Phantasei.
Ein halb mit Pickelscherz [1] vermengtes Operettchen,
Ein stinkender Roman vom rasenden Chrysettchen,
Ein geiles Myrtenlied und ein nach dem Adon
Des üppigen Marin [2] erbauter Venusthron,
65 Der der Geliebten Schoss bis auf den Grund entdecket
Und Büsch' und Brunnen draus und Vogelnester hecket,
Ein lügenvolles Lob, das uns ins Angesicht
Den lastervollen Ruf der Toten widerspricht,
Ein rohes Trauerspiel, in dem die Regeln fehlen,
70 Und so viel Schnitzer fast als Silben sind zu zählen,
Ein Brief,[3] den Adam schon der Eva zugesandt,
Da beide dazumal doch keine Schrift gekannt,
Ein kreissendes Sonett, das mit dem Tode ringet
Und der Gedanken Rad so wie die Reime zwinget,
75 Und ein nach Pöbelart gepriesner Buhlerblick
Ist oft bei dieser Zeit das grösste Meisterstück.
So lang ich meinen Vers nach gleicher Art gewogen,
Dem Bilde der Natur die Schminke vorgezogen,
Der Reime dürren Leib mit Purpur ausgeschmückt
80 Und abgeborgte Kraft den Wörtern angeflickt,
So war ich auch ein Mann von hohen Dichtergaben;
Allein sobald ich nur der Spure nachgegraben,
Auf der man zur Vernunft beschämt zurücke kreucht
Und endlich nach und nach nur den Parnass erreicht,
85 So ist es aus mit mir, so kommt von seinem Suschen
Ein mit Ebräerwitz gespicktes Philomuschen,[4]
Klaubt ihm ein Jugendwort in meinen Schriften aus
Und untergräbt damit mein ganzes Ehrenhaus.

Was soll ich Ärmster thun? Soll ich noch einmal rasen
90 Und durch mein Haberrohr zum Federsturme blasen?
Nein, nein, Lysander, nein! Ich will zurücke stehn

---

[1] *Pickelscherz* (*Pickelhäringscherz*), 'clownish jokes.' — [2] The Italian poet Marino, known for his sensuality and affectation, was in high favor with the later Silesians. — [3] *Brief*, in allusion to the sensual *Heldenbriefe* of Hofmannswaldau. — [4] *Philomuschen*, 'poetaster' (lover of the Muses).

Und der erlauchten Schar nur aus den Augen gehn,
Sonst wirft der Schwindelgeist der klugen Weisianer[1]
Mich endlich auf die Bank der reimenden Quintaner
Und jagt mich, ob ich gleich halb notenmässig bin, 95
Ins re, mi, fa, sol, la der Hübneristen[2] hin,
Die sich doch ohnedem an Odermusen[3] reiben,
Sudetenzungen[3] nur zu Mamelucken schreiben
Und alles, was durch Kunst der Pleisse[4] nicht geschehn,
Für Eigenliebe kaum mit halben Augen sehn. 100
Zwar weich' ich darum nicht, als ob ich, wenn es brennte,[5]
Nicht auch ein Jammerlied im Tanze drechseln könnte,
Und ob der Trippeltakt der leichten Reimerei
In Dedekindens[6] Schoss allein zu Hause sei.
Mir ist ja wohl bekannt, wie man den Schädel seifen 105
Und solche Spötter kann mit Lauge wiedertäufen,
Wie mancher ohne Bart in Phöbus' Auen springt,
Und wie ein kollernd Pferd sich auf den Pindus schwingt;
Allein ich hab' einmal die Thorheit aufgegeben.
Es reime, wer da will; ich will in Friede leben. 110

LXI. JOHANN CHRISTIAN GÜNTHER

A gifted lyric poet whose life was short and full of trouble (1695–1723). In an age of poetic artificiality and pretense his verse is generally simple, sincere, and passionate. His work is mainly a record of suffering, the note of joy being relatively infrequent. He is a forerunner of those modern poets of whom one may say with Goethe's Tasso: *Mir gab ein Gott zu sagen, wie ich leide.* The text follows Fulda's edition in Kürschner's *Nationalliteratur*, Vol. 38.

I

Studentenlied.

Brüder, lasst uns lustig sein,
Weil der Frühling währet

Und der Jugend Sonnenschein
Unser Laub verkläret;
Grab und Bahre warten nicht; 5
Wer die Rosen jetzo bricht,
Dem ist der Kranz bescheret.

---

[1] *Weisianer*, partisans of the dull and trivial schoolmaster-poet, Christian Weise. — [2] *Hübneristen*, mechanical rimesters; Hübner was the author of a dictionary of rimes. — [3] *Odermusen;* 'muses of the Oder' and 'tongues of the Sudeti' are both names for the later Silesian poets. — [4] *Kunst der Pleisse,* Leipzig's art. — [5] *Wenn es brennte = wenn es drauf ankäme.* — [6] *Dedekindens;* C. C. Dedekind was a facile but vacuous rimester.

Unsers Lebens schnelle Flucht
Leidet keinen Zügel,
10 Und des Schicksals Eifersucht
Macht ihr stetig Flügel;
Zeit und Jahre fliehn davon,
Und vielleichte schnitzt man schon
An unsers Grabes Riegel.

15 Wo sind diese, sagt es mir,
Die vor wenig Jahren
Eben also, gleich wie wir,
Jung und fröhlich waren?
Ihre Leiber deckt der Sand,
20 Sie sind in ein ander Land
Aus dieser Welt gefahren.

Wer nach unsern Vätern forscht,
Mag den Kirchhof fragen;
Ihr Gebein, so längst vermorscht,
25 Wird ihm Antwort sagen.
Kann uns doch der Himmel bald,
Eh die Morgenglocke schallt,
In unsre Gräber tragen.

Unterdessen seid vergnügt,
30 Lasst den Himmel walten,
Trinkt, bis euch das Bier besiegt,
Nach Manier der Alten.
Fort! Mir wässert schon das Maul,
Und, ihr andern, seid nicht faul,
35 Die Mode zu erhalten.

Dieses Gläschen bring' ich dir,
Dass die Liebste lebe
Und der Nachwelt bald von dir
Einen Abriss gebe!

Setzt ihr andern gleichfalls an,　40
Und wenn dieses ist gethan,
So lebt der edle Rebe.

2

An Leonoren.

Als er sich mit ihr wieder zu
versöhnen suchte.

Kluge Schönheit, nimm die Busse
Eines armen Sünders an,
Welcher dir mit einem Kusse
Gestern Abends weh gethan,
Und auf deinen Rosenwangen　5
Einen schönen Raub begangen.

Ich gesteh' es, mein Verbrechen
Ist der schärfsten Strafe wert,
Und du magst ein Urteil sprechen,
Wie dein Wille nur begehrt;　10
Dennoch würd' ich zu den Füssen
Deiner Gnade danken müssen.

Aber weil ihr Himmelskinder
Eurem Vater ähnlich seid,
Welcher auch die gröbsten Sünder　15
Seines Eifers oft befreit,
Ach, so werden meine Zähren
Deinen Zorn in Liebe kehren.

Gönne mir nur dieses Glücke,
Bald mit dir versöhnt zu sein,　20
Bis nach manchem kalten Blicke
Deiner Augen Sonnenschein
Mir und meiner Hoffnung lache
Und mich endlich kühner mache.

3
Die verworfene Liebe.

Ich habe genug!
Lust, Flammen und Küsse
Sind giftig und süsse
Und machen nicht klug;
5 Komm, selige Freiheit, und
    dämpfe den Brand,
Der meinem Gemüte die Weis-
    heit entwandt.

Was hab' ich gethan!
Jetzt seh' ich die Triebe
Der thörichten Liebe
10 Vernünftiger an;
Ich breche die Fessel, ich löse
    mein Herz
Und hasse mit Vorsatz den
    zärtlichen Schmerz.

Was quält mich vor Reu'?
Was stört mir vor Kummer
15 Den nächtlichen Schlummer?
Die Zeit ist vorbei.
O köstliches Kleinod, o teurer
    Verlust!
O hätt' ich die Falschheit nur
    eher gewusst!

Geh, Schönheit, und fleuch!
20 Die artigsten Blicke
Sind schmerzliche Stricke.
Ich merke den Streich,
Es lodern die Briefe, der Ring
    bricht entzwei
Und zeigt meiner Schönen: Nun
    leb' ich recht frei.

25 Nun leb' ich recht frei
Und schwöre von Herzen,

Dass Küssen und Scherzen
Ein Narrenspiel sei;
Denn wer sich verliebet, der ist
    wohl nicht klug;
Geh, falsche Sirene, ich habe
    genug! 30

4
An Leonoren.
Als er sie einer beständigen Liebe
versicherte.

Treuer Sinn,
Wirf den falschen Kummer hin.
Lass den Zweifel der Gedanken
Nicht mit meiner Liebe zanken,
Da ich längst dein Opfer bin. 5

Glück und Zeit
Hasset die Beständigkeit;
Doch das Feuer, so ich fühle,
Hat die Ewigkeit zum Ziele
Und verblendet selbst den Neid. 10

Meine Glut
Leidet keinen Wankelmut;
Eher soll die Sonn' erfrieren,
Als die Falschheit mich ver-
    führen,
Eher löscht mein eigen Blut. 15

Grab und Stein
Adeln selbst mein Redlichsein.
Bricht mir gleich der Tod das
    Herze,
So behält die Liebeskerze
In der Asche doch den Schein. 20

5
An Leonoren.

Gedenk an mich und meine
    Liebe,

Du mit Gewalt entrissnes Kind,
Und glaube, dass die reinen
    Triebe
Dir jetzt und allzeit dienstbar
    sind,
5 Und dass ich ewig auf der Erde
Sonst nichts als dich verehren
    werde.

Gedenk an mich in allem Leiden
Und tröste dich mit meiner
    Treu!
Die Luft mag jetzt empfindlich
    schneiden,
10 Die Wetter gehn doch all vorbei,
Und nach dem ungeheuren
    Knallen
Wird auch ein fruchtbar Regen
    fallen.

Gedenk an mich in deinem
    Glücke,
Und wenn es dir nach Wunsche
    geht,
15 So setze nie den Freund zurücke,
Der bloss um dich in Sorgen
    steht!
Auch mir kann bei dem besten
    Leben
Nichts mehr als du Entzückung
    geben.

Gedenk an mich in deinem
    Sterben;
20 Der Himmel halte dies noch auf;
Doch sollen wir uns nicht er-
    werben,
Und zürnt der Sterne böser
    Lauf,

So soll mir auch das Sterbe-
    kissen
Die Hinfahrt durch dein Bild
    versüssen.

Gedenk an mich und meine
    Thränen,   25
Die dir so oft das Herz gerührt
Und die dich durch mein
    kräftig Sehnen
Zum ersten auf die Bahn ge-
    führt,
Wo Kuss und Liebe treuer
    Herzen
Des Lebens Ungemach ver-
    schmerzen.   30

Gedenk auch endlich an die
    Stunde,
Die mir das Herz vor Wehmut
    brach,
Als ich, wie du, mit schwachem
    Munde
Die letzten Abschiedsworte
    sprach;
Gedenk an mich und meine
    Plagen!   35
Mehr will und kann ich jetzt
    nicht sagen.

6
An seine Leonore.

Bist du denn noch Leonore,
Der so manch verliebter Schwur
(Sinne nach, bei welchem
    Thore!)
Unter Kuss und Schmerz ent-
    fuhr,
Ach, so nimm die stummen
    Lieder   5

Eben noch mit dieser Hand,
Die mir ehmals Herz und Glieder
Mit der stärksten Reizung band.

Durch dein sehnliches Entbehren
10 Werd' ich vor den Jahren grau,
Und der Zufluss meiner Zähren
Mehrt schon lange Reif und Tau;
Meine Schwachheit, mein Ver-
     bleichen
Und die Brust, so stündlich
     lechzt,
15 Wird des Kummers Siegeszei-
     chen,
Der aus unsrer Trennung wächst.

Lust und Mut und Geist zum
     Dichten,
Feuer, Jugend, Ruhm und Fleiss
Suchen mit Gewalt zu flüchten
20 Und verlieren ihren Preis,
Weil der Zunder deiner Küsse
Meinen Trieb nicht mehr er-
     weckt
Und die Führung harter Schlüsse
Ein betrübtes Ziel gesteckt.

25 Alle Bilder meiner Sinnen
Sind mir Ekel und Verdruss,
Da sie nichts als Gram gewinnen,
Weil ich dich noch suchen muss.
Nichts ergetzt mich mehr auf
     Erden
30 Als das Weinen in der Nacht,
Wenn es unter viel Beschwerden
Dein Gedächtnis munter macht.

Jedes Blatt von deinen Händen
Ist ein Blatt voll Klag' und Weh,
35 Und ich kann es niemals wenden,

Dass kein Stich ans Herze geh';
Die Versichrung leerer Zeilen
Giebt den Leibern wenig Kraft,
Welche Luft und Ort zerteilen.
O bedrängte Leidenschaft!   40

7
Die seufzende Geduld.

Morgen wird es besser werden,
Also seufzt mein schwacher
     Geist,
Den die Menge der Beschwer-
     den
Über allen Abgrund reisst.

Aber ach, wenn bricht der
     Morgen   5
Und das Licht der Hoffnung an,
Da ich die so langen Sorgen
Nach und nach vergessen kann?

Sklaven auf den Ruderbänken
Wechseln doch mit Müh' und
     Ruh',   10
Dies mein unaufhörlich Kränken
Lässt mir keinen Schlummer zu.

Niemand klagt mein schweres
     Leiden,
Dies vergrössert Last und Pein.
Himmel, lass mich doch ver-
     scheiden,   15
Oder gieb mir Sonnenschein!

Will ich mich doch gerne fassen,
Wenn mich nur der Trost er-
     quickt,
Dass dein ewiges Verlassen
Mich nicht in die Grube schickt.   20

LXII. BARTHOLD HEINRICH BROCKES

A writer of rather mediocre gifts who is of some historical importance as the pioneer in a new poetry of nature (1680–1747). He was the first to blend reverent emotion with very minute observation and description. His thesis — as oft reiterated in his many-volumed *Earthly Pleasure in God* — is that we *ought* to love nature because it is the wonderful and perfect work of an infinitely wise and good Creator. The selections follow Kürschner's *Nationalliteratur*, Vol. 39.

1

Anmutige Frühlingsvorwürfe.

Ich höre die Vögel, ich sehe die Wälder,
Ich fühle das Spielen der kühlenden Luft,
Ich rieche der Blüte balsamischen Duft,
Ich schmecke die Früchte. Die fruchtbaren Felder,
Die glänzenden Wiesen, das funkelnde Nass
Der tauichten Tropfen, das wallende Gras
Voll lieblicher Blumen, das sanfte Gezische
Der mancherlei lieblich beblätterten Büsche,
Das murmelnde Rauschen der rieselnden Flut,
10   Der zitternde Schimmer der silbernen Fläche
Durch grünende Felder sich schlängender Bäche,
Der flammenden Sonne belebende Glut,
Die alles verherrlichet, wärmet und schmücket,
Dies alles ergetzet, erquicket, entzücket
15   Ein Auge, das Gott in Geschöpfen ersieht,
Ein Ohr, das den Schöpfer verstehet und höret,
Ein Herze, das Gott in den Wundern verehret,
Kein viehisch, nur einzig ein menschlich Gemüt.

2

Die Nachtigall und derselben Wettstreit gegen einander.

Im Frühling rührte mir das Innerste der Seelen
Der Büsche Königin, die holde Nachtigall,
Die aus so enger Brust und mit so kleiner Kehlen
Die grössten Wälder füllt durch ihren Wunderschall.
5   Derselben Fertigkeit, die Kunst, der Fleiss, die Stärke,
Veränderung, Stimm' und Ton sind lauter Wunderwerke

Der wirkenden Natur, die solchen starken Klang
In ein paar Federchen, die kaum zu sehen, senket
Und einen das Gehör bezaubernden Gesang
In solche dünne Haut und zarten Schnabel schränket.   10
Ihr Hälschen ist am Ton so unerschöpflich reich,
Dass sie tief, hoch, gelind und stark auf einmal singet.
Die kleine Gurgel lockt und zischt und pfeift zugleich,
Dass sie wie Quellen rauscht, wie tausend Glocken klinget.
Sie zwitschert, stimmt und schlägt mit solcher Anmut an,   15
Mit solchem nach der Kunst gekräuselten Geschwirre,
Dass man darob erstaunt und nicht begreifen kann,
Ob sie nicht seufzend lach', ob sie nicht lachend girre.
Ihr Stimmchen ziehet sich in einer hohlen Länge
Von unten in die Höh', fällt, steigt aufs neu empor,   20
Und schwebt nach Mass und Zeit; bald drängt sich eine Menge
Verschiedner Tön' aus ihr als wie ein Strom hervor.
Sie dreht und dehnt den Ton, zerreisst und fügt ihn wieder,
Singt sanft, singt ungestüm, bald klar, bald grob, bald hell.
Kein Pfeil verfliegt so rasch, kein Blitz verstreicht so schnell,   25
Die Winde können nicht so streng im Stürmen wehen,
Als ihre schmeichelnde verwunderliche Lieder
Mit wirbelndem Geräusch sich ändern, sich verdrehen.
Ein flötend Glucken quillt aus ihrer hohlen Brust,
Ein murmelnd Pfeifen labt der stillen Hörer Herzen;   30
Doch dies verdoppelt noch und mehrt die frohe Lust,
Wenn etwan ihrer zwo zugleich zusammen scherzen.
Die singt, wenn jene ruft; wann diese lockt, singt jene
Mit solch anmutigem bezaubernden Getöne,
Dass diese wiederum aus Missgunst, als ergrimmt,   35
In einen andern Ton die schlanke Zunge stimmt.
Die andre horcht indes und lauscht voll Unvergnügen,
Ja fängt zu ihres Feinds und Gegensängers Hohn,
Um durch noch künstlichern Gesang ihn zu besiegen,
Von neuem wieder an in solchem scharfen Ton,   40
Mit solchem feurigen, empfindlich hellen Klang,
Mit solch gewaltigem oft wiederholtem Schlagen,
Dass so durchdringenden und heftigen Gesang

Das menschliche Gehör kaum mächtig zu ertragen.
45 Wer nun so süssen Ton im frohen Frühling hört
Und nicht des Schöpfers Macht voll Brunst und Andacht **ehrt**,
Der Luft Beschaffenheit, das Wunder unsrer Ohren
Bewundernd nicht bedenkt, ist nur umsonst geboren
Und folglich nicht der Luft, nicht seiner Ohren wert.

3
Frühlingsbetrachtungen.

Mich erquicken,
Mich entzücken
In der holden Frühlingszeit
Alle Dinge, die ich sehe,
5 Da ja, wo ich geh' und stehe,
Alles voller Lieblichkeit.

Durch der grünen Erde Pracht,
Durch die Blumen, durch die
    Blüte
Wird durchs Auge mein Gemüte
10 Recht bezaubernd angelacht.

Die gelinden lauen Lüfte
Voller balsamreicher Düfte
Treibt des holden Zephyrs Spiel
Zum Geruch und zum Gefühl.

15 Auf den glatten Wellen wallen
Wie auf glänzenden Krystallen
Im beständig regen Licht
Tausend Strahlen, tausend Blitze,
Und ergetzen das Gesicht,
20 Sonderlich wenn selbe zwischen
Noch nicht dick bewachs'nen
    Büschen
Und durch junge Weiden
    glimmen.
Kleine Lichter, welche schwim-
    men

Auf dem Laub und auf der
    Flut
Bald in weiss-, bald blauer Glut, 25
Treffen mit gefärbtem Scherz
Durch die Augen unser Herz.

Seht die leichten Vögel fliegen,
Höret, wie sie sich vergnügen,
Seht, wie die beblümten Hecken 30
Ihr geflochtnes Nest verstecken!
Schlüpfet dort nach seinem
    Neste
Ein verliebt und emsigs Paar,
Hüpfet hier durch Laub und
    Äste
Eine bunt gefärbte Schar.   35
Seht, wie sie die Köpfchen
    drehn
Und des Frühlings Pracht be-
    sehn,
Hört, wie gurgeln sie so schön!
Höret, wie sie musicieren!

Lass dich doch ihr Beispiel
    rühren,   40
Liebster Mensch, lass dem zu
    Ehren,
Der die Welt so schön ge-
    schmückt
Und durch sie dich fast ent-
    zückt,
Auch ein frohes Danklied hören!

LXIII. JOHANN CHRISTOPH GOTTSCHED

A Leipzig scholar (1700–1766) who, as professor in the university, author of text-books, editor of journals, and reformer of the local stage, won a great though transitory prestige. He was a stedfast champion of clarity, regularity, and good taste, laid great stress on probability and reasonableness, and held that a strict observance of the three unities was essential in tragedy. His advocacy of French forms and taste led to a sharp controversy with the Swiss school of Bodmer, who looked rather to English models. Gottsched's *Cato* met with great success on the stage, but now seems cold and mechanical. His critical views can best be studied in the *Critische Dichtkunst*, from which a selection is given according to the second edition, of 1737.

From the 'Critical Poetics,' Part II, Chapter 10.

§ 11. Wie eine gute tragische Fabel gemacht werden müsse, das ist schon im vierten Hauptstücke des ersten Theils einiger maassen gewiesen worden. Der Poet wählet sich einen moralischen Lehrsatz, den er seinen Zuschauern auf eine sinnliche Art einprägen will. Dazu ersinnt er sich eine allgemeine Fabel, daraus die Wahrheit 5 eines Satzes erhellet. Hiernächst sucht er in der Historie solche berühmte Leute, denen etwas ähnliches begegnet ist: Und von diesen entlehnet er die Namen, für die Personen seiner Fabel, um derselben also ein Ansehen zu geben. Er erdenket sodann alle Umstände dazu, um die Hauptfabel recht wahrscheinlich zu machen, und das 10 werden die Zwischenfabeln, oder Episodia genannt. Dieses theilt er dann in fünf Stücke ein, die ungefehr gleich gross sind, und ordnet sie so, dass natürlicher Weise das letztere aus dem vorhergehenden fliesset: Bekümmert sich aber weiter nicht, ob alles in der Historie so vorgegangen, oder ob alle Nebenpersonen wirklich so und nicht 15 anders geheissen haben. Zum Exempel kann die oberwähnte Tragödie des Sophokles, oder auch mein Cato dienen. Der Poet wollte dort zeigen, dass Gott auch die Laster, so unwissend begangen werden, nicht ungestraft lasse. Hierzu ersinnt er nun eine allgemeine Fabel, die etwa so lautet: 20

§ 12. Es war einmal ein Prinz, wird es heissen, der sehr viel gute Eigenschaften an sich hatte, aber dabey verwegen, argwöhnisch und neugierig war. Dieser hatte einmal, vor dem Antritte seiner Regierung, auf freyem Felde einen Mord begangen; ohne zu wissen, dass er seinen eigenen Vater erschlagen hatte. Durch seinen Verstand bringet 25

er sich in einem fremden Lande in solches Ansehen, dass er zum
Könige gemacht wird, und die verwittibte Königinn heurathet, ohne
zu wissen, dass selbige seine eigene Mutter ist.   Aber dieses alles
geht ihm nicht für genossen aus.   Seine Laster kommen ans Licht,
30 und es treffen ihn alle die Flüche, die er selbst auf den Mörder seines
Vorfahren im Regimente ausgestossen hatte.   Er wird des Reiches
entzetzet, und ins Elend getrieben, nachdem er sich selbst aus Verzweifelung der Augen beraubet hatte.   Zu dieser allgemeinen Fabel
nun findet Sophokles in den alten thebanischen Geschichten den
35 Oedipus geschickt.   Er ist ein solcher Prinz, als die Fabel erfordert:
Er hat unwissend einen Vatermord und eine Blutschande begangen.
Er ist dadurch auf eine Zeitlang glücklich geworden: Allein die
Strafe bleibt nicht aus; sondern er muss endlich alle die Wirkungen
seiner unerhörten Laster empfinden.

40   § 13. Diese Fabel ist nun geschickt, Schrecken und Mitleiden zu
erwecken, und also die Gemüthsbewegungen der Zuschauer auf eine
der Tugend gemässe Weise zu erregen.   Man sieht auch, dass der
Chor in dieser Tragödie dadurch bewogen wird, recht erbauliche
Betrachtungen, über die Unbeständigkeit des Glückes der Grossen
45 dieser Welt, und über die Schandbarkeit seiner Laster anzustellen,
und zuletzt in dem Beschlusse die Thebaner so anzureden: Ihr
Einwohner von Theben, sehet hier den Oedipus, der durch seine
Weisheit Räthsel erklären konnte, und an Tapferkeit alles übertraf;
ja der seine Hohheit sonst keinem, als seinem Verstande und Helden-
50 muthe zu danken hatte: Seht, in was für schreckliche Trübsalen
er gerathen ist; und wenn ihr dieses unselige Ende desselben erweget,
so lernt doch niemanden für glücklich halten, bis ihr ihn seine letzte
Stunde glücklich habt erreichen gesehen.

        § 14. Eine solche Fabel nun zu erdichten, sie recht wahrscheinlich
55 einzurichten, und wohl auszuführen, das ist das allerschwerste in
einer Tragödie.   Es hat viele Poeten gegeben, die in allem andern
Zubehör des Trauerspiels, in den Charactern, in dem Ausdrucke, in
den Affecten u.s.w. glücklich gewesen: Aber in der Fabel ist es sehr
wenigen gelungen.   Das macht, dass dieselbe eine dreyfache Einheit
60 haben muss, wenn ich so reden darf: Die Einheit der Handlung,
der Zeit, und des Ortes.   Von allen dreyen müssen wir insonderheit
handeln.

§ 15. Die ganze Fabel hat nur eine Hauptabsicht, nemlich einen moralischen Satz: Also muss sie auch nur eine Haupthandlung haben, um derentwegen alles übrige vorgehet. Die Nebenhandlungen 65 aber, die zur Ausführung der Haupthandlung gehören, können gar wohl andre moralische Wahrheiten in sich schliessen: Wie zum Exempel in Oedipus die Erfüllung der Orakel, daruber Iocasta vorher gespottet hatte, die Lehre giebt: Dass die göttliche Allwissenheit nicht fehlen könne. Alle Stücke sind also tadelhaft und verwerflich, 70 die aus zwoen Handlungen bestehen, davon keine die vornehmste ist. Ich habe dergleichen im Jahr 1717 am Reformationsfeste in einer Schulcomödie vorstellen gesehen, wo der Inhalt der Aeneis Virgilii, und die Reformation Lutheri zugleich vorgestellet wurde. In einem Auftritte war ein Trojaner, in dem andern der Ablasskrämer Tetzel 75 zu sehen. Bald handelte Aeneas von der Stiftung des römischen Reichs, bald kam Lutherus und reinigte die Kirche. Bald war Dido, bald die babylonische Hure zu sehen u.s.w. Und diese beyde so verschiedene Handlungen hiengen nicht anders zusammen, als durch eine lustige Person, die zwischen solchen Vorstellungen auftrat, und 80 z. E. den auf der See bestürmten Aeneas mit dem in Gefahr schwebenden Kirchenschifflein verglich. Das ist nun ein sehr handgreiflicher Fehler, wo zwey so verschiedene Dinge zugleich gespielet werden. Allein die andern, so etwas unmerklicher sind, verdienen deswegen keine Entschuldigung. 85

§ 16. Die Einheit der Zeit ist das andre, so in der Tragödie unentbehrlich ist. Die Fabel eines Heldengedichtes kann viele Monate dauern, wie oben gewiesen worden; das macht, sie wird nur gelesen: Aber die Fabel eines Schauspieles, die mit lebendigen Personen in etlichen Stunden lebendig vorgestellet wird, kann nur 90 einen Umlauf der Sonnen, wie Aristoteles spricht, das ist einen Tag, dauern. Denn was hat es für eine Wahrscheinlichkeit, wenn man in dem ersten Auftritte den Helden in der Wiege, weiter hin als einen Knaben, hernach als einen Jüngling, Mann, Greis, und zuletzt gar im Sarge vorstellen wollte: Wie Cervantes solche thörichte Schauspiele 95 an seinen spanischen Poeten im Don Quixote ausgelachet hat. Oder wie ist es wahrscheinlich, dass man es auf der Schaubühne etlichemal Abend werden sieht, und doch selbst, ohne zu essen oder zu trinken, oder zu schlafen, immer auf einer Stelle sitzen bleibt? Die besten

100 Fabeln sind also diejenigen, die nicht mehr Zeit nöthig gehabt hätten,
wirklich zu geschehen, als sie zur Vorstellung brauchen; das ist
etwa drey oder vier Stunden: Und so sind die Fabeln der meisten
griechischen Tragödien beschaffen. Kömmt es hoch, so bedörfen
sie sechs, acht, oder zum höchsten zehn Stunden zu ihrem ganzen
105 Verlaufe: Und höher muss es ein Poet nicht treiben; wenn er nicht
wieder die Wahrscheinlichkeit handeln will.

§ 17. Es müssen aber diese Stunden bey Tage, und nicht bey
Nacht seyn, weil diese zum Schlafen bestimmet ist: Es wäre denn,
dass die Handlung entweder in der Nacht vorgegangen wäre, oder
110 erst nach Mittag anfienge, und sich bis in die späte Nacht verzöge;
oder umgekehrt frühmorgens angienge, und bis zu Mittage daurete.
Der berühmte Cid des Corneille läuft in diesem Stücke wieder die
Regeln, denn er dauret eine ganze Nacht durch, nebst dem vorigen
und folgenden Tage, und braucht wenigstens volle vier und zwanzig
115 Stunden: Welches schon viel zu viel ist, und unerträglich seyn würde,
wenn das Stück nicht sonst viel andre Schönheiten in sich hätte, die
den Zuschauern fast nicht Zeit liessen, daran zu gedenken. Das ist
nun eben die Kunst, die Fabel so ins kurze zu bringen, dass keine
lange Zeit dazu gehöret; und eben deswegen sind auch bey uns Deut-
120 schen die Tragödien vom Wallenstein, von der Banise, ingleichen von
der böhmischen Libussa ganz falsch und unrichtig: Weil sie zum
Theil etliche Monate, zum Theil aber viele Jahre zu ihrer Dauer
erfordern. Meine obrige Schultragödie hub sich von dem Urtheile
des Paris über die drey Göttinnen an, und daurete bis auf des Aeneas
125 Ankunft in Italien. Das war nun eine Zeit, davon die zwey Helden-
gedichte, Ilias und Aeneis, nicht den zwanzigsten Theil einnehmen,
und ich zweifle, ob man die Ungereimtheit höher hätte treiben
können.

§ 18. Zum dritten gehört zur Tragödie die Einigkeit des Ortes. Die
130 Zuschauer bleiben auf einer Stelle sitzen: Folglich müssen auch die
spielenden Personen alle auf einem Platze bleiben, den jene übersehen
können, ohne ihren Ort zu ändern. So ist im Oedipus, z. E. der
Schauplatz auf dem Vorhofe des königlichen thebanischen Schlosses,
darinn Oedipus wohnt. Alles, was in der ganzen Tragödie vorgeht, das
135 geschieht vor diesem Pallaste: Nichts was man wirklich sieht, trägt
sich in den Zimmern zu, sondern draussen auf dem Schlossplatze, vor

den Augen alles Volks. Heute zu Tage, da unsre Fürsten alles in ihren Zimmern verrichten, fällt es also schwerer, solche Fabeln wahrscheinlich zu machen. Daher nehmen denn die Poeten gemeiniglich alte Historien dazu, oder sie stellen uns auch einen grossen Audienz- 140 saal vor, darinn vielerley Personen auftreten können. Ja sie helfen sich auch zuweilen mit dem Vorhange, den sie fallen lassen und aufziehen, wenn sie zwey Zimmer zu der Fabel nöthig haben. Man kann also leicht denken, wie ungereimt es ist, wenn, nach dem Berichte des Cervantes, die spanischen Trauerspiele den Helden in 145 dem ersten Aufzuge in Europa, in dem andern in Africa, in dem dritten in Asien, und endlich gar in America vorstellen: Oder, wenn meine obgedachte Schulcomödie uns bald in Asien die Stadt Troja, bald die ungestüme See, darauf Aeneas schiffet, bald Carthago, bald Italien vorstellete, und uns also durch alle drey Theile der damals 150 bekannten Welt, führete, ohne dass wir uns von der Stelle rühren dorften. Es ist also in einer regelmässigen Tragödie nicht erlaubt, den Schauplatz zu ändern. Wo man ist, da muss man bleiben; und daher auch nicht in dem ersten Aufzuge im Walde, in dem andern in der Stadt, in dem dritten im Kriege und in dem vierten in einem Gar- 155 ten, oder gar auf der See seyn; Das sind lauter Fehler wieder die Wahrscheinlichkeit: Eine Fabel aber, die nicht wahrscheinlich ist, taugt nichts, weil dieses ihre vornehmste Eigenschaft ist.

LXIV. JOHANN JAKOB BODMER

A Swiss scholar (1698–1783) who is important as the first notable champion of English literature, and also as the pioneer editor of medieval poetry. In 1721 he began, with a group of Zürich friends, the publication of *Discourse der Mahlern*, a literary magazine for which the English *Spectator* served as a model. A defense of Milton, published in 1740, brought on the controversy with Gottsched. In the course of his long life Bodmer wrote vast quantities of didactic verse, also epics and tragedies, which are now forgotten, his theory of poetry having been better than his practice. His fragmentary and uncritical editions of Wolfram's *Parzival*, the *Nibelung Lay*, and the Minnesingers (1753–59) are the earliest attempts to arouse interest in the forgotten poetry of the despised Middle Ages. The selection is from the *Discourse der Mahlern*, following Bächtold and Vetter's reprint in *Bibliothek älterer Schriftwerke der deutschen Schweiz*, Zürich, 1887.

From 'Discourses of the Painters,' Part I, No. 19: Importance of the Imagination.

Eine Imagination, die sich wol cultiviert hat, ist eines von den Haupt-Stücken, durch welche sich der gute Poet von dem gemeinen Sänger unterscheidet, massen die reiche und abändernde Dichtung, die ihr Leben und Wesen eintzig von der Imagination hat, die Poesie
5 von der Prosa hauptsächlich unterscheidet. Dass Opitz den Rang vor Menantes[1] pretendieren kan, geben ihm das Recht diese schönen und abwechselnde Bildnissen, die er gemachet hat, und in welchen er die Natur mit denen Farben und in der Gestalt gemahlet hat, die ihr eigen sind. Ich bediene mich mit Fleisse dieser Metaphora, die ich
10 von den Mahlern entlehne, denn die erste und eintzige Regel, welche ein jedweder Schreiber und Redner, es seye in gebundener oder ungebundener Rede, nachzufolgen hat, und welche ihm mit den Mahlern gemein ist, die ist diese, dass er das Natürliche nachspüre und copiere; alle diese andere Regeln, dass er anmuthig, delicat, hoch schreibe,
15 sind in dieser eingeschlossen und fliessen daraus ab. Wenn er von einer jeden Sache dasjenige saget, was ein curieuser Sinn davon wahrnimmt, wenn er nichts davon verfliegen lässt, das sie dienet von andern Sachen zuunterscheiden, und wenn er mit solchen angemessenen Worten davon redet, welche mir eben dieselben Ideen davon
20 erwecken, so sage ich dass er natürlich schreibe; wenn er denn von einer anmuthigen Sache natürlich schreibet, so kan ich sagen, dass sein Stylus anmuthig ist; schreibet er von einer Delicatesse natürlich, so wird der Stylus delicat, und er wird hoch, wenn er von einer Sache natürlich redet, welche die Menschen bewundern und gross nennen.
25 Weil nun Opitz natürlicher, und welches nichts anders saget, annehmlicher, delicater und höcher ist, als Menantes, so heisst er mir auch ein besserer Poet als Menantes. Dass aber Opitz natürlicher dichtet als der andere, ist dieses die Ursache, weil er die Imagination mehr poliert und bereichert hat als dieser; Opitz hat, nemlich, nicht allein
30 mehr Sachen durch die eigene Erfahrung und die Lesung in seine Imagination zusammengetragen, sondern er hat noch an denjenigen Sachen, die ihm aufgestossen, und die Hunolden vielleicht auch in die Sinnen gefallen, mehrere Seiten und Differenzien wahrgenommen, er hat sie von einer Situation angeschauet, von welcher sie ihm besser

[1] *Menantes*, pseudonym of Christian Friedrich Hunold (1680–1721).

in die Imagination gefallen sind, und er hat sich länger darüber 35
aufgehalten, indem er sie mit einer sorgfältigern Curiosität betrachtet
und durchgesuchet hat. Also hat er erstlich eine nähere und vollkommnere Kenntniss der Objecten erworben, und hernach hat er
eben darum auch gewissere und vollkommnere Beschreibungen
machen können, in welchen die wahre Proportion und Eigenschafften 40
der Sachen bemercket, und derselben Seiten ohne Ermangeln abge-
zehlet worden.

Ihr erkennet aus diesem die Nothwendigkeit, und was es contri-
buiert natürlich schreiben zu lernen, dass ein Schüler der Natur sich
wisse über den aufstossenden Objecten zufixieren, und sie in einer 45
solchen Postur anzuschauen, in welcher ihm kein Theil und keine
Seiten derselben kan verborgen bleiben; er muss so nahe zu derselben
tretten, und die Augen so wol offen behalten, dass ihm weder die
allzuweite Entfernung sie kleiner machet, noch die Nähe mit einem
Nebel überziehet. Wenn ich jetz ferner untersuche, warum Opitz 50
die Imagination freyer und ungebundener bewahret, und die Dis-
tractionen ausgewichen habe, welche Hunolden die Menge der
Objecten und andere Umstände erwecket haben, so finde ich keine
andere Ursache, als weil Opitz von diesen belebten Seelen gewesen,
welche weit zärtlichern und hitzigern Affecten unterworffen sind, und 55
viel geschwinder Feuer, oder dass ich ohne Metaphora rede, Liebe
für ein Objectum fangen, als andere unachtsame und dumme Leute;
denn es ist im übrigen gewiss, dass wir uns um eine Sache, für die wir
passioniert sind, weit mehr interessieren, und weit mehr Curiosität
und Fleiss haben, sie anzuschauen, folglich auch die Imagination 60
damit mehr anfüllen, als wir bey einem Objecte thun, für das wir
indifferent sind. Ein Amant wird von der Schönheit seiner Buhl-
schäfft eine ähnlichere und natürlichere Beschreibung machen, als
ein jedweder andrer, dem sie nicht so starck an das Hertze gewachsen
ist. Ihr werdet einen Affect allezeit natürlicher ausdrücken, den ihr 65
in dem Hertzen fühlet, als den ihr nur simulieret. Die Leidenschafft
wird euch im ersten Fall alle Figuren der Rhetoric auf die Zunge
legen, ohne dass ihr sie studieret. Zertheilet und erleset die Harangue
einer Frauen, die ihre Magd von Hertzen ausschiltet, ihr werdet es
also finden. Wenn auf diese Weise die Imagination von der Passion 70
begleitet wird, alsdann ist sie im Stande sich ohne Distraction über

ein Objecte aufzuhalten, und sich die Natur, Gestalt und Grösse desselben bekandt zumachen; und dieses ist die Manier, die sie brauchet, sich auszuschmücken und zu bereichern.

75 Erst ein solcher Schreiber der, wie unser Opitz, die Imagination mit Bildern der Sachen bereichert und angefüllet hat, kan lebhaft und natürlich dichten. Er kan die Objecte, die er einmal gesehen hat, so offt er will, wieder aus der Imagination holen, sie wird ihn gleichsam auf die Stelle zurück führen, wo er dieselben antreffen kan.

80 Er seye in sein Cabinet eingeschlossen, und werde von keinen andern Gegenständen umgeben, als von einem Hauffen Bücher, so wird sie ihm eine hitzige Schlacht, eine Belägerung, einen Sturm, einen Schiffbruch, etc. in derselben Ordnung wieder vormahlen, in welcher sie ihm vormahls vor dem Gesicht gestanden sind. Dieselbe wird alle

85 die Affecte, die ihn schon besessen haben, in ihm wieder rege machen, und ihn davon erhitzen, nicht anderst als wenn er sie wirklich in der Brust fühlte. Es seye, dass er in dem Schatten einer ausgespannten Eiche sitzet, von allen Neigungen der Liebe, des Mitleidens, der Traurigkeit, des Zorns, frey und unbeweget, so bringet ihm doch die

90 Stärcke seiner Imagination alle die Ideen wieder zurück, die er gehabt hat, als er wircklich verliebt, mitleidend, betrübt, erzörnt gewesen, sie setzet ihn in einen eben so hitzigen Stande, als er damahlen gestanden ware, und ruffet ihm dieselbe Expressionen wieder zurück, welcher er sich zur selben Zeit bedienet. Will er eine Dame glauben

95 machen, dass sie schön seye, und dass er sie liebe; will er einen Todten beweinen, der ihn vielleichte nichts angehet; will er einen erdichteten Zorn ausstossen, so weiss er die Stellungen und die Worte derer Leuten, die in der That mit diesen Passionen angefüllet sind, lebendig nachzumachen.

————

100 Diese vornehme Poeten, die ich niemals müde werde zuloben, lassen das Hertze reden, man kan sagen, dass Amor ihnen ihre Verse in die Feder geflösset hat, wenn sie von der Liebe, und Mars wenn sie von dem Kriege singen. Sie zwingen uns die Affecte anzunehmen, welche sie wollen, wir lachen, wir werden stolz, wir förchten uns,

105 wir erschrecken, wir betrüben uns, wir weinen, wenn es ihnen gefällt; aber auch die traurigen Affecte, die sie in uns rege machen, werden von einem gewissen Ergetzen begleitet, das damit vermenget ist.

Ich belache diese fantastische Schüler der Reim-Kunst, welche
sich eine Chimerische Maitresse bey einem frostigen Hertzen, und
einer noch kälteren Imagination machen, welche von Brand und 110
Feuer mit den kältesten Expressionen reden, in der Metaphora
sterben, sich hencken, sich zu tode stürtzen, derer passioniertste
Complimente, die sie ihrer Liebsten machen, Spiele der Wörtern,
und der truckenen Imagination sind, Phebus, Galimathias, etc.

Es bleibet mir übrig, euch mit wenigen Worten zuerklären, was es 115
eigentlich seye, das die Poeten figürlich ihren Enthusiasmum, ihre
Inspiration, oder auch ihre Poetische Raserey nennen. Diese Worte
bedeuten nichts anders, als die hefftige Passion, mit welcher ein
Poet für die Materie seines Gedichtes eingenommen ist, oder die
gute Imagination, durch welche er sich selbst ermuntern, und sich 120
eine Sache wieder vorstellen, oder einen Affect annehmen kan,
welchen er will. Wenn er also erhitzet ist, so wachsen ihm, so
zusagen, die Worte auf der Zungen, er beschreibet nichts als was er
siehet, er redet nichts als was er empfindet, er wird von der Passion
fortgetrieben, nicht anderst als ein Rasender, der ausser sich selbst 125
ist, und folgen muss, wohin ihn seine Raserey führet.

LXV. ALBRECHT HALLER

A Swiss writer (1708–1777) who in his youth won fame as a poet, afterwards
much greater fame as a man of science. In 1732, after he had taken his degree
in medicine at Leyden, and had visited England and France, he published a
small collection of poems entitled *Versuch Schweizerischer Gedichten.* They are
characterized by moral fervor, trenchant thought, and sententious pregnancy of
expression — a new combination up to that time. Haller is at his best in *The
Alps,* which, notwithstanding its abundant description, is not so much a landscape
poem as a philosophic eulogy of the simple life. The text below follows *Bibliothek älterer Schriftwerke der deutschen Schweiz,* III, 20.

From 'The Alps': Stanzas 1–14.

Versuchts, ihr Sterbliche, macht euren Zustand besser,
Braucht, was die Kunst erfand und die Natur euch gab;
Belebt die Blumen-Flur mit steigendem Gewässer,
Theilt nach Korinths Gesetz gehaune Felsen ab;
Umhängt die Marmor-Wand mit persischen Tapeten, 5

Speist Tunkins Nest [1] aus Gold, trinkt Perlen aus Smaragd,
Schlaft ein beim Saitenspiel, erwachet bei Trompeten,
Räumt Klippen aus der Bahn, schliesst Länder ein zur Jagd;
Wird schon, was ihr gewünscht, das Schicksal unterschreiben
10   Ihr werdet arm im Glück, im Reichthum elend bleiben!

Wann Gold und Ehre sich zu Clios Dienst verbinden,
Keimt doch kein Funken Freud in dem verstörten Sinn.
Der Dinge Werth ist das, was wir davon empfinden;
Vor seiner theuren Last flieht er zum Tode hin.
15   Was hat ein Fürst bevor, das einem Schäfer fehlet?
Der Zepter eckelt ihm, wie dem sein Hirten-Stab.
Weh ihm, wann ihn der Geiz, wann ihn die Ehrsucht quälet,
Die Schaar, die um ihn wacht, hält den Verdruss nicht ab.
Wann aber seinen Sinn gesetzte Stille wieget,
20   Entschläft der minder sanft, der nicht auf Eidern lieget?

Beglückte güldne Zeit, Geschenk der ersten Güte,
O, dass der Himmel dich so zeitig weggerückt!
Nicht, weil die junge Welt in stätem Frühling blühte,
Und nie ein scharfer Nord die Blumen abgepflückt;
25   Nicht, weil freiwillig Korn die falben Felder deckte
Und Honig mit der Milch in dicken Strömen lief;
Nicht, weil kein kühner Löw die schwachen Hürden schreckte,
Und ein verirrtes Lamm bei Wolfen sicher schlief;
Nein, weil der Mensch zum Glück den Überfluss nicht zählte,
30   Ihm Nothdurft Reichthum war und Gold zum Sorgen fehlte!

Ihr Schüler der Natur, ihr kennt noch güldne Zeiten!
Nicht zwar ein Dichterreich voll fabelhafter Pracht;
Wer misst den äussern Glanz scheinbarer [2] Eitelkeiten,
Wann Tugend Müh zur Lust und Armuth glücklich macht?
35   Das Schicksal hat euch hier kein Tempe zugesprochen,
Die Wolken, die ihr trinkt, sind schwer von Reif und Strahl;
Der lange Winter kürzt des Frühlings späte Wochen,

[1] *Tunkins Nest*, the edible birds'-nests of Tonkin, as a type of imported
luxury. — [2] *Scheinbarer* = *glänzender*.

Und ein verewigt Eis umringt das kühle Thal;
Doch eurer Sitten Werth hat alles das verbessert,
Der Elemente Neid hat euer Glück vergrössert.

Wohl dir, vergnügtes Volk! o danke dem Geschicke,
Das dir der Laster Quell, den Überfluss, versagt;
Dem, den sein Stand vergnügt, dient Armuth selbst zum Glücke,
Da Pracht und Üppigkeit der Länder Stütze nagt.
Als Rom die Siege noch bei seinen Schlachten zählte,   45
War Brei der Helden Speis und Holz der Götter Haus;
Als aber ihm das Maass von seinem Reichthum fehlte,
Trat bald der schwächste Feind den feigen Stolz in Graus.
Du aber hüte dich, was grössers zu begehren;
So lang die Einfalt daurt, wird auch der Wohlstand währen.   50

Zwar die Natur bedeckt dein hartes Land mit Steinen,
Allein dein Pflug geht durch, und deine Saat errinnt[1];
Sie warf die Alpen auf, dich von der Welt zu zäunen,
Weil sich die Menschen selbst die grössten Plagen sind.
Dein Trank ist reine Flut und Milch die reichsten Speisen,   55
Doch Lust und Hunger legt auch Eicheln Würze zu;
Der Berge tiefer Schacht giebt dir nur schwirrend[2] Eisen,
Wie sehr wünscht Peru nicht, so arm zu sein als du.
Dann, wo die Freiheit herrscht, wird alle Mühe minder,
Die Felsen selbst beblümt und Boreas gelinder.   60

Glückseliger Verlust von schadenvollen Gütern!
Der Reichthum hat kein Gut, das eurer Armuth gleicht;
Die Eintracht wohnt bei euch in friedlichen Gemüthern,
Weil kein beglänzter Wahn euch Zweitrachtsäpfel reicht;
Die Freude wird hier nicht mit banger Furcht begleitet,   65
Weil man das Leben liebt und doch den Tod nicht hasst;
Hier herrschet die Vernunft, von der Natur geleitet,
Die, was ihr nöthig, sucht und mehrers hält für Last.
Was Epictet gethan und Seneca geschrieben,
Sieht man hier ungelehrt und ungezwungen lieben.   70

---

[1] *Errinnt = geht auf.* — [2] *Schwirrend = klirrend,* 'clanking,' or possibly with reference to the 'whizzing' of iron missiles.

Hier herrscht kein Unterschied, den schlauer Stolz erfunden,
Der Tugend unterthan und Laster edel macht;
Kein müssiger Verdruss verlängert hier die Stunden,
Die Arbeit füllt den Tag und Ruh besetzt die Nacht;
75 Hier lässt kein hoher Geist sich von der Ehrsucht blenden,
Des morgens Sonne frisst des heutes Freude nie.
Die Freiheit theilt dem Volk, aus milden Mutter-Händen,
Mit immer gleichem Maass Vergnügen, Ruh und Müh;
Kein unzufriedner Sinn zankt sich mit seinem Glücke,
80 Man isst, man schläft, man liebt und danket dem Geschicke.

Zwar die Gelehrtheit feilscht hier nicht papierne Schätze,
Man misst die Strassen nicht zu Rom und zu Athen,
Man bindet die Vernunft an keine Schulgesetze,
Und niemand lehrt die Sonn in ihren Kreisen gehn.
85 O Witz! des Weisen Tand, wann hast du ihn vergnüget?
Er kennt den Bau der Welt und stirbt sich unbekannt;
Die Wollust wird bei ihm vergällt und nicht besieget,
Sein künstlicher Geschmack beeckelt seinen Stand;
Und hier hat die Natur die Lehre, recht zu leben,
90 Dem Menschen in das Herz und nicht ins Hirn gegeben.

Hier macht kein wechselnd Glück die Zeiten unterschieden,
Die Thränen folgen nicht auf kurze Freudigkeit;
Das Leben rinnt dahin in ungestörtem Frieden,
Heut ist wie gestern war und morgen wird wie heut.
95 Kein ungewohnter Fall bezeichnet hier die Tage,
Kein Unstern malt sie schwarz, kein schwülstig Glücke roth
Der Jahre Lust und Müh ruhn stets auf gleicher Waage,
Des Lebens Staffeln sind nichts als Geburt und Tod.
Nur hat die Fröhlichkeit bisweilen wenig Stunden
100 Dem unverdrossnen Volk nicht ohne Müh entwunden.

Wann durch die schwüle Luft gedämpfte Winde streichen,
Und ein begeistert Blut in jungen Adern glüht,
So sammlet sich ein Dorf im Schatten breiter Eichen,
Wo Kunst und Anmuth sich um Lieb und Lob bemüht.
105 Hier ringt ein kühnes Paar, vermählt den Ernst dem Spiele.

Umwindet Leib um Leib und schlinget Huft um Huft.
Dort fliegt ein schwerer Stein nach dem gesteckten Ziele,
Von starker Hand beseelt, durch die zertrennte Luft.
Den aber führt die Lust, was edlers zu beginnen,
Zu einer muntern Schaar von jungen Schäferinnen.   110

Dort eilt ein schnelles Blei in das entfernte Weisse,
Das blitzt und Luft und Ziel im gleichen Jetzt durchbohrt;
Hier rollt ein runder Ball in dem bestimmten Gleisse
Nach dem erwählten Zweck mit langen Sätzen fort.
Dort tanzt ein bunter Ring mit umgeschlungnen Händen   115
In dem zertretnen Gras bei einer Dorf-Schallmei,
Und lehrt sie nicht die Kunst, sich nach dem Tacte wenden,
So legt die Fröhlichkeit doch ihnen Flügel bei.
Das graue Alter dort sitzt hin in langen Reihen,
Sich an der Kinder Lust noch einmal zu erfreuen.   120

Denn hier, wo die Natur allein Gesetze giebet,
Umschliesst kein harter Zwang der Liebe holdes Reich.
Was liebenswürdig ist, wird ohne Scheu geliebet,
Verdienst macht alles werth und Liebe macht es gleich.
Die Anmuth wird hier auch in Armen schön gefunden,   125
Man wiegt die Gunst hier nicht für schwere Kisten hin,
Die Ehrsucht theilet nie, was Werth und Huld verbunden,
Die Staatssucht macht sich nicht zur Unglücks-Kupplerin:
Die Liebe brennt hier frei und scheut kein Donnerwetter,
Man liebet für sich selbst und nicht für seine Väter.   130

So bald ein junger Hirt die sanfte Glut empfunden,
Die leicht ein schmachtend Aug in muntern Geistern schürt,
So wird des Schäfers Mund von keiner Furcht gebunden,
Ein ungeheuchelt Wort bekennet, was ihn rührt;
Sie hört ihn und, verdient sein Brand ihr Herz zum Lohne, 135
So sagt sie, was sie fühlt, und thut, wornach sie strebt;
Dann zarte Regung dient den Schönen nicht zum Hohne,
Die aus der Anmuth fliesst und durch die Tugend lebt.
Verzüge falscher Zucht, der wahren Keuschheit Affen,
Der Hochmuth hat euch nur zu unsser Qual geschaffen!   140

LXVI. EWALD VON KLEIST

A Prussian soldier-poet (1715-1759) who fell at the battle of Kunersdorf. His temperament and the circumstances of his early life disposed him to melancholy; so that he readily came under the spell of Haller, Thomson, and the other poets who extolled nature and the simple life as a refuge from the badness of civilization. His best known production is the fragment called *Spring* (1749), in which fine passages of personal feeling are interwoven with detailed descriptions that are sometimes a little tedious. The text follows Muncker's edition in Kürschner's *Nationalliteratur*, Vol. 45.

I

Das Landleben.

O Freund,[1] wie selig ist der Mann zu preisen,
Dem kein Getümmel, dem kein schwirrend Eisen,
Kein Schiff, das Beute, Mast und Bahn verlieret,
Den Schlaf entführet!

5   Der nicht die Ruhe darf in Berge senken,
Der fern von Purpur, fern von Wechselbänken,
In eignen Schatten, durch den West gekühlet,
Sein Leben fühlet.

Er lacht der Schlösser, von Geschütz bewachet,
10   Verhöhnt den Kummer, der an Höfen lachet,
Verhöhnt des Geizes in verschlossnen Mauren
Törichtes Trauren.

Sobald Aurora, wenn der Himmel grauet,
Dem Meer entsteigend, lieblich abwärts schauet,
15   Flieht er sein Lager, ohn' verzärtelt Schmücken,
Mit gleichen Blicken.

Er lobt den Schöpfer, hört ihm Lerchen singen,
Die durch die Lüfte sich dem Aug entschwingen,
Hört ihm vom Zephyr, lispelnd auf den Höhen,
20   Ein Loblied wehen.

[1] The verses were addressed to Karl Wilhelm Ramler.

Er schaut auf Rosen Tau wie Demant blitzen;
Schaut über Wolken von der Berge Spitzen,
Wie schön die Ebne, die sich blau verlieret,
Flora gezieret.

Bald zeigt sich fliehend auf des Meeres Rücken   25
Ein Schiff von weitem den nachfliehnden Blicken,
Das sie erst lange gleichsam an sich bindet
Und dann verschwindet.

Bald sieht er abwärts, voller Glanz und Prangen,
Noch einen Himmel in den Fluten hangen,   30
Noch eine Sonne Amphitritens Grenzen
Grundaus durchglänzen.

Er geht in Wälder, wo an Schilf und Sträuchen
Im krummen Ufer Silberbäche schleichen,
Wo Blüten duften, wo der Nachtigallen   35
Lustlieder schallen.

Jetzt propft er Bäume, leitet Wassergräben,
Schaut Bienen schwärmen, führt an Wänden Reben;
Jetzt tränkt er Pflanzen, zieht von Rosenstöcken
Schattende Hecken.   40

Eilt dann zur Hütten, (da kein Laster thronet,
Die Ruh' und Wollust unsichtbar bewohnet,)
Weil seine Doris, die nur Liebreiz schminket,
Ihm freundlich winket.

Kein Knecht der Krankheit mischt für ihn Gerichte;   45
Unschuld und Freude würzt ihm Milch und Früchte.
Kein bang Gewissen zeigt ihm Schwert und Strafe
Im süssen Schlafe.

Freund, lass uns Golddurst, Stolz und Schlösser hassen,
Und Kleinigkeiten Fürsten überlassen!   50
Mein Lange[1] ruft uns, komm zum Sitz der Freuden
In seine Weiden!

---

[1] *Lange;* Samuel Gotthold Lange, a friend of Kleist's,

2

From 'Spring': Lines 31–97.

Ihr, deren zweifelhaft Leben gleich trüben Tagen des Winters
Ohn' Licht und Freude verfliesst, die ihr in Höhlen des Elends
Die finstern Stunden verzeufzt, betrachtet die Jugend des Jahres!
Dreht jetzt die Augen umher, lasst tausend farbichte Scenen
5 Die schwarzen Bilder verfärben! Es mag die niedrige Ruhmsucht,
Die schwache Rachgier, der Geiz und seufzender Blutdurst sich
    härmen;
Ihr seid zur Freude geschaffen, der Schmerz schimpft Tugend und
    Unschuld.
Saugt Lust und Anmut in euch! Schaut her, sie gleitet im Luftkreis
Und grünt und rieselt im Thal. Und ihr, ihr Bilder des Frühlings,
10 Ihr blühenden Schönen, flieht jetzt den atemraubenden Aushauch
Von güldnen Kerkern der Städte! Kommt, kommt in winkende
    Felder!
Kommt, überlasset dem Zephyr die kleinen Wellen der Locken,
Seht euch in Seen und Bächen, gleich jungen Blumen des Ufers!
Pflückt Morgentulpen voll Tau, und ziert den wallenden Busen!
15 Hier, wo das hohe Gebirge, bekleidet mit Sträuchen und Tannen,
Zur Hälfte den bläulichen Strom, sich drüber neigend, beschattet,
Will ich ins Grüne mich setzen auf seinen Gipfel und um mich
Thal und Gefilde beschauen. O, welch ein frohes Gewühle
Belebt das streifichte Land! Wie lieblich lächelt die Anmut
20 Aus Wald und Büschen hervor! Ein Zaun von blühenden Dornen
Umschliesst und rötet ringsum die sich verlierende Weite,
Vom niedrigen Himmel gedrückt. Von bunten Mohnblumen laufen,
Mit grünem Weizen versetzt, sich schmälernde Beete ins Ferne,
Durchkreuzt von blühendem Flachs. Feldrosen-Hecken und Schleh-
    strauch,
25 In Blüten gleichsam gehüllt, umkränzen die Spiegel der Teiche
Und sehn sich drinnen. Zur Seite blitzt aus dem grünlichen Meere
Ein Meer voll güldner Strahlen durch Phöbus' glänzenden Anblick.
Es schimmert sein gelbes Gestade von Muscheln und farbichten
    Steinen,
Und Lieb' und Freude durchtaumelt in kleiner Fische Geschwadern

Und in den Riesen des Wassers die unabsehliche Fläche.   30
Auf fernen Wiesen am See stehn majestätische Rosse;
Sie werfen den Nacken empor und fliehn und wiehern vor Wollust,
Dass Hain und Felsen erschallt. Gefleckte Kühe durchwaten,
Geführt vom ernsthaften Stier, des Meierhofs büschichte Sümpfe,
Der finstre Linden durchsieht. Ein Gang von Espen und Ulmen   35
Führt zu ihm, welchen ein Bach durchblinkt, in Binsen sich windend,
Von Reihern und Schwänen bewohnt. Gebirge, die Brüste der
     Reben,
Stehn fröhlich um ihn herum; sie ragen über den Buchwald,
Des Hügels Krone, davon ein Teil im Sonnenschein lächelt
Und glänzt, der andere trau'rt im Flor vom Schatten der Wolken.   40
Die Lerche steigt in die Luft, sieht unter sich Klippen und Thäler;
Entzückung tönet aus ihr. Der Klang des wirbelnden Liedes
Ergetzt den ackernden Landmann. Er horcht eine Weile; dann
     lehnt er
Sich auf den gleitenden Pflug, zieht braune Felsen ins Erdreich.
Der Sämann schreitet gemessen, giesst gleichsam trockenen Regen   45
Von Samen hinter ihm her. — O, dass der mühsame Landwirt
Für sich den Segen nur streute! Dass ihn die Weinstöcke tränkten
Und in den Wiesen für ihn nur bunte Wogen sich wältzten!
Allein der frässige Krieg, vom zähnebleckenden Hunger
Und wilden Scharen begleitet, verheert oft Arbeit und Hoffnung.   50
Er stürmet rasend einher, zertritt die nährenden Halmen,
Reisst Stab und Reben zu Boden, entzündet Dörfer und Wälder
Für sich zum flammenden Lustspiel. Wie wenn der Rachen des
     Ätna
Mit ängstlich-wildem Geschrei, dass Meer und Klippen es hören,
Die Gegend um sich herum, vom untern Donner zerrüttet,   55
Mit Schrecken und Tod überspeit und einer flammenden Sündflut.

Ihr, denen zwanglose Völker das Steuer der Herrschaft vertrauen,
Führt ihr durch Flammen und Blut sie zur Glückseligkeit Hafen?
Was wünscht ihr, Väter der Menschen, noch mehrere Kinder? Ist's
     wenig,
Viel Millionen beglücken? Erfordert's wenige Mühe?   60
O mehrt derjenigen Heil, die eure Fittiche suchen.

Deckt sie gleich brütenden Adlern, verwandelt die Schwerter in
   Sicheln,
Lasst güldne Wogen im Meer, fürs Land, durch Schiffahrt sich
   türmen,
Erhebt die Weisheit im Kittel und trocknet die Zähren der Tugend!
5 Wohin verführt mich der Schmerz? Weicht, weicht, ihr traurigen
   Bilder!
Komm, Muse, lass uns die Wohnung und häusliche Wirtschaft des
   Landmanns
Und Viehsucht und Gärte betrachten!

LXVII. FRIEDRICH VON HAGEDORN

A pleasing and popular, but not profound, North German poet of the Gott-
schedian era (1708–1754). He lived in Hamburg, where he held a comfortable
position in a commercial house. His writings consist of songs, odes, fables,
epigrams, poetic tales, etc., which reflect an easy-going temperament and com-
mend the *carpe diem* philosophy of Horace. The text of the selections follows
Kürschner's *Nationalliteratur*, Vol. 45.

1
An die Dichtkunst.

Gespielin meiner Nebenstun-
   den,
Bei der ein Teil der Zeit verschwunden,
Die mir, nicht andern, zugehört:
O Dichtkunst, die das Leben
   lindert!
5 Wie manchen Gram hast du
   vermindert,
Wie manche Fröhlichkeit vermehrt!

Die Kraft der Helden Trefflich-
   keiten
Mit tapfern Worten auszubreiten,
Verdankt Homer und Maro dir.
10 Die Fähigkeit, von hohen Dingen
Den Ewigkeiten vorzusingen,

Verliehst du ihnen und nicht
   mir.

Die Lust, vom Wahn mich zu
   entfernen,
Und deinem Flaccus abzulernen,
Wie man durch echten Witz
   gefällt;   15
Die Lust, den Alten nachzustre-
   ben,
Ist mir im Zorn von dir gegeben,
Wenn nicht mein Wunsch das
   Ziel erhält.

Zu eitel ist das Lob der Freunde:
Uns drohen in der Nachwelt
   Feinde,   20
Die finden unsre Grösse klein.
Den itzt an Liedern reichen
   Zeiten

Empfehl' ich diese Kleinig-
    keiten:
Sie wollen nicht unsterblich sein.

2
Die verliebte Verzweiflung.

Gewiss, der ist beklagens-
    werth,
Den seine Göttin nicht erhört,
Dem alle Seufzer nichts erwer-
    ben.
Er muss fast immer schlaflos sein
5 Und weinen, girren, winseln,
    schrein,
Sich martern und dann sterben.

"Grausame Laura," rief Pedrill,
"Grausame, die mein Unglück,
    will,
Für dich muss ich noch heut
    erblassen."
10 Stracks rennet er in vollem Lauf
Bis an des Hauses Dach hinauf
Und guckt dort in die Gassen.

Bald, als er Essen sah und roch,
Befragt' er sich: "Wie! leb' ich
    noch?"
15 Und zog ein Messer aus der
    Scheiden.
"O Liebe," sagt er, "deiner Wut
Weih' ich den Mordstahl und
    mein Blut," —
Und fing an Brot zu schneiden.

Nach glücklich eingenomm'nem
    Mahl
20 Erwägt er seine Liebesqual
Und will nunmehr durch Gift
    erbleichen.

Er öffnet eine Flasche Wein
Und lässt, des Giftes voll zu sein,
Sich noch die zweite reichen.

Hernach verflucht er sein Ge-
    schick   25
Und holet Schemel, Nagel,
    Strick,
Und schwört, nun soll die That
    geschehen.
Doch ach! was kann betrübter
    sein?
Der Strick ist schwach, der
    Nagel klein,
Der Schemel will nicht stehen.   30

Er wählt noch eine Todesart
Und denkt: "Wer sich ersticht,
    der spart
Und darf für Gift und Strick
    nicht sorgen."
Drauf gähnt er, seufzet, eilt zur
    Ruh,
Kriecht in sein Bett und deckt
    sich zu   35
Und schläft bis an den Morgen.

3
An die Freude.

Freude, Göttin edler Herzen,
Höre mich!
Lass die Lieder, die hier schal-
    len,
Dich vergrössern, dir gefallen;
Was hier tönet, tönt durch dich.   5

Muntre Schwester süsser Liebe!
Himmelskind!
Kraft der Seelen! Halbes Leben!

Ach! was kann das Glück uns
    geben,
10 Wenn man dich nicht auch
    gewinnt?

Stumme Hüter toter Schätze
Sind nur reich.
Dem, der keinen Schatz be-
    wachet,
Sinnreich scherzt und singt und
    lachet,
15 Ist kein karger König gleich.

Gieb den Kennern, die dich
    ehren,
Neuen Mut,
Neuen Scherz den regen Zungen,
Neue Fertigkeit den Jungen,
20 Und den Alten neues Blut.

Du erheiterst, holde Freude!
Die Vernunft.
Flieh auf ewig die Gesichter
Aller finstern Splitterrichter
25 Und die ganze Heuchlerzunft.

4
Das Hühnchen und der Diamant.
    Ein verhungert Hühnchen
    fand
Einen feinen Diamant
Und verscharrt ihn in den Sand.

"Möchte doch, mich zu erfreun,"
5 Sprach es, "dieser schöne Stein
Nur ein Weizenkörnchen sein!"

Unglückselger Überfluss,
Wo der nötigste Genuss
Unsern Schätzen fehlen muss!

5
Johann, der Seifensieder.
    Johann, der muntre Seifen-
    sieder,
Erlernte viele schöne Lieder,
Und sang, mit unbesorgtem Sinn,
Vom Morgen bis zum Abend hin.
Sein Tagwerk konnt' ihm Nah-
    rung bringen;   5
Und wann er ass, so musst' er
    singen,
Und wann er sang, so war's mit
    Lust,
Aus vollem Hals und freier
    Brust.
Beim Morgenbrot, beim Abend-
    essen,
Blieb Ton und Triller unver-
    gessen;   10
Der schallte recht, und seine
    Kraft
Durchdrang die halbe Nach-
    barschaft.
Man horcht, man fragt: Wer
    singt schon wieder?
Wer ist's? Der muntre Seifen-
    sieder.
Im Lesen war er anfangs
    schwach;   15
Er las nichts als den Almanach,
Doch lernt' er auch nach Jahren
    beten,
Die Ordnung nicht zu über-
    treten,
Und schlief, dem Nachbar gleich
    zu sein,
Oft singend, öftrer lesend, ein.   20
Er schien fast glücklicher zu
    preisen

Als die berufnen sieben Weisen,
Als manches Haupt gelehrter
Welt,
Das sich schon für den achten
hält.

25 Es wohnte diesem in der Nähe
Ein Sprössling eigennütz' ger
Ehe,
Der, stolz und steif und bürger-
lich,
Im Schmausen keinem Fürsten
wich:
Ein Garkoch richtender Ver-
wandten,
30 Der Schwäger, Vettern, Nichten,
Tanten,
Der stets zu halben Nächten
frass,
Und seiner Wechsel oft vergass.

Kaum hatte mit den Morgen-
stunden
Sein erster Schlaf sich einge-
funden,
35 So liess ihm den Genuss der Ruh
Der nahe Sänger nimmer zu.
"Zum Henker! lärmst du dort
schon wieder,
Vermaledeiter Seifensieder?
Ach wäre doch, zu meinem Heil,
40 Der Schlaf hier, wie die Austern
feil!"

Den Sänger, den er früh ver-
nommen,
Lässt er an einem Morgen
kommen
Und spricht: "Mein lustiger
Johann!

Wie geht es Euch? Wie fangt
Ihrs an?
Es rühmt ein jeder Eure Ware: 45
Sagt, wie viel bringt sie Euch im
Jahre?"

"Im Jahre, Herr? Mir fällt
nicht bei,
Wie gross im Jahr mein Vorteil
sei.
So rechn' ich nicht; ein Tag
bescheret,
Was der, so auf ihn kömmt,
verzehrt, 50
Dies folgt im Jahr (ich weiss die
Zahl)
Dreihundertfünfundsechzigmal."

"Ganz recht; doch könnt Ihr
mir's nicht sagen,
Was pflegt ein Tag wohl einzu-
tragen?"

"Mein Herr, Ihr forschet allzu-
sehr: 55
Der eine wenig, mancher mehr,
So wie's dann fällt! Mich
zwingt zur Klage
Nichts als die vielen Feiertage;
Und wer sie alle rot gefärbt,
Der hatte wohl, wie Ihr, geerbt, 60
Dem war die Arbeit sehr zu-
wider;
Das war gewiss kein Seifen-
sieder."

Dies schien den Reichen zu
erfreun.

"Hans," spricht er, "du sollst
glücklich sein.
65 Jetzt bist du nur ein schlechter
Prahler.
Da hast du bare funfzig Thaler;
Nur unterlasse den Gesang!
Das Geld hat einen bessern
Klang."

Er dankt und schleicht mit
scheuchem Blicke,
70 Mit mehr als diebscher Furcht
zurücke.
Er herzt den Beutel, den er hält,
Und zählt und wägt und
schwenkt das Geld,
Das Geld, den Ursprung seiner
Freude,
Und seiner Augen neue Weide.

75 Es wird mit stummer Lust
beschaut
Und einem Kasten anvertraut,
Den Band' und starke Schlösser
hüten,
Beim Einbruch Dieben Trotz
zu bieten,
Den auch der karge Thor bei
Nacht
80 Aus banger Vorsicht selbst be-
wacht.
Sobald sich nur der Haushund
reget,
Sobald der Kater sich beweget,
Durchsucht er alles, bis er
glaubt,
Dass ihn kein frecher Dieb
beraubt,
85 Bis, oft gestossen, oft ge-
schmissen,

Sich endlich beide packen
müssen:
Sein Mops, der keine Kunst
vergass
Und wedelnd bei dem Kessel
sass;
Sein Hinz, der Liebling junger
Katzen,
So glatt von Fell, so weich von
Tatzen,   90
Er lernt zuletzt, je mehr er
spart,
Wie oft sich Sorg' und Reichtum
paart,
Und manches Zärtlings dunkle
Freuden
Ihn ewig von der Freiheit
scheiden,
Die nur in reine Seelen strahlt, 95
Und deren Glück kein Gold
bezahlt.

Dem Nachbar, den er stets
gewecket,
Bis der das Geld ihm zuge-
stecket,
Dem stellt er bald, aus Lust zur
Ruh,
Den vollen Beutel wieder zu   100
Und spricht: "Herr, lehrt mich
bessre Sachen
Als, statt des Singens, Geld
bewachen.
Nehmt immer Euren Beutel hin.
Und lasst mir meinen frohen
Sinn.
Fahrt fort, mich heimlich zu
beneiden;   105
Ich tausche nicht mit Euren
Freuden.

| Der Himmel hat mich recht geliebt Der mir die Stimme wiedergiebt. | Was ich gewesen, werd' ich wieder: Johann, der muntre Seifensieder."   110 |

LXVIII. CHRISTIAN FÜRCHTEGOTT GELLERT

An eminent fabulist and moralist of Saxon stock (1715–1769). Like Gottsched, he spent the best years of his life in the service of the University of Leipzig. His *Fables and Tales* (1746–1748) were reprinted in numberless editions, made their publisher rich, and remained for several decades the popular ideal of pleasant and edifying literature. Gellert was also a pioneer (the *Swedisch Countess*, 1747,) in the field of moral family fiction after the manner of Richardson. The selections follow Kürschner's *Nationalliteratur*, Vol. 43.

I

Die Nachtigall und die Lerche.

Die Nachtigall sang einst mit vieler Kunst,
Ihr Lied erwarb der ganzen Gegend Gunst;
Die Blätter in den Gipfeln schwiegen
Und fühlten ein geheim Vergnügen.
Der Vögel Chor vergass der Ruh   5
Und hörte Philomelen zu.
Aurora selbst verzog am Horizonte,
Weil sie die Sängerin nicht g'nug bewundern konnte;
Denn auch die Götter rührt der Schall
Der angenehmen Nachtigall,   10
Und ihr, der Göttin, ihr zu Ehren,
Liess Philomele sich noch zweimal schöner hören.
Sie schweigt darauf. Die Lerche naht sich ihr
Und spricht: "Du singst viel reizender als wir,
Dir wird mit Recht der Vorzug zugesprochen;   15
Doch eins gefällt uns nicht an dir,
Du singst das ganze Jahr nicht mehr als wenig Wochen."
Doch Philomele lacht und spricht:
"Dein bittrer Vorwurf kränkt mich nicht
Und wird mir ewig Ehre bringen.   20
Ich singe kurze Zeit. Warum? Um schön zu singen.
Ich folg' im Singen der Natur;

So lange sie gebeut, so lange sing' ich nur.
Sobald sie nicht gebeut, so hör' ich auf zu singen
25 Denn die Natur lässt sich nicht zwingen."

O Dichter, denkt an Philomelen,
Singt nicht, so lang ihr singen wollt.
Natur und Geist, die euch beseelen,
Sind euch nur wenig Jahre hold.
30 Soll euer Witz die Welt entzücken,
So singt, so lang ihr feurig seid,
Und öffnet euch mit Meisterstücken
Den Eingang in die Ewigkeit.
Singt geistreich der Natur zu Ehren;
35 Und scheint euch die nicht mehr geneigt,
So eilt, um rühmlich aufzuhören,
Eh' ihr zu spät mit Schande schweigt.
Wer, sprecht ihr, will den Dichter zwingen?
Er bindet sich an keine Zeit.
40 So fahrt denn fort, noch alt zu singen,
Und singt euch um die Ewigkeit.

2
Das Land der Hinkenden.

Vor Zeiten gab's ein kleines Land,
Worin man keinen Menschen fand,
Der nicht gestottert, wenn er red'te,
Nicht, wenn er ging, gehinket hätte;
5 Denn beides hielt man für galant.
Ein fremder sah den Übelstand;
Hier, dacht' er, wird man dich im Gehn bewundern müssen
Und ging einher mit steifen Füssen.
Er ging, ein jeder sah ihn an,
10 Und alle lachten, die ihn sahn,
Und jeder blieb vor Lachen stehen
Und schrie: "Lehrt doch den Fremden gehen!"

Der Fremde hielt's für seine Pflicht,
Den Vorwurf von sich abzulehnen.
"Ihr," rief er, "hinkt; ich aber nicht: 15
Den Gang müsst ihr euch abgewöhnen!"
Der Lärmen wird noch mehr vermehrt,
Da man den Fremden sprechen hört.
Er stammelt nicht; genug zur Schande!
Man spottet sein im ganzen Lande.   20

Gewohnheit macht den Fehler schön,
Den wir von Jugend auf gesehn.
Vergebens wird's ein Kluger wagen
Und, dass wir töricht sind, uns sagen.
Wir selber halten ihn dafür,   25
Bloss, weil er klüger ist als wir.

3
Das Gespenst.

Ein Hauswirt, wie man mir erzählt,
Ward lange Zeit durch ein Gespenst gequält.
Er liess, des Geists sich zu erwehren,
Sich heimlich das Verbannen lehren;
Doch kraftlos blieb der Zauberspruch.   5
Der Geist entsetzte sich vor keinen Charakteren
Und gab, in einem weissen Tuch,
Ihm alle Nächte den Besuch.
Ein Dichter zog in dieses Haus.
Der Wirt, der bei der Nacht nicht gern allein gewesen,   10
Bat sich des Dichters Zuspruch aus
Und liess sich seine Verse lesen.
Der Dichter las ein frostig Trauerspiel,
Das, wo nicht seinem Wirt, doch ihm sehr wohl gefiel.
Der Geist, den nur der Wirt, doch nicht der Dichter sah,   15
Erschien und hörte zu; es fing ihn an zu schauern.
Er konnt es länger nicht als einen Auftritt dauern,
Denn, eh' der andre kam, so war er nicht mehr da.
Der Wirt, von Hoffnung eingenommen,

20 Liess gleich die andre Nacht den Dichter wiederkommen.
Der Dichter las, der Geist erschien,
Doch ohne lange zu verziehn.
"Gut," sprach der Wirt bei sich, "dich will ich bald verjagen,
Kannst du die Verse nicht vertragen."
25 Die dritte Nacht blieb unser Wirt allein.
Sobald es zwölfe schlug, liess das Gespenst sich blicken;
"Johann!" fing drauf der Wirt gewaltig an zu schrein,
"Der Dichter (lauft geschwind!) soll von der Güte sein
Und mir sein Trauerspiel auf eine Stunde schicken."
30 Der Geist erschrak und winkte mit der Hand,
Der Diener sollte ja nicht gehen;
Und kurz, der weisse Geist verschwand
Und liess sich niemals wieder sehen.

Ein jeder, der dies Wunder liest,
35 Zieh' sich daraus die gute Lehre,
Dass kein Gedicht so elend ist,
Das nicht zu etwas nützlich wäre.
Und wenn sich ein Gespenst vor schlechten Versen scheut,
So kann uns dies zum grossen Troste dienen,
40 Gesetzt, dass sie zu unsrer Zeit
Auch legionenweis erschienen:
So wird, um sich von allen zu befrein,
An Versen doch kein Mangel sein.

4
Der unsterbliche Autor.

Ein Autor schrieb sehr viele Bände
Und ward das Wunder seiner Zeit;
Der Journalisten gütge Hände
Verehrten ihm die Ewigkeit.
5 Er sah, vor seinem sanften Ende,
Fast alle Werke seiner Hände
Das sechste Mal schon aufgelegt
Und sich mit tiefgelehrtem Blicke

In einer spanischen Perücke
Vor jedes Titelblatt geprägt.   10
Er blieb vor Widersprechern sicher
Und schrieb bis an den Tag, da ihn der Tod entseelt;
Und das Verzeichnis seiner Bücher,
Die kleinen Schriften mitgezählt,
Nahm an dem Lebenslauf allein   15
Drei Bogen und drei Seiten ein.

Man las nach dieses Mannes Tode
Die Schriften mit Bedachtsamkeit;
Und seht, das Wunder seiner Zeit
Kam in zehn Jahren aus der Mode,   20
Und seine göttliche Methode
Hiess eine bange Trockenheit.
Der Mann war bloss berühmt gewesen,
Weil Stümper ihn gelobt, eh' Kenner ihn gelesen.

          ———

Berühmt zu werden ist nicht schwer,   25
Man darf nur viel für kleine Geister schreiben;
Doch bei der Nachwelt gross zu bleiben,
Dazu gehört noch etwas mehr
Als, seicht an Geist, in strenger Lehrart schreiben.

LXIX. JOHANN WILHELM LUDWIG GLEIM

A North German poet (1719–1803) who is best known for his *Songs of a
Prussian Grenadier*, commemorating the victories of Frederick the Great in the
Seven Years' War. His earlier work is mostly in the light anacreontic vein,
which was somewhat overworked in the decade preceding the war. The fashion
was really set by Gleim, though the spirit of it is found in Hagedorn. The
selections follow Kürschner's *Nationalliteratur*, Vol. 45.

I

An Leukon.

Rosen pflücke, Rosen blühn,
Morgen ist nicht heut!
Keine Stunde lass entfliehn,
Flüchtig ist die Zeit!

Trinke, küsse! Sieh, es ist   5
Heut Gelegenheit!
Weisst du, wo du morgen bist?
Flüchtig ist die Zeit.

Aufschub einer guten Tat
Hat schon oft gereut!   10

Hurtig leben ist mein Rat,
Flüchtig ist die Zeit!

2
Trinklied.

Brüder, trinkt: es trinkt die
 Sonne,
Und sie hat schon tausend
 Ströme
Ohne Bruder ausgetrunken!
Brüder trinkt: es trinkt die
 Erde;
5 Seht, sie durstet, seht, wie durs-
 tig
Trinkt sie diese Regentropfen!
Seht, dort um den Vater Bacchus
Stehn die Reben frisch am Berge;
Denn es hat das Nass der Wolken
10 Ihren heissen Durst gelöschet.
Brüder, seht, das Nass der Reben
Wartet in den vollen Gläsern:
Wollt ihr euren Durst nicht
 löschen?

3
Vorzüge in der Klugheit.

Herr Euler misst der Welten
 Grösse;
O welch ein Tor ist das!
Ich bin doch klüger, denn ich
 messe
Die Eimer Wein auf meinem
 Fass.

5 Wolff zählt die Kräfte seiner
 Seele;
O welch ein Tor ist das!
Ich bin doch klüger, denn ich
 zähle
Die Tropfen Wein im Deckel-
 glas.

Herr Meier macht nur immer
 Schlüsse;
Wie töricht ist auch das!   10
Ich klügerer, ich trink' und
 küsse,
Ich küss' und trink' ohn' Unter-
 lass.

Herr Haller sucht Gras, Kraut
 und Bäume
Auf mancher rauhen Bahn;
Ich klügerer, ich suche Reime,   15
So wie er sonsten auch gethan.

Herr Bodmer führt gelehrte
 Kriege;
O warum führt er sie?
Denn durch noch tausend seiner
 Siege
Bezwingt er doch die Dummheit
 nie.   20

Es mögen ihn die Enkel preisen
Und sagen: So ein Mann
Ist doch jetzund nicht aufzu-
 weisen;
Was gehen mir die Enkel an?

4
Bei Eröffnung des Feldzuges 1756.

Krieg ist mein Lied! Weil
 alle Welt
Krieg will, so sei es Krieg!
Berlin sei Sparta! Preussens
 Held
Gekrönt mit Ruhm und Sieg!

Gern will ich seine Taten tun,
Die Leier in der Hand,

Wenn meine blut'gen Waffen
    ruhn
Und hangen an der Wand.

Auch stimm' ich hohen Schlacht-
    gesang
10 Mit seinen Helden an
Bei Pauken- und Trompeten-
    klang,
Im Lärm von Ross und Mann;

Und streit', ein tapfrer Grena-
    dier,
Von Friedrichs Mut erfüllt.
15 Was acht' ich es, wenn über mir
Kanonendonner brüllt?

Ein Held fall' ich; noch sterbend
    droht
Mein Säbel in der Hand.
Unsterblich macht der Helden
    Tod,
20 Der Tod fürs Vaterland!

Auch kömmt man aus der Welt
    davon
Geschwinder wie der Blitz;
Und wer ihn stirbt, bekommt
    zum Lohn
Im Himmel hohen Sitz!

25 Wenn aber ich als solch ein Held
Dir, Mars, nicht sterben soll,
Nicht glänzen soll im Sternen-
    zelt:
So leb' ich dem Apoll.

So werd' aus Friedrichs Grena-
    dier,

Dem Schutz, der Ruhm des
    Staats;   30
So lern' er deutscher Sprache
    Zier
Und werde sein Horaz!

Dann singe Gott und Friederich,
Nichts Kleiners, stolzes Lied!
Dem Adler gleich erhebe dich,   35
Der in die Sonne sieht!

5
Siegeslied nach der Schlacht bei
    Prag, den 6. Mai, 1757.

Viktoria! mit uns ist Gott,
Der stolze Feind liegt da!
Er liegt, gerecht ist unser Gott,
Er liegt, Viktoria!

Zwar unser Vater ist nicht mehr,   5
Jedoch er starb ein Held
Und sieht nun unser Siegesheer
Vom hohen Sternenzelt.

Er ging voran, der edle Greis,
Voll Gott und Vaterland.   10
Sein alter Kopf war kaum so
    weiss
Als tapfer seine Hand.

Mit jugendlicher Heldenkraft
Ergriff er eine Fahn',
Hielt sie empor an ihrem Schaft   15
Dass wir sie alle sahn;

Und sagte: "Kinder, Berg
    hinan,
Auf Schanzen und Geschütz!"
Wir folgten alle, Mann vor
    Mann,
Geschwinder wie der Blitz,   20

Ach! aber unser Vater fiel,
Die Fahne sank auf ihn.
Ha! welch glorreiches Lebens-
　ziel,
Glückseliger Schwerin!

25 Dein Friederich hat dich be-
　weint,
Indem er uns gebot;
Wir aber stürzten in den Feind,
Zu rächen deinen Tod.

Du, Heinrich, warest ein Soldat,
30 Du fochtest königlich!
Wir sahen alle, Tat vor Tat,
Du junger Löw', auf dich!

Der Pommer und der Märker
　stritt
Mit rechtem Christenmut.
35 Rot ward sein Schwert, auf
　jeden Schritt
Floss dick Pandurenblut.

Aus sieben Schanzen jagten wir
Die Mützen von dem Bär.
Da, Friedrich, ging dein Grena-
　dier
40 Auf Leichen hoch einher;

Dacht', in dem mörderischen
　Kampf,
Gott, Vaterland und dich,
Sah, tief in schwarzem Rauch
　und Dampf,
Dich seinen Friederich;

Und zitterte, ward feuerrot　　45
Im kriegrischen Gesicht
(Er zitterte vor deinem Tod
Vor seinem aber nicht);

Verachtete die Kugelsaat,
Der Stücke Donnerton,　　　50
Stritt wütender, tat Heldentat,
Bis deine Feinde flohn.

Nun dankt er Gott für seine
　Macht,
Und singt: Viktoria!
Und alles Blut aus dieser
　Schlacht　　　　　　　　55
Fliesst nach Theresia.

Und weigert sie auf diesen Tag,
Den Frieden vorzuziehn,
So stürme, Friedrich, erst ihr
　Prag,
Und dann führ uns nach Wien! 60

LXX. FRIEDRICH GOTTLIEB KLOPSTOCK

1724-1803. By his profound seriousness and the fervor of his utterance, Klopstock turned German poetry into new channels. Impatient of rime, which he regarded as an ignoble modern jingle, and averse to the shallow *Verstandes-poesie* of the reigning Saxon school, he conceived of poetry as the intense expression of sublimated feeling. His most famous work is the *Messiah*, a long religious epic in hexameters. In his *Odes*, composed in the rimeless meters of the Greek and Roman lyrists, he made large use of mythologic names and conceptions which he erroneously supposed to be Old German. We hear of ancient bards inhabiting the German forests, singing 'lawless songs' of intense emotion, and deriving their inspiration from ethnic tradition and from the elemental feelings of love and friendship. In his so-called *Bardiete* he used the dramatic form for this same idealization of the ancient Germans. Although now little read, Klopstock exerted a great influence in dignifying the poet's calling and strengthening the national self-respect and self-reliance of literary Germany.

I

From the 'Messiah': First Song, lines 1–137.

Sing, unsterbliche Seele, der sündigen Menschen Erlösung,
Die der Messias auf Erden in seiner Menschheit vollendet,
Und durch die er Adams Geschlecht zu der Liebe der Gottheit,
Leidend, getötet, und verherrlichet, wieder erhöht hat.
Also geschah des Ewigen Wille. Vergebens erhub sich   5
Satan gegen den göttlichen Sohn; umsonst stand Juda
Gegen ihn auf; er tat's und vollbrachte die grosse Versöhnung.
   Aber, o Tat, die allein der Allbarmherzige kennet,
Darf aus dunkler Ferne sich auch dir nahn die Dichtkunst?
Weihe sie, Geist Schöpfer, vor dem ich hier still anbete,   10
Führe sie mir, als deine Nachahmerin, voller Entzückung,
Voll unsterblicher Kraft, in verklärter Schönheit entgegen.
Rüste mit deinem Feuer sie, du, der die Tiefen der Gottheit
Schaut, und den Menschen aus Staube gemacht zum Tempel sich
    heiligt!
Rein sei das Herz! So darf ich, obwohl mit der bebenden Stimme 15
Eines Sterblichen, doch den Gottversöhner besingen,
Und die furchtbare Bahn, mit verziehnem Straucheln, durchlaufen.

   Menschen, wenn ihr die Hoheit kennt, die ihr damals empfinget,
Da der Schöpfer der Welt Versöhner wurde, so höret
Meinen Gesang, und ihr vor allen, ihr wenigen Edlen,   20
Teure, herzliche Freunde des liebenswürdigen Mittlers,
Ihr mit dem kommenden Weltgerichte vertrauliche Seelen,
Hört mich, und singt den ewigen Sohn durch ein göttliches Leben.
   Nah an der heiligen Stadt, die sich jetzt durch Blindheit entweihte,[1]
Und die Krone der hohen Erwählung unwissend hinwegwarf,   25
Sonst die Stadt der Herrlichkeit Gottes, der heiligen Väter

---

[1] Lines 24 ff. Klopstock here follows John xii, making Jesus 'hide himself' from the palm-strewing people before entering the city gate.

Pflegerin, jetzt ein Altar des Bluts vergossen von Mördern;
Hier war's, wo der Messias von einem Volke sich losriss,
Das zwar jetzt ihn verehrte, doch nicht mit jener Empfindung,
30 Die untadelhaft bleibt vor dem schauenden Auge der Gottheit.
Jesus verbarg sich diesen Entweihten. Zwar lagen hier Palmen
Vom begleitenden Volk; zwar klang dort ihr lautes Hosanna;
Aber umsonst. Sie kannten ihn nicht, den König sie nennten,
Und den Gesegneten Gottes zu sehn, war ihr Auge zu dunkel.
35 Gott kam selbst von dem Himmel herab. Die gewaltige Stimme
Sieh, ich hab' ihn verklärt, und will ihn von neuem verklären!
War die Verkündigerin der gegenwärtigen Gottheit.
Aber sie waren, Gott zu verstehn, zu niedrige Sünder.
Unterdes nahte sich Jesus dem Vater, der wegen des Volkes,
40 Dem die Stimme geschah, mit Zorn zu dem Himmel hinaufstieg.
Denn noch einmal wollte der Sohn des Bundes Entschliessung,
Seine Menschen zu retten, dem Vater feierlich kund tun.
    Gegen die östliche Seite Jerusalems liegt ein Gebirge,
Welches auf seinem Gipfel schon oft den göttlichen Mittler,
45 Wie in das Heilige Gottes, verbarg, wenn er einsame Nächte
Unter des Vaters Anschaun ernst in Gebeten durchwachte.
Jesus ging nach diesem Gebirg. Der fromme Johannes,
Er nur folgt' ihm dahin bis an die Gräber der Seher,
Wie sein göttlicher Freund, die Nacht in Gebete zu bleiben.
50 Und der Mittler erhub sich von dort zu dem Gipfel des Berges.
Da umgab von dem hohen Moria ihn Schimmer der Opfer,
Die den ewigen Vater noch jetzt in Bilde versöhnten.
Ringsum nahmen ihn Palmen in's Kühle. Gelindere Lüfte,
Gleich dem Säuseln [1] der Gegenwart Gottes, umflossen sein Antlitz
55 Und der Seraph, der Jesus zum Dienst auf der Erde gesandt war,
Gabriel, nennen die Himmlischen ihn, stand feirend am Eingang
Zwoer umdufteter Cedern, und dachte dem Heile der Menschen,
Und dem Triumphe der Ewigkeit nach, als jetzt der Erlöser
Seinem Vater entgegen vor ihm in Stillem vorbeiging.
60 Gabriel wusste, dass nun die Zeit der Erlösung herankam.
Diese Betrachtung entzückt' ihn, er sprach mit leiserer Stimme:

---

[1] *Säuseln;* the 'still small voice' of 1 Kings xix, 12.

Willst du die Nacht, o Göttlicher, hier in Gebete durchwachen?
Oder verlangt dein ermüdeter Leib nach seiner Erquickung?
Soll ich zu deinem unsterblichen Haupt ein Lager bereiten?
Siehe, schon streckt der Sprössling der Ceder den grünenden **Arm**
    aus,   65
Und die weiche Staude des Balsams. Am Grabe der Seher
Wächst dort unten ruhiges Moos in der kühlenden Erde.
Soll ich davon, o Göttlicher, dir ein Lager bereiten?
Ach, wie bist du, Erlöser, ermüdet! Wie viel erträgst du
Hier auf der Erd', aus inniger Liebe zu Adams Geschlechte!   70
    Gabriel sagt's. Der Mittler belohnt ihn mit segnenden **Blicken**,
Steht voll Ernst auf der Höhe des Bergs am näheren **Himmel**.
Dort war Gott. Dort betet' er. Unter ihm tönte die Erde,
Und ein wandelndes [1] Jauchzen durchdrang die Pforten des **Ab-**
    grunds,[2]
Als sie von ihm tief unten die mächtige Stimme vernahmen.   75
Denn sie war es nicht mehr des Fluches Stimme, die Stimme
Angekündet in Sturm, und in donnerndem Wetter gesprochen,
Welche die Erde vernahm. Sie hörte des Segnenden Rede,
Der mit unsterblicher Schöne sie einst zu verneuen beschlossen.
Ringsum lagen die Hügel in lieblicher Abenddämmrung,   80
Gleich als blühten sie wieder, nach Edens Bilde geschaffen.
Jesus redete. Er, und der Vater durchschauten den Inhalt
Gränzlos: diess nur vermag des Menschen Stimme zu sagen:
    Göttlicher Vater, die Tage des Heils, und des ewigen Bundes
Nahen sich mir, die Tage zu grösseren Werken erkoren,   85
Als die Schöpfung, die du mit deinem Sohne vollbrachtest.
Sie verklären sich mir so schön und herrlich, als damals,
Da wir der Zeiten Reih' durchschauten, die Tage der Zukunft,
Durch mein göttliches Schaun, bezeichnet, und glänzender sahen.
Dir nur ist es bekannt, mit was vor Einmut wir damals,   90
Du, mein Vater, und ich und der Geist die Erlösung beschlossen.
In der Stille der Ewigkeit, einsam und ohne Geschöpfe,
Waren wir bei einander. Voll unsrer göttlichen Liebe,
Sahen wir auf die Menschen, die noch nicht waren, herunter.

---

[1] *Wandelndes* = *fortwandelndes*, 'continuing.' — [2] *Abgrunds;* the 'pit' of
hell, where the imprisoned fathers are waiting to be released.

95 Edens selige Kinder, ach unsre Geschöpfe, wie elend
Waren sie, sonst unsterblich, nun Staub und entstellt von der Sünde!
Vater, ich sah ihr Elend, du meine Tränen. Da sprachst du:
Lasset der Gottheit Bild in dem Menschen von neuem uns schaffen!
Also beschlossen wir unser Geheimnis, das Blut der Versöhnung,
100 Und die Schöpfung der Menschen verneut zu dem ewigen Bilde!
Hier erkor ich mich selbst, die göttliche Tat zu vollenden.
Ewiger Vater, das weisst du, das wissen die Himmel, wie innig
Mich seit diesem Entschluss nach meiner Erniedrung verlangte!
Erde, wie oft warst du, in deiner niedrigen Ferne,
105 Mein erwähltes, geliebteres Augenmerk! Und o Kanan,
Heiliges Land, wie oft hing unverwendet mein Auge
An dem Hügel, den ich von des Bundes Blute schon voll sah!
Und wie bebt mir mein Herz von süssen, wallenden Freuden,
Dass ich so lange schon Mensch bin, dass schon so viele Gerechte
110 Sich mir sammeln, und nun bald alle Geschlechte der Menschen
Mir sich heiligen werden! Hier lieg' ich, göttlicher Vater,
Noch nach deinem Bilde geschmückt mit den Zügen der Menschheit,
Betend vor dir: bald aber, ach bald wird dein tötend Gericht mich
Blutig entstellen, und unter den Staub der Toten begraben.
115 Schon, o Richter der Welt, schon hör' ich fern dich, und einsam
Kommen und unerbittlich in deinen Himmeln dahergehn.
Schon durchdringt mich ein Schauer dem ganzen Geistergeschlechte
Unempfindbar, und wenn du sie auch mit dem Zorne der Gottheit
Tötetest, unempfindbar! Ich seh' den nächtlichen Garten
120 Schon vor mir liegen, sinke vor dir in niedrigen Staub hin,
Lieg', und bet', und winde mich, Vater, in Todesschweisse.
Siehe, da bin ich, mein Vater. Ich will des Allmächtigen Zürnen,
Deine Gerichte will ich mit tiefem Gehorsam ertragen.
Du bist ewig! Kein endlicher Geist hat das Zürnen der Gottheit,
125 Keiner je, den Unendlichen tötend mit ewigem Tode,
Ganz gedacht, und keiner empfunden. Gott nur vermochte
Gott zu versöhnen. Erhebe dich, Richter der Welt! Hier bin ich!
Töte mich, nimm mein ewiges Opfer zu deiner Versöhnung.
Noch bin ich frei, noch kann ich dich bitten; so tut sich der Himmel
130 Mit Myriaden von Seraphim auf, und führet mich jauchzend,
Vater, zurück in Triumph zu deinem erhabenen Trone!

Aber ich will leiden, was keine Seraphim fassen,
Was kein denkender Cherub in tiefen Betrachtungen einsieht;
Ich will leiden, den furchtbarsten Tod ich Ewiger leiden.

Weiter sagt' er, und sprach: Ich hebe gen Himmel mein Haupt auf, 135
Meine Hand in die Wolken, und schwöre bei dir und mir selber,
Der ich Gott bin, wie du: Ich will die Menschen erlösen.

2
Wingolf[1]: The eighth song.

Komm, goldne Zeit, die selten zu Sterblichen
Heruntersteiget, lass dich erflehn, und komm
   Zu uns, wo dir es schon im Haine
      Weht, und herab von dem Quell schon tönet!

Gedankenvoller, tief in Entzückungen   5
Verloren, schwebt bei dir die Natur. Sie hat's
   Getan! hat Seelen, die sich fühlen,
      Fliegen den Geniusflug, gebildet.

Natur, dich hört' ich im Unermesslichen
Herwandeln, wie, mit Sphärengesangeston,   10
   Argo, von Dichtern nur vernommen,
      Strahlend im Meere der Lüfte wandelt.

Aus allen goldnen Zeiten begleiten dich,
Natur, die Dichter! Dichter des Altertums!
   Der späten Nachwelt Dichter! Segnend   15
      Sehn sie ihr heilig Geschlecht hervorgehn.

3
An Fanny.[2]

Wenn einst ich tot bin, wenn mein Gebein zu Staub
Ist eingesunken, wenn du, mein Auge, nun

---

[1] The entire ode, dating from 1747 and consisting of eight 'songs' in Alcaic meter, was at first entitled *An des Dichters Freunde*. Wingolf, as it was finally called, is the Norse Gimle, the abode of the blest after Ragnarok. The seven preceding songs extol the various friends who, united in a new Bardenhain, are to usher in a new Golden Age. — [2] The ode dates from 1748. Fanny Schmidt was a young woman whose indifference to Klopstock's devotion threw him back on the hope of a union in heaven.

Lang über meines Lebens Schicksal,
Brechend im Tode nun ausgeweint hast,

5 Und stillanbetend da, wo die Zukunft ist,
Nicht mehr hinaufblickst, wenn mein ersungner Ruhm,
Die Frucht von meiner Jünglingsträne,[1]
Und von der Liebe zu dir, Messias,

Nun auch verweht ist, oder von wenigen
10 In jene Welt hinüber gerettet ward;
Wenn du alsdann auch, meine Fanny,
Lange schon tot bist, und deines Auges

Stillheitres Lächeln, und sein beseelter Blick
Auch ist verloschen, wenn du, vom Volke nicht
15 Bemerket, deines ganzen Lebens
Edlere Taten nunmehr getan hast,

Des Nachruhms werter als ein unsterblich Lied,
Ach, wenn du dann auch einen beglückteren[2]
Als mich geliebt hast, lass den Stolz mir,
20 Einen beglückteren, doch nicht edleren!

Dann wird ein Tag sein, den werd' ich auferstehn!
Dann wird ein Tag sein, den wirst du auferstehn!
Dann trennt kein Schicksal mehr die Seelen,
Die du einander, Natur, bestimmtest.

25 Dann wägt, die Wagschal' in der gehobñen Hand,
Gott Glück und Tugend gegen einander gleich;
Was in der Dinge Lauf jetzt missklingt,
Tönet in ewigen Harmonien!

Wenn dann du dastehst jugendlich auferweckt,
30 Dann eil' ich zu dir! säume nicht, bis mich erst
Ein Seraph bei der Rechten fasse,
Und mich, Unsterbliche, zu dir führe.

---

[1] *Jünglingsträne;* tears of high poetic aspiration. — [2] *Beglückteren,* 'more blest' with this world's goods.

Dann soll dein Bruder, innig von mir umarmt,
Zu dir auch eilen! dann will ich tränenvoll,
Voll froher Tränen jenes Lebens   35
Neben dir stehn, dich mit Namen nennen,

Und dich umarmen! Dann, o Unsterblichkeit,
Gehörst du ganz uns! Kommt, die das Lied nicht singt,
Kommt unaussprechlich süsse Freuden!
So unaussprechlich, als jetzt mein Schmerz ist.   40

Rinn, unterdes, o Leben! Sie kommt gewiss,
Die Stunde, die uns nach der Zypresse ruft.
Ihr andern, seid der schwermutsvollen
Liebe geweiht, und umwölkt und dunkel!

4

Hermann und Thusnelda

Ha, dort kömmt er mit Schweiss, mit Römerblute,[1]
Mit dem Staube der Schlacht bedeckt! So schön war
Hermann niemals! So hat's ihm
Nie von dem Auge geflammt!

Komm, ich bebe vor Lust! reich mir den Adler   5
Und das triefende Schwert! Komm, atm', und ruh' hier
Aus in meiner Umarmung,
Von der zu schrecklichen Schlacht!

Ruh' hier, dass ich den Schweiss der Stirn abtrockne,
Und der Wange das Blut! Wie glüht die Wange!   10
Hermann! Hermann! So hat dich
Niemals Thusnelda geliebt!

Selbst nicht, da du zuerst im Eichenschatten
Mit dem bräunlichen Arm mich wilder fasstest!
Fliehend blieb ich, und sah dir   15
Schon die Unsterblichkeit an,

---

[1] Thusnelda greets her husband on his return from the victory over the Roman legions under Quinctilius Varus in the Teutoburg Wood.

Die nun dein ist! Erzählt's in allen Hainen,
Dass Augustus nun bang mit seinen Göttern
Nektar trinket! Dass Hermann,
20   Hermann unsterblicher ist!

"Warum lockst du mein Haar? Liegt nicht der stumme
Tote Vater vor uns? O hätt' Augustus
Seine Heere geführt, er
Läge noch blutiger da."

25   Lass dein sinkendes Haar mich, Hermann, heben,
Dass es über dem Kranz in Locken drohe!
Siegmar ist bei den Göttern!
Folg' du, und wein' ihm nicht nach!

LXXI. CHRISTOPH MARTIN WIELAND

1733–1813. Wieland's great service is to have set forth the cultural problems and tendencies of the Age of Reason in an attractive literary form. His most important imaginative works are prose tales and narrative poems having a Greek, a medieval, or an Oriental setting, but dealing in reality with living issues of his own day. His *Agathon* (1766–1794) marks the beginning of the German *Bildungsroman*. He had much in common with the Gallic genius and was widely read in French translations — the first German to attain that distinction. During the last quarter of the 18th century he was the most popular and influential of German writers.

I

From 'Musarion,' lines 1385–1446; The happy estate of the converted Phanias.[1]

Der schönste Tag folgt dieser schönen Nacht.
Mit jedem folgenden find't jedes sich beglückter,
Indem es sich im andern glücklich macht.
Durch überstandne Not geschickter
5   Zum weiseren Gebrauch, zum reizendern Genuss
Des Glücks, das sich mit ihm so unverhofft versöhnte,
Gleich fern von Dürftigkeit und stolzem Überfluss;
Glückselig, weil er's war, nicht weil die Welt es wähnte,
Bringt Phanias in neidenswerter Ruh

[1] Phanias is at first a crabbed misanthrope. The lovely Musarion takes him in hand and teaches him her art of love as a philosophy of the Graces.

Ein unbeneidet Leben zu,   10
In Freuden, die der unverfälschte Stempel
Der Unschuld und Natur zu echten Freuden prägt.
Der bürgerliche Sturm, der stets Athen bewegt,
Trifft seine Hütte nicht — den Tempel
Der Grazien, seitdem Musarion sie ziert.   15
Bescheidne Gunst, durch ihren Witz geleitet,
Gibt der Natur, so weit sein Landgut sich verbreitet,
Den stillen Reiz, der ohne Schimmer rührt.
Ein Garten, den mit Zephyrn und mit Floren
Pomona sich zum Aufenthalt erkoren;   20
Ein Hain, worin sich Amor gern verliert,
Wo ernstes Denken oft mit leichtem Scherz sich gattet;
Ein kleiner Bach, von Ulmen überschattet,
An dem der Mittagsschlaf uns ungesucht beschleicht; —
Im Garten eine Sommerlaube,   25
Wo, zu der Freundin Kuss, der Saft der Purpurtraube,
Den Thasos schickt, ihm wahrer Nektar deucht;
Ein Nachbar, der Horazens Nachbarn gleicht,
Gesundes Blut, ein unbewölkt Gehirne,
Ein ruhig Herz und eine heitre Stirne —   30
Wie vieles macht ihn reich! — denkt noch Musarion
Hinzu, und sagt, was kann zum frohen Leben
Der Götter Gunst ihm mehr und Bessers geben?
Die Weisheit nur, den ganzen Wert davon
Zu fühlen, immer ihn zu fühlen,   35
Und, seines Glückes froh, kein andres zu erzielen;
Auch diese gab sie ihm. Sein Mentor war
Kein Cyniker mit ungekämmtem Haar,
Kein runzlichter Cleanth,[1] der, wenn die Flasche blinkt,
Wie Zeno spricht und wie Silenus trinkt;   40
Die Liebe war's — wer lehrt so gut wie sie?
Auch lernt' er gern, und schnell, und sonder Müh,
Die reizende Philosophie,
Die, was Natur und Schicksal uns gewährt,
Vergnügt geniesst, und gern den Rest entbehrt;   45

---

[1] The Stoic Cleanthes is one of the characters of the poem.

Die Dinge dieser Welt gern von der schönen Seite
Betrachtet; dem Geschick sich unterwürfig macht;
Nicht wissen will, was alles das bedeute,
Was Zeus aus Huld in rätselhafte Nacht
50 Vor uns verbarg, und auf die guten Leute
Der Unterwelt, so sehr sie Toren sind,
Nie böse wird, nur lächerlich sie find't
Und sich dazu — sie drum nicht minder liebet;
Den irrenden bedaurt, und nur den Gleisner flieht;
55 Nicht stets von Tugend spricht, noch, von ihr sprechend, glüht,
Doch ohne Sold und aus Geschmack sie übet;
Und, glücklich oder nicht, die Welt
Für kein Elysium, für keine Hölle hält,
Nie so verderbt, als sie der Sittenrichter
60 Von seinem Tron — im sechsten Stockwerk — sieht,
So lustig nie als jugendliche Dichter
Sie malen, wenn ihr Hirn von Wein und Phyllis glüht.

2

From 'Agathon,' Book 16, Chapter 3: The Philosophy of the sage Archytas.[1]

Je mehr ich diesen grossen, alles umfassenden Gedanken [2] durch-
zudenken strebe, je völliger fühle ich mich überzeugt, dass sich die
ganze Kraft meines Geistes in ihm erschöpft, dass er alle seine wesentlichen Triebe befriedigt, dass ich mit aller möglichen Anstrengung
5 nichts Höheres, Besseres, Vollkommeneres denken kann, und — dass
eben dies der stärkste Beweis seiner Wahrheit ist. Von dem Augenblick an, da mir dieser göttlichste aller Gedanken, in der ganzen
Klarheit, womit er meine Seele durchstrahlt, so gewiss erscheint, als
ich mir selbst meiner vernünftigen Natur bewusst bin, fühle ich,

---

[1] Agathon is a Greek of the 4th century B.C. Brought up amid the religious influences of Delphi, he becomes an idealist and a dreamer of fine dreams. He goes to Athens, takes part in politics, is banished and sold into slavery. At Smyrna he is bought by the sophist Hippias, who tries to convert him to a sensual-istic philosophy. He falls in love with the beautiful hetæra Danaë, but on learning the story of her other loves, he leaves Smyrna in disgust and goes to Syracuse, where he has divers adventures at the court of the tyrant Dionysius. At last, finding his way to Tarentum, he makes the acquaintance of the sage Archytas, who expounds to him the true philosophy.

[2] The 'great thought' is that the human mind is connected with the invisible world and with the general system of things.

dass ich mehr als ein sterbliches Erdenwesen, unendlich mehr als
der blosse Tiermensch bin, der ich äusserlich scheine; fühle, dass
ich durch unauflösliche Bande mit allen Wesen zusammenhange, und
dass die Tätigkeit meines Geistes, anstatt in die traumähnliche
Dauer eines halb tierischen Lebens eingeschränkt zu sein, für eine
ewige Reihe immer höherer Auftritte, immer reinerer Enthüllungen,
immer kraftvollerer, weiter gränzender Anwendungen eben dieser
Vernunft bestimmt ist, die mich schon in diesem Erdenleben zum
edelsten aller sichtbaren Wesen macht.

Von diesem Augenblick an fühle ich, dass der Geist allein mein
wahres Ich sein kann, dass nur seine Geschäfte, sein Wohlstand,
seine Glückseligkeit, die meinigen sind; dass es Unsinn wäre, wenn
er einen Körper, der ihm bloss als Organ zur Entwicklung und An-
wendung seiner Kraft und zu Vermittlung seiner Gemeinschaft und
Verbindung mit den übrigen Wesen zugegeben ist, als einen wirklichen Teil seiner selbst betrachten, und das Tier, das ihm dienen
soll, als seinesgleichen behandeln wollte; aber mehr als Unsinn,
Verbrechen gegen das heiligste aller Naturgesetze, wenn er ihm die
Herrschaft über sich einräumen, oder sich in ein schnödes Bündnis
gegen sich selbst mit ihm einlassen, eine Art von Centaur aus sich
machen, und die Dienste, die ihm das Tier zu leisten genötigt ist,
durch seiner selbst unwürdige Gegendienste erwiedern wollte.

Von diesem Augenblick an, da mein Rang in der Schöpfung, die
Würde eines Bürgers der Stadt Gottes, die mich zum Genossen einer
höhern Ordnung der Dinge macht, entschieden ist, gehöre ich
nicht mir selbst, nicht einer Familie, nicht einer besondern Bürger-
gesellschaft, nicht einer einzelnen Gattung, noch dem Erdschollen,
den ich mein Vaterland nenne, ausschliesslich an: ich gehöre mit
allen meinen Kräften dem grossen Ganzen an, worin mir mein
Platz, meine Bestimmung, meine Pflicht, von dem einzigen Ober-
herrn, den ich über mir erkennen darf, angewiesen ist. Aber eben
darum, und nur darum, weil in diesem Erdenleben mein Vaterland
der mir unmittelbar angewiesene Posten, meine Hausgenossen, Mit-
bürger, Mitmenschen, diejenigen sind, auf welche sich meine Tätigkeit sich zunächst beziehen soll, erkenne ich mich verbunden, alles
mir Mögliche zu ihrem Besten zu tun und zu leiden, sofern keine
höhere Pflicht dadurch verletzt wird. Denn von diesem Augen-

blick an sind Wahrheit, Gerechtigkeit, Ordnung, Harmonie und
Vollkommenheit, ohne eigennützige Rücksicht auf mich selbst, die
höchsten Gegenstände meiner Liebe; ist das Bestreben, diese reinsten
50 Ausstrahlungen der Gottheit in mir zu sammeln und ausser mir zu
verbreiten, mein letzter Zweck, die Regel aller meiner Handlungen,
die Norm aller Gesetze, zu deren Befolgung ich mich verbindlich
machen darf. Mein Vaterland hat alles von mir zu fordern, was
dieser höchsten Pflicht nicht widerspricht: aber sobald sein ver-
55 meintes Interesse eine ungerechte Handlung von mir forderte, so
hörten für diesen Moment alle seine Ansprüche an mich auf, und
wenn Verlust meiner Güter, Verbannung und der Tod selbst auf
meiner Weigerung stände, so wäre Armut, Verbannung und Tod der
beste Teil, den ich wählen könnte.

60   Kurz, Agathon, von dem Augenblick an, da jener grosse Gedanke
von meinem Innern Besitz genommen hat und die Seele aller meiner
Triebe, Entschliessungen und Handlungen geworden ist, verschwindet auf immer jede Vorstellung, jede Begierde, jede Leidenschaft,
die mein Ich von dem Ganzen, dem es angehört, trennen, meinen
65 Vorteil isolieren, meine Pflicht meinem Nutzen oder Vergnügen unter-
ordnen will. Nun ist mir keine Tugend zu schwer, kein Opfer, das
ich ihr bringe, zu teuer, kein Leiden um ihrentwillen unerträglich.
Ich scheine, wie du sagtest, mehr als ein gewöhnlicher Mensch; und
doch besteht mein ganzes Geheimnis bloss darin, dass ich diesen
70 Gedanken meines göttlichen Ursprungs, meiner hohen Bestimmung,
und meines unmittelbaren Zusammenhangs mit der unsichtbaren
Welt und dem allgemeinen Geist, immer in mir gegenwärtig, hell
und lebendig zu erhalten gesucht habe, und dass er durch die Länge
der Zeit zu einem immerwährenden leisen Gefühl geworden ist.
75 Fühle ich auch (wie es kaum anders möglich ist) zuweilen das Los
der Menschheit, den Druck der irdischen Last, die an den Schwingen
unseres Geistes hängt, verdüstert sich mein Sinn, ermattet meine
Kraft, — so bedarf es nur einiger Augenblicke, worin ich den schlum-
mernden Gedanken der innigen Gegenwart, womit die alles erfül-
80 lende Urkraft auch mein innerstes Wesen umfasst und durchdringt,
wieder in mir erwecke, und es wird mir, als ob ein Lebensgeist mich
anwehe, der die Flamme des meinigen wieder anfacht, wieder Licht
durch meinen Geist, Wärme durch mein Herz verbreitet, und mich

wieder stark zu allem macht, was mir zu tun oder zu leiden auferlegt ist. 85

Und ein System von Ideen, dessen Glaube diese Wirkung tut, sollte noch eines andern Beweises seiner Wahrheit bedürfen als seine blosse Darstellung? Ein Glaube, der die Vernunft so völlig befriedigt, der mir sogar durch sie selbst aufgedrungen wird, und dem ich nicht entsagen kann ohne meiner Vernunft zu entsagen; ein 90 Glaube, der mich auf dem geradesten Wege zur grössten sittlichen Güte und zum reinsten Genuss meines Daseins führt, die in diesem Erdenleben möglich sind; ein Glaube, der, sobald er allgemein würde, die Quellen aller sittlichen Übel verstopfen, und den schönen Dichtertraum vom goldnen Alter in seiner höchsten Vollkommenheit 95 realisieren würde; — ein solcher Glaube beweiset sich selbst, Agathon! und wir können alle seine Gegner getrost auffordern, einen vernunftmässigern und der menschlichen Natur zuträglichern aufzustellen. Wirf einen Blick auf das, was die Menschheit ohne ihn ist, — was sie wäre, wenn sich nicht in den Gesetzgebungen, Reli- 100 gionen, Mysterien und Schulen der Weisen immer einige Strahlen und Funken von ihm unter den Völkern erhalten hätten, — und was sie werden könnte, werden müsste, wenn er jemals herrschend würde, — was sie schon allein durch blosse stufenweise Annäherung gegen dieses vielleicht nie erreichbare Ziel werden wird: und alle Zweifel, 105 alle Einwendungen, die der Unglaube der Sinnlichkeit und die Sophisterei der Dialektik gegen ihn aufbringen können, werden dich so wenig in deiner Überzeugung stören, als ein Sonnenstäubchen eine vom Übergewicht eines Centners niedergedrückte Wagschale steigen machen kann. 110

Ich kenne nur einen einzigen Einwurf gegen ihn, der beim ersten Anblick einige Scheinbarkeit hat; den nämlich, dass er zu erhaben für den grossen Haufen, zu rein und vollkommen für den Zustand sei, zu welchem das Schicksal die Menschen auf dieser Erde verurteilt habe. Aber, wenn es nur zu wahr ist, dass der grösste Teil unsrer 115 Brüder sich in einem Zustande von Rohheit, Unwissenheit, Mangel an Ausbildung, Unterdrückung und Sklaverei befindet, der sie zu einer Art von Tierheit zu verdammen scheint, worin dringende Sorgen für die blosse Erhaltung des animalischen Lebens den Geist niederdrücken und ihn nicht zum Bewusstsein seiner eignen Würde und 120

Rechte kommen lassen: wer darf es wagen, die Schuld dieser Herab-
würdigung der Menschheit auf das Schicksal zu legen? Liegt sie
nicht offenbar an denen, die aus höchst sträflichen Bewegursachen
alle nur ersinnlichen Mittel anwenden, sie so lange als möglich in
125 diesem Zustande von Tierheit zu erhalten? — Doch, diese Betrachtung würde uns jetzt zu weit führen! — Genug, wir, mein lieber
Agathon, wir kennen unsre Pflicht: nie werden wir, wenn Macht in
unsre Hände gegeben wird, unsre Macht anders als zum möglichsten
Besten unsrer Brüder gebrauchen; und wenn wir auch sonst nichts
130 vermögen, so werden wir ihnen, so viel an uns ist, zu jenem 'Kenne
dich selbst' behilflich zu sein suchen, welches sie unmittelbar zu dem
einzigen Mittel führt, wodurch den Übeln der Menschheit gründlich geholfen werden kann. Freilich ist dies nur stufenweise, nur
durch allmähliche Verbreitung des Lichtes, worin wir unsre wahre
135 Natur und Bestimmung erkennen, möglich: aber auch bei der
langsamsten Zunahme desselben, wofern es nur zunimmt, wird es
endlich heller Tag werden; denn so lange die Unmöglichkeit einer
stufenweise wachsenden Vervollkommnung aller geistigen Wesen
unerweislich bleiben wird, können wir jenen trostlosen Zirkel, worin
140 sich das Menschengeschlecht, nach der Meinung einiger Halbweisen,
ewig herumdrehen soll, zuversichtlich für eine Chimäre halten. Bei
einer solchen Meinung mag wohl die Trägheit einzelner sinnlicher
Menschen ihre Rechnung finden: aber sie ist weder dem Menschen
im ganzen zuträglich, noch mit dem Begriffe, den die Vernunft sich
145 von der Natur des Geistes macht, noch mit dem Plane des Weltalls
vereinbar, den wir uns, als das Werk der höchsten Weisheit und
Güte, schlechterdings in der höchsten Vollkommenheit, die wir mit
unsrer Denkkraft erreichen können, vorzustellen schuldig sind; und
dies um so mehr, da wir nicht zweifeln dürfen, dass die undurch-
150 brechbaren Schranken unsrer Natur, auch bei der höchsten Anstrengung unsrer Kraft, uns immer unendlich weit unter der wirklichen Vollkommenheit dieses Plans und seiner Ausführung zurück-
bleiben lassen.

Auch der Einwurf, dass der Glaube einer Verknüpfung unsers
155 Geistes mit der unsichtbaren Welt und dem allgemeinen System der
Dinge gar zu leicht die Ursache einer der gefährlichsten Krankheiten
des menschlichen Gemütes, der religiösen und dämonistischen

Schwärmerei, werden könne, ist von keiner Erheblichkeit. Denn es
hängt ja bloss von uns selbst ab, dem Hange zum Wunderbaren die
Vernunft zur Grenze zu setzen, Spielen der Phantasie und Gefühlen 160
des Augenblicks keinen zu hohen Wert beizulegen, und die Bilder,
unter welchen die alten Dichter der Morgenländer ihre Ahnungen
vom Unsichtbaren und Zukünftigen sich und andern zu versinnlichen
gesucht haben, für nichts mehr als das, was sie sind, für Bilder über-
sinnlicher und also unbildlicher Dinge anzusehen. Verschiedenes in 165
der Orphischen Theologie, und das Meiste, was in den Mysterien
geoffenbaret wird, scheint aus dieser Quelle geflossen zu sein. Diese
lieblichen Träume der Phantasie sind dem kindischen Alter der
Menschheit angemessen, und die Morgenländer scheinen auch hierin,
wie in allem Übrigen, immer Kinder bleiben zu wollen. Aber uns, 170
deren Geisteskräfte unter einem gemässigtern Himmel und unter
dem Einfluss der bürgerlichen Freiheit entwickelt, und durch keine
Hieroglyphen, heilige Bücher und vorgeschriebene Glaubensformeln
gefesselt werden, — uns, denen erlaubt ist, auch die ehrwürdigsten
Fabeln des Altertums für — Fabeln zu halten, liegt es ob, unsre 175
Begriffe immer mehr zu reinigen, und überhaupt von allem, was
ausserhalb des Kreises unsrer Sinne liegt, nicht mehr wissen zu wollen,
als was die Vernunft selbst davon zu glauben lehrt, und als für unser
moralisches Bedürfnis zureicht.

Die Schwärmerei, die sich im Schatten einer unbeschäftigten 180
Einsamkeit mit sinnlich-geistigen Phänomenen und Gefühlen nährt,
lässt sich freilich an einer so frugalen Beköstigung nicht genügen;
sie möchte sich über die Grenzen der Natur wegschwingen, sich
durch Überspannung ihres innern Sinnes schon in diesem Leben
in einen Zustand versetzen können, der uns vielleicht in einem andern 185
bevorsteht; sie nimmt Träume für Erscheinungen, Schattenbilder für
Wesen, Wünsche einer glühenden Phantasie für Genuss; gewöhnt
ihr Auge an ein magisches Helldunkel, worin ihm das volle Licht
der Vernunft nach und nach unerträglich wird, und berauscht sich
in süssen Gefühlen und Ahnungen, die ihr den wahren Zweck des 190
Lebens aus den Augen rücken, die Tätigkeit des Geistes einschläfern,
und das unbewachte Herz wehrlos jedem unvermuteten Anfall auf
seine Unschuld preisgeben. Gegen diese Krankheit der Seele ist
Erfüllung unsrer Pflichten im bürgerlichen und häuslichen Leben das

195 sicherste Verwahrungsmittel; denn innerhalb dieser Schranken ist
die Laufbahn eingeschlossen, die uns hienieden angewiesen ist, und
es ist blosse Selbsttäuschung, wenn jemand sich berufen glaubt, eine
Ausnahme von diesem allgemeinen Gesetze zu sein.

LXXII. GOTTHOLD EPHRAIM LESSING

1729–1781. The earliest writings of Lessing, consisting of songs, anacreontic verses, epigrams, fables, and prose comedies, belong to an era that was
passing. His more significant imaginative work begins with *Miss Sara Sampson*
(1755), the first German tragedy of middle-class life. His three most famous
plays, *Minna von Barnhelm* (1766), *Emilia Galotti* (1772), and *Nathan the
Wise* (1779), are well-known classics, and as such are not included in the scheme
of this book. In the field of criticism his most important works are the *Letters
on Literature* (1759–1765), which set a new standard of critical plain-speaking;
the *Laokoon* (1766), which undertook to delimit the provinces of poetry and of
plastic art; the *Hamburg Dramaturgy* (1767–1769), which assailed the prestige
of the French classical tragedy, and the *Anti-Goeze* (1778), a notable defense
of what is now called the higher criticism. He exerted an immense influence
in liberating Germany from the trammels of outworn convention.

1

Grabschrift auf Voltaire.

Hier liegt — wenn man euch
    glauben wollte,
Ihr   frommen   Herrn! — der
    längst hier liegen sollte.
Der   liebe   Gott   verzeih   aus
    Gnade
Ihm seine Henriade
5 Und seine Trauerspiele
Und seiner Verschen viele;
Denn, was er sonst ans Licht
    gebracht,
Das hat er ziemlich gut gemacht.

2

Der Tod.

Gestern, Brüder, könnt ihr's
    glauben?
Gestern   bei   dem   Saft   der
    Trauben

(Bildet euch mein Schrecken
    ein!)
Kam der Tod zu mir herein.

Drohend schwang er seine Hippe, 5
Drohend   sprach   das   Furcht-
    gerippe:
Fort, du teurer Bacchusknecht!
Fort, du hast genug gezecht!

Lieber Tod, sprach ich mit
    Tränen,
Solltest du nach mir dich seh-
    nen?   10
Sieh, da stehet Wein für dich!
Lieber Tod, verschone mich!

Lächelnd greift er nach dem
    Glase,
Lächelnd macht er's auf der
    Base,

15 Auf der Pest, Gesundheit leer;
Lächelnd setzt er's wieder her.

Fröhlich glaub' ich mich be-
   freiet,
Als er schnell sein Drohn er-
   neuet.
Narre, für dein Gläschen Wein
10 Denkst du, spricht er, los zu
   sein?

Tod, bat ich, ich möcht' auf
   Erden
Gern ein Mediziner werden.
Lass mich! ich verspreche dir
Meine Kranken halb dafür.

Gut, wenn das ist, magst du
   leben,   25
Ruft er. Nur sei mir ergeben!
Lebe, bis du satt geküsst
Und des Trinkens müde bist.

O, wie schön klingt dies den
   Ohren!
Tod, du hast mich neu geboren. 30
Dieses Glas voll Rebensaft,
Tod, auf gute Brüderschaft!

Ewig muss ich also leben,
Ewig! denn, beim Gott der
   Reben!
Ewig soll mich Lieb' und Wein, 35
Ewig Wein und Lieb' erfreun!

3

From 'Miss Sara Sampson': Act II, Scene 7.

MELLEFONT. MARWOOD.[1]

MARWOOD. Nun sind wir allein. Nun sagen Sie es noch einmal,
ob Sie fest entschlossen sind, mich einer jungen Närrin aufzuopfern?

MELLEFONT (*bitter*). Aufzuopfern? Sie machen, dass ich mich
hier erinnere, dass den alten Göttern auch sehr unreine Tiere geop-
fert wurden.   5

MARWOOD (*spöttisch*). Drücken Sie sich ohne so gelehrte An-
spielungen aus.

MELLEFONT. So sage ich Ihnen, dass ich fest entschlossen bin,
nie wieder ohne die schrecklichsten Verwünschungen an Sie zu denken. Wer sind Sie? Und wer ist Sara? Sie sind eine wollüstige, 10
eigennützige, schändliche Buhlerin, die sich jetzt kaum mehr muss
erinnern können, einmal unschuldig gewesen zu sein. Ich habe mir
mit Ihnen nichts vorzuwerfen, als dass ich dasjenige genossen, was

---

[1] The scene is a low London inn, to which Mellefont, a sentimental profli-
gate, has brought Sara Sampson under promise of marriage. Marwood is
Mellefont's former mistress, by whom he has a daughter, Bella.

Sie ohne mich vielleicht die ganze Welt hätten geniessen lassen. Sie
15 haben mich gesucht, nicht ich Sie; und wenn ich nunmehr weiss,
wer Marwood ist, so kömmt mir diese Kenntnis teuer genug zu stehen.
Sie kostet mir mein Vermögen, meine Ehre, mein Glück —

MARWOOD. Und so wollte ich, dass sie dir auch deine Seligkeit
kosten müsste! Ungeheuer! Ist der Teufel ärger als du, der
20 schwache Menschen zu Verbrechen reizet und sie dieser Verbrechen
wegen, die sein Werk sind, hernach selbst anklagt? Was geht dich
meine Unschuld an, wann und wie ich sie verloren habe? Habe ich
dir meine Tugend nicht preisgeben können, so habe ich doch meinen
guten Namen für dich in die Schanze geschlagen. Jene ist nichts
25 kostbarer als dieser. Was sage ich? Kostbarer? Sie ist ohne ihn
ein albernes Hirngespinnst, das weder ruhig noch glücklich macht.
Er allein gibt ihr noch einigen Wert und kann volkommen ohne sie
bestehen. Mochte ich doch sein, wer ich wollte, ehe ich dich, Scheusal, kennen lernte; genug, dass ich in den Augen der Welt für ein
30 Frauenzimmer ohne Tadel galt. Durch dich nur hat sie es erfahren,
dass ich es nicht sei; durch meine Bereitwilligkeit bloss, dein Herz,
wie ich damals glaubte, ohne deine Hand anzunehmen.

MELLEFONT. Eben diese Bereitwilligkeit verdammt dich, Nieder-
trächtige.

35 MARWOOD. Erinnerst du dich aber, welchen nichtswürdigen
Kunstgriffen du sie zu verdanken hattest? Ward ich nicht von dir
beredet, dass du dich in keine öffentliche Verbindung einlassen
könntest, ohne einer Erbschaft verlustig zu werden, deren Genuss
du mit niemand als mit mir teilen wolltest? Ist es nun Zeit, ihrer
40 zu entsagen? Und ihrer für eine andre als für mich zu entsagen?

MELLEFONT. Es ist mir eine wahre Wollust, Ihnen melden zu
können, dass diese Schwierigkeit nunmehr bald wird gehoben sein.
Begnügen Sie sich also nur, mich um mein väterliches Erbteil gebracht zu haben, und lassen mich ein weit geringeres mit einer wür-
45 digern Gattin geniessen.

MARWOOD. Ha! Nun seh' ich's, was dich eigentlich so trotzig
macht! Wohl, ich will kein Wort mehr verlieren. Es sei darum!
Rechne darauf, dass ich alles anwenden will, dich zu vergessen.
Und das erste, was ich in dieser Absicht tun werde, soll dieses sein
50 — Du wirst mich verstehen! Zittre für deine Bella! Ihr Leben

soll das Andenken meiner verachteten Liebe auf die Nachwelt nicht bringen; meine Grausamkeit soll es tun. Sieh in mir eine neue Medea!

MELLEFONT (*erschrocken*). Marwood —

MARWOOD. Oder wenn du noch eine grausamere Mutter weisst, 55 so sieh sie gedoppelt in mir! Gift und Dolch sollen mich rächen. Doch nein, Gift und Dolch sind zu barmherzige Werkzeuge! Sie würden dein und mein Kind zu bald töten. Ich will es nicht gestorben sehen; sterben will ich es sehen! Durch langsame Martern will ich in seinem Gesichte jeden ähnlichen Zug, den es von dir hat, sich 60 verstellen, verzerren und verschwinden lassen. Ich will mit begieriger Hand Glied von Glied, Ader von Ader, Nerve von Nerve lösen und das kleinste derselben auch da noch nicht aufhören zu schneiden und zu brennen, wenn es schon nichts mehr sein wird als ein empfindungsloses Aas. Ich — ich werde wenigstens dabei empfin- 65 den, wie süss die Rache sei!

MELLEFONT. Sie rasen, Marwood —

MARWOOD. Du erinnerst mich, dass ich nicht gegen den rechten rase. Der Vater muss voran! Er muss schon in jener Welt sein, wenn der Geist seiner Tochter unter tausend Seufzern ihm nach- 70 zieht — (*Sie geht mit einem Dolche, den sie aus dem Busen reisst, auf ihn los.*) Drum stirb, Verräter!

MELLEFONT (*der ihr in den Arm fällt und den Dolch entreisst*). Unsinniges Weibsbild! Was hindert mich nun, den Stahl wider dich zu kehren? Doch lebe, und deine Strafe müsse einer ehrlosen Hand 75 aufgehoben sein!

MARWOOD (*mit gerungenen Händen*). Himmel, was hab' ich getan? Mellefont —

MELLEFONT. Deine Reue soll' mich nicht hintergehen! Ich weiss es doch wohl, was dich reuet; nicht dass du den Stoss tun wollen, 80 sondern dass du ihn nicht tun können.

MARWOOD. Geben Sie mir ihn wieder, den verirrten Stahl! Geben Sie mir ihn wieder! und Sie sollen es gleich sehen, für wen er geschliffen ward. Für diese Brust allein, die schon längst einem Herzen zu enge ist, das eher dem Leben als Ihrer Liebe entsagen 85 will.

4

The Seventeenth of the 'Letters on Literature.' Feb. 16, 1759.

'Niemand,' sagen die Verfasser der Bibliothek,[1] 'wird leugnen, dass die deutsche Schaubühne einen grossen Teil ihrer ersten Ver-besserung dem Herrn Professor Gottsched zu danken habe.'

Ich bin dieser Niemand; ich leugne es geradezu. Es wäre zu
5 wünschen, dass sich Herr Gottsched niemals mit dem Theater ver-mengt hätte. Seine vermeinten Verbesserungen betreffen entweder entbehrliche Kleinigkeiten oder sind wahre Verschlimmerungen.

Als die Neuberin[2] blühte und so mancher den Beruf fühlte, sich um sie und die Bühne verdient zu machen, sahe es freilich mit unserer
10 dramatischen Poesie sehr elend aus. Man kannte keine Regeln, man bekümmerte sich um keine Muster. Unsre Staats- und Helden-aktionen waren voller Unsinn, Bombast, Schmutz und Pöbelwitz. Unsre Lustspiele bestanden in Verkleidungen und Zaubereien, und Prügel waren die witzigsten Einfälle derselben. Dieses Verderbnis
15 einzusehen, brauchte man eben nicht der feinste und grösste Geist zu sein. Auch war Herr Gottsched nicht der erste, der sich Kräfte genug zutraute, ihm abzuhelfen. Und wie ging er damit zu Werke? Er verstand ein wenig Französisch und fing an zu übersetzen; er ermunterte alles, was reimen und 'Oui, monsieur' verstehen konnte,
20 gleichfalls zu übersetzen; er verfertigte, wie ein schweizerischer Kunstrichter[3] sagt, mit Kleister und Schere seinen 'Cato'; er liess den 'Darius' und die 'Austern,' die 'Elisie,' und den 'Bock im Prozesse,' den 'Aurelius' und den 'Witzling,' die 'Banise' und den 'Hypochondristen' ohne Kleister und Schere machen; er legte seinen
25 Fluch auf das Extemporieren; er liess den Harlekin feierlich vom Theater vertreiben, welches selbst die grösste Harlekinade war, die jemals gespielt worden; kurz, er wollte nicht so wohl unser altes Theater verbessern, als der Schöpfer eines ganz neuen sein. Und was für eines neuen? Eines französierenden; ohne zu untersuchen,
30 ob dieses französierende Theater der deutschen Denkungsart angemes-sen sei oder nicht.

---

[1] The *Bibliothek der schönen Wissenschaften*, a magazine conducted by Nicolai and Mendelssohn. — [2] Caroline Neuber was a famous actress, who between 1727 and 1748 coöperated with Gottsched for the improvement of the Leipzig stage. — [3] The 'Swiss critic' is Bodmer. 'Darius,' the 'Oysters,' etc., are the titles of plays included in Gottsched's *Deutsche Schaubühne* (1740–1745)

Er hätte aus unsern alten dramatischen Stücken, welche er vertrieb, hinlänglich abmerken können, dass wir mehr in den Geschmack der Engländer als der Franzosen einschlagen; dass wir in
unsern Trauerspielen mehr sehen und denken wollen, als uns das 35
furchtsame französische Trauerspiel zu sehen und zu denken gibt;
dass das Grosse, das Schreckliche, das Melancholische besser auf uns
wirkt als das Artige, das Zärtliche, das Verliebte; dass uns die zu
grosse Einfalt mehr ermüde als die zu grosse Verwickelung u.s.w. Er
hätte also auf dieser Spur bleiben sollen, und sie würde ihn geraden 40
Weges auf das englische Theater geführet haben. — Sagen Sie ja
nicht, dass er auch dieses zu nutzen gesucht, wie sein 'Cato' es
beweise. Denn eben dieses, dass er den Addisonschen 'Cato' für
das beste englische Trauerspiel hält,[1] zeiget deutlich, dass er hier
nur mit den Augen der Franzosen gesehen und damals keinen 45
Shakespeare, keinen Jonson, keinen Beaumont und Fletcher u.s.w.
gekannt hat, die er hernach aus Stolz auch nicht hat wollen kennen
lernen.

Wenn man die Meisterstücke des Shakespeare, mit einigen beschei-
denen Veränderungen, unsern Deutschen übersetzt hätte, ich weiss 50
gewiss, es würde von bessern Folgen gewesen sein, als dass man sie
mit dem Corneille und Racine so bekannt gemacht hat. Erstlich
würde das Volk an jenem weit mehr Geschmack gefunden haben,
als es an diesen nicht finden kann; und zweitens würde jener ganz
andre Köpfe unter uns erweckt haben, als man von diesen zu rühmen 55
weiss. Denn ein Genie kann nur von einem Genie entzündet werden, und am leichtesten von so einem, das alles bloss der Natur zu
danken zu haben scheinet, und durch die mühsamen Vollkom-
menheiten der Kunst nicht abschrecket.

Auch nach den Mustern der Alten die Sache zu entscheiden, ist 60
Shakespeare ein weit grösserer tragischer Dichter als Corneille, ob-
gleich dieser die Alten sehr wohl und jener fast gar nicht gekannt
hat. Corneille kömmt ihnen in der mechanischen Einrichtung und
Shakespeare in dem Wesentlichen näher. Der Engländer erreicht
den Zweck der Tragödie fast immer, so sonderbare und ihm eigne 65
Wege er auch wählet, und der Franzose erreicht ihn fast niemals, ob

---

[1] In his *Discours sur la tragédie* Voltaire speaks of Addison's *Cato* as "la
seule bien écrite d'un bout à l'autre chez votre [Lord Bolingbroke's] nation."

er gleich die gebahnten Wege der Alten betritt. Nach dem 'Oedipus' des Sophokles muss in der Welt kein Stück mehr Gewalt über
unsere Leidenschaften haben als 'Othello,' als 'König Lear,' als
70 'Hamlet' u.s.w. Hat Corneille ein einziges Trauerspiel, das Sie
nur halb so gerühret hätte als die 'Zaire' des Voltaire? Und die
'Zaire' des Voltaire, wie weit ist sie unter dem 'Mohren von Vene-
dig,' dessen schwache Copie sie ist, und von welchem der ganze
Charakter des Orosmans entlehnet worden?

75 Dass aber unsre alten Stücke wirklich sehr viel Englisches gehabt
haben, könnte ich Ihnen mit geringer Mühe weitläufig beweisen.
Nur das bekannteste derselben zu nennen, 'Doctor Faust' hat eine
Menge Szenen, die nur ein Shakespeare'sches Genie zu denken
vermögend gewesen. Und wie verliebt war Deutschland, und ist es
80 zum Teil noch, in seinen Doctor Faust! Einer von meinen Freunden verwahret einen alten Entwurf dieses Trauerspiels, und er hat
mir einen Auftritt daraus mitgeteilet, in welchem gewiss viel Grosses
liegt. Sind Sie begierig, ihn zu lesen? Hier ist er! — Faust verlangt den schnellsten Geist der Hölle zu seiner Bedienung. Er
85 macht seine Verschwörungen; es erscheinen sieben derselben; und
nun fängt sich die dritte Szene des zweiten Aufzugs an:

Faust und Sieben Geister

Faust. Ihr? Ihr seid die schnellesten Geister der Hölle?
Die Geister Alle. Wir.
Faust. Seid ihr alle sieben gleich schnell?
90 Die Geister Alle. Nein.
Faust. Und welcher von euch ist der schnelleste?
Die Geister Alle. Der bin ich!
Faust. Ein Wunder, dass unter sieben Teufeln nur sechs Lügner
sind. — Ich muss euch näher kennen lernen.
95 Der erste Geist. Das wirst du! Einst!
Faust. Einst! Wie meinst du das? Predigen die Teufel auch
Busse?
Der erste Geist. Ja wohl, den Verstockten. — Aber halte uns
nicht auf!
100 Faust. Wie heissest du? Und wie schnell bist du?

DER ERSTE GEIST. Du könntest eher eine Probe als eine Antwort haben.

FAUST. Nunwohl! Sieh her: was mache ich?

DER ERSTE GEIST. Du fährst mit deinem Finger schnell durch die Flamme des Lichts — 105

FAUST. Und verbrenne mich nicht. So geh auch du und fahre siebenmal eben so schnell durch die Flammen der Hölle und verbrenne dich nicht! — Du verstummst? Du bleibst? — So prahlen auch die Teufel? Ja, ja; keine Sünde ist so klein, dass ihr sie euch nehmen liesset. — Zweiter, wie heissest du? 110

DER ZWEITE GEIST. Chil, das ist in eurer langweiligen Sprache: Pfeil der Pest.

FAUST. Und wie schnell bist du?

DER ZWEITE GEIST. Denkest du, dass ich meinen Namen vergebens führe? — Wie die Pfeile der Pest. 115

FAUST. Nun, so geh und diene einem Arzte! Für mich bist du viel zu langsam. — Du dritter, wie heissest du?

DER DRITTE GEIST. Ich heisse Dilla; denn mich tragen die Flügel der Winde.

FAUST. Und du vierter? 120

DER VIERTE GEIST. Mein Name ist Jutta; denn ich fahre auf den Strahlen des Lichts.

FAUST. O ihr, deren Schnelligkeit in endlichen Zahlen auszudrücken, ihr Elenden —

DER FÜNFTE GEIST. Würdige sie deines Unwillens nicht. Sie 125 sind nur Satans Boten in der Körperwelt. Wir sind es in der Welt der Geister; uns wirst du schneller finden.

FAUST. Und wie schnell bist du?

DER FÜNFTE GEIST. So schnell als die Gedanken des Menschen.

FAUST. Das ist etwas! — Aber nicht immer sind die Gedanken des 130 Menschen schnell. Nicht da, wenn Wahrheit und Tugend sie auffordern. Wie träge sind sie alsdenn! — Du kannst schnell sein, wenn du schnell sein willst; aber wer steht mir dafür, dass du es allezeit willst? Nein, dir werde ich so wenig trauen, als ich mir selbst hätte trauen sollen. Ach! — (Zum sechsten Geiste) Sage du, wie schnell bist du? 135

DER SECHSTE GEIST. So schnell als die Rache des Rächers.

FAUST. Des Rächers? Welches Rächers?

Der sechste Geist. Des Gewaltigen, des Schrecklichen, der sich allein die Rache vorbehielt, weil ihn die Rache vergnügte.

140 Faust. Teufel! du lästerst; denn ich sehe, du zitterst. — Schnell, sagst du, wie die Rache des — bald hätte ich ihn genennt! Nein, er werde nicht unter uns genennt! — Schnell wäre seine Rache? Schnell? — Und ich lebe noch? Und ich sündige noch?

Der sechste Geist   Dass er dich noch sündigen lässt, ist schon 145 Rache!

Faust. Und dass ein Teufel mich dieses lehren muss! — Aber doch erst heute! Nein, seine Rache ist nicht schnell, und wenn du nicht schneller bist als seine Rache, so geh nur! — (*Zum siebenten Geiste*) Wie schnell bist du?

150 Der siebente Geist. Unzuvergnügender Sterbliche, wo auch ich dir nicht schnell genug bin —

Faust. So sage: wie schnell?

Der siebente Geist. Nicht mehr und nicht weniger als der Übergang vom Guten zum Bösen.

155 Faust. Ha! Du bist mein Teufel! So schnell als der Übergang vom Guten zum Bösen! — Ja, der ist schnell; schneller ist nichts als der! — Weg von hier, ihr Schnecken des Orcus! Weg! — Als der Übergang vom Guten zum Bösen! Ich habe es erfahren, wie schnell er ist! Ich habe es erfahren! u.s.w.

160 Was sagen Sie zu dieser Szene? Sie wünschen ein deutsches Stück, das lauter solche Szenen hätte? Ich auch.

5
From 'Laokoon,' Chapter 16.

Doch ich will versuchen, die Sache[1] aus ihren ersten Gründen herzuleiten.

Ich schliesse so: Wenn es wahr ist, dass die Malerei zu ihren Nachahmungen ganz andere Mittel oder Zeichen gebraucht als die 5 Poesie, jene nämlich Figuren und Farben in dem Raume, diese aber artikulierte Töne in der Zeit; wenn unstreitig die Zeichen ein be-

---

[1] *Die Sache* is the fundamental difference between plastic art (*Malerei*) and poetry.

quemes Verhältnis zu dem Bezeichneten haben müssen: so können neben einander geordnete Zeichen auch nur Gegenstände, die neben einander, oder deren Teile neben einander existieren, auf einander folgende Zeichen aber auch nur Gegenstände ausdrücken, die auf einander, oder deren Teile auf einander folgen.

Gegenstände, die neben einander, oder deren Teile neben einander existieren, heissen Körper. Folglich sind Körper mit ihren sichtbaren Eigenschaften die eigentlichen Gegenstände der Malerei.

Gegenstände, die auf einander, oder deren Teile auf einander folgen, heissen überhaupt Handlungen. Folglich sind Handlungen der eigentliche Gegenstand der Poesie.

Doch alle Körper existieren nicht allein in dem Raume, sondern auch in der Zeit. Sie dauern fort und können in jedem Augenblicke ihrer Dauer anders erscheinen und in anderer Verbindung stehen. Jede dieser augenblicklichen Erscheinungen und Verbindungen ist die Wirkung einer vorhergehenden und kann die Ursache einer folgenden und sonach gleichsam das Zentrum einer Handlung sein. Folglich kann die Malerei auch Handlungen nachahmen, aber nur andeutungsweise durch Körper.

Auf der andern Seite können Handlungen nicht für sich selbst bestehen, sondern müssen gewissen Wesen anhängen. Insofern nun diese Wesen Körper sind oder als Körper betrachtet werden, schildert die Poesie auch Körper, aber nur andeutungsweise durch Handlungen.

Die Malerei kann in ihren coexistierenden Compositionen nur einen einzigen Augenblick der Handlung nutzen und muss daher den prägnantesten wählen, aus welchem das Vorhergehende und Folgende am Begreiflichsten wird.

Ebenso kann auch die Poesie in ihren fortschreitenden Nachahmungen nur eine einzige Eigenschaft der Körper nutzen und muss daher diejenige wählen, welche das sinnlichste Bild des Körpers von der Seite erwecket, von welcher sie ihn braucht.

Hieraus fliesst die Regel von der Einheit der malerischen Beiwörter und der Sparsamkeit in den Schilderungen körperlicher Gegenstände.

Ich würde in diese trockene Schlusskette weniger Vertrauen setzen, wenn ich sie nicht durch die Praxis des Homers vollkommen be-

stätigt fände, oder wenn es nicht vielmehr die Praxis des Homers
45 selbst wäre, die mich darauf gebracht hätte. Nur aus diesen Grund-
sätzen lässt sich die grosse Manier des Griechen bestimmen und
erklären, so wie der entgegengesetzten Manier so vieler neuern Dichter ihr Recht erteilen, die in einem Stücke mit dem Maler wetteifern
wollen, in welchem sie notwendig von ihm überwunden werden
50 müssen.

Ich finde, Homer malet nichts als fortschreitende Handlungen,
und alle Körper, alle einzelne Dinge, malet er nur durch ihren
Anteil an diesen Handlungen, gemeiniglich nur mit Einem Zuge.
Was Wunder also, dass der Maler da, wo Homer malet, wenig oder
55 nichts für sich zu tun siehet, und dass seine Ernte nur da ist, wo
die Geschichte eine Menge schöner Körper in schönen Stellungen in
einem der Kunst vorteilhaften Raume zusammenbringt, der Dichter selbst mag diese Körper, diese Stellungen, diesen Raum, so wenig
malen, als er will.

LXXIII. JOHANN GOTTFRIED HERDER

1744–1803. Herder's was the first strong voice to be raised in protest against
the inveterate illusion of his countrymen that excellence in poetry depended on
the imitation of good models.   He took a deep interest in the poetry of primi-
tive and unlettered men, and deduced from that his criteria of excellence; namely,
sincerity, naturalness, strength and fulness of expression.   The virtue of the
greatest poets, such as Homer, Shakspere and Ossian, lay — so he said — in
the fulness and fidelity with which they had felt and expressed the life of their
nation and their epoch.   Thus he became the founder of historical criticism
and the harbinger of the coming romantic movement.   It was he, more than
any one else, who ushered in the 'storm and stress' era, with its watchwords
of nature, power, genius, originality, and its general spirit of protest against all
conventional restrictions.

I

From 'Fragments on Recent German Literature' [1]: *Poetry as the mother tongue*
of mankind.

Eine Sprache in ihrer Kindheit bricht, wie ein Kind, einsilbichte,
rauhe und hohe Töne hervor.   Eine Nation in ihrem ersten wilden
Ursprunge starret, wie ein Kind, alle Gegenstände an; Schrecken,
Furcht, und alsdenn Bewunderung sind die Empfindungen, derer

[1] First Collection (1767); see Suphan's edition of Herder's works, Vol. 1, page 152.

beide allein fähig sind, und die Sprache dieser Empfindungen sind 5
Töne, — und Gebärden. Zu den Tönen sind ihre Werkzeuge noch
ungebraucht: folglich sind jene hoch und mächtig an Accenten;
Töne und Gebärden sind Zeichen von Leidenschaften und Empfindungen, folglich sind sie heftig und stark: ihre Sprache spricht
für Auge und Ohr, für Sinne und Leidenschaften: sie sind grösserer 10
Leidenschaften fähig, weil ihre Lebensart voll Gefahr und Tod und
Wildheit ist: sie verstehen also auch die Sprache des Affects mehr
als wir, die wir dies Zeitalter nur aus spätern Berichten und Schlüssen
kennen; denn so wenig wir aus unsrer ersten Kindheit Nachricht
durch Erinnerung haben, so wenig sind Nachrichten aus dieser Zeit 15
der Sprache möglich, da man noch nicht sprach, sondern tönete;
da man noch wenig dachte, aber desto mehr fühlte; und also nichts
weniger als schrieb.

Sowie sich das Kind oder die Nation änderte, so mit ihr die Sprache.
Entsetzen, Furcht und Verwunderung verschwand allmählich, da 20
man die Gegenstände mehr kennen lernte; man ward mit ihnen
vertraut und gab ihnen Namen, Namen, die von der Natur abgezo-
gen waren, und ihr so viel möglich im Tönen nachahmten. Bei den
Gegenständen fürs Auge musste die Gebärdung noch sehr zu Hilfe
kommen, um sich verständlich zu machen: und ihr ganzes Wörter- 25
buch war noch sinnlich. Ihre Sprachwerkzeuge wurden biegsamer,
und die Accente weniger schreiend. Man sang also, wie viele
Völker es noch tun, und wie es die alten Geschichtschreiber durch-
gehends von ihren Vorfahren behaupten. Man pantomimisierte und
nahm Körper und Gebärden zu Hilfe: damals war die Sprache in 30
ihren Verbindungen noch sehr ungeordnet und unregelmässig in ihren
Formen.

Das Kind erhob sich zum Jünglinge: die Wildheit senkte sich zur
politischen Ruhe; die Lebens- und Denkart legte ihr rauschendes
Feuer ab: der Gesang der Sprache floss lieblich von der Zunge 35
herunter, wie dem Nestor des Homers, und säuselte in die Ohren.
Man nahm Begriffe, die nicht sinnlich waren, in die Sprache; man
nannte sie aber, wie von selbst zu vermuten ist, mit bekannten sinn-
lichen Namen; daher müssen die ersten Sprachen bildervoll und
reich an Metaphern gewesen sein.   40

Und dieses jugendliche Sprachalter war bloss das poetische: man

sang im gemeinen Leben, und der Dichter erhöhete nur seine Accente
in einem für das Ohr gewählten Rhythmus: die Sprache war sinnlich und reich an kühnen Bildern: sie war noch ein Ausdruck der
45 Leidenschaft, sie war noch in den Verbindungen ungefesselt: der
Periode fiel aus einander, wie er wollte! — Seht! das ist die poetische
Sprache, der poetische Periode. Die beste Blüte der Jugend in der
Sprache war die Zeit der Dichter: jetzt sangen die ἀοιδοί und
ῥαψῳδοί: da es noch keine Schriftsteller gab, so verewigten sie die
50 merkwürdigen Taten durch Lieder: durch Gesänge lehrten sie, und
in den Gesängen waren nach der damaligen Zeit der Welt Schlachten und Siege, Fabeln und Sittensprüche, Gesetze und Mythologie
enthalten. Dass dies bei den Griechen so gewesen, beweisen die
Büchertitel der ältesten verlorenen Schriftsteller, und dass es bei
55 jedem Volk so gewesen, zeugen die ältesten Nachrichten. . . .

So löset sich auch der Zweifel eines sprachgelehrten Mannes hiemit leicht auf: 'Ich weiss nicht, ob es wahr ist, was man in vielen
Büchern wiederholet hat, dass bei allen Nationen, die sich durch die
schönen Wissenschaften hervorgetan haben, die Poesie eher als die
60 Prose zu einer gewissen Höhe gestiegen sei.' Es ist allerdings wahr,
was alle alte Schriftsteller einmütig behaupten, und was in den neuen
Büchern wenig angewandt ist, dass die Poesie lange vorher, ehe es
Prose gab, zu ihrer grössten Höhe gestiegen sei, dass diese Prose
darauf die Dichtkunst verdrungen, und diese nie wieder ihre vorige
65 Höhe erreichen können. Die ersten Schriftsteller jeder Nation sind
Dichter: die ersten Dichter unnachahmlich: zur Zeit der schönen
Prose wuchs in Gedichten nichts als die Kunst: sie hatte sich schon
über die Erde erhoben und suchte ein Höchstes, bis sie ihre Kräfte
erschöpfte und im Äther der Spitzfindigkeit blieb. In der spätern
70 Zeit hat man bloss versifizierte Philosophie oder mittelmässige Poesie.

2

From 'Critical Forests' [1]: *Power, not sequence of tones, the essence of poetry.*

Ich läugne es also, dass Gegenstände, die auf einander oder deren
Teile auf einander folgen, deswegen überhaupt Handlungen heissen:

---

[1] In his *Kritische Wälder* (1769) Herder subjected Lessing's *Laokoon* to a
searching criticism. The passages here given — see Suphan's edition, Vol. 3,
pages 139 ff. — are addressed to the theory advanced in the last of the foregoing
selections from Lessing.

und ebenso läugne ich, dass, weil die Dichtkunst Successionen liefre, sie deswegen Handlungen zum Gegenstande habe. Der Begriff des Successiven ist zu einer Handlung nur die halbe Idee: es muss ein Successives durch Kraft sein: so wird Handlung. Ich denke mir ein in der Zeitfolge wirkendes Wesen, ich denke mir Veränderungen, die durch die Kraft einer Substanz auf einander folgen: so wird Handlung. Und sind Handlungen der Gegenstand der Dichtkunst, so wette ich, wird dieser Gegenstand nie aus dem trocknen Begriff der Succession bestimmt werden können: *Kraft* ist der Mittelpunkt ihrer Sphäre.

Und dies ist die Kraft, die dem Innern der Worte anklebt, die Zauberkraft, die auf meine Seele durch die Phantasie und Erinnerung wirkt: sie ist das Wesen der Poesie. — Der Leser sieht, dass wir sind, wo wir waren, dass nämlich die Poesie durch willkürliche Zeichen wirke; dass in diesem Willkürlichen, in dem Sinne der Worte, ganz und gar die Kraft der Poesie liege; nicht aber in der Folge der Töne und Worte, in den Lauten, so fern sie natürliche Laute sind. . . .

Handlung, Leidenschaft, Empfindung! — auch ich liebe sie in Gedichten über alles: auch ich hasse nichts so sehr als tote stillstehende Schilderungssucht, insonderheit, wenn sie Seiten, Blätter, Gedichte einnimmt; aber nicht mit dem tödlichen Hasse, um jedes einzelne ausführliche Gemälde, wenn es auch coexistent geschildert würde, zu verbannen; nicht mit dem tödlichen Hasse, um jeden Körper nur mit Einem Beiworte an der Handlung Teil nehmen zu lassen, und denn auch nicht aus dem nämlichen Grunde, weil die Poesie in successiven Tönen schildert, oder weil Homer dies und jenes macht und nicht macht — um deswillen nicht.

Wenn ich Eins von Homer lerne, so ist's, dass die Poesie energisch wirke: nie in der Absicht, um bei dem letzten Zuge ein Werk, Bild, Gemälde (obwohl successive) zu liefern, sondern, dass schon während der Energie die ganze Kraft empfunden werden müsse. Ich lerne von Homer, dass die Wirkung der Poesie nie aufs Ohr, durch Töne, nicht aufs Gedächtnis, wie lange ich einen Zug aus der Succession behalte, sondern auf meine Phantasie wirke; von hieraus also, sonst nirgendsher, berechnet werden müsse. So stelle ich sie gegen die **Malerei** und beklage, dass Hr. L. diesen Mittelpunkt des Wesens

40 der Poesie, 'Wirkung auf unsre Seele, Energie,' nicht zum Augen-
merke genommen.

3

From 'Correspondence concerning Ossian and the Songs of Ancient Peoples' [1]:
The poetic superiority of 'wild' folk.

Sie wissen aus Reisebeschreibungen, wie stark und fest sich immer die Wilden ausdrücken. Immer die Sache, die sie sagen wollen,
sinnlich, klar, lebendig anschauend: den Zweck, zu dem sie reden,
unmittelbar und genau fühlend: nicht durch Schattenbegriffe, Halb-
5 ideen und symbolischen Letternverstand (von dem sie in keinem
Worte ihrer Sprache, da sie fast keine Abstracta haben, wissen), —
durch alle dies nicht zerstreuet: noch minder durch Künsteleien,
sklavische Erwartungen, furchtsamschleichende Politik und ver-
wirrende Prämeditation verdorben — über alle diese Schwächungen
10 des Geistes seligunwissend, erfassen sie den ganzen Gedanken mit
dem ganzen Worte, und dies mit jenem. Sie schweigen entweder,
oder reden im Moment des Interesse mit einer unvorbedachten Festigkeit, Sicherheit und Schönheit, die alle wohlstudierte Europäer
allezeit haben bewundern müssen und — müssen bleiben lassen.
15 Unsre Pedanten, die alles vorher zusammenstoppeln, und auswendig
lernen müssen, um alsdenn recht methodisch zu stammeln; unsre
Schulmeister, Küster, Halbgelehrte, Apotheker und alle, die den
Gelehrten durchs Haus laufen, und nichts erbeuten, als dass sie
endlich, wie Shakespear's Launcelots, Polizeidiener, und Toten-
20 gräber uneigen, unbestimmt und wie in der letzten Todesverwirrung
sprechen — diese gelehrte Leute, was wären die gegen die Wilden?
Wer noch bei uns Spuren von dieser Festigkeit finden will, der suche
sie ja nicht bei solchen; — unverdorbene Kinder, Frauenzimmer,
Leute von gutem Naturverstande, mehr durch Tätigkeit als Speku-
25 lation gebildet, die sind, wenn das, was ich anführte, Beredsamkeit
ist, alsdenn die einzigen und besten Redner unsrer Zeit.

In der alten Zeit aber waren es Dichter, Skalden, Gelehrte, die
eben diese Sicherheit und Festigkeit des Ausdrucks am meisten mit

---

[1] *Auszug aus einem Briefwechsel über Ossian und die Lieder alter Völker* was
published in 1773, as part of a collection of papers (by Herder, Goethe and
Möser) entitled *Von deutscher Art und Kunst.* See Suphan's Herder, Vol. 5,
page 155.

Würde, mit Wohlklang, mit Schönheit zu paaren wussten; und da
sie also Seele und Mund in den festen Bund gebracht hatten, sich 30
einander nicht zu verwirren, sondern zu unterstützen, beizuhelfen:
so entstanden daher jene für uns halbe Wunderwerke von ἀοιδοῖς,
Sängern, Barden, Minstrels, wie die grössten Dichter der ältesten
Zeiten waren. Homers Rhapsodien und Ossians Lieder waren
gleichsam Impromptus, weil man damals noch von nichts als Im- 35
promptus der Rede wusste: dem letztern sind die Minstrels, wiewohl so schwach und entfernt, gefolgt; indessen doch gefolgt, bis
endlich die Kunst kam und die Natur auslöschte. In fremden
Sprachen quälte man sich von Jugend auf, Quantitäten von Silben
kennen zu lernen, die uns nicht mehr Ohr und Natur zu fühlen gibt; 40
nach Regeln zu arbeiten, deren wenigste ein Genie als Naturregeln
anerkennt; über Gegenstände zu dichten, über die sich nichts denken, noch weniger sinnen, noch weniger imaginieren lässt; Leidenschaften zu erkünsteln, die wir nicht haben, Seelenkräfte nachzuah-
men, die wir nicht besitzen, — und endlich wurde alles Falschheit, 45
Schwäche und Künstelei. Selbst jeder beste Kopf ward verwirret und
verlor Festigkeit des Auges und der Hand, Sicherheit des Gedankens
und des Ausdrucks, mithin die wahre Lebhaftigkeit und Wahrheit
und Andringlichkeit — alles ging verloren. Die Dichtkunst, die die
stürmendste, sicherste Tochter der menschlichen Seele sein sollte, 50
ward die ungewisseste, lahmste, wankendste; die Gedichte fein oft
corrigierte Knaben- und Schulexercitien.

4

From an essay entitled 'Shakespear'[1]: Sophocles and Shakspere.

Shakespear fand vor und um sich nichts weniger als Simplicität
von Vaterlandssitten, Taten, Neigungen und Geschichtstraditionen,
die das griechische Drama bildete, und da also nach dem ersten meta-
physischen Weisheitssatze aus nichts nichts wird, so wäre, Philo-
sophen überlassen, nicht bloss kein griechisches, sondern, wenn's 5
ausserdem Nichts gibt, auch gar kein Drama in der Welt mehr
geworden, und hätte werden können. Da aber Genie bekannter-
massen mehr ist als Philosophie, und Schöpfer ein ander Ding als

[1] Published in the aforementioned collection *Von deutscher Art und Kunst*
(1773). See Suphan's Herder, Vol. 5, page 208.

Zergliederer: so war's ein Sterblicher mit Götterkraft begabt, eben
10 aus dem entgegengesetztesten Stoff, und in der verschiedensten
Bearbeitung, dieselbe Wirkung hervorzurufen, Furcht und Mitleid,
und beide in einem Grade, wie jener erste Stoff und Bearbeitung es
kaum hervorzubringen vermocht! Glücklicher Göttersohn über sein
Unternehmen! Eben das neue, erste, ganz Verschiedene, zeigt die
15 Urkraft seines Berufs.

Shakespear fand keinen Chor vor sich, aber wohl Staats- und
Marionettenspiele — wohl! Er bildete also aus diesen Staats- und
Marionettenspielen, dem so schlechten Leim, das herrliche Geschöpf,
das da vor uns steht und lebt. Er fand keinen so einfachen Volks-
20 und Vaterlandscharakter, sondern ein Vielfaches von Ständen,
Lebensarten, Gesinnungen, Völkern und Spracharten — der Gram
um das Vorige wäre vergebens gewesen; — er dichtete also Stände
und Menschen, Völker und Spracharten, König und Narren, Narren
und König zu dem herrlichen Ganzen! Er fand keinen so einfachen
25 Geist der Geschichte, der Fabel, der Handlung: er nahm Geschichte,
wie er sie fand, und setzte mit Schöpfergeist das verschiedenartigste
Zeug zu einem Wunderganzen zusammen, was wir, wenn nicht
Handlung im griechischen Verstande, so Aktion im Sinne der mit-
tlern, oder in der Sprache der neuern Zeiten Begebenheit (*événement*),
30 grosses Ereignis, nennen wollen — o Aristoteles, wenn du erschienest,
wie würdest du den neuen Sophokles homerisieren! würdest so eine
eigne Theorie über ihn dichten, die jetzt seine Landsleute, Home
und Hurd, Pope und Johnson, noch nicht gedichtet haben! Würdest dich freuen, von jedem deiner Stücke, Handlung, Charakter,
35 Meinungen, Ausdruck, Bühne, wie aus zwei Punkten des Dreiecks
Linien zu ziehen, die sich oben in Einem Punkte des Zwecks, der
Vollkommenheit begegnen! Würdest zu Sophokles sagen: male das
heilige Blatt dieses Altars! und du, o nordischer Barde, alle Seiten
und Wände dieses Tempels in dein unsterbliches Fresco!
40 Man lasse mich als Ausleger und Rhapsodisten fortfahren, denn
ich bin näher Shakespear als dem Griechen. Wenn bei diesem das
Eine einer Handlung herrscht, so arbeitet jener auf das Ganze eines
Ereignisses, einer Begebenheit. Wenn bei jenem Ein Ton der
Charaktere herrschet, so bei diesem alle Charaktere, Stände und
45 Lebensarten, so viel nur fähig und nötig sind, den Hauptklang seines

Concerts zu bilden. Wenn in jenem Eine singende feine Sprache, wie in einem höheren Äther tönet, so spricht dieser die Sprache aller Alter, Menschen und Menschenarten, ist Dolmetscher der Natur in all ihren Zungen — und auf so verschiedenen Wegen beide Vertraute Einer Gottheit. Und wenn jener Griechen vorstellt und lehrt 5c und rührt und bildet, so lehrt, rührt und bildet Shakespear nordische Menschen! Mir ist, wenn ich ihn lese, Theater, Acteur, Coulisse verschwunden! Lauter einzelne im Sturm der Zeiten wehende Blätter aus dem Buch der Begebenheiten, der Vorsehung, der Welt! einzelne Gepräge der Völker, Stände, Seelen! die alle die verschieden- 55 artigsten und abgetrenntest handelnden Maschinen — was wir in der Hand des Weltschöpfers sind — unwissende, blinde Werkzeuge zum ganzen Eines theatralischen Bildes, Einer Grösse habenden Begebenheit, die nur der Dichter überschauet. Wer kann sich einen grössern Dichter der nordischen Menschheit, und in dem Zeitalter, 6c denken!

5

From 'Auch eine Philosophie': The Middle Ages and the Age of Reason.[1]

Die dunkeln Seiten dieses Zeitraums [des Mittelalters] stehen in allen Büchern: jeder klassische Schöndenker, der die Polizierung unsres Jahrhunderts fürs *non plus ultra* der Menschheit hält, hat Gelegenheit ganze Jahrhunderte auf Barbarei, elendes Staatsrecht, Aberglauben und Dummheit, Mangel der Sitten und Abgeschmackt- 5 heit — in Schulen, in Landsitzen, in Tempeln, in Klöstern, in Rathäusern, in Handwerkszünften, in Hütten und Häusern zu schmälen und über das Licht unsres Jahrhunderts, das ist, über seinen Leichtsinn und Ausgelassenheit, über seine Wärme in Ideen und Kälte in Handlungen, über seine scheinbare Stärke und Freiheit, und über 10 seine wirkliche Todesschwäche und Ermattung unter Unglauben, Despotismus und Üppigkeit zu lobjauchzen. Davon sind alle Bücher unsrer Voltäre und Hume, Robertsons und Iselins voll, und es wird ein so schön Gemälde, wie sie die Aufklärung und Verbesserung der Welt aus den trüben Zeiten des Deismus und Despotis- 15 mus der Seelen, d. i. zu Philosophie und Ruhe herleiten — dass dabei jedem Liebhaber seiner Zeit das Herz lacht. . . .

---

[1] The booklet *Auch eine Philosophie der Geschichte zur Bildung der Menschheit* was published in 1774. See Suphan's Herder, Vol. 5, page 475.

Dass es jemanden in der Welt unbegreiflich wäre, wie Licht die
Menschen nicht nährt! Ruhe und Üppigkeit und sogenannte Ge-
20 dankenfreiheit nie allgemeine Glückseligkeit und Bestimmung sein
kann! Aber Empfindung, Bewegung, Handlung — wenn auch in
der Folge ohne Zweck (was hat auf der Bühne der Menschheit
ewigen Zweck?), wenn auch mit Stössen und Revolutionen, wenn
auch mit Empfindungen, die hie und da schwärmerisch, gewaltsam,
25 gar abscheulich werden — als Werkzeug in den Händen des Zeit-
laufs, welche Macht! welche Wirkung! Herz und nicht Kopf
genährt! mit Neigungen und Trieben alles gebunden, nicht mit
kränkelnden Gedanken! Andacht und Ritterehre, Liebeskühnheit
und Bürgerstärke — Staatsverfassung und Gesetzgebung, Religion.
30 — Ich will nichts weniger als die ewigen Völkerzüge und Verwüstun-
gen, Vasallenkriege und Befehdungen, Mönchsheere, Wallfahrten,
Kreuzzüge verteidigen; nur erklären möchte ich sie: wie in allem
doch Geist hauchet! Gährung menschlicher Kräfte! Grosse Kur
der ganzen Gattung durch gewaltsame Bewegung, und wenn ich so
35 kühn reden darf, das Schicksal zog, (allerdings mit grossem Getöse,
und ohne dass die Gewichte da ruhig hangen konnten,) die grosse
abgelaufene Uhr auf! Da rasselten also die Räder!

LXXIV. JOHANN WOLFGANG GOETHE

1749–1832. The long-gathering promise of a German literary renascence
was splendidly fulfilled in the genius of Goethe. In all the *genres* he wrought
with high and peculiar distinction; and so intensely and fully did he live the
life of his epoch that he has come to be regarded as *the* representative of the
modern spirit. A great critic has called him 'the clearest, largest, and most
helpful thinker of modern times.' The scope of this book is such that only
the youthful Goethe is represented in the selections.

I
Mailied.

Wie herrlich leuchtet
Mir die Natur!
Wie glänzt die Sonne!
Wie lacht die Flur!

5 Es dringen Blüten
Aus jedem Zweig

Und tausend Stimmen
Aus dem Gesträuch,

Und Freud' und Wonne
Aus jeder Brust.   10
O Erd', o Sonne!
O Glück, o Lust!

O Lieb', o Liebe,
So golden schön,

15 Wie Morgenwolken
Auf jenen Höhn!

Du segnest herrlich
Das frische Feld,
Im Blütendampfe
20 Die volle Welt.

O Mädchen, Mädchen,
Wie lieb' ich dich!
Wie blickt dein Auge!
Wie liebst du mich!

25 So liebt die Lerche
Gesang und Luft,
Und Morgenblumen
Den Himmelsduft,

Wie ich dich liebe
30 Mit warmem Blut,
Die du mir Jugend
Und Freud' und Mut

Zu neuen Liedern
Und Tänzen gibst.
35 Sei ewig glücklich,
Wie du mich liebst!

2

Willkommen und Abschied.

Es schlug mein Herz, ge-
schwind zu Pferde!
Es war getan fast eh gedacht;
Der Abend wiegte schon die
Erde,
Und an den Bergen hing die
Nacht.
5 Schon stand im Nebelkleid die
Eiche,
Ein aufgetürmter Riese, da,

Wo Finsternis aus dem Ge-
sträuche
Mit hundert schwarzen Augen
sah.

Der Mond von einem Wolken-
hügel
Sah kläglich aus dem Duft her-
vor,   10
Die Winde schwangen leise
Flügel,
Umsausten schauerlich mein
Ohr.
Die Nacht schuf tausend Unge-
heuer;
Doch frisch und fröhlich war
mein Mut:
In meinen Adern welches Feuer! 15
In meinem Herzen welche Glut!

Dich sah ich, und die milde
Freude
Floss von dem süssen Blick auf
mich;
Ganz war mein Herz an deiner
Seite,
Und jeder Atemzug für dich.   20
Ein rosenfarbnes Frühlingswet-
ter
Umgab das liebliche Gesicht,
Und Zärtlichkeit für mich — ihr
Götter!
Ich hofft' es, ich verdient' es
nicht!

Doch ach, schon mit der Mor-
gensonne   25
Verengt der Abschied mir das
Herz:
In deinen Küssen welche Wonne!

In   deinem   Auge   welcher
    Schmerz!
Ich ging, du standst und sahst
    zur Erden,
30 Und sahst mir nach mit nassem
    Blick:
Und doch, welch Glück geliebt
    zu werden!
Und lieben, Götter, welch ein
    Glück!

3
Neue Liebe neues Leben.

Herz, mein Herz, was soll das
    geben?
Was bedränget dich so sehr?
Welch ein fremdes neues Leben!
Ich erkenne dich nicht mehr.
5 Weg ist alles, was du liebtest,
Weg warum du dich betrübtest,
Weg dein Fleiss und deine
    Ruh —
Ach, wie kamst du nur dazu!

Fesselt dich die Jugendblüte,
10 Diese liebliche Gestalt,
Dieser Blick voll Treu' und
    Güte
Mit unendlicher Gewalt?
Will ich rasch mich ihr entziehen,
Mich ermannen, ihr entfliehen,
15 Führet mich im Augenblick,
Ach, mein Weg zu ihr zurück.

Und an diesem Zauberfädchen,
Das sich nicht zerreissen lässt,
Hält das liebe lose Mädchen
20 Mich so wider Willen fest;
Muss in ihrem Zauberkreise
Leben nun auf ihre Weise.

Die Verändrung ach wie gross!
Liebe! Liebe! lass mich los!

4
Rastlose Liebe.

Dem Schnee, dem Regen,
Dem Wind entgegen,
Im Dampf der Klüfte,
Durch Nebeldüfte,
Immer zu! Immer zu!   5
Ohne Rast und Ruh!

Lieber durch Leiden
Möcht' ich mich schlagen,
Als so viel Freuden
Des Lebens ertragen.   10
Alle das Neigen
Von Herzen zu Herzen,
Ach, wie so eigen
Schaffet das Schmerzen!

Wie soll ich fliehen?   15
Wälderwärts ziehen?
Alles vergebens!
Krone des Lebens!
Glück ohne Ruh,
Liebe, bist du!   20

5
Meeres Stille.

Tiefe Stille herrscht im Wasser,
Ohne Regung ruht das Meer,
Und bekümmert sieht der Schif-
    fer
Glatte Fläche rings umher.
Keine Luft von keiner Seite!   5
Todesstille fürchterlich!
In der ungeheuern Weite
Reget keine Welle sich.

6
Glückliche Fahrt.

Die Nebel zerreissen,
Der Himmel ist helle,
Und Äolus löset
Das ängstliche Band.
5 Es säuseln die Winde,
Es rührt sich der Schiffer.
Geschwinde! Geschwinde!
Es teilt sich die Welle,
Es naht sich die Ferne;
10 Schon seh' ich das Land!

7
Wandrers Nachtlieder.

Der du von dem Himmel bist,
Alles Leid und Schmerzen stil-
lest,
Den, der doppelt elend ist,
Doppelt mit Erquickung füllest,
5 Ach ich bin des Treibens müde!
Was soll all der Schmerz und
Lust?
Süsser Friede,
Komm, ach komm in meine
Brust!
_____

Über allen Gipfeln
10 Ist Ruh,
In allen Wipfeln
Spürest du
Kaum einen Hauch:
Die Vögelein schweigen im
Walde.

Warte nur, balde   15
Ruhest du auch.

8
Der König in Thule.

Es war ein König in Thule
Gar treu bis an das Grab,
Dem sterbend seine Buhle
Einen goldnen Becher gab.

Es ging ihm nichts darüber,   5
Er leert' ihn jeden Schmaus;
Die Augen gingen ihm über,
So oft er trank daraus.

Und als er kam zu sterben,
Zählt' er seine Städt' im Reich, 10
Gönnt' alles seinem Erben,
Den Becher nicht zugleich.

Er sass beim Königsmahle,
Die Ritter um ihn her,
Auf hohem Vätersaale,
Dort auf dem Schloss am Meer. 15

Dort stand der alte Zecher,
Trank letzte Lebensglut,
Und warf den heilgen Becher
Hinunter in die Flut.   20

Er sah ihn stürzen, trinken,
Und sinken tief ins Meer.
Die Augen täten ihm sinken;
Trank nie einen Tropfen mehr.

9
From 'Prometheus,' Act 3: The Titan's defiance.

Bedecke deinen Himmel, Zeus,
Mit Wolkendunst,
Und übe, dem Knaben gleich,

Der Disteln köpft,
An Eichen dich und Berges-
höhn;   5

Musst mir meine Erde
Doch lassen stehn,
Und meine Hütte, die du nicht
    gebaut,
Und meinen Herd,
10 Um dessen Glut
Du mich beneidest.

Ich kenne nichts Ärmeres
Unter der Sonn', als euch,
    Götter!
Ihr nähret kümmerlich
15 Von Opfersteuern
Und Gebetshauch
Eure Majestät,
Und darbtet, wären
Nicht Kinder und Bettler
20 Hoffnungsvolle Toren.

Da ich ein Kind war,
Nicht wusste wo aus noch ein,
Kehrt' ich mein verirrtes Auge
Zur Sonne, als wenn drüber wär'
25 Ein Ohr, zu hören meine Klage,
Ein Herz, wie meins,
Sich des Bedrängten zu erbar-
    men.

Wer half mir
Wider der Titanen Übermut?
30 Wer rettete vom Tode mich,
Von Sclaverei?

Hast du nich alles selbst vollen-
    det,
Heilig glühend Herz?
Und glühtest jung und gut,
Betrogen, Rettungsdank   35
Dem Schlafenden da droben?

Ich dich ehren? Wofür?
Hast du die Schmerzen gelindert
Je des Beladenen?
Hast du die Tränen gestillet   40
Je des Geängsteten?
Hat nicht mich zum Manne
    geschmiedet
Die allmächtige Zeit
Und das ewige Schicksal,
Meine Herren und deine?   45

Wähntest du etwa,
Ich sollte das Leben hassen,
In Wüsten fliehen,
Weil nicht alle
Blütenträume reiften?   50

Hier sitz' ich, forme Menschen,
Nach meinem Bilde,
Ein Geschlecht, das mir gleich
    sei,
Zu leiden, zu weinen,
Zu geniessen und zu freuen sich, 55
Und dein nicht zu achten,
Wie ich!

10

From the 'Sufferings of Young Werther': Werther's communion with the All.

Am 10. Mai.

Eine wunderbare Heiterkeit hat meine ganze Seele eingenommen,
gleich den süssen Frühlingsmorgen, die ich mit ganzem Herzen
geniesse. Ich bin allein und freue mich meines Lebens in dieser
Gegend, die für solche Seelen geschaffen ist wie die meine. Ich bin

so glücklich, mein Bester, so ganz in dem Gefühle von ruhigem Dasein 5 versunken, dass meine Kunst darunter leidet. Ich könnte jetzt nicht zeichnen, nicht einen Strich, und bin nie ein grösserer Maler gewesen als in diesen Augenblicken. Wenn das liebe Tal um mich dampft, und die hohe Sonne an der Oberfläche der undurchdringlichen Finsternis meines Waldes ruht, und nur einzelne Strahlen 10 sich in das innere Heiligtum stehlen, ich dann im hohen Grase am fallenden Bache liege, und näher an der Erde tausend mannichfaltige Gräschen mir merkwürdig werden; wenn ich das Wimmeln der kleinen Welt zwischen Halmen, die unzähligen unergründlichen Gestalten der Würmchen, der Mückchen näher an meinem Herzen 15 fühle, und fühle die Gegenwart des Allmächtigen, der uns nach seinem Bilde schuf, das Wehen des Allliebenden, der uns in ewiger Wonne schwebend trägt und erhält; mein Freund! wenn's dann um meine Augen dämmert, und die Welt um mich her und der Himmel ganz in meiner Seele ruhen wie die Gestalt einer Geliebten; 20 dann sehne ich mich oft und denke: ach könntest du das wieder ausdrücken, könntest du dem Papiere das einhauchen, was so voll, so warm in dir lebt, dass es würde der Spiegel deiner Seele, wie deine Seele ist der Spiegel des unendlichen Gottes! — Mein Freund — Aber ich gehe darüber zu Grunde, ich erliege unter der Gewalt der 25 Herrlichkeit dieser Erscheinungen.

Homer as an anodyne for a sick heart.

Am 13. Mai.

Du fragst, ob du mir meine Bücher schicken sollst? — Lieber, ich bitte dich um Gottes willen, lass mir sie vom Halse! Ich will nicht mehr geleitet, ermuntert, angefeuert sein, braust doch dieses Herz genug aus sich selbst; ich brauche Wiegengesang, und den habe 30 ich in seiner Fülle gefunden in meinem Homer. Wie oft lull' ich mein empörtes Blut zur Ruhe, denn so ungleich, so unstät, hast du nichts gesehen als dieses Herz. Lieber! brauch' ich dir das zu sagen, der du so oft die Last getragen hast, mich vom Kummer zur Ausschweifung und von süsser Melancholie zur verderblichen Leiden- 35 schaft übergehen zu sehen? Auch halte ich mein Herzchen wie ein krankes Kind; jeder Wille wird ihm gestattet. Sage das nicht weiter, es gibt Leute, die mir es verübeln würden.

Werther excited by the reading of Ossian.

Am 12. October.

Ossian hat in meinem Herzen den Homer verdrängt. Welch eine
40 Welt, in die der Herrliche mich führt! Zu wandern über die Heide,
umsaust vom Sturmwinde, der in dampfenden Nebeln die Geister
der Väter im dämmernden Lichte des Mondes hinführt. Zu hören
vom Gebirge her im Gebrülle des Waldstroms halb verwehtes Ächzen der Geister aus ihren Höhlen, und die Wehklagen des zu Tode
45 sich jammernden Mädchens, um die vier moosbedeckten grasbe-
wachsenen Steine des Edelgefallnen, ihres Geliebten. Wenn ich
ihn dann finde, den wandelnden grauen Barden, der auf der weiten
Heide die Fussstapfen seiner Väter sucht, und ach! ihre Grabsteine
findet, und dann jammernd nach dem lieben Sterne des Abends
50 hinblickt, der sich ins rollende Meer verbirgt, und die Zeiten der
Vergangenheit in des Helden Seele lebendig werden, da noch der
freundliche Strahl den Gefahren der Tapferen leuchtete, und der
Mond ihr bekränztes siegrückkehrendes Schiff beschien. Wenn ich
den tiefen Kummer auf seiner Stirn lese, den letzten verlassenen
55 Herrlichen in aller Ermattung dem Grabe zu wanken sehe, wie er
immer neue schmerzlich glühende Freuden in der kraftlosen Gegenwart der Schatten seiner Abgeschiedenen einsaugt, und nach der
kalten Erde, dem hohen wehenden Grase niedersieht und ausruft:
Der Wanderer wird kommen, kommen, der mich kannte in meiner
60 Schönheit, und fragen: Wo ist der Sänger, Fingals trefflicher Sohn?
Sein Fusstritt geht über mein Grab hin, und er fragt vergebens nach
mir auf der Erde. — O Freund! Ich möchte gleich einem edlen
Waffenträger das Schwert ziehen, meinen Fürsten von der zückenden
Qual des langsam absterbenden Lebens befreien und dem befreiten
65 Halbgott meine Seele nachsenden.

Werther in the depths of despair.

Am 3. November.

Weiss Gott! ich lege mich so oft zu Bette mit dem Wunsche, ja
manchmal mit der Hoffnung, nicht wieder zu erwachen; und morgens schlage ich die Augen auf, sehe die Sonne wieder und bin elend.
O dass ich launisch sein könnte, könnte die Schuld aufs Wetter, auf
70 einen Dritten, auf eine fehlgeschlagene Unternehmung schieben, so

würde die unerträgliche Last des Unwillens doch nur halb auf mir
ruhen. Wehe mir! ich fühle zu wahr, dass an mir allein alle Schuld
liegt — nicht Schuld! Genug, dass in mir die Quelle alles Elendes
verborgen ist, wie ehemals die Quelle aller Seligkeiten. Bin ich
nicht noch eben derselbe, der ehemals in aller Fülle der Empfindung 75
herumschwebte, dem auf jedem Tritte ein Paradies folgte, der ein
Herz hatte, eine ganze Welt liebevoll zu umfassen? Und dies Herz
ist jetzt tot, aus ihm fliessen keine Entzückungen mehr, meine Augen
sind trocken, und meine Sinne, die nicht mehr von erquickenden
Tränen gelabt werden, ziehen ängstlich meine Stirn zusammen. Ich 80
leide viel, denn ich habe verloren was meines Lebens einzige Wonne
war, die heilige Kraft, mit der ich Welten um mich schuf; sie ist
dahin! — Wenn ich zu meinem Fenster hinaus an den fernen Hügel
sehe, wie die Morgensonne über ihn her den Nebel durchbricht und
den stillen Wiesengrund bescheint, und der sanfte Fluss zwischen 85
seinen entblätterten Weiden zu mir herschlängelt, — o! wenn da
diese herrliche Natur so starr vor mir steht wie ein lackiertes Bild-
chen, und alle die Wonne keinen Tropfen Seligkeit aus meinem Herzen herauf in das Gehirn pumpen kann, und der ganze Kerl vor Gottes
Angesicht steht wie ein versiegter Brunnen, wie ein verlechter Eimer. 90
Ich habe mich oft auf den Boden geworfen und Gott um Tränen
gebeten, wie ein Ackersmann um Regen, wenn der Himmel ehern
über ihm ist, und um ihn die Erde verdürstet.

II

From 'Letters from Switzerland.' [1]

Frei wären die Schweizer? frei diese wohlhabenden Bürger in
den verschlossenen Städten? frei diese armen Teufel an ihren Klippen und Felsen? Was man dem Menschen nicht alles weiss machen
kann! Besonders wenn man so ein altes Märchen in Spiritus auf-
bewahrt. Sie machten sich einmal von einem Tyrannen los und 5
konnten sich in einem Augenblick frei denken; nun erschuf ihnen
die liebe Sonne aus dem Aas des Unterdrückers einen Schwarm von

---

[1] The *Briefe aus der Schweiz*, in two parts, were first published in 1808 as
an 'appendix' to *Werther*. They were said to be 'from Werther's papers.' In
substance and sentiment, if not in form, they reproduce real letters written by
Goethe in his youth.

kleinen Tyrannen durch eine sonderbare Wiedergeburt. Nun erzählen sie das alte Märchen immer fort, man hört bis zum Überdruss:
10 sie hätten sich einmal frei gemacht und wären frei geblieben. Und
nun sitzen sie hinter ihren Mauern, eingefangen von ihren Gewohn-
heiten und Gesetzen, ihren Fraubasereien und Philistereien, und da
draussen auf den Felsen ist's auch wohl der Mühe wert von Freiheit
zu reden, wenn man das halbe Jahr vom Schnee wie ein Murmeltier
15 gefangen gehalten wird.

Pfui! wie sieht so ein Menschenwerk und so ein schlechtes notge-
drungenes Menschenwerk, so ein schwarzes Städtchen, so ein Schin-
del- und Steinhaufen, mitten in der grossen herrlichen Natur aus!
Grosse Kiesel- und andere Steine auf den Dächern, dass ja der
20 Sturm ihnen die traurige Decke nicht vom Kopfe wegführe, und den
Schmutz, den Mist! und staunende Wahnsinnige! — Wo man den
Menschen nur wieder begegnet, möchte man von ihnen gleich davon
fliehen.

Dass in den Menschen so viele geistige Anlagen sind, die sie im
25 Leben nicht entwickeln können, die auf eine bessere Zukunft, auf
ein harmonisches Dasein deuten, darin sind wir einig, mein Freund,
und meine andere Grille kann ich auch nicht aufgeben, ob du mich
gleich schon oft für einen Schwärmer erklärt hast. Wir fühlen auch
die Ahnung körperlicher Anlagen, auf deren Entwickelung wir in
30 diesem Leben Verzicht tun müssen: so ist es ganz gewiss mit dem
Fliegen. So wie mich sonst die Wolken schon reizten, mit ihnen
fort in fremde Länder zu ziehen, wenn sie hoch über meinem Haupte
wegzogen, so steh' ich jetzt oft in Gefahr, dass sie mich von einer
Felsenspitze mitnehmen, wenn sie an mir vorbeiziehen. Welche
35 Begierde fühl' ich, mich in den unendlichen Luftraum zu stürzen,
über den schauerlichen Abgründen zu schweben und mich auf einen
unzugänglichen Felsen niederzulassen. Mit welchem Verlangen hol'
ich tiefer und tiefer Atem, wenn der Adler in dunkler blauer Tiefe,
unter mir, über Felsen und Wäldern schwebt, und in Gesellschaft
40 eines Weibchens um den Gipfel, dem er seinen Horst und seine
Jungen anvertraut hat, grosse Kreise in sanfter Eintracht zieht.
Soll ich denn nur immer die Höhe erkriechen, am höchsten Felsen

wie am niedrigsten Boden kleben, und wenn ich mühselig mein Ziel
erreicht habe, mich ängstlich anklammern, vor der Rückkehr schau-
dern und vor dem Falle zittern?

5

12

From 'Faust': 'Feeling is everything.'

MARGARETE

Versprich mir, Heinrich!

FAUST

Was ich kann!

MARGARETE

Nun sag', wie hast du's mit der Religion?
Du bist ein herzlich guter Mann,
Allein ich glaub', du hältst nicht viel davon.

FAUST

Lass das, mein Kind! Du fühlst, ich bin dir gut;
Für meine Lieben liess' ich Leib und Blut,
Will niemand sein Gefühl und seine Kirche rauben.

MARGARETE

Das ist nicht recht, man muss dran glauben!

FAUST

Muss man?

MARGARETE

Ach! wenn ich etwas auf dich könnte!
Du ehrst auch nicht die heilgen Sacramente.

10

FAUST

Ich ehre sie.

MARGARETE

Doch ohne Verlangen.
Zur Messe, zur Beichte bist du lange nicht gegangen.
Glaubst du an Gott?

FAUST

Mein Liebchen, wer darf sagen:
Ich glaub' an Gott?
Magst Priester oder Weise fragen,
Und ihre Antwort scheint nur Spott
Über den Frager zu sein.

MARGARETE

So glaubst du nicht?

FAUST

Mishör' mich nicht, du holdes Angesicht!
Wer darf ihn nennen?
Und wer bekennen:
Ich glaub' ihn?
Wer empfinden
Und sich unterwinden
Zu sagen: ich glaub' ihn nicht?
Der Allumfasser,
Der Allerhalter,
Fasst und erhält er nicht
Dich, mich, sich selbst?
Wölbt sich der Himmel nicht da droben?
Liegt die Erde nicht hierunten fest?
Und steigen freundlich blickend
Ewige Sterne nicht herauf?
Schau' ich nicht Aug' in Auge dir,
Und drängt nicht alles
Nach Haupt und Herzen dir,
Und webt in ewigem Geheimnis
Unsichtbar sichtbar neben dir?

Erfüll' davon dein Herz, so gross es ist,
Und wenn du ganz in dem Gefühle selig bist,
Nenn's Glück! Herz! Liebe! Gott!   40
Ich habe keinen Namen
Dafür! Gefühl ist alles;
Name ist Schall und Rauch,
Umnebelnd Himmelsglut.

MARGARETE

Das ist alles recht schön und gut;   45
Ungefähr sagt das der Pfarrer auch,
Nur mit ein bischen andern Worten.

FAUST

Es sagen's aller Orten
Alle Herzen unter dem himmlischen Tage,
Jedes in seiner Sprache;   50
Warum nicht ich in der meinen?

MARGARETE

Wenn man's so hört, möcht's leidlich scheinen,
Steht aber doch immer schief darum;
Denn du hast kein Christentum.

LXXV. MINOR DRAMATISTS OF THE STORM AND STRESS ERA

The name 'Storm and Stress,' derived from a play of Klinger (see below), has long been in use to denote the insurgent spirit of the youthful Goethe (beginning with *Götz von Berlichingen* in 1773), and of certain other writers who followed in his wake. Aside from Schiller, whose early plays are the strongest expression of the revolutionary tendencies, the other more important names are Klinger, Wagner, Lenz, Leisewitz, and Maler Müller. Their favorite form was the prose tragedy of middle-class life. They wrote of crime and remorse; of fratricide, seduction, rape and child-murder; of class conflict, and of fierce passion at war with the social order. While their plays were meant to exemplify a fearless 'naturalism,' the language is often unnaturally extravagant and the plots wildly improbable. For the texts see Kürschner's *Nationalliteratur*, Vols 79–81.

I

Zimmer im Gasthofe.

WILD, LA FEU, BLASIUS (*treten auf in Reisekleidern*).

WILD. Heida! nun einmal in Tumult und Lärmen, dass die Sinnen herumfahren wie Dachfahnen beim Sturm! Das wilde Geräusch hat mir schon so viel Wohlsein entgegengebrüllt, dass mir's wirklich ein wenig anfängt besser zu werden. Soviel hundert Meilen gereiset, um dich in vergessenden Lärmen zu bringen — tolles Herz! du sollst mir's danken! Ha! tobe und spanne dich dann aus, labe dich im Wirrwar! — Wie ist's euch?

BLASIUS. Geh zum Teufel! Kommt meine Donna nach?

LA FEU. Mach dir Illusion, Narr! Sollt' mir nicht fehlen, sie
10 von meinem Nagel in mich zu schlürfen, wie einen Tropfen Wasser. Es lebe die Illusion! — Ei, ei! Zauber meiner Phantasie, wandle in den Rosengärten von Phyllis' Hand geführt —

WILD. Stärk' dich Apoll, närrischer Junge!

LA FEU. Es soll mir nicht fehlen, das schwarze verrauchte Haus
15 gegenüber, mitsamt dem alten Turm, in ein Feenschloss zu ver- wandeln. Zauber, Zauberphantasie! — (*lauschend*) Welch lieblich geistige Symphonieen treffen mein Ohr? — Beim Amor! ich will mich wie ein alt Weib verlieben, in einem alten baufälligen Haus wohnen, meinen zarten Leib in stinkenden Mistlaken baden, bloss
20 um meine Phantasie zu scheren. Ist keine alte Hexe da, mit der ich scharmieren könnte? Ihre Runzeln sollen mir zu Wellenlinien der Schönheit werden; ihre heraussstehende schwarze Zähne zu marmornen Säulen an Dianens Tempel; ihre herabhangende lederne Zitzen Helenens Busen übertreffen. Einen so aufzutrocknen, wie
25 mich! — He, meine phantastische Göttin! — Wild, ich kann dir sagen, ich hab' mich brav gehalten die Tour her. Hab' Dinge gese- hen, gefühlt, die kein Hund geschmeckt, keine Nase gerochen, kein Aug gesehen, kein Geist erschwungen —

[1] Friedrich Maximilian Klinger (1752–1831) was a fellow-townsman and friend of Goethe. His *Sturm und Drang*, which was at first named *Wirrwarr*, came out in 1776. The scene is 'America.' The speakers are Wild, a lusty and masterful man of action; Blasius, a *blasé* worldling; and La Feu, a senti- mental dreamer. They propose to try their fortunes in the French-Indian War

WILD. Besonders wenn ich dir die Augen zuband. Ha! Ha!

LA FEU. Zum Orcus! du Ungestüm! — Aber sag' mir nun auch 30 einmal, wo sind wir in der wirklichen Welt jetzt? In London doch?

WILD. Freilich. Merktest du denn nicht, dass wir uns einschifften? Du warst ja seekrank.

LA FEU. Weiss von allem nichts, bin an allem unschuldig. — Lebt denn mein Vater noch? Schick doch einmal zu ihm, Wild, 35 und lass ihm sagen, sein Sohn lebe noch. Käme soeben von den Pyrenäischen Gebirgen aus Friesland. Weiter nichts.

WILD. Aus Friesland?

LA FEU. In welchem Viertel der Stadt sind wir dann?

WILD. In einem Feenschloss, La Feu! Siehst du nicht den 40 goldnen Himmel? die Amors und Amouretten? die Damen und Zwergchen?

LA FEU. Bind' mir die Augen zu! (*Wild bindet ihm zu.*) Wild! Esel! Ochse! nicht zu hart! (*Wild bindet ihn los.*) He! Blasius, lieber, bissiger, kranker Blasius, wo sind wir?   45

BLASIUS. Was weiss ich?

WILD. Um euch einmal aus dem Traum zu helfen, so wisst, dass ich euch aus Russland nach Spanien führte, weil ich glaubte, der König fange mit dem Mogol Krieg an. Wie aber die spanische Nation träge ist, so war's auch hier. Ich packte euch also wieder 50 auf, und nun seid ihr mitten im Krieg in Amerika. Ha! lass mich's nur recht fühlen, auf amerikanischem Boden zu stehen, wo alles neu, alles bedeutend ist. Ich trat ans Land — O dass ich keine Freude rein fühlen kann!

LA FEU. Krieg und Mord! o meine Gebeine! o meine Schutz- 55 geister! — So gib mir doch ein Feenmärchen! o weh mir!

BLASIUS. Dass dich der Donner erschlüg', toller Wild! was hast du wieder gemacht? Ist Donna Isabella noch? He! willst du reden? meine Donna!

WILD. Ha! Ha! Ha! du wirst ja einmal ordentlich aufgebracht. 60

BLASIUS. Aufgebracht? Einmal aufgebracht? Du sollst mir's mit deinem Leben bezahlen, Wild! Was? bin ich wenigstens ein freier Mensch. Geht Freundschaft so weit, dass du in deinen Rasereien einen durch die Welt schleppst wie Kuppelhunde? Uns in die Kutsche zu binden, die Pistole vor die Stirn zu halten, immer 65

fort, klitsch! klatsch! In der Kutsche essen, trinken, uns für
Rasende auszugeben. In Krieg und Getümmel von meiner Passion
weg, das einzige, was mir übrig blieb —

WILD. Du liebst ja nichts, Blasius.

70 BLASIUS. Nein, ich liebe nichts. Ich hab's so weit gebracht,
nichts zu lieben, und im Augenblick alles zu lieben, und im Augenblick alles zu vergessen. Ich betrüge alle Weiber, dafür betrügen
und betrogen mich alle Weiber. Sie haben mich geschunden und
zusammengedrückt, dass Gott erbarm'! Ich hab' alle Figuren
75 angenommen. Dort war ich Stutzer, dort Wildfang, dort tölpisch,
dort empfindsam, dort Engelländer, und meine grösste Conquete
machte ich, da ich nichts war. Das war bei Donna Isabella. Um
wieder zurückzukommen — deine Pistolen sind geladen —

WILD. Du bist ein Narr, Blasius, und verstehst keinen Spass.

80 BLASIUS. Schöner Spass dies! Greif zu! ich bin dein Feind den
Augenblick.

WILD. Mit dir mich schiessen? Sieh, Blasius! Ich wünschte
jetzt in der Welt nichts als mich herumzuschlagen, um meinem Herzen einen Lieblingsschmaus zu geben. Aber mit dir? Ha! Ha!
85 (*Hält ihm die Pistole vor.*) Sieh ins Mundloch und sag, ob dir's
nicht grösser vorkommt als ein Tor in London? Sei gescheit,
Freund! Ich brauch' und lieb' euch noch, und ihr mich vielleicht
auch. Der Teufel konnte keine grössre Narren und Unglücksvögel
zusammen führen als uns. Deswegen müssen wir zusammen bleiben,
90 und auch des Spasses halben. Unser Unglück kommt aus unserer
eignen Stimmung des Herzens, die Welt hat dabei getan, aber weniger als wir.

BLASIUS. Toller Kerl! Ich bin ja ewig am Bratspiess.

LA FEU. Mich haben sie lebendig geschunden und mit Pfeffer
95 eingepökelt. — Die Hunde!

WILD. Wir sind nun mitten im Krieg hier, die einzige Glückseligkeit, die ich kenne, im Krieg zu sein. Geniesst der Scenen, tut was
ihr wollt.

LA FEU. Ich bin nicht für'n Krieg.

100 BLASIUS. Ich bin für nichts.

WILD. Gott mach euch noch matter! — Es ist mir wieder so
taub vorm Sinn. So gar dumpf. Ich will mich über eine Trommel

spannen lassen, um eine neue Ausdehnung zu kriegen. Mir ist so
weh wieder. O könnte ich in dem Raum dieser Pistole existieren,
bis mich eine Hand in die Luft knallte! O Unbestimmtheit! wie 105
weit, wie schief führst du die Menschen!

2

From Leisewitz' 'Julius of Tarentum,' Act 3, Scene 3.[1]

GUIDO, JULIUS

GUIDO. Julius, kannst du die Tränen eines Vaters ertragen?
Ich kann's nicht.

JULIUS. Ach, Bruder, wie könnt' ich?

GUIDO. Meine ganze Seele ist aus ihrer Fassung, ich möchte mir
das Gewühl einer Schlacht wünschen, um wieder zu mir selbst zu   5
kommen. — Und das kann eine Träne? Ach, was ist der Mut für
ein wunderbares Ding! Fast möchte ich sagen, keine Stärke der
Seele, bloss Bekanntschaft mit einem Gegenstande — und wenn das
ist, ich bitte dich, was hat der Held, den eine Träne ausser sich
bringt, an innerer Würde vor dem Weibe voraus, das vor einer 10
Spinne auffährt?

JULIUS. Bruder, wie sehr gefällt mir dieser dein Ton!

GUIDO. Mir nicht, wie kann mir meine Schwäche gefallen! Ich
fühle, dass ich nicht Guido bin. Wahrhaftig, ich zittre — o wenn
das ist, so werd' ich bald auf die rechte Spur kommen! — ich hab' 15
ein Fieber!

JULIUS. Seltsam — dass sich ein Mensch schämt, dass sein Temperament stärker ist als seine Grundsätze.

GUIDO. Lass uns nicht weiter davon reden! — meine jetzige
Laune könnte darüber verfliegen, und ich will sie nutzen! Man 20
muss gewisse Entschlüsse in diesem Augenblick ausführen, aus
Furcht, sie möchten uns in den künftigen gereuen. Du weisst es,
Bruder, ich liebe Blancan, und habe meine Ehre zum Pfande gege-

---

[1] Published in 1776 — the same year with Klinger's *Die Zwillinge*, which
also deals with fratricide. Julius, the crown prince, is a studious and romantic
dreamer; Guido, a young hotspur. Their father has just been imploring them
to end their futile quarrel over the girl Blanca, who has been sent to a nunnery.
— *Julius of Tarentum* is by far the most important work of its author, Johann
Anton Leisewitz (1752–1806).

ben, dass ich sie besitzen wollte. — Aber diese Tränen machen mich
25 wankend.

JULIUS. Du setzest mich in Erstaunen.

GUIDO. Ich glaube meiner Ehre genug getan zu haben, wenn sie
niemand anders besitzt, wenn sie bleibt, was sie ist — denn wer
kann auf den Himmel eifersüchtig sein? Aber du siehst, wenn ich
30 meine Ansprüche aufgebe, so musst du auch die deinigen, mit all
den Entwürfen, sie jemals in Freiheit zu setzen, aufgeben. — Lass
uns das tun, und wieder Brüder und Söhne sein! — Wie wird sich
unser Vater freuen, wenn er uns beide zu gleicher Zeit am Ziel sieht,
wenn wir beide aus dem Kampfe mit einander als Sieger zurück-
35 kommen, und keiner überwunden. — Und noch heute muss das
geschehen, heut' an seinem Geburtstage.

JULIUS. Ach, Guido!

GUIDO. Eine entscheidende Antwort!

JULIUS. Ich kann nicht.

40 GUIDO. Du willst nicht? so kann ich auch nicht. Aber von nun
an bin ich unschuldig an diesen väterlichen Tränen, ich schwör' es,
ich bin unschuldig. Auch ich bekäme meinen Anteil davon, sagt'
er. — Siehe, ich wälze ihn hiemit auf dich. Dein ist die ganze Erbschaft von Tränen und Flüchen!

45 JULIUS. Du bist ungerecht, — glaubst du denn, dass sich eine
Leidenschaft so leicht ablegen lasse, wie eine Grille, und dass man
die Liebe an- und ausziehen könne, wie einen Harnisch? — Ob ich
will — ob ich will — wer liebt, will lieben und weiter nichts. — Liebe
ist die grosse Feder in dieser Maschine; und hast du je eine so
50 widersinnig künstliche Maschine gesehen, die selbst ein Rad treibt,
um sich zu zerstören, und doch noch eine Maschine bleibt?

GUIDO. Ungemein fein, ungemein gründlich — aber unser armer
Vater wird sterben!

JULIUS. Wenn das geschieht, so bist du sein Mörder! — Deine
55 Eifersucht wird ihn töten, und hast du nicht eben gesagt, du könntest deine Ansprüche aufgeben, wenn du wolltest — heisst das nicht
gestehen, dass du sie nicht liebst, und doch bleibst du halsstarrig?
Dein Aufgeben wär' nicht Tugend gewesen, aber dein Beharren ist
Laster!

60 GUIDO. Bravo! Bravo! Das war unerwartet.

JULIUS. Und was meinst du denn?

GUIDO. Ich will mich erst ausfreuen, dass die Weisheit eben so eine schlanke geschmeidige Nymphe ist, als die Gerechtigkeit, eben so gut ihre Fälle für einen guten Freund hat. Ich könnte meine Ansprüche aufgeben, wenn ich wollte? — Wenn die Ehre will! — 65 Das ist die Feder in meiner Maschine — du kannst nichts tun, ohne die Liebe zu fragen, ich nichts, ohne die Ehre: — wir beide können also für uns selbst nichts, das, denk' ich, ist doch wohl ein Fall.

JULIUS. Hat man je etwas so Unbilliges gehört, die erste Triebfeder der menschlichen Natur mit der Grille einiger Toren zu ver- 70 gleichen?

GUIDO. Einiger Toren! — Du rasest! — Ich verachte dich, wie tief stehst du unter mir! Ich halte meine Rührung durch Tränen für Schwachheit, — aber zu diesem Grade meiner Schwachheit ist deine Tugend noch nicht einmal gestiegen. 75

JULIUS. Es ist immer dein Fehler gewesen, über Empfindungen zu urteilen, die du nicht kennst.

GUIDO. Und dabei immer ums dritte Wort von Tugend zu schwatzen! — Ich glaube, wenn du nun am Ziel deiner Wünsche bist und deinen Vater auf der Bahre siehst, so wirst du anstatt nach getaner 80 Arbeit zu rasten, noch die Leichenträger unterrichten, was Tugend sei, oder was sie nicht sei!

JULIUS. Wie hab' ich mich geirrt! Bist du nicht schon wieder in deinem gewöhnlichen Tone?

GUIDO. Siehe, du hoffest auf seinen Tod, kannst du das leugnen? 85 Glaubst du, dass ich es nicht sehe, dass du alsdenn das Mädchen aus dem Kloster entführen willst? — Es ist wahr, alsdann bist du Fürst von Tarent, und ich bin nichts — als ein Mann. — Aber dein zartes Gehirnchen könnte zerreissen, wenn du das alles lebhaft dächtest, was ein Mann kann. — Gott sei Dank, es gibt Schwerter, und ich 90 hab' einen Arm, der noch allenfalls ein Mädchen aus den weichen Armen eines Zärtlings reissen kann! Ruhig sollst du sie nicht besitzen, ich will einen Bund mit dem Geiste unsers Vaters machen, der an deinem Bette winseln wird.

JULIUS. Ich mag so wenig als unser Vater von dir im Affekt 95 hören, was du tun willst. (*Ab.*)

3

From Maler Müller's 'Golo and Genevieve,' Act 3, Scene 4.[1]

GOLO (*hervor*). Wie unruhig die Nacht! Hat mich der schönste
Stern hervorgezischt? Oder war sie es selbst, die jetzt ebenso lie-
beunruhig im Grünen irret wie ein angeschossen Reh, meiner heissen Sehnsucht zu begegnen? Wie entglommen mein Herz! O
5 Mathilde, du sagtest mir nicht alles; ich bin wohl glücklicher als ich
es selbst gewusst.

        Ach, süsses Glück der Liebe,
        Wer dich nicht kost,
        Des Lebens Freude kennt er nicht,
10   Des Lebens besten Schatz.

Still! Was hör' ich droben am Fenster? Sie selbst, o Himmel!
(*Zieht sich in die Grotte.*)

GENOVEVA (*oben auf dem Altan*). Die du alles bedeckst, Nacht,
bedecke auch meinen Gram, süsse, liebe, heitere Nacht! Ich bin
15 schon wieder froh. Was trauere ich denn auch? Was hat mein
Herz verbrochen? (*Singt.*)

        Viel lieber wollt' nicht leben
        Als mich dem Gram ergeben;
        Der Gram das Leben frisst.

20 Was nur der Waldbruder meinte? Sollte es möglich sein, grosser
Gott, möglich? Golo ein Verräter an mir, an Siegfried, der ihn so
brüderlich liebt? Und warum sollt' er's sein? Worin? (*Singt.*)

        Aufs sichere Nest kein Vogel geht,
        Auch Sturm es manchmal rüttelt;
25   Kein Baum im freien Walde weht,
        Den Winters Gewalt nicht schüttelt.
        Was auf der Erde lebt und steht,
        Wechselt immer Schmerz und Wonne;

[1] Friedrich Müller (1749–1825), commonly distinguished as Maler Müller,
wrote his *Golo und Genoveva* between 1775 and 1781. Siegfried, Count Palatine, has gone to aid Charles Martel against the Moors, leaving his virtuous and
saintly wife, Genevieve, in the care of his trusted vassal Golo. Inflamed by
lust and perverted by evil counsels, Golo proves faithless to his trust. The scene
is in Genevieve's castle-garden, where Golo has hidden in a grotto.

Der Winter wohl nach Sommer geht,
Nach Regen lacht die Sonne.   30

Also packt euch, ihr Grillen, wohin ihr wollt; ich mag nicht länger
mit euch zu schaffen haben. Wie angenehm der falbe Mondglanz
zwischen den Bäumen dort unten! Ich will auch hinunter, mich
noch ein Weilchen erlaben, jetzt, da ich allein bin. Das will ich.
(*Ab.*)   35

GOLO. Kommt sie herunter? Sie fliegt herunter meinen Armen
zu. O Stunde, Stunde, bist du da? Ich hör', ich hör' sie schon;
da ist sie, da bin ich, wie über Wolken zu dir auf, himmlisches,
seliges Wesen!

GENOVEVA. Wer hält mich? Wer ist da? Himmel! Bin ich 40
nicht allein?

GOLO. Ach, kannst du noch fragen? Ich bin's, Genoveva, ich,
der schon so lange anbetet, nach dir lechzt wie der Hirsch nach fris-
chem Trank, nach dir! Genoveva, Genoveva, du, selig machst du
mich jetzt, selig! (*Er kniet vor ihr und hält sie.*)   45

GENOVEVA. Edler Ritter, lasst ab, ich bitt' Euch; haltet ein,
Ihr irrt.

GOLO. O Leben! Nimm mir das Leben! Teure, ich liebe Euch,
liebe Euch.

GENOVEVA. Ihr liebt mich, Ritter? Wie? Ihr? Was sagt Ihr? 50

                              GOLO

        Ach hier, wo sich mein Herz verlor,
        In süssen Jugendtagen,
        Ihr Stauden, hänget noch betrübt
        Von meinen schweren Klagen!
        O schau' hinauf ins Sternenchor,   55
        Sie werden's all dir sagen,
        Wie treu und rein der Ritter liebt,
        Der dir so ist ergeben.
        So rein ihr Schein,
        Steht hoffnungsfroh nach dir allein   60
        Mein Streben und mein Leben.

Erlös' mich, schönstes Herz, eine arme Seele aus Flammen zu dir!
Erbarme dich!

GENOVEVA (*zitternd*). Was wollt Ihr? Golo, Golo, was sprecht
65 Ihr? Gedenkt doch — O nein, nein, es darf ja nicht — Schweigt
doch, der Himmel hört uns beide. Schaut um Euch, junger Ritter;
in der Welt werdet Ihr noch eine schöne Gemahlin finden, die Euch
trösten darf; sprecht nicht so zu mir; ich vermag's ja nicht.

GOLO. O bei den Lichtern, die dort oben brennen, keine unter
70 dem Himmel und auf Erden als du allein! Eh soll sich dies Herz
so in Glut verzehren! Du allein, süsses, seliges Wesen, dein Ab-
druck, rein bis in den Tod.

GENOVEVA. O lasst mich, lasst mich, lasst mich doch, Ritter!
Kann Euch nicht länger anhören. O Himmel!

75 GOLO. Flieh nicht, Genovevchen, reissest mir die Seele mit weg.
Ermorde mich, Grausame; gib mir den Tod; sage, du wollest mich
nicht trösten; dein Zorn macht mich zur Leiche.

GENOVEVA. Golo! Ritter, bedenkt doch ums Himmels willen!

GOLO. Es ist vorbei, ich kann nicht. (*Küsst ihre Hand.*)

80 GENOVEVA. Halt!

GOLO. Engel, süsser Engel!

GENOVEVA. Falscher, was treibt Ihr? Unsinniger!

GOLO. Umsonst! Umsonst! (*Umfasst sie und trägt sie der
Höhle zu.*)

85 GENOVEVA. Ungeheuer! Nicht edler Ritter! — Ihr droben, erbarmt euch mein! Hilfe! Hilfe!

(*Dragones der Grotte zu.*)

DRAGONES. Was gibt's hier? Steht! Wer ist's? — Eure Stimme,
Gräfin? Ehrenräuber! Wer du auch bist, halt! Halt!

GOLO (*lässt Genoveven los, schlägt den Mantel vor.*) Hölle! O
90 alles! Da, nimm's, ungebetener Hund!

DRAGONES. Weh mir! Bin verwundet! Hilfe! O Hilfe!

GOLO. Was soll ich nun? Genoveva! Was fang' ich nun an?
Verflucht! Dort kommen mehr Leute. Ich muss flüchten, bin verraten, verloren. Weh! Weh!

LXXVI. THE GÖTTINGEN POETIC ALLIANCE

In the year 1772 a number of Göttingen youths formed a society for the cultivation of a vigorous *Deutschtum* in what they supposed to be the spirit of the forefathers. Klopstock was their hero, Wieland their aversion. They wrote songs, ballads, odes, idyls, elegies, etc., treating of freedom, virtue, love of country, the brave days of old; of nature and the seasons; of common folk and their employments. Their work accords with the general spirit of the 'Storm and Stress,' and here and there presages the romantic movement. Of the selections, Nos. 1, 4, 9 are by Count Friedrich Leopold Stolberg (1750–1819); Nos. 2, 5 by Johann Heinrich Voss (1751–1826); Nos. 3, 6, 10 by Ludwig Hölty (1748–1776); Nos. 7, 8 by Johann Martin Miller (1750–1814). See Kürschner's *Nationalliteratur*, Vols. 49–50.

I

Die Freiheit.

Freiheit! Der Höfling kennt den Gedanken nicht,
Sklave! Die Kette rasselt ihm Silberton!
Gebeugt das Knie, gebeugt die Seele,
Reicht er dem Joche den feigen Nacken.

Mir ein erhabner, schauergebärender   5
Wonne-Gedanke! Fre heit, ich fühle dich!
Das ganze Herz, von dir erfüllet,
Strömet in voller Empfindung über!

Nektar der Seele! Helden entflammtest du,
Welchen die Nachwelt jedes Erstaunen weiht,   10
Du stärktest sie! In Sklavenhänden
Rostet der Stahl, wird entnervt der Bogen.

Wer für die Freiheit, wer für das Vaterland
Mutig den Arm hebt, leuchtet im Blute wie
Der Blitz des Nachtsturms; der Gefahren   15
Trübt ihm nicht eine die heitre Stirne.

Namen, mir festlich wie ein Triumphgesang:
Brutus! Tell! Hermann! Cato! Timoleon!
Im Herzen des, dem freie Seele
Gott gab, mit Flammenschrift eingegraben.   20

2
An Goethe.[1]

Der du edel entbranntst, wo hochgelahrte
Diener Justinians Banditen zogen,
Die in Roms Labyrinthen
Würgen das Recht der Vernunft;

5   Freier Goethe, du darfst die goldne Fessel,
Aus des Griechen Gesang geschmiedet, höhnen!
Shakespeare durft' es und Klopstock,
Söhne gleich ihm der Natur!

Mag doch Heinrichs Homer,[2] im trägen Mohnkranz,
10   Mag der grosse Corneill', am Aristarchen-
Trone knieend, das Klatschen
Staunender Leutlein erflehn!

Deutsch und eisern wie Götz, sprich Hohn den Schurken —
Mit der Fessel im Arm! Des Sumpfes Schreier
15   Schmäht der Leu zu zerstampfen,
Wandelt durch Wälder und herrscht!

3
An Teuthard.[3]

Trotz jedem Ausland stürmet Begeisterung
In deutschen Seelen. Barden, ihr zeuget es,
Die ihr von Sarons Palmen und von
Heimischen Eichen euch Kränze wandet!

5   Mit schnellern Flügen als der Hesperier
Und Brite flogt ihr, Barden des Vaterlands,
Zu Bragas Gipfel! Noch war Dämmrung;
Dämmrung zerflog, und die Mittagssonne

---

[1] The ode, written in 1773, alludes to Goethe's newly published *Götz*, in which there are some drastic comments on German legal procedure under the Code Justinian. — [2] Allusion to Voltaire's *Henriade*. — [3] Teuthard — poetic name for a rugged Old German — is Fritz Hahn, a member of the Alliance.

Stand hoch am Himmel. — Muse Teutoniens,
Du bietest deiner Schwester, der Britin, Trotz   10
Und überfleugst sie bald ! Du lächelst,
Muse, der gaukelnden Afterschwester,

Die in den goldnen Sälen Lutetiens
Ihr Liedchen klimpert. Schande dem Sohne Teuts,
Der's durstig trinket, weil es Wollust   15
Durch die entloderten Adern strömet !

Kein deutscher Jüngling wähle das Mädchen sich,
Das deutsche Lieder hasset und Buhlersang
Des Galliers in ihre Laute
Tändelnde Silberaccorde tönet !   20

Schwing deine Geissel, Sänger der Tugend, schwing
Die Feuergeissel, welche dir Braga gab,
Die Natternbrut, die unsre deutsche
Redlichkeit, Keuschheit und Treue tötet,

Zurückzustäupen ! Ich will, o Freund, indes,   25
Wenn deine Geissel brauset, des tollen Schwarms
Am Busen eines deutschen Mädchens
Unter den Blumen des Frühlings lachen.

4
Lied eines deutschen Knaben.

Mein Arm wird stark, und
   gross mein Mut,
Gib, Vater mir ein Schwert !
Verachte nicht mein junges Blut,
Ich bin der Väter wert !

5 Ich finde fürder keine Ruh
Im weichen Vaterland !
Ich stürb, o Vater, stolz wie du,
Den Tod fürs Vaterland !

Schon früh in meiner Jugend
   war
Mein täglich Spiel der Krieg;   10
Im Bette träumt' ich nur Ge-
   fahr
Und Wunden nur und Sieg.

Mein Feldgeschrei erweckte
   mich
Aus mancher Türkenschlacht;
Noch jüngst ein Faustschlag,
   welchen ich   15
Dem Bassa zugedacht.

Da neulich unsrer Krieger Schar
Auf dieser Strasse zog,
Und, wie ein Vogel der Husar
20 Das Haus vorüberflog:

Da gaffte starr und freute sich
Der Knaben froher Schwarm;
Ich aber, Vater, härmte mich
Und prüfte meinen Arm.

25 Mein Arm wird stark, und
       gross mein Mut,
Gib, Vater, mir ein Schwert!
Verachte nicht mein junges Blut,
Ich bin der Väter wert!

5
Trinklied für Freie.

Mit Eichenlaub den Hut be-
    kränzt!
Wohlauf! und trinkt den Wein,
Der duftend uns entgegen-
    glänzt!
Ihn sandte Vater Rhein.

5 Ist einem noch die Knechtschaft
       wert,
Und zittert ihm die Hand,
Zu heben Kolbe, Lanz' und
       Schwert,
Wenn's gilt fürs Vaterland:

Weg mit dem Schurken, weg
    von hier!
10 Er kriech' um Schranzenbrot,
Und sauf' um Fürsten sich zum
       Tier,
Und bub'[1] und lästre Gott!

Und putze seinem Herrn die
    Schuh,
Und führe seinem Herrn
Sein Weib und seine Tochter zu 15
Und trage Band und Stern!

Für uns, für uns ist diese Nacht,
Für uns der edle Trank!
Man keltert' ihn, als Frank-
    reichs Macht
In Höchstädts[2] Tälern sank.   20

Drum, Brüder, auf! den Hut
    bekränzt!
Und trinkt, und trinkt den Wein,
Der duftend uns entgegen-
    glänzt!
Uns sandt' ihn Vater Rhein.

Uns rötet hohe Freiheitsglut,   25
Uns zittert nicht die Hand,
Wir scheuten nicht des Vaters
       Blut,
Geböt's das Vaterland.

Uns, uns gehöret Hermann an,
Und Tell, der Schweizerheld,   30
Und jeder freie deutsche Mann;
Wer hat den Sand gezählt?

6
Vaterlandslied.

Gesegnet mir, mein Vater-
    land,
Wo ich so viele Tugend fand,
Gesegnet mir, mein Vaterland!

---

[1] *Buben,* 'indulge in shameless vice.' — [2] At Höchstädt in Bavaria the French
were defeated in 1704 by the English and Germans.

Die Männer haben Heldenmut,
5 Verströmen Patriotenblut,
Sind edel auch dabei und gut.

Die Weiber sind den Engeln
    gleich,
Es ist, fürwahr, ein Himmel-
    reich,
Ihr Preislichen, zu schauen euch.

10 Sie lieben Zucht und Biedersinn.
O selig Land, worin ich bin!
O möcht' ich lange leben drin!

7
Lob der Alten.

Es leben die Alten,
Die Mädchen und Wein
Für Mittel gehalten
Sich weislich zu freun!
5 Sie übten die Pflichten
Des Biedermanns aus
Und lachten in Züchten
Beim nächtlichen Schmaus.

Da lud man die Jugend
10 Zum Mahle mit ein,
Und predigte Tugend
Durch Taten allein;
Man rühmte die Grossen,
Die, tapfer und gut,
15 Kein andres vergossen
Als feindliches Blut.

Dem Lande zu Ehren
Nahm jeder sein Glas;
Vergnügen half's leeren,
20 Doch hielten sie Mass,
Und lachten sich nüchtern
Und sangen in Ruh

Von fröhlichen Dichtern
Ein Liedchen dazu.

Um Mitternacht schieden   25
Sie küssend vom Schmaus,
Und kehrten in Frieden
Zum Weibchen nach Haus.
Es leben die Alten!
Wir folgen dem Brauch,   30
Auf den sie gehalten,
Und freuen uns auch.

8
Deutsches Trinklied.

Auf, ihr meine deutschen
    Brüder,
Feiern wollen wir die Nacht!
Schallen sollen frohe Lieder,
Bis der Morgenstern erwacht!
Lasst die Stunden uns beflügeln! 5
Hier ist echter, deutscher Wein,
Ausgepresst auf deutschen Hü-
    geln
Und gereift am alten Rhein!

Wer im fremden Tranke prasset,
Meide dieses freie Land!   10
Wer des Rheines Gabe hasset,
Trink' als Knecht am Marne-
    strand!
Singt in lauten Wechselchören!
Ebert, Hagedorn und Gleim
Sollen uns Gesänge lehren;   15
Denn wir lieben deutschen
    Reim.

Trotz geboten allen denen,
Die, mit Galliens Gezier,
Unsre Nervensprache höhnen!
Ihrer spotten wollen wir!   20

Ihrer spotten! Aber, Brüder,
Stark und deutsch, wie unser
　　Wein,
Sollen immer unsre Lieder
Bei Gelag und Mahlen sein.

25 Unser Kaiser Joseph lebe!
Biedermann und deutsch ist er.
Hermanns　hoher　Schatten
　　schwebe
Waltend um den Enkel her,
Dass er, mutig in Gefahren,
30 Sich dem Vaterlande weih',
Und in Kindeskinder-Jahren
Muster aller Kaiser sei!

Jeder Fürst im Lande lebe,
Der es treu und redlich meint!
35 Jedem wackern Deutschen gebe
Gott den wärmsten Herzens-
　　freund,
Und ein Weib in seine Hütte,
Das ihm sei ein Himmelreich,
Und ihm Kinder geb', an Sitte
40 Seinen braven Vätern gleich!

Leben sollen alle Schönen,
Die, von fremder Torheit rein,
Nur des Vaterlandes Söhnen
Ihren keuschen Busen weihn!
45 Deutsche Redlichkeit und Treue
Macht uns ihrer Liebe wert:
Drum wohlauf! der Tugend
　　weihe
Jeder sich, der sie begehrt!

9
An die Natur.

Süsse, heilige Natur,
Lass mich gehn auf deiner Spur!
Leite mich an deiner Hand,
Wie ein Kind am Gängelband!

Wenn ich dann ermüdet bin,　　5
Rück ich dir am Busen hin,
Atme süsse Himmelslust,
Hangend an der Mutter Brust.

Ach, mir ist so wohl bei dir!
Will dich lieben für und für.　　10
Lass mich gehn auf deiner Spur,
Süsse, heilige Natur!

10
Frühlingslied.

Die Luft ist blau, das Tal ist
　　grün,
Die kleinen Maienglocken blühn
Und Schlüsselblumen drunter;
Der Wiesengrund
Ist schon so bunt　　5
Und malt sich täglich bunter.

Drum komme, wem der Mai
　　gefällt,
Und freue sich der schönen Welt
Und Gottes Vatergüte,
Die diese Pracht　　10
Hervorgebracht,
Den Baum und seine Blüte.

LXXVII. GOTTFRIED AUGUST BÜRGER

1747–1794. The stormy decade 1770–1780, which quickened other germs
of what was afterwards to be known as romanticism, brought with it a notable
renascence of the ballad. By general consent the first place in the balladry

of the time belongs to Bürger's *Lenore* (1774). The uncanny supernaturalism and onomatopœic word-jingles, which had lent a mysterious fascination to many an old ballad, but had virtually disappeared from the lyric poetry of the reason-worshiping century, were here revived with telling effect.

Lenore.

Lenore fuhr ums Morgenrot
Empor aus schweren Träumen:
"Bist untreu, Wilhelm, oder tot?
Wie lange willst du säumen?"
5 Er war mit König Friedrichs
    Macht
Gezogen in die Prager Schlacht,
Und hatte nicht geschrieben,
Ob er gesund geblieben.

Der König und die Kaiserin,
10 Des langen Haders müde,
Erweichten ihren harten Sinn
Und machten endlich Friede;
Und jedes Heer, mit Sing und
    Sang,
Mit Paukenschlag und Kling
    und Klang,
15 Geschmückt mit grünen Reisern,
Zog heim zu seinen Häusern.

Und überall all überall,
Auf Wegen und auf Stegen,
Zog alt und jung dem Jubel-
    schall
20 Der Kommenden entgegen.
Gottlob! rief Kind und Gattin
    laut,
Willkommen! manche frohe
    Braut.
Ach! aber für Lenoren
War Gruss und Kuss verloren.

25 Sie frug den Zug wohl auf und ab,
Und frug nach allen Namen;

Doch keiner war, der Kund-
    schaft gab,
Von allen, so da kamen.
Als nun das Heer vorüber war,
Zerraufte sie ihr Rabenhaar   30
Und warf sich hin zur Erde,
Mit wütiger Gebärde.

Die Mutter lief wohl hin zu
    ihr: —
"Ach, dass sich Gott erbarme!
Du trautes Kind, was ist mit
    dir?" —   35
Und schloss sie in die Arme. —
"O Mutter, Mutter, hin ist hin!
Nun fahre Welt und alles hin!
Bei Gott ist kein Erbarmen.
O weh, o weh mir Armen!" —   40

"Hilf Gott, hilf! Sieh uns
    gnädig an!
Kind, bet' ein Vaterunser!
Was Gott tut, das ist wohlgetan.
Gott, Gott erbarmt sich
    unser!" —
"O Mutter, Mutter, eitler Wahn! 45
Gott hat an mir nicht wohlge-
    tan!
Was half, was half mein Beten?
Nun ist's nicht mehr von
    Nöten." —

"Hilf Gott, hilf! wer den Vater
    kennt,
Der weiss, er hilft den Kindern. 50
Das hochgelobte Sacrament

Wird deinen Jamm.r lindern." —
"O Mutter, Mutter, was mich
    brennt,
Das lindert mir kein Sacrament!
55 Kein Sacrament mag Leben
Den Toten wiedergeben." —

"Hör, Kind, wie wenn der
    falsche Mann,
Im fernen Ungerlande,
Sich seines Glaubens abgetan,
60 Zum neuen Ehebande?
Lass fahren, Kind, sein Herz
    dahin!
Er hat es nimmermehr Gewinn!
Wann Seel' und Leib sich tren-
    nen,
Wird ihn sein Meineid bren-
    nen." —

65 "O Mutter, Mutter, hin ist hin!
Verloren ist verloren!
Der Tod, der Tod ist mein
    Gewinn!
O wär' ich nie geboren!
Lisch aus, mein Licht, auf ewig
    aus!
70 Stirb hin, stirb hin, in Nacht
    und Graus!
Bei Gott ist kein Erbarmen.
O weh, o weh mir Armen!" —

"Hilf Gott, hilf! Geh nicht ins
    Gericht
Mit deinem armen Kinde!
75 Sie weiss nicht, was die Zunge
    spricht.
Behalt ihr nicht die Sünde!
Ach, Kind, vergiss dein irdisch
    Leid,

Und denk' an Gott und Selig-
    keit!
So wird doch deiner Seelen
Der Bräutigam nicht fehlen." — 80

"O Mutter, was ist Seligkeit?
O Mutter! Was ist Hölle?
Bei ihm, bei ihm ist Seligkeit,
Und ohne Wilhelm Hölle! —
Lisch aus, mein Licht, auf ewig
    aus!   85
Stirb hin, stirb hin, in Nacht
    und Graus!
Ohn ihn mag ich auf Erden,
Mag dort nicht selig werden." —

So wütete Verzweifelung
Ihr in Gehirn und Adern.   90
Sie fuhr mit Gottes Vorsehung
Vermessen fort zu hadern;
Zerschlug den Busen und zerrang
Die Hand, bis Sonnenuntergang,
Bis auf am Himmelsbogen   95
Die goldnen Sterne zogen.

Und aussen, horch! ging's trap
    trap trap,
Als wie von Rosses Hufen;
Und klirrend stieg ein Reiter ab,
An des Geländers Stufen.   100
Und horch! und horch! den
    Pfortenring
Ganz lose, leise, klinglingling!
Dann kamen durch die Pforte
Vernehmlich diese Worte:

"Holla! Holla! Tu auf, mein
    Kind!   105
Schläfst, Liebchen, oder wachst
    du?

Wie bist noch gegen mich
gesinnt?
Und weinest oder lachst du?" —
"Ach, Wilhelm, du? — So spät
bei Nacht? —
110 Geweinet hab ich und gewacht;
Ach, grosses Leid erlitten!
Wo kommst du hergeritten?" —

"Wir satteln nur um Mitter-
nacht.
Weit ritt ich her von Böhmen.
115 Ich habe spät mich aufgemacht,
Und will dich mit mir neh-
men." —
"Ach, Wilhelm, erst herein
geschwind!
Den Hagedorn durchsaust der
Wind,
Herein, in meinen Armen,
120 Herzliebster, zu erwarmen!" —

"Lass sausen durch den Hage-
dorn,
Lass sausen, Kind, lass sausen!
Der Rappe scharrt, es klirrt der
Sporn,
Ich darf allhier nicht hausen.
125 Komm, schürze, spring und
schwinge dich
Auf meinen Rappen hinter mich!
Muss heut noch hundert Meilen
Mit dir ins Brautbett eilen." —

"Ach, wolltest hundert Meilen
noch
130 Mich heut ins Brautbett tragen?
Und horch! es brummt die
Glocke noch,
Die elf schon angeschlagen." —

"Sieh hin, sieh her! der Mond
scheint hell.
Wir und die Toten reiten schnell.
Ich bringe dich, zur Wette,   135
Noch heut ins Hochzeitbette." —

"Sag' an, wo ist dein Kämmer-
lein?
Wo? Wie dein Hochzeitbett-
chen?" —
"Weit, weit von hier! — Still,
kühl und klein! —
Sechs Bretter und zwei Brett-
chen!" —   140
"Hat's Raum für mich?" —
"Für dich und mich!
Komm, schürze, spring und
schwinge dich!
Die Hochzeitgäste hoffen;
Die Kammer steht uns offen." —

Schön Liebchen schürzte, sprang
und schwang   145
Sich auf das Ross behende;
Wohl um den trauten Reiter
schlang
Sie ihre Lilienhände.
Und hurre hurre, hop hop hop,
Ging's fort im sausenden Galopp, 150
Dass Ross und Reiter schnoben,
Und Kies und Funken stoben.

Zur rechten und zur linken Hand
Vorbei vor ihren Blicken,
Wie flogen Anger, Heid' und
Land!   155
Wie donnerten die Brücken!
"Graut Liebchen auch? — Der
Mond scheint hell!
Hurra! die Toten reiten schnell!

Graut Liebchen auch vor Toten?" —
160 "Ach, nein! — Doch lass die
Toten!"

Was klang dort für Gesang und
Klang?
Was flatterten die Raben?
Horch Glockenklang! horch
Totensang:
"Lasst uns den Leib begraben!"
165 Und näher zog ein Leichenzug,
Der Sarg und Totenbahre trug.
Das Lied war zu vergleichen
Dem Unkenruf in Teichen.

"Nach Mitternacht begrabt den
Leib,
170 Mit Klang und Sang und Klage!
Jetzt führ' ich heim mein junges
Weib.
Mit, mit zum Brautgelage!
Komm, Küster, hier! Komm
mit dem Chor,
Und gurgle mir das Brautlied
vor!
175 Komm, Pfaff, und sprich den
Segen,
Eh wir zu Bett uns legen!" —

Still Klang und Sang. — Die
Bahre schwand. —
Gehorsam seinem Rufen,
Kam's hurre hurre! nachge-
rannt,
180 Hart hinters Rappen Hufen.
Und immer weiter, hop hop
hop!
Ging's fort im sausenden Ga-
lopp,

Dass Ross und Reiter schnoben,
Und Kies und Funken stoben.

Wie flogen rechts, wie flogen
links   185
Gebirge, Bäum' und Hecken!
Wie flogen links, und rechts, und
links
Die Dörfer, Städt' und Flecken!
"Graut Liebchen auch? — Der
Mond scheint hell!
Hurra! die Toten reiten schnell! 190
Graut Liebchen auch vor To-
ten?" —
"Ach! Lass sie ruhn, die To-
ten!" —

Sieh da! sieh da! Am Hoch-
gericht
Tanzt' um des Rades Spindel
Halb sichtbarlich, bei Monden-
licht,   195
Ein lustiges Gesindel. —
"Sasa! Gesindel, hier! Komm
hier!
Gesindel, komm und folge mir!
Tanz uns den Hochzeitreigen,
Wann wir zu Bette steigen!" — 200

Und das Gesindel husch husch
husch!
Kam hinten nachgeprasselt,
Wie Wirbelwind am Haselbusch
Durch dürre Blätter rasselt.
Und weiter, weiter, hop hop
hop!   205
Ging's fort im sausenden Ga-
lopp,
Dass Ross und Reiter schnoben,
Und Kies und Funken stoben.

Wie flog, was rund der Mond
  beschien,
210 Wie flog es in die Ferne!
Wie flogen oben über hin
Der Himmel und die Sterne! —
"Graut Liebchen auch? — Der
  Mond scheint hell!
Hurra! die Toten reiten schnell!
215 Graut Liebchen auch vor To-
  ten?" —
"O weh, lass ruhn die Toten!"—

"Rapp'! Rapp'! Mich dünkt,
    der Hahn schon ruft. —
Bald wird der Sand verrinnen —
Rapp'! Rapp'! Ich wittre
  Morgenluft —
220 Rapp'! Tummle dich von
  hinnen! —
Vollbracht, vollbracht ist unser
  Lauf!
Das Hochzeitbette tut sich auf!
Die Toten reiten schnelle!
Wir sind, wir sind zur Stelle!"—

225 Rasch auf ein eisern Gittertor
Ging's mit verhängtem Zügel.
Mit schlanker Gert' ein Schlag
  davor
Zersprengte Schloss und Riegel.
Die Flügel flogen klirrend auf,
230 Und über Gräber ging der
  Lauf.
Es blinkten Leichensteine
Rund um im Mondenscheine.

Ha sieh! Ha sieh! im Augen-
  blick
Huhu! ein grässlich Wunder!
Des Reiters Koller, Stück für
  Stück,   235
Fiel ab wie mürber Zunder.
Zum Schädel, ohne Schopf und
  Zopf,
Zum nackten Schädel ward sein
  Kopf;
Sein Körper zum Gerippe,
Mit Stundenglas und Hippe. 240

Hoch bäumte sich, wild schnob
  der Rapp',
Und sprühte Feuerfunken;
Und hui! war 's unter ihr
  hinab
Verschwunden und versunken.
Geheul! Geheul aus hoher Luft, 245
Gewinsel kam aus tiefer Gruft.
Lenorens Herz, mit Beben,
Rang zwischen Tod und Leben.

Nun tanzten wohl bei Mon-
  denglanz,
Rund um herum im Kreise,   250
Die Geister einen Kettentanz,
Und heulten diese Weise:
"Geduld! Geduld! Wenn's
  Herz auch bricht!
Mit Gott im Himmel hadre
  nicht!
Des Leibes bist du ledig;   255
Gott sei der Seele gnädig!"

LXXVIII. FRIEDRICH SCHILLER

1759–1805. The more important work of Schiller falls without the limit set for this book. His contribution to the literature of revolution begins with the *Robbers* (1781), a fierce castigation of the social order, and ends with *Cabal and Love* (1784), which is the only family tragedy of that time that has survived on the stage. The dramatic genius which was to give Schiller the supreme place in the history of the German theater appears full-fledged in his early plays, not, however, his self-control, his wisdom, or his knowledge of human nature.

1
Lied Amaliens.

Schön wie Engel, voll Walhallas Wonne,
Schön vor allen Jünglingen war er,
Himmlisch mild sein Blick, wie Maiensonne
Rückgestrahlt vom blauen Spiegelmeer.

5   Seine Küsse — paradiesisch Fühlen!
Wie zwo Flammen sich ergreifen, wie
Harfentöne in einander spielen
Zu der himmelvollen Harmonie, —

Stürzten, flogen, schmolzen Geist und Geist zusammen,
10   Lippen, Wangen brannten, zitterten, —
Seele rann in Seele — Erd' und Himmel schwammen
Wie zerronnen um die Liebenden!

Er ist hin — vergebens, ach, vergebens
Stöhnet ihm der bange Seufzer nach!
15   Er ist hin, und alle Lust des Lebens
Wimmert hin in ein verlorenes Ach!

2
Die Entzückung an Laura.

Laura, über diese Welt zu flüchten
Wähn' ich — mich in Himmelmaienglanz zu lichten,
Wenn dein Blick in meine Blicke flimmt;
Ätherlüfte träum' ich einzusaugen,
5   Wenn mein Bild in deiner sanften Augen
Himmelblauem Spiegel schwimmt.

Leierklang aus Paradieses Fernen,
Harfenschwung aus angenehmern Sternen,
Ras' ich in mein trunknes Ohr zu ziehn;
Meine Muse fühlt die Schäferstunde, 10
Wenn von deinem wollustheissen Munde
Silbertöne ungern fliehn.

Amoretten seh' ich Flügel schwingen,
Hinter dir die trunknen Fichten springen,
Wie von Orpheus' Saitenruf belebt; 15
Rascher rollen um mich her die Pole,
Wenn im Wirbeltanze deine Sohle
Flüchtig, wie die Welle, schwebt.

Deine Blicke, wenn sie Liebe lächeln,
Könnten Leben durch den Marmor fächeln, 20
Felsenadern Pulse leihn;
Träume werden um mich her zu Wesen,
Kann ich nur in deinen Augen lesen:
Laura, Laura mein!

3

From the 'Robbers,' Act 3, Scene 2.

Gegend an der Donau.

DIE RÄUBER,[1] gelagert auf einer Anhöhe unter Bäumen, die Pferde weiden am Hügel hinunter.

MOOR. Hier muss ich liegen bleiben (*wirft sich auf die Erde*). Meine Glieder wie abgeschlagen. Meine Zunge trocken, wie eine Scherbe. (*Schweizer verliert sich unbemerkt.*) Ich wollt' euch bitten, mir eine Handvoll Wassers aus diesem Strome zu holen; aber ihr seid alle matt bis in den Tod. 5

SCHWARZ. Auch ist der Wein all in unsern Schläuchen.

MOOR. Seht doch, wie schön das Getreide steht! — Die Bäume brechen fast unter ihrem Segen — der Weinstock voll Hoffnung.

---

[1] Count Karl Moor, having been cast off by his father, through the machinations of his villainous younger brother Franz, has declared war on society and become captain of a band of robbers. But he is no selfish criminal, and his better nature often asserts itself, as in this scene.

GRIMM. Es gibt ein fruchtbares Jahr.

10 MOOR. Meinst du? — Und so würde doch Ein Schweiss in der Welt bezahlt. Einer? — Aber es kann ja über Nacht ein Hagel fallen und alles zu Grund schlagen.

SCHWARZ. Das ist leicht möglich. Es kann alles zu Grund gehen, wenig Stunden vorm Schneiden.

15 MOOR. Das sag' ich ja. Es wird alles zu Grund gehen. Warum soll dem Menschen das gelingen, was er von der Ameise hat, wenn ihm das fehlschlägt, was ihn den Göttern gleich macht? — Oder ist hier die Mark seiner Bestimmung?

SCHWARZ. Ich kenne sie nicht.

20 MOOR. Du hast gut gesagt und noch besser getan, wenn du sie nie zu kennen verlangtest! — Bruder — ich habe die Menschen gesehen, ihre Bienensorgen und ihre Riesenprojekte — ihre Götterpläne und ihre Mäusegeschäfte, das wundersame Wettrennen nach Glückseligkeit; — dieser dem Schwung seines Rosses anvertraut — 25 ein anderer der Nase eines Esels — ein dritter seinen eignen Beinen; dieses bunte Lotto des Lebens, worein so mancher seine Unschuld und — seinen Himmel setzt, einen Treffer zu haschen, und — Nullen sind der Auszug — am Ende war kein Treffer darin. Es ist ein Schauspiel, Bruder, das Tränen in die Augen lockt, wenn es dein 30 Zwerchfell zu Gelächter kitzelt.

SCHWARZ. Wie herrlich die Sonne dort untergeht!

MOOR (*in den Blick verschwemmt*). So stirbt ein Held! — Anbetungswürdig!

GRIMM. Du scheinst tief gerührt.

35 MOOR. Da ich noch ein Bube war — war's mein Lieblingsgedanke, wie sie zu leben, zu sterben wie sie — (*Mit verbissenem Schmerz*) Es war ein Bubengedanke!

GRIMM. Das will ich hoffen.

MOOR (*drückt den Hut übers Gesicht*). Es war eine Zeit — Lasst 40 mich allein, Kameraden!

SCHWARZ. Moor! Moor! Was zum Henker! Wie er seine Farbe verändert!

GRIMM. Alle Teufel! Was hat er? Wird ihm übel?

MOOR. Es war eine Zeit, wo ich nicht schlafen konnte, wenn ich 45 mein Nachtgebet vergessen hatte —

GRIMM. Bist du wahnsinnig? Willst du dich von deinen Buben-
jahren hofmeistern lassen?

MOOR *(legt sein Haupt auf Grimms Brust)*. Bruder! Bruder!

GRIMM. Wie? Sei doch kein Kind! Ich bitte dich —

MOOR. Wär' ich's, — wär' ich's wieder!   50

GRIMM. Pfui! Pfui!

SCHWARZ. Heitre dich auf! Sieh diese malerische Landschaft
— den lieblichen Abend.

MOOR. Ja, Freunde, diese Welt ist so schön.

SCHWARZ. Nun, das war wohl gesprochen.   55

MOOR. Diese Erde so herrlich.

GRIMM. Recht — recht — so hör' ich's gerne.

MOOR *(zurückgesunken)*. Und ich so hässlich auf dieser schönen
Welt — und ich ein Ungeheuer auf dieser herrlichen Erde.

GRIMM. O weh! o weh!   60

MOOR. Meine Unschuld! Meine Unschuld! — Seht, es ist alles
hinausgegangen, sich im friedlichen Strahl des Frühlings zu sonnen
— warum ich allein die Hölle saugen aus den Freuden des Himmels? — Dass alles so glücklich ist, durch den Geist des Friedens
alles so verschwistert! — Die ganze Welt Eine Familie, und Ein 65
Vater dort oben — Mein Vater nicht — Ich allein der Verstossene,
ich allein ausgemustert aus den Reihen der Reinen — mir nicht der
süsse Name Kind — nimmer mir der Geliebten schmachtender
Blick — nimmer, nimmer des Busenfreunds Umarmung! *(Wild
zurückfahrend)* Umlagert von Mördern — von Nattern umzischt — 70
angeschmiedet an das Laster mit eisernen Banden — hinaus-
schwindelnd ins Grab des Verderbens auf des Lasters schwankendem
Rohr — mitten in den Blumen der glücklichen Welt ein heulender
Abbadona!

SCHWARZ *(zu den übrigen)*. Unbegreiflich! Ich habe ihn nie so 75
gesehen.

GRIMM *(zu den andern)*. Nur Geduld! Der Paroxysmus ist schon
im Fallen.

MOOR. Es war eine Zeit, wo sie mir so gern flossen — o ihr Tage
des Friedens! Du Schloss meines Vaters — ihr grünen schwär- 80
merischen Täler! O all ihr Elysiumszenen meiner Kindheit! —
Werdet ihr nimmer zurückkehren — nimmer mit köstlichem Säuseln

meinen brennenden Busen kühlen? — Dahin! dahin! unwieder-
bringlich!

4

From 'Cabal and Love,' Act 1, Scene 4.

FERDINAND VON WALTER. LOUISE.[1]

(*Er fliegt auf sie zu — sie sinkt entfärbt und matt auf einen Sessel
— er bleibt vor ihr stehen — sie sehen sich eine Zeitlang stillschweigend
an. Pause.*)

FERDINAND. Du bist blass, Louise?

5   LOUISE (*steht auf und fällt ihm um den Hals*). Es ist nichts!
nichts! Du bist ja da! Es ist vorüber!

FERDINAND (*ihre Hand nehmend und zum Munde führend*). Und
liebt mich meine Louise noch? Ich fliege nur her, will sehen, ob
du heiter bist, und gehn und es auch sein. — Du bist's nicht.

10   LOUISE. Doch, doch, mein Geliebter.

FERDINAND. Rede mir Wahrheit! Du bist's nicht. Ich schaue
durch deine Seele wie durch das klare Wasser dieses Brillanten.
(*Er zeigt auf seinen Ring.*) Hier wirft sich kein Bläschen auf, das
ich nicht merkte — kein Gedanke tritt in dies Angesicht, der mir
15 entwischte. Was hast du? Geschwind! Weiss ich nur diesen
Spiegel helle, so läuft keine Wolke über die Welt. Was bekümmert
dich?

LOUISE (*sieht ihn eine Weile stumm und bedeutend an, dann mit
Wehmut*). Ferdinand! Ferdinand! Dass du noch wüsstest, wie
20 schön in dieser Sprache das bürgerliche Mädchen sich ausnimmt —

FERDINAND. Was ist das? (*Befremdet*) Mädchen! Höre! Wie
kommst du auf das? — Du bist meine Louise! Wer sagt dir, dass
du noch etwas sein solltest? Siehst du, Falsche, auf welchem Kalt-
sinn ich dir begegnen muss. Wärest du ganz nur Liebe für mich,
25 wann hättest du Zeit gehabt, eine Vergleichung zu machen? Wenn
ich bei dir bin, zerschmilzt meine Vernunft in einen Blick — in einen
Traum von dir, wenn ich weg bin, und du hast noch eine Klugheit

---

[1] Louise is the daughter of a middle-class musician. She has not yet heard
of any plot (the 'cabal' comes later) to separate her from her noble lover, whose
intentions are honorable; but her father's uneasiness and her own instinctive
class-feeling fill her with dismay.

neben deiner Liebe? — Schäme dich! Jeder Augenblick, den du an diesen Kummer verlorst, war deinem Jüngling gestohlen.

LOUISE (*fasst seine Hand, indem sie den Kopf schüttelt*). Du 30 willst mich einschläfern, Ferdinand — willst meine Augen von diesem Abgrund hinweglocken, in den ich ganz gewiss stürzen muss. Ich seh' in die Zukunft — die Stimme des Ruhms — deine Entwürfe — dein Vater — mein Nichts. (*Erschrickt und lässt plötzlich seine Hand fahren.*) Ferdinand! Ein Dolch über dir und mir! — Man 35 trennt uns!

FERDINAND. Trennt uns! (*Er springt auf.*) Woher bringst du diese Ahnung, Louise? Trennt uns? — Wer kann den Bund zwoer Herzen lösen oder die Töne eines Akkords auseinander reissen? — Ich bin ein Edelmann — Lass doch sehen, ob mein Adelsbrief älter 40 ist als der Riss zum unendlichen Weltall? oder mein Wappen giltiger als die Handschrift des Himmels in Louisens Augen: dieses Weib ist für diesen Mann? — Ich bin des Präsidenten Sohn. Eben darum. Wer als die Liebe kann mir die Flüche versüssen, die mir der Landeswucher meines Vaters vermachen wird? 45

LOUISE. O wie sehr fürcht' ich ihn — diesen Vater!

FERDINAND. Ich fürchte nichts — nichts — als die Grenzen deiner Liebe! Lass auch Hindernisse wie Gebirge zwischen uns treten, ich will sie für Treppen nehmen und drüber hin in Louisens Arme fliegen. Die Stürme des widrigen Schicksals sollen meine Empfindung empor- 50 blasen, Gefahren werden meine Louise nur reizender machen. — Also nichts mehr von Furcht, meine Liebe! Ich selbst — ich will über dir wachen, wie der Zauberdrach über unterirdischem Golde. — Mir vertraue dich! Du brauchst keinen Engel mehr — Ich will mich zwischen dich und das Schicksal werfen — empfangen für dich 55 jede Wunde — auffassen für dich jeden Tropfen aus dem Becher der Freude — dir ihn bringen in der Schale der Liebe. (*Sie zärtlich umfassend*) An diesem Arm soll meine Louise durchs Leben hüpfen; schöner als er dich von sich liess soll der Himmel dich wieder haben und mit Verwunderung eingestehen, dass nur die Liebe 60 die letzte Hand an die Seelen legte. —

LOUISE (*drückt ihn von sich in grosser Bewegung*). Nichts mehr! Ich bitte dich, schweig! — Wüsstest du — lass mich — Du weisst nicht, dass deine Hoffnungen mein Herz wie Furien anfallen. (*Will fort.*)

65 FERDINAND (*hält sie auf*). Louise? Wie? Was? Welche An-
wandlung?

LOUISE. Ich hatte diese Träume vergessen und war glücklich —
jetzt! Jetzt! Von heut an! — der Friede meines Lebens ist aus —
Wilde Wünsche — ich weiss es — werden in meinem Busen rasen.
70 — Geh — Gott vergebe dir's! — Du hast den Feuerbrand in mein
junges friedsames Herz geworfen, und er wird nimmer, nimmer
gelöscht werden. (*Sie stürzt hinaus. Er folgt ihr sprachlos nach.*)

5

***From a Discourse on the Theater, read before the German Society of Mannheim
in 1784.***

Noch ein Verdienst hat die Bühne — ein Verdienst, das ich jetzt
um so lieber in Anschlag bringe, weil ich vermute, dass ihr Rechts-
handel mit ihren Verfolgern ohnehin schon gewonnen sein wird.
Was bisher zu beweisen unternommen worden, dass sie auf Sitten
5 und Aufklärung wesentlich wirke, war zweifelhaft — dass sie unter
allen Erfindungen des Luxus und allen Anstalten zur gesellschaft-
lichen Ergötzlichkeit den Vorzug verdiene, haben selbst ihre Feinde
gestanden. Aber was sie hier leistet, ist wichtiger als man gewöhnt
ist zu glauben.
10 Die menschliche Natur erträgt es nicht, ununterbrochen und ewig
auf der Folter der Geschäfte zu liegen, die Reize der Sinne sterben
mit ihrer Befriedigung. Der Mensch, überladen von tierischem
Genuss, der langen Anstrengung müde, vom ewigen Triebe nach
Tätigkeit gequält, dürstet nach bessern auserlesenern Vergnügungen,
15 oder stürzt zügellos in wilde Zerstreuungen, die seinen Hinfall be-
schleunigen und die Ruhe der Gesellschaft zerstören. Bacchantische
Freuden, verderbliches Spiel, tausend Rasereien, die der Müssiggang
ausheckt, sind unvermeidlich, wenn der Gesetzgeber diesen Hang
des Volkes nicht zu lenken weiss. Der Mann von Geschäften ist in
20 Gefahr, ein Leben, das er dem Staat so grossmütig hinopferte, mit
dem unseligen Spleen abzubüssen — der Gelehrte zum dumpfen
Pedanten herabzusinken — der Pöbel zum Tier. Die Schaubühne
ist die Stiftung, wo sich Vergnügen mit Unterricht, Ruhe mit Anstrengung, Kurzweil mit Bildung gattet, wo keine Kraft der Seele
25 zum Nachteil der andern gespannt, kein Vergnügen auf Unkosten

des Ganzen genossen wird. Wenn Gram an dem Herzen nagt, wenn
trübe Laune unsre einsamen Stunden vergiftet, wenn uns Welt und
Geschäfte anekeln, wenn tausend Lasten unsre Seele drücken, und
unsre Reizbarkeit unter Arbeiten des Berufs zu ersticken droht, so
empfängt uns die Bühne — in dieser künstlichen Welt träumen wir 30
die wirkliche hinweg, wir werden uns selbst wiedergegeben, unsre
Empfindung erwacht, heilsame Leidenschaften erschüttern unsre
schlummernde Natur und treiben das Blut in frischeren Wallungen.
Der Unglückliche weint hier mit fremdem Kummer seinen eignen
aus — der Glückliche wird nüchtern und der Sichere besorgt. Der 35
empfindsame Weichling härtet sich zum Manne, der rohe Unmensch
fängt hier zum ersten Mal zu empfinden an. Und dann endlich —
welch ein Triumph für dich, Natur! — so oft zu Boden getretene, so
oft wieder auferstehende Natur! — wenn Menschen aus allen
Kreisen und Zonen und Ständen, abgeworfen jede Fessel der Künste- 40
lei und der Mode, herausgerissen aus jedem Drange des Schicksals,
durch Eine allwebende Sympathie verbrüdert, in Ein Geschlecht
wieder aufgelöst, ihrer selbst und der Welt vergessen und ihrem himmlischen Ursprung sich nähern! Jeder einzelne geniesst die Entzückungen aller, die verstärkt und verschönert aus hundert Augen 45
auf ihn zurückfallen, und seine Brust gibt jetzt nur Einer Empfindung
Raum — es ist diese: ein Mensch zu sein.

END OF PART SECOND